W9-BNG-215

La Célibataire

Carrie Adams

La Célibataire

Les enfants, c'est super !
Surtout... ceux des autres !

Traduit de l'anglais par Sabine Boulongne

calmann-lévy

Titre original anglais :
THE GODMOTHER
Première publication :
Headline Review, Headline Book Publishing, 2006

ISBN 978-2-7021-3836-6

À Tiffy et Jokey
Merci d'être mes filets de sécurité.

1

L'angoisse !

Je compris que la roue avait tourné quand on me gratifia d'une place en classe affaires lors de mon voyage de retour. Le vol passa trop vite à cause de mon voisin, un type bizarre, cousu d'or. En gagnant la salle de transit, il prononça des mots qui ne s'oublient pas : « Si jamais vous venez un jour à Vladivostok… » Je l'écartai d'un geste, posai mon sac à roulettes à terre et m'apprêtai à rentrer au bercail après cinq semaines passées à lécher mes plaies et à sonder mon âme.

Ça y était. Le moment était venu de repartir de zéro. J'avais passé une année atroce, mais j'avais avalé la pilule. On était seulement en septembre ; j'avais décidé de me caler sur un calendrier d'étudiant. N'importe quoi pour différencier le présent du passé. Une nouvelle année. Un nouveau départ. Un nouveau moi. Tessa King était de retour. Je souriais à tout le monde. Prodiguant de l'amour et savourant le bonheur d'être en vie. Le douanier m'examina d'un œil méfiant et entreprit de fouiller mon sac de fond en comble. Ça m'était égal. Rien ne gâcherait mon retour. N'ayant trouvé que des vêtements infects et des cadeaux pour mes filleuls, il me laissa partir. Je courais presque en atteignant les portes en verre coulissantes. Un sourire béat flottait aux coins de ma bouche, prêt à s'épanouir dès l'instant où j'apercevrais mon comité d'accueil. Les portes s'ouvrirent. Je franchis le seuil et braillai « Salut ! » à une femme que je n'avais jamais vue de ma vie.

« Désolée, m'excusai-je. Je vous ai prise pour une amie. »

Francesca aurait été mortifiée. Cette femme était plus âgée, plus petite et elle portait du velours râpé. Je regardai autour de moi pour m'assurer que j'étais bien là où je pensais être. Pas de doute. Mais Francesca, elle, n'était pas là.

Je devais me tromper. Francesca et moi avions tout organisé d'avance, le jour de mon pitoyable départ. Ma meilleure amie depuis l'université avait promis de s'arracher au carcan familial pour gaspiller un après-midi à boire du vin et à rattraper le temps perdu en ma compagnie. Le simple fait d'imaginer ce moment m'avait permis de tenir le coup ces cinq dernières semaines. Je jetai un nouveau coup d'œil à la ronde, passant en revue les visages de gens qui détournaient les yeux et de chauffeurs brandissant des pancartes qui, eux, braquaient leur regard sur moi. Je n'arrivais pas à me faire à l'idée qu'aucun visage ami ne m'attendait et je continuais à sourire à des quidams qui ne voulaient pas de mes sourires. J'étais peut-être en avance ? Je consultai ma montre, sachant pertinemment que j'étais pile à l'heure.

Pour finir, je me résignai à mon sort et mon sourire s'effaça. Je m'assis sur ma valise tandis que, tout autour de moi, des voyageurs se jetaient dans les bras d'êtres chers. Je choisis d'ignorer les nombreux autres qui filaient seuls vers les trains et les bus. Je ne voulais pas voir ça. J'étais partie en Inde dans l'espoir de me sortir du pétrin et j'étais convaincue d'avoir réussi. Une chaleur poivrée me picotait les yeux. Bon sang, combien d'uddiyana bandhas allait-il me falloir ?

« Tessa, par ici, Tessa ! »

Je regardai fixement mon portable en me demandant si j'allais avoir le courage de me coltiner l'équivalent d'un mois de messages pour trouver celui que Francesca m'avait peut-être laissé, si elle n'avait pas complètement oublié.

« TESSA ! »

C'était mon nom, mais une voix d'homme, de sorte que je ne réagis pas.

« TESSA, tu es sourde, ma vieille ! C'est Nick ! »

Je levai les yeux. Le mari de Francesca, rouge écarlate, agitait frénétiquement les bras dans ma direction. Nick et Francesca étaient ensemble depuis notre première année de fac. Dix-huit ans. Stupéfiant ! Je le connaissais aussi bien que Fran, et je me sentis aussitôt revivre.

« Salut. On est en retard. Désolé. La circulation. Je ne te raconte pas. Bref. Comment vas-tu ? Tu as une mine superbe. »

On ? Francesca était-elle là ? Qui s'occupait des enfants ? Et puis j'aperçus Caspar, mon filleul de quinze ans. Le fait d'avoir un filleul qui commençait à prendre des allures d'homme était alarmant, mais il s'était invité de bonne heure à la fête et je m'émerveillais toujours de la décision courageuse que Nick et Francesca avaient prise de garder le bébé et de risquer le coup. Caspar me rappelait surtout mes déficiences ces temps-ci. Il s'approchait de moi avec des allures de pantin. Nous sommes très proches, mon filleul et moi. Je lâchai mon sac et ouvris grands les bras. Il n'y avait pas si longtemps, il aurait traversé l'aéroport au pas de course pour venir se blottir contre ma poitrine. Mais il allait avoir seize ans ; les temps changent. Je n'avais pas encore conscience à quel point.

« Salut, don Juan, tu n'arrêtes pas de pousser, dis-moi... »

Je vis le sourire dans ses yeux, mais rien d'autre ne changea dans son comportement. Il n'empêche que tous ses sens étaient en éveil. Une attitude défensive ne saurait m'échapper. Cela faisait des mois que je fonctionnais sur ce mode-là. Je baissai les bras.

« Tu seras peut-être content d'apprendre que nous avons fait une escale de quatre heures à Dubaï.

– Hein ?

– Les Émirats. – Pas l'ombre d'une réaction. – Le Moyen-Orient ? Ça te dit quelque chose ?

– Ouais, grommela-t-il entre ses dents.

– Essaie d'articuler, Caspar, lança Nick.

– Eh bien, repris-je pour couper court à une éventuelle rébellion d'adolescent, c'est la capitale mondiale du shopping. Tout est détaxé. iPod compris. »

Cela me valut son attention. Caspar voulait un iPod depuis leur arrivée sur le marché. Mais Nick ne gagne pas suffisamment bien sa vie pour ce genre de choses et Francesca ne travaille pas. Et c'est là que moi, la marraine gâteau, j'interviens. Pas étonnant qu'il m'aime bien… Ça se comprend.

« C'est ton anniversaire le week-end prochain, non ?

– Ouais.

– Eh bien, figure-toi qu'on a tellement copiné, le vendeur et moi, qu'il m'a donné une photo de ses gosses. Qui, d'ailleurs, vivent dans un autre pays et ne voient leur père que tous les deux ans. Juste au cas où tu serais d'humeur à t'apitoyer sur ton sort.

– Je me tape déjà assez de ces conneries sur le tiers-monde à la maison, merci », riposta Caspar en s'éloignant d'une démarche chaloupée.

Je dévisageai Nick, bouche bée. Démarche chaloupée ? Impertinence ? Je ne reconnaissais pas mon filleul.

Nick secoua la tête en soupirant, puis à voix basse :

« Il devient insupportable, je suis désolé. Fran mourait d'envie de venir te chercher, je te jure, mais quelqu'un à l'école a interverti des anniversaires. Elle a dû avancer la fête de Katie de trois semaines et la mettre à demain.

– Interverti des anniversaires ?

– Ne me pose pas de questions. On nous a damé le pion.

– Vous avez raté une vente ? demandai-je, ne suivant plus très bien.

– Euro Disney.

– Est-ce que ça va, Nick ? »

Il fit la grimace. Me rappelant Caspar. Me rappelant le Nick que j'avais rencontré jadis à la bibliothèque, jeune homme boutonneux de dix-neuf ans, flanqué d'une Francesca tout émoustillée, les yeux comme des soucoupes. Je ne comprenais pas ce qui l'attirait chez lui au départ, ce qui est probablement une bonne chose. Depuis lors ils étaient devenus inséparables. Ils étaient faits l'un pour l'autre, ces deux-là, pas de doute. Quinze jours après la rentrée en troisième année, Francesca s'était pointée chez moi en larmes. Elle était enceinte de deux mois. Quand je regarde les photos maintenant, je me dis que, même si on se prenait pour des adultes à l'époque, on était des enfants. C'était une sacrée responsabilité qu'ils s'étaient mise sur le dos.

« Ça va, me répondit Nick. C'est juste que les anniversaires ne se passent plus comme avant. Tu sais ce que c'est… »

C'est un des trucs que je trouve bizarre chez mes amis. Ils partent tous du principe que je sais ce que c'est ! Comment voulez-vous que je le sache ? Je n'ai pas d'enfants. Je n'ai même pas de poisson rouge. Je sais une chose, toutefois, c'est que la famille passe avant tout. J'appelle ça « perdue dans le monde des Schtroumpfs ». J'étais partie cinq semaines et malgré tout ce qui s'était passé, Francesca n'avait pas trouvé le moyen de s'échapper une journée. Ce n'était pourtant pas une novice. On ne pouvait pas dire qu'elle n'avait pas un partenaire compréhensif. Sans compter qu'elle avait eu cinq semaines de préavis.

« Ce n'est pas grave, mentis-je. Ça t'ennuie si je prends un café avant qu'on se mette en route ? »

J'avais besoin d'un fortifiant. Autant pour moi. Moins d'une heure sur le sol britannique et j'avais déjà repris mes habitudes de droguée.

« Pas de problème. Je te l'offre », répondit Nick.

Je m'approchai de l'endroit où Caspar s'était affalé sur plusieurs sièges et lui tendis mes bagages.

« Garde ça pour moi pendant que ton père et moi allons boire un café. »

Je fis volte-face avant qu'il ait le temps de protester et allai retrouver Nick.

« Navré de ce triste accueil », me dit-il en jetant un coup d'œil à son râleur de fils.

Impossible de trouver une réponse aimable. Plus tard, je me rendrais compte que Caspar avait fêté mon retour à sa manière. En se servant dans mon portefeuille.

Une fois installée dans la vieille Volvo toute cabossée, j'eus l'impression de n'être jamais partie. Était-ce une nouvelle peau de banane coincée sous le frein à main ou celle qui s'y trouvait le jour où j'avais pris la poudre d'escampette pour aller me purifier l'âme ? Je dénombrai sept minibriques de jus de fruits à mes pieds, un dessin, une lettre de rappel de British Telecom et une règle. Des déchets ménagers. Je n'étais pas mécontente de laisser ça aux autres. Seulement, j'avais eu un bon bout de temps de tranquillité pour réfléchir à ce que je voulais vraiment. Et voilà que le bazar à mes pieds commençait à moins ressembler à des immondices et davantage à un collage évocateur d'une vie heureuse et bien remplie.

Il ne me fallut pas longtemps pour comprendre que le père et le fils ne s'adressaient plus la parole. Seulement moi, je vivais depuis des semaines dans un silence contemplatif, j'étais shootée à la caféine et je souffrais de logorrhée. Je leur parlai donc des autres participants à la retraite de yoga et des multiples positions embarrassantes dans lesquelles je m'étais trouvée. Caspar, qui partageait en temps normal tous ses secrets et ceux de ses camarades de classe avec moi, ne disait pas un mot et faisait mine de ne pas écouter. Son petit visage buté acheva de m'énerver.

« Le pire, ça a été le moment où j'ai pété au milieu d'une délicate posture d'équilibre. J'ai éclaté de rire et je suis retombée au sol avec un bruit sourd pas franchement distingué. »

J'observai attentivement mon filleul dans le rétroviseur latéral. Ce coup-ci, il daigna se dérider. Son sourire discret me rassura. Encouragée, je repris mon récit et leur racontai les vaines avances dont j'avais fait l'objet de la part d'une petite Suisse qui en pinçait pour moi.

« Au départ, j'étais contente de m'être fait une amie. J'aurais dû me faire passer pour une junky friquée en voie de guérison, mère de deux gamins appelés Zébédée et Goutte de Rosée, mais je n'ai pas su m'y prendre. Avocats et hippies ne font pas bon ménage. Quoi qu'il en soit, cette Suisse m'est tombée dessus la deuxième semaine devant un bol de tofu et à ce stade, j'étais désespérée. Quand elle m'a dit qu'elle faisait des études de kiné et qu'elle avait besoin de s'exercer, je l'ai crue. Je n'ai même pas tiqué lorsqu'elle m'a suggéré de me mettre à poil parce que c'était plus facile pour masser les hanches. »

Cette fois-ci, j'avais brisé la glace.

« Et tu l'as fait ? demanda Caspar, incapable de se contenir plus longtemps.

– Bien sûr.

– Que s'est-il passé ? voulut savoir Nick.

– Elle m'a dit que mon chakra sexuel était bloqué et qu'elle voulait travailler plus en profondeur.

– Oh, non, ricana Caspar.

– Et si !

– Alors ? Que s'est-il passé ? insista Nick d'un ton inquiet.

– Que crois-tu qu'il se soit passé, papa ? »

Nick avait l'air perplexe.

« Je n'en sais rien, moi.

– Je ne pense pas que nous devrions le lui dire, lançai-je à l'adresse de Caspar. Il n'est pas prêt.

– Il risque de ne jamais s'en remettre. Mais dis-moi tout de même, elle ne t'a pas… ? »

Caspar laissa sa question en suspens.

« Oh, que oui.

– Elle ne t'a pas quoi ? brailla Nick.

– Bon sang, qu'est-ce que tu as fait ? demanda Caspar, des années-lumière avant son père.

– Qu'est-ce que tu crois ?

– Tu t'es relevée et tu lui as cassé la gueule ?

– Non, je suis restée allongée là comme une bonne British bien coincée, et puis je lui ai dit “merci beaucoup, c'était intéressant”. Je me suis planquée le restant de la semaine. »

Caspar éclata de rire.

« Mauviette ! »

Nous poursuivîmes notre route, Caspar pouffant de rire par intermittence sur la banquette arrière jusqu'au moment où Nick s'exclama brusquement :

« Oh, mon Dieu ! Plus en profondeur. Elle a dit : *plus en profondeur.* »

Je me tournai vers Caspar et nous rîmes de plus belle. Nick avait enfin pigé. Puis une autre pensée lui vint à l'esprit.

« Comment sais-tu ces choses-là, jeune homme ? »

Ça me faisait toujours rire quand Nick s'efforçait d'être adulte.

« À mon avis, ce qu'un garçon de quinze ans ignore sur les cochoncetés que les filles font entre elles ne vaut pas la peine d'être connu », répondis-je à la place de son fils.

Ce commentaire me valut un sourire jusqu'aux oreilles et je me sentis de nouveau heureuse. Rien que pour ça, j'étais contente d'être de retour.

Nick s'arrêta devant mon immeuble. C'est un bâtiment moderne composé en grande partie d'appartements beaucoup plus luxueux que le mien, mais grâce à une heureuse initiative gouvernementale, je dispose d'un des deux studios que les promoteurs immobiliers sont contraints d'inclure de nos jours faute de quoi ils n'obtiennent pas de permis de construire. Je suis donc un élément-clé, bénéficiaire d'une vue sur le fleuve, et je vous le dis tout de go, bien qu'exigu, mon appartement est ma grande fierté.

Le concierge lorgna la Volvo marron déglinguée, me vit tout sourires à travers la vitre et agita les deux mains.

« Je suis tellement contente d'être là », m'écriai-je.

Nick et Caspar portèrent mes bagages dans le hall d'entrée paysagé tandis que je me laissais bichonner par Roman. Après mon vieil ami Ben, Roman était l'homme qui en savait le plus sur moi à ce stade de ma vie. Émigré géorgien au genou arthritique, proche de la soixantaine, c'est lui qui appelait la police quand mon ancien patron venait me harceler au beau milieu de la nuit. Qui bloquait la porte pour l'empêcher d'entrer. Qui apprit à reconnaître l'écriture de mon ex-boss et qui détournait cette prose torturée que le facteur apportait régulièrement en prenant soin de me prévenir. En plus il avait l'art de fermer les yeux sur les hommes de toutes tailles, formes et couleurs qui venaient me voir et repartaient dans la nuit. Il lui est arrivé d'appeler l'ascenseur quand je n'y voyais plus clair, et de m'ouvrir la porte de mon propre appartement en cas d'urgence.

« Ravie de vous revoir, mad'moiselle King. »

Il prit ma main et la secoua vigoureusement.

« Bonjour, Roman.

– Je comptais les jours. Tellement de choses à raconter… »

Roman et moi échangions souvent des ragots sur les autres occupants de l'immeuble.

« Je suis impatiente de tout savoir. »

Nick et Caspar comprirent le message.

« Bon, nous allons te confier aux bons soins de ce monsieur. Content que tu sois de retour parmi nous.

– Merci, Nick, répondis-je. Et merci d'être venus me chercher. Tu n'étais pas obligé.

– Je sais. Mais si je n'avais pas emmené Caspar loin de la maison, Francesca l'aurait tué. Qu'on soit allés à Heathrow ou ailleurs, c'était pareil. »

Je souris en me demandant s'il se rendait compte à quel point sa remarque était blessante. Bien sûr que non. C'était Nick, le type le plus doux que je connaissais. En attendant, j'en avais assez d'être le dernier recours pour tout le monde.

« Francesca va flipper si je ne lui dis pas que tu vas mieux, lança Nick en atteignant la porte d'entrée. Tu vas mieux ? Tu as récupéré ? »

Que voulait-il savoir ? Si j'avais digéré le fait d'avoir été mise sur la touche par les gamins de mon amie ? D'avoir été harcelée par mon patron ? D'être célibataire ? Inféconde ? Seule ?

« Oui, répondis-je en souriant. Tout à fait.

– Bon. Je le lui dirai. »

Il partit content. M'ayant crue sur parole.

Je glissai mon bras autour de la taille de Caspar.

« Je sais que tu en veux à tes parents pour je ne sais quelle raison, mais, s'il te plaît, souviens-toi que je ne suis pas ton ennemie. Et si ce n'est pas une raison suffisante pour être gentil avec moi, souviens-toi de l'iPod. »

L'espace d'une seconde, il inclina la tête vers mon épaule. J'y déposai un baiser.

« À samedi, marmonnai-je dans ses boucles. Sois sympa avec ta maman même si elle m'a posé un lapin et même si, en bonne égocentrique, elle a fait passer, une fois de plus, ses enfants avant mes penchants d'alcoolique. Et n'oublie pas, ce n'est pas parce que ton père ne regarde pas de films porno que c'est un mauvais type. »

Je plaisantais. Mais au fond, ce n'était peut-être pas si évident que ça aux yeux de Caspar.

Dès que la porte se referma, Roman posa sa pancarte « De retour dans cinq minutes » sur le bureau de la réception et prit ma valise.

« Madame B. au cinquième a finalement eu vent de ce que faisait son mari quand elle partait à la campagne. »

Madame B. était une femme corpulente qui exhalait toujours une vague odeur de labrador. Elle avait beau être une redoutable matrone à la poitrine opulente, je n'en condamnais pas moins mes trajets hebdomadaires dans l'ascenseur avec sa remplaçante plus jeune et plus svelte.

« C'était terrible. Elle est arrivée à l'improviste, elle a découvert l'autre femme ici et elle s'est effondrée en suppliant son mari de ne pas la quitter. Elle a fini par se retrouver dans ma cuisine à me parler des heures et des heures de son couple, de leur désespérante progéniture, de lui. Tant d'émotions, je n'aurais jamais cru ça possible. »

Nous étions dans l'ascenseur maintenant. J'appuyai sur le 11 et sentis monter en moi l'excitation d'être de retour au bercail.

« Elle n'avait probablement jamais fait autant de confidences à quelqu'un », soulignai-je, prenant conscience au moment où je le disais que j'aurais aussi bien pu parler de moi.

Roman fronça ses sourcils à la Norman Lamont.

« Seulement maintenant elle ne me regarde plus en face. »

Je posai une main rassurante sur son bras.

« Elle est anglaise. Ne le prenez pas personnellement. »

Il m'accompagna jusqu'à ma porte puis me considéra d'un air grave en tripotant sa moustache.

« Aucun signe de lui, m'informa mon garde du corps personnel. Il n'est pas venu une seule fois ! J'ai surveillé. »

Je déglutis.

« Il a laissé tomber pour de bon cette fois-ci, hein ? »

Je l'espérai sincèrement et brandis deux doigts croisés.

« Vous avez besoin de lait ? demanda-t-il. J'en ai en réserve.

– Non merci. J'irai faire des courses tout à l'heure. Merci, Roman. Ça fait vraiment plaisir de vous revoir. »

Il déposa mes bagages dans l'entrée, puis me laissa. J'étais chez moi.

Mon appartement est une sorte de boîte divisée en quatre zones. La première, à gauche de l'entrée, c'est la salle de bains. La seule pièce de la maison avec tout un pan de mur. J'ai alloué un quart de l'espace à la salle de bains. L'entrepreneur m'a prise pour une folle, mais je lui ai expliqué que j'adorais les salles de bains. C'est vrai, mais pour tout vous dire, j'avais conçu la mienne en pensant au sexe. J'avais fait poser des dalles antidérapage dans la douche – je ne voulais pas risquer de glisser au moment crucial. Il y a un chauffage au sol, une baignoire encastrée et tout est carrelé à part la série de placards à glaces au-dessus du lavabo. C'est une « pièce chaude », selon un humour à double sens à la Benny Hill. Malheureusement, elle n'a toujours pas été baptisée.

J'avais beaucoup réfléchi aux autres pièces aussi. Pendant un moment, j'ai été la reine des échantillons de papier peint. En définitive, j'ai tout peint en blanc, évidemment. Quoi qu'il en soit, la cuisine commence là où s'arrête le mur. Elle est délimitée par un bar. J'aime beaucoup les bars aussi. Le reste, c'est… le reste. Salon et chambre à coucher. Pas vraiment une chambre, juste un lit dissimulé derrière un petit mur bas qui fait aussi office de bibliothèque. J'adore les livres. Je n'arrive jamais à les jeter, même les mauvais. Mon appartement est peut-être un peu exigu, mais il se situe au sud-est de l'immeuble, et une grande baie vitrée court sur tout un côté de la boîte. La vue est spectaculaire.

Je me dirigeai vers la fenêtre et contemplai la masse tourbillonnante d'eaux brunes de la Tamise à trente mètres sous moi. Si différente des cours d'eau frais de Kerala, mais tout aussi belle, à sa manière. Oui, j'étais contente d'être de retour. Oui, j'étais remise. Les congés sabbatiques, c'est bien beau, mais on ne peut pas passer sa vie à fuir. Je savais que je devais défaire mes bagages, trier mes vêtements pour la lessive, aller faire des courses, mais à la place, je me laissai tomber sur le canapé et m'emparai du téléphone.

Mes parents habitent un petit cottage dans le Buckinghamshire. Ils se sont installés là-bas quand mon père a pris sa retraite, il y a des années maintenant. Mon père a largement dépassé les quatre-vingts ans, mais on ne dirait pas vraiment. Il a bu à la fontaine de jouvence. Ma mère, en revanche, n'a pas eu cette chance. Il y a dix ans, on lui a diagnostiqué une sclérose en plaques et, si elle ne se porte pas trop mal, c'est parce qu'elle prend grand soin de sa personne. Tout le monde lui avait dit que c'était de la folie d'épouser un homme de vingt ans son aîné parce qu'elle passerait sa vie à s'occuper d'un vieil invalide incontinent. La vie a l'art de nous contredire. Mes parents m'ont appris beaucoup de choses, notamment qu'on ne peut rien planifier dans l'existence parce qu'on ne sait jamais ce qui vous attend au tournant.

« Ma chérie, je suis tellement content que tu sois rentrée saine et sauve, dit mon père.

– Comment vas-tu ? Vous avez reçu mes lettres ?

– Elles étaient merveilleuses. J'avais presque l'impression d'y être ! J'ai toujours dit que tu avais un don pour l'écriture. »

J'ai un don pour tout. Normal. Je suis sa fille unique. Son unique enfant. Un jour, j'ai demandé à mes parents pourquoi ils n'en avaient pas eu plus, m'imaginant que cela dissimulait quelque obscur secret. Il s'avéra qu'ils n'en voulaient qu'un. On me demande souvent si ça me manque de ne pas avoir de frères et sœurs. Comment peut-on regretter quelque chose qu'on n'a jamais eu ? La seule chose dont je me souviens des fratries de mes copains d'enfance, c'étaient les bagarres. Alors, non, je ne peux pas dire que ça m'a manqué. Ça pourrait être le cas maintenant, si ce n'est que j'ai une bande d'amis qui font tout aussi bien l'affaire. Ce sont eux mes frères et sœurs. Nous sommes très liés. Je parlais encore quelques minutes avec mon père pour découvrir en définitive que ma pauvre maman attendait dans la voiture. Ils allaient voir des amis. Plutôt que de la faire revenir dans la maison pour l'avoir au bout du fil, je proposai d'appeler le lendemain matin. Je dis au revoir à papa, enhardie par la fierté que j'entendais toujours dans sa voix, puis je composai un autre numéro.

Billy est la mère de ma filleule, Cora, une petite fille tout à fait exceptionnelle. Le vrai nom de Billy, en polonais, est imprononçable. Je ne sais même pas pourquoi on l'a surnommée Billy. Toujours est-il que ça lui est resté. À vingt ans nous habitions sur le même palier et nous étions devenues tellement copines que lorsqu'un trois-pièces meilleur marché s'était libéré, nous avions décidé de nous installer ensemble. Tout avait basculé quand Christoph avait fait irruption dans nos vies pour voler le cœur de Billy avant d'entreprendre de le mutiler peu à peu.

Dans le minuscule appart de Kensal Rise, à l'autre bout de la ville, le téléphone de Billy devait s'être mis à sonner. Cora, la gamine de sept ans la plus avisée que j'aie jamais rencontrée, répondit.

« Allô. Vous êtes bien chez Billy et Cora Tarrenot.

– Salut, Cora. C'est ta marraine.

– Saluuuut ! Où t'étais passée ?

– J'étais en Inde.
– Le type à ton travail, il t'a poursuivie jusqu'à là-bas ?
– En un sens, oui.
– À pied ?
– Pas exactement. Tu as pensé à bien te brosser les dents ? »

Cora était tenace, mieux valait orienter la conversation sur un sujet qui la concernait davantage. En l'occurrence, l'hygiène.

« En vélo alors ? Ou bien est-ce qu'il a traversé l'océan Indien à la nage avec les baleines en migration ? »

À l'évidence, la curiosité que lui inspirait l'hygiène avait cédé la place à autre chose. Cinq semaines, c'est long dans la vie d'une fillette de sept ans. J'optai donc pour le thème qui marchait à tous les coups.

« Je t'ai rapporté un cadeau.
– Un éléphant avec des petites oreilles ?
– Comment tu sais ?
– Je suis bizarre, je sais. »

Cora me faisait toujours sourire. C'était plus fort qu'elle.

« C'est vrai, et c'est pour ça que je t'adore. Ta maman est là ?
– Elle est sortie, mais je peux te passer Magda si tu veux. »

Magda était la jeune fille au pair.

« Ce n'est pas la peine. Dis juste à ta maman que j'ai appelé.
– D'accord », répondit Cora avant de me raccrocher au nez.

Billy s'ingéniait à parfaire ses talents téléphoniques. J'espérais qu'elle n'arriverait pas à ses fins. Je n'avais pas envie que Cora grandisse plus vite qu'elle ne le faisait déjà.

Helen, la mère des plus récentes adjonctions à mes attributions de marraine, ne savait plus où donner de la tête avec ses jumeaux de cinq mois. Je jetai un coup d'œil à ma montre. Inutile de l'appeler maintenant. C'était l'heure du bain. Helen avait une armée de nounous, mais les jumeaux n'en consumaient pas moins chaque heure de sa journée. Au moment où j'étais partie en Inde, elle leur donnait toujours le sein. Je l'avais très peu vue depuis l'accouchement. Ce n'était pas faute d'avoir essayé, mais Helen avait un point de vue très particulier sur l'allaitement. Elle tenait à s'isoler dans la nursery en écoutant du Mozart. Je ne plaisante pas. Il était pour ainsi dire impossible de trouver un moment pour la voir entre deux tétées. Elle évitait de sortir de chez elle, et elle faisait souvent des siestes. L'une des tristes choses que j'ai réalisées pendant mon séjour en Inde, c'est que si j'avais fait sa connaissance récemment, nous ne serions pas devenues amies. Beaucoup trop névrosée à mon goût, elle ne travaille pas et elle est obnubilée par ses gamins. Mais je l'avais rencontrée il y avait des années sur une plage au Vietnam alors qu'elle se balançait dans un hamac en hennissant de rire, totalement défoncée à l'acide. Je ne l'oublierai jamais. Deux de mes meilleurs copains de lycée et moi étions partis là-bas à la fin de nos études secondaires. Nous avions visité chaque lieu de sépulture, chaque temple, tous les champs de bataille que comptait le pays. Et puis nous étions tombés sur Helen. Mi-chinoise, mi-suisse, elle était la plus belle créature que nous ayons jamais vue. Elle avait des membres interminables. Elle est devenue plus gracieuse, mais à l'époque, elle marchait maladroitement, comme un faon nouveau-né ; mais c'était peut-être juste l'effet des drogues. Ses longs cheveux, noirs et raides, se déversaient sur son dos comme de l'encre. Elle est la seule personne que j'aie jamais vue trimballer un sèche-cheveux dans son sac à dos.

Helen est ce qu'il est convenu d'appeler une privilégiée. Son père était un homme d'affaires chinois en poste à Hong Kong. Sa prospérité tenait à son aptitude à tirer parti de ses contacts en Orient. Il était mort prématurément, et Helen avait hérité de ses affaires, mais pas de son savoir-faire. Elle se targuait d'être une *citoyenne de l'univers*. Elle citait à tout bout de champ des passages du *Desiderata* de Max Ehrmann. Ce poème était la trame de sa vie. Faute de conseils parentaux, elle s'en inspirait pour s'orienter dans l'existence. Elle nous fascinait et nous ne tardâmes pas à être aussi intoxiqués qu'elle. Nous passâmes de nombreuses soirées à nous défoncer allégrement sur China Beach pendant que Helen nous récitait sa poésie au point qu'on la connaissait tous par cœur. Elle l'a d'ailleurs fait encadrer et accrochée au-dessus de sa coiffeuse dans son palais de Notting Hill Gate. À mon avis, c'est la seule chose qui lui rappelle la fille qu'elle était jadis.

Beaucoup d'eau est passée sous les ponts depuis. Pourquoi sommes-nous restées amies ? Parce que Helen est la seule personne au monde à connaître tous mes secrets et que, moi, je lui reconnais des circonstances atténuantes. D'où ma persévérance. Il m'arrive d'être obligée de me réciter des extraits du *Desiderata* pour réprimer mon envie de l'étrangler. Mais j'avoue que c'est de plus en plus dur.

Changeant mon fusil d'épaule, je composai le numéro de Claudia. Nous sommes liées depuis l'âge de sept ans. Claudia n'a pas d'enfants. Mais elle a Al. Le grand Al. Dégarni, posé. C'est avec Al et Claudia que j'étais partie au Vietnam. Al avait débarqué un beau jour dans notre école alors que nous approchions de l'adolescence. Vers vingt-cinq ans, leur longue amitié s'était métamorphosée. Ils se sont offert ce luxe fabuleusement romantique qui consiste à tomber amoureux inopinément. Tout doute quant au bien-fondé de cette union somme toute risquée s'est dissipé à force de les voir encaisser davantage d'épreuves, ces dix dernières années, que la plupart des couples ne s'en coltinent de toute une vie. Cela fait neuf ans qu'ils essaient d'avoir des enfants. Leur existence est dans les limbes mais une sorte de folie régit leur foyer. Une folie qui se prolonge tard dans la nuit. Le répondeur se déclencha, ce qui ne voulait pas forcément dire qu'ils étaient sortis.

De la même façon que je laisse tout l'ananas pour la fin quand je mange une salade de fruits, j'appelai Ben en dernier. Ben est le quatrième larron de notre petite bande soudée depuis l'école. C'est incontestablement mon meilleur ami. Marié, sans enfants. Je peux presque toujours compter sur lui pour venir discuter le bout de gras en sifflant une bière ou deux. Je raffole de sa voix. Il sait tout de moi, absolument tout. Quand il m'arrive quelque chose de désagréable, désagréablement drôle, je veux dire, des rancarts foireux par exemple ou des audiences intolérables au tribunal, je trouve que cela vaut presque la peine d'être vécu rien que pour le plaisir que j'éprouve à tout lui raconter. Il allait adorer l'histoire de la masseuse suisse.

« Tess, ma chérie ! Enfin de retour. Ça fait un bail, dis-moi !

– Ne sois pas ridicule, protestai-je en souriant intérieurement. Ça ne fait pas cinq minutes que je suis partie. C'est l'impression que j'ai en tout cas.

– Alors, c'était génial ? T'es en forme ? Tu t'es fait sauter ?

– Oui, oui, non.

– Rien à se mettre sous la dent ?

– Si tu avais vu les gus qu'il y avait là-bas, tu comprendrais. Un tandem de Teutons maigrichons, c'est à peu près ce qu'il y avait de mieux. Une Suisse m'a fait des avances, mais je te raconterai ça en prenant un verre. Tu es occupé, là ?

– Là, tout de suite ? Bigre, j'adorerais, mais on doit aller à un dîner assommant.

– J'ai parfaitement entendu ! »

C'était la voix de Sasha en arrière-plan. Sasha est l'épouse de Ben. C'est la femme qui m'a volé mon ami. J'aurais dû la haïr, mais elle rendait la chose impossible. Elle travaillait heureusement comme une dingue et me prêtait régulièrement son homme.

« Tu es trop bien pour lui, » hurlai-je en réponse.

Sasha prit le téléphone.

« Ça, je le sais. Heureuse que tu sois de retour, Tessa. Alors, c'était comment ?

– Génial, répondis-je, mais je suis contente d'être rentrée.

– Tu m'en vois ravie. On avait peur que tu disparaisses dans un ashram et qu'on ne te revoie plus jamais.

– C'est pas Tessa le pigeon voyageur.

– Écoute, cette année a été dure pour toi. On ne sait jamais comment on va réagir après un stress pareil. Mais tu as une bonne voix et je parie que tu as une mine superbe. »

Sasha n'est pas du genre à tourner autour du pot. Elle ne supporte pas les trucs gnangnan. Ben reprit le combiné.

« Ta femme est une grande sage, dis-je.

– Je sais. C'est agaçant, n'est-ce pas ? Je suis content que tu sois de retour en pleine forme.

– Va dîner, répondis-je. On se parle demain.

– Entendu. On se fera un plan. »

Je raccrochai, posai le téléphone sur mon estomac et regardai fixement le ciel. Mon ex-patron ne me harcelait plus. En toute honnêteté, je n'étais pas fâchée d'être au chômage. Ça m'avait frappée alors que je gisais sur une plage en Inde après une matinée de yoga intensif : je n'avais pour ainsi dire jamais pris de vacances depuis le Vietnam. D'autres s'offraient une année sabbatique, moi, je rédigeais des articles. Pendant près de dix ans, j'avais passé des examens super durs année après année et depuis lors, je travaillais. Travaillais, travaillais. Mes week-ends n'étaient pas précisément consacrés à une paisible contemplation ; pendant mes rares congés, je réglais un maximum de choses dont je n'avais jamais le temps de m'occuper le reste de l'année. J'étais au bout du rouleau. Tout était pour le mieux, en définitive. J'avais eu l'occasion de me ressaisir. De me refaire une santé. Oui, je m'étais remise, cela ne faisait aucun doute. Alors pourquoi éprouvai-je une telle sensation d'angoisse ?

Je résolus d'appeler Samira comme je le faisais souvent en pareilles circonstances.

Samira et moi sommes liées depuis relativement peu de temps. C'est une fêtarde professionnelle, ce qui est à la fois commode, dans la mesure où j'ai toujours quelqu'un avec qui faire la bringue, et effrayant parce que, en l'occurrence, je ne lui arrive pas à la cheville. Certes, il y a une différence majeure entre sa vie et la mienne : elle est bourrée de fric, ce qui permet de s'offrir beaucoup d'amour et de grasses matinées. Samira est rarement seule. L'argent n'a rien à voir avec l'amitié que j'ai pour elle. Vous aurez peut-être du mal à le croire, mais en réalité sa fortune m'a plutôt freinée qu'autre chose quand on est devenues amies. Samira a l'habitude d'avoir tout ce qu'elle veut. Ce qui me plaisait chez elle, c'est qu'elle était toujours partante pour aller boire un verre le samedi soir, ou n'importe quel autre soir de la semaine. La malédiction des nantis. Vu la vie de débauche qu'elle menait, elle aurait dû ressembler à Teddy Kennedy, mais elle avait plus de coaches personnels à son actif que de cartes de membre de clubs privés, et se torturait pour garder la forme. Mon appel bascula sur la messagerie. Je laissai un message urgent.

Je contemplai mon linge sale et décidai que j'étais infoutue d'y faire face. Je me délestai de ma tenue de voyage, l'ajoutai au tas et gagnai la salle de bains. Le pommeau de douche a la taille d'une poêle à frire ; c'est probablement ce qui m'a coûté le plus cher dans mon appartement. J'ai rogné sur les tissus ; je n'ai pas de rideaux par exemple. Mais j'ai drôlement bien fait ! L'eau vous tombe dessus en cascade, ce qui est un délice même si ce n'est pas du tout pratique quand on a les cheveux frisés comme moi. Qu'à cela ne tienne ! Je possède une fabuleuse collection de bonnets de douche. Et de bandeaux pour les yeux. Ah, les joies du célibat !

Après ma douche, je me mis en quête de vrais habits pour aller faire les courses. Un jean. Des bottes. Tee-shirt blanc moulant à manches longues histoire de mettre mon bronzage en valeur. Pour qui, ces efforts vestimentaires ? Mystère. Pourquoi faire des effets d'élégance alors ? Même combat !

Mon appartement se trouve à la lisière de Pimlico et de Westminster, à un jet de pierre de la Tate Britain. Il y a encore des petits magasins nichés dans les rues latérales si on se donne la peine de chercher. Le seul problème, c'est qu'il faut traverser une autoroute pour arriver jusque-là. Pas terrible pour les poumons, cette marche de la mort ! Je fis le plein de produits de première nécessité – lait, pain, vin, bière allégée, citrons verts, houmous, bâtons de carotte et papier toilette – avant de rebrousser chemin. Mais le pub me fit de l'œil au passage. Samira n'avait pas rappelé, et même si j'adore bricoler dans mon appartement, il n'est pas très grand et on se lasse vite du bricolage. J'entrai donc dans le pub pour m'en jeter un. Le patron n'était pas là malheureusement – on est assez potes – aussi, après une demi-pinte rapide, je résolus de rentrer. Je rappelai Samira à plusieurs reprises. Elle me rappela trois heures plus tard. Au son de sa voix, je compris qu'elle faisait la java.

« Tu es rentrée, ma chérie. Qu'est-ce que tu fais ?

– Et toi, qu'est-ce que tu fais ? »

J'ai la fâcheuse habitude de couvrir mes arrières. Même quand je suis désespérée.

« Je suis chez un ami. On boit un verre et après on a l'intention d'aller dans un club. Qui vient d'ouvrir. C'est un ami de Nikki qui a dressé la liste des invités. Rejoins-nous. Il faut absolument que tu viennes. »

Je jetai un coup d'œil à ma montre. Il était presque neuf heures. Je commençais à battre de l'aile.

« Euh... je ne sais pas. Où êtes-vous ?

– À Richmond pour le moment, mais on ne va pas rester là longtemps. Dépêche-toi de ramener ta fraise.

– C'est un peu tard.

– Tu ne vas pas me faire le coup de la baba cool ? Je meurs d'envie de te voir. »

J'entendais un brouhaha en fond sonore.

« Avec qui es-tu ?

– Des gens, des copains, tu les connais pour la plupart. »

J'en doutais. Je ne voyais pas l'intérêt de me traîner jusqu'à Richmond s'ils prévoyaient de revenir en ville.

« Appelle-moi quand tu seras en route et je te rejoindrai.

– Entendu. Dans une demi-heure au plus tard. »

Elle raccrocha. Je compris aussitôt que j'avais commis une erreur. Samira a une notion très particulière du temps. Elle est parfaitement capable de me faire poireauter pendant trois heures, toute bichonnée. J'avais peut-être intérêt à aller à Richmond. Il fallait que je me mette à leur diapason. Même si on n'y arrive jamais vraiment. Les soirées qui démarrent mal finissent mal. Le mieux serait de boire un verre de vin et d'attendre son coup de fil. En même temps… Arrête, Tessa, tu te mords la queue.

Une demi-heure passa, puis deux, puis trois, et au final, j'étais dans tous mes états. Ça ne me disait rien de rester seule à la maison le soir de mon retour à regarder mon bronzage se dissiper ; je n'arrivais pas à me décider à m'habiller non plus. J'avais voyagé depuis cinq heures du matin et j'étais sur le flanc. De toute façon, Samira n'avait pas rappelé. Du coup, je crevais d'envie d'y aller. Je ne savais pas trop en même temps. Finalement le téléphone sonna.

« Où es-tu, bordel ? aboyai-je.

– Je suis chez moi. Désolée, je pensais que tu étais sortie. J'allais te laisser un message.

– Oh, salut, Fran.

– Tessa, je suis vraiment désolée pour l'aéroport. J'ai complètement cafouillé.

– Ne t'inquiète pas pour ça.

– Tu es furax. Ça s'entend à ta voix. »

Le yoga consiste essentiellement à évacuer l'angoisse, à se débarrasser des conflits, à suivre sa voie.

« Je dois reconnaître que je me réjouissais de te voir. »

Un bel euphémisme. La perspective de rentrer chez moi était la seule chose qui m'avait permis de survivre à toutes ces soirées de solitude dans ma cahute solitaire.

« Désolée, vraiment. Je sais ce que c'est. »

Ça m'étonnerait !

« Nick m'a dit que tu étais superbe. Bronzée, toute blonde et belle comme un cœur, ajouta Francesca pour m'amadouer. Je me rattraperai, c'est promis, mais pour le moment, j'ai besoin de ton aide. »

Francesca ne demandait jamais rien. Je me redressai, oubliant ma mauvaise humeur.

« J'ai un problème, dit-elle. Caspar est un vrai cauchemar en ce moment.

– J'ai remarqué.

– Ça ne lui ressemble tellement pas. J'ai tout essayé. Lui parler, l'ignorer, le gâter, le punir. Rien n'y fait.

– Il va avoir seize ans, Fran. C'est de son âge.

– C'est pire que ça. Je connais ses amis, ils n'en sont pas là.

– On sait très bien que les gamins sont capables d'être sages comme des images chez les autres tout en se comportant comme de vrais monstres chez eux.

– Il ne m'adresse pratiquement plus la parole, Tessa, et ne me regarde même pas en face.

– Et Nick, qu'est-ce qu'il en dit ?

– Il veut lui casser la gueule.

– Nick, le baba cool militant écolo ?

– Absolument.

– Ça doit être grave.

– C'est grave. Écoute, ça me gêne vraiment de te demander ça, mais tu ne voudrais pas lui parler ? Il t'adore, tu le sais. Il refuse de nous donner un coup de main pour la fête de Katie demain et il a décrété qu'il ne viendrait même pas à son anniversaire samedi prochain.

– Il a intérêt à venir. J'ai organisé ma maudite retraite afin d'être rentrée pour aller manger des frites qui coûtent la peau des fesses chez Sticky Fingers.

– Je sais. Tu n'as jamais raté un seul anniversaire. Tu es la meilleure marraine du monde. Tu veux bien, dis ? Venir demain et lui parler ? »

Il y avait deux problèmes. Le premier, c'était que cela m'obligeait à aller à une fête d'enfants, ce qui me faisait horreur, même si j'étais prête à encaisser pour me montrer une bonne marraine. Le deuxième était plus compliqué, mais un bon moyen de me défiler. Je pris un ton solennel :

« Il n'est pas question que je te rapporte ce que Caspar me dira. »

Un long silence s'ensuivit.

« À moins que ce soit vraiment terrible, me répondit-elle.

– À l'époque où on est passé par là, Claudia, Al, Ben et moi, maman disait qu'elle avait l'impression de nous regarder à travers un tunnel en verre – elle nous voyait, elle nous faisait des signes, mais elle ne pouvait pas nous parler. Il finira par en sortir. Ce sont ses hormones qui le travaillent, Francesca.

– Tu mélanges tout, là, à mon avis. C'est de la maternité dont tu parles. Quand on crie intérieurement, personne ne vous entend. »

J'éclatai de rire.

« Je t'en supplie, Tessa. Il te parlera, à toi. »

J'hésitai. Les anniversaires d'enfants me branchaient à peu près autant que prendre le métro à une heure de pointe. Un jury me faisait moins peur qu'un fichu comité de mères de famille cucul la praline me zieutant avec mépris.

« Je m'étais juré de ne plus m'imposer de face-à-face avec Bob le clown blanc.

– S'il te plaît. J'ai tout essayé.

– Je suis ton dernier recours, si je comprends bien ?

– Pas du tout. J'avoue mon impuissance maternelle. »

Je cédai. Cela lui ressemblait tellement peu. Francesca est une mère très compétente. Je ne veux pas dire froide et calculatrice ; capable d'anticiper plutôt. De même qu'elle repère au quart de tour un verre sur le point de se renverser, elle coupe court aux rivalités entre frère et sœur avant qu'elles se concrétisent.

« Bon d'accord. Entendu.

– Si c'est autre chose qu'un problème d'hormones – et je pense vraiment que c'est le cas –, tu me le diras ?

– Si c'est sérieux, répondis-je après avoir réfléchi un instant à sa requête, je m'arrangerai pour qu'il te le dise lui-même.

– Parfait. »

Le soulagement était tangible dans sa voix.

« Désolée de t'avoir dérangée le soir de ton retour. Je pensais que tu serais sortie.

– J'étais sur le point de sortir, mentis-je.

– Tu en as de la chance. Amuse-toi bien. »

Samira n'avait pas appelé pendant que j'étais en ligne avec Francesca. Je fis une nouvelle tentative pour la joindre. C'était la quatrième fois. Toujours pas de réponse. Elle mourait d'envie de me voir! Tu parles! Vexée, je débranchai et me retirai dans ma salle de bains pour me consoler. J'étais déjà propre, mais j'avais envie de me prélasser dans un bain additionné d'une huile coûteuse en buvant un grand verre de vin décadent à petites gorgées. J'ouvris les robinets à fond, branchai mon iPod sur son baffle, allumai des bougies et me lovai dans une eau bien chaude. La pièce que j'avais conçue pour le sexe s'était changée en un refuge où je m'enfermais. Où je pouvais entrer sans afficher un air vaillant. Il y a une fenêtre étroite en meurtrière qui fait office de rebord. On aperçoit la Tamise; c'est l'une des choses que j'aime le plus dans mon appartement. Je m'attardai une bonne vingtaine de minutes dans mon bain, le regard fixé sur le chaudron londonien qui bouillonnait en dessous de moi comme du chocolat à l'orange fondu, feignant de croire que je ne savais pas pourquoi je pleurais. À d'autres!

Prendre un break comme je venais de le faire est à double tranchant. J'avais lu, j'avais dormi, je m'étais remise en forme, mais j'avais eu beaucoup de temps pour penser aussi, et l'aboutissement de mes réflexions ne me plaisait pas des masses. J'avais espéré que ma vie agitée reprendrait son cours dès mon retour, et que ces pensées cesseraient de me hanter. Mais personne n'avait de temps à consacrer à l'enfant prodige de retour. Ça risquait d'être dur de revenir en arrière. Voilà ce qui m'avait hantée sur la plage. Le mât de cocagne n'était plus à ma portée. J'avais la sensation d'avoir glissé jusqu'en bas. Aurais-je l'énergie de regrimper à la force du poignet? Le mariage et les enfants commençaient à me faire l'effet d'une cible nettement plus facile à atteindre. J'avais toujours eu envie de prendre ce chemin-là à un moment ou à un autre. C'est juste que je n'avais jamais rencontré quelqu'un pour s'y embarquer avec moi. Ce qui soulevait une autre question : pourquoi pas? Quel était mon problème? Oh, je savais très bien pourquoi je pleurais.

À cause de cette angoisse d'être un dernier recours. De rater quelque chose. Pas seulement un samedi soir à faire la fête avec des gens que je ne connaissais pas. Je redoutais de passer à côté de la vie. Cette vie qui paraissait si facile à avoir quand il s'agissait des autres.

Je m'enfonçai un peu plus dans mon bain. Je commençais à avoir la sensation d'être enfin arrivée au bon arrêt de bus alors que le dernier bus venait de partir. J'apercevais ses phares arrière, mais même en courant, je ne pourrais jamais le rattraper. Je serrai le pied de mon verre à le rompre, bus une gorgée de vin et fermai les yeux.

Je savais d'où venait cette angoisse.

Ça n'allait jamais m'arriver.

Ça ne m'arriverait jamais.

Jamais. Jamais.

2

Vigie-suicide

Si les enfants font l'apprentissage de l'anarchie dans la cour de récré, les anniversaires leur permettent de s'initier à la révolution. Les profs ont des aptitudes qui font défaut aux parents. Ils arrivent à contrôler la situation. Le clown de service lui-même n'était pas à la hauteur. Les adultes étaient surpassés en nombre à raison d'un pour dix. J'aurais dû prendre la tangente. Je n'aurais pas dû m'habiller en blanc. De l'avis des autres mères, je n'aurais pas dû être là. C'était à peu près la seule chose que je leur concédais, mais j'étais là en mission officielle et cela n'avait rien à voir avec les princesses déchaînées dans leurs robes inflammables.

Je restai plantée comme une débile à observer la scène à la périphérie, un sourire scotché aux lèvres, mais personne n'avait l'air d'avoir envie de me tendre les bras. J'avais rencontré des criminels avec moins d'appréhension. J'essayai de sourire ouvertement à quelques femmes quand je les surprenais en train de m'observer d'un air méfiant, mais elles détournaient les yeux. Comme elles ne m'avaient jamais vue à la sortie de l'école, à l'évidence, je ne comptais pas. Je déteste l'impression que ces gens-là me donnent de moi-même, et l'idée que je les laisse faire me répugne. J'ai envie de faire des bonds sur place et de taper du pied en beuglant : « Non, je n'ai pas de gamins. Mais je suis quand même une personne à part entière, bande d'abrutis ! », d'autant plus que ce type de comportement semble être le seul à attirer leur attention. J'ai remarqué que plus un gosse est intenable, plus sa mère le materne et l'encourage. C'est peut-être pour cela qu'on m'exclut ; parce que je ne geins pas assez fort. À moins que ce soit parce que j'appelle ces chers petits des « mouflets ».

Le « gore » devient vite insoutenable. Je vais donc faire court. Katie, la vedette du jour, fit tomber du toboggan un petit garçon aux parents indéterminés. Elle affirma qu'elle avait juste voulu le pousser un peu, mais qu'elle s'y était mal prise. Je connais Katie. La fille de Nick et Francesca, qui fêtait ses huit ans, est une gamine effroyablement sûre d'elle qui sait exactement ce qu'elle veut. Le sang jaillit. Une femme passa en courant, piétinant un autre môme qui se mit à hurler, terrifiant une troisième tant et si bien qu'elle se heurta à une table en envoyant valser les assiettes en papier remplies à ras bord, censées rester hors de portée des petits chéris jusqu'à ce qu'ils aient grignoté leurs bâtonnets de légumes. Je vis un petit garçon insignifiant fondre sur un Malteser qui roulait sur la table. Sa mère l'attrapa par le pied et le tira en arrière ; les mains moites de l'enfant produisant un crissement sur le parquet en contreplaqué. La mère suivit des yeux les billes en chocolat roulant au ralenti comme s'il s'agissait de grenades miniatures. Le môme parvint à en choper une au passage et l'engloutit. Je le congratulai en silence jusqu'au moment où sa maternelle l'obligea à se rabattre sur son pique-nique fait maison composé de tofu et de haricots verts.

À cet instant, Nick passa par là, un enfant sous chaque bras.

« Elle ne le laisse même pas manger des raisins secs, chuchota-t-il. Pauvre mioche ! »

C'était à cause de ce genre de femme que je n'acceptais plus les invitations à dîner. Il y avait trop de mères comme celle-là, évoquant le bonheur de découvrir les lingettes antiseptiques en pochettes individuelles et les torts de la vaccination. Comme si la varicelle était une bonne chose ! Je vis le gosse atteindre le point de rupture. Il en avait par-dessus la tête et bombarda sa mère de tofu. Elle le tira par le bras pour le forcer à se lever et l'entraîna vers la porte.

« Il n'aime pas les anniversaires », siffla-t-elle au passage.

Qui l'en blâmerait ? Le paquet de Malteser me faisait de l'œil sur le comptoir. Je ne pus me retenir. Pendant que sa mère prenait congé de Francesca en se confondant en remerciements, dont elle ne pensait à l'évidence pas un mot, je me penchai vers le pauvre petit bonhomme et glissai le sachet de friandises dans son sac à dos Spiderman. Je lui fis un clin d'œil en posant un doigt sur mes lèvres. En voyant son sourire, je sus que j'avais raison. Dieu, si vous me regardez… je suis faite comme ça.

J'éclusai mon verre de vin blanc tiède avant de descendre dans l'arène. Deux femmes étaient en grande conversation à propos de Ribena, ce jus de pomme du diable. Je les contournai donc et en trouvai une autre assise sur le canapé, le regard dans le vague.

« Bonjour, dis-je.

– Bonjour », répondit-elle avec peine.

Jusque-là tout allait bien.

« Alors, quel est le vôtre ?

– Aucun », répondis-je en me forçant à prendre un ton léger.

Elle me dévisagea. Le buzzer « mauvaise réponse » de la Roue de la fortune retentit dans ma tête.

« Je suis la marraine de Caspar.

– Oh. Vous avez des enfants plus grands ?

En d'autres termes, serais-je une traînée qui s'était fait mettre en cloque à l'adolescence ?

« Non. Je n'ai pas d'enfants. »

Elle se leva brusquement.

« Je vous prie de m'excuser. Ben ! Non ! Pose ça tout de suite ! Il faut que je… »

Elle s'éloigna précipitamment. Était-ce contagieux? Ou la vie de son môme était-elle sérieusement menacée par le ballon qu'elle lui arracha des mains?

Je tentai ma chance encore une ou deux fois. Ils commençaient tous de la même façon : « Lequel est le vôtre? » rapidement suivi de « Excusez-moi un instant. Je dois : *a)* extraire un objet en plastique de la bouche de mon enfant, *b)* empêcher mon enfant d'en mordre un autre, *c)* empêcher un autre enfant de pincer le mien, *d)* aller parler à ma femme qui vient de me faire signe de venir parce qu'on s'amuse comme des petits fous dans le jardin, *e)* m'éloigner de vous parce que vous êtes une voleuse de mari en puissance incapable de parler du vaccin rougeole-oreillons-rubéole ou du programme scolaire, ce qui signifie que je n'ai strictement rien à vous dire… » Peut-être était-ce le décalage horaire, ou un trop-plein de jus de pomme. Quoi qu'il en soit, j'éprouvai une envie presque irrésistible de grimper sur la table et de montrer ma culotte à tout le monde. Mais je ne voulais pas mettre Francesca plus mal à l'aise qu'elle ne l'était déjà.

La septième fois qu'on me demanda lequel était le mien et que ma réponse me valut cette même suspicion curieuse, je jetai mon dévolu sur une pizza et m'aventurai en haut. Comme Caspar n'avait manifestement pas la moindre intention de descendre, j'allais devoir pénétrer dans ce monde terrifiant qu'est un antre d'adolescent. Je n'aimais déjà pas ça quand j'étais ado. Il y avait de fortes chances que je trouve ça encore plus déroutant maintenant.

La première chose qui frappe, c'est l'odeur. Quelle puanteur, Seigneur! Les garçons se lavent-ils parfois? Cela leur arrive-t-il d'ouvrir la fenêtre? Soyons honnête, je reconnus instantanément le cocktail d'odeurs en question. Sueur, foutre et cannabis. C'est toujours la même chose, sauf que mon garçon grandissait.

Petit couillon.

« Salut?… Y a quelqu'un? »

C'était manifestement la panique dans la minuscule salle de douche adjacente que Nick avait aménagée dans un coin de la pièce pour épargner à son fils les bains moussants Barbie. Je souris en entendant le bruit du déodorant en spray révélateur. Trop mignons, les ados. Ils s'imaginent toujours être les premiers.

« Je t'ai apporté de la pizza. »

Caspar surgit, habillé de pied en cap en m'annonçant qu'il venait de prendre une douche.

« Tu veux dire que tu allais te doucher ? suggérai-je.

– C'est ça.

– Tu fumes beaucoup de ce truc-là ?

– Je ne fume pas.

– Ben voyons ! Et moi, je ne m'envoie jamais en l'air.

– Tessseuhhh...

– Casparrrrr. Tu pourrais au moins partager ce pétard que tu n'es pas en train de fumer.

– On n'appelle plus ça un pétard.

– Oh, désolée ! On dit comment ? »

Je me sentais un peu vexée. Je n'étais pas si vieille que ça, si ?

« De la marie-jeanne ?

– Purée, non ! C'est encore pire.

– Éclaire ma lanterne.

– Un joint. Un pèt, un spliff...

– Bon, un joint alors, conclus-je.

– Et papa et maman ?

– Ils ne s'apercevront même pas qu'on n'est pas là. Allez, fais tourner..

– Tu ne t'es pas trompée là, répondit-il en sortant un pétard à moitié fumé d'une boîte en fer. Je n'aurais jamais pensé que je me défoncerais avec une grande personne », ajouta-t-il.

Défoncer ? Grande personne ? Ces propos me rappelèrent à quel point il était jeune, et c'est pour cette raison que le coup d'œil que je jetai à l'intérieur de sa boîte aurait dû m'alarmer. Tout comme le fait qu'il fumait à quatre heures de l'après-midi dans une maison remplie de gens. Je résolus néanmoins de fermer les yeux dans le but de glaner d'autres informations. La « grande personne » s'installa donc sur un pouf et alluma le joint. Une taffe et je sus que c'était de la bonne. Après la montée initiale, je décidai de faire semblant. Sous les yeux de mon filleul de quinze ans, je tirai sur le joint et gardai la fumée dans ma bouche avant de l'exhaler par le nez. Caspar inhalait longuement, avec application, mais ne semblait pas plus affecté que moi.

Libéré par la drogue, il me parla des filles qu'il n'avait pas réussi à bécoter. Des garçons qui emballaient toujours les filles. Des filles qui l'aimaient bien et dont il n'avait rien à faire. C'était toujours la même histoire. Nous ricanâmes bêtement de toutes sortes de sottises avant de nous attaquer à la pizza froide comme s'il s'agissait de l'entrecôte du chef. Je commençais à trouver que Francesca et Nick étaient un peu durs. Cannabis mis à part, Caspar semblait être redevenu lui-même. Nous étions toujours blottis contre le pouf quand Francesca entra.

« Seigneur ! Qu'est-ce que c'est que cette odeur ? » s'exclama-t-elle en agitant sa main devant son visage.

Je paniquai, je l'avoue, mais Caspar avait encore de bons réflexes.

« Tessa m'a rapporté des bâtons d'encens.

– Comme c'est gentil. »

Petit saligaud ! Je ne niai pas pour autant. Je ne voulais pas avoir d'ennuis avec Francesca, ni brûler les ponts avec mon filleul.

« Et toi, je t'ai apporté du thé au masala », ajoutai-je.

Ce qui était vrai.

« Ça fait longtemps que vous vous cachez ici tous les deux ? demanda-t-elle sur un ton un peu cassant que je n'arrivais pas à m'expliquer.

– J'ai fait de mon mieux, plaidai-je, mais ces femmes ne parlent que de leurs enfants. Je me suis retrouvée à discuter avec les papas, ce qui est plus amusant dans la mesure où ils ont d'autres sujets de conversation, seulement leurs épouses n'arrêtaient pas de venir les récupérer sous prétexte qu'il fallait aller chercher du Ribena ou je ne sais quoi. Pour finir, je suis venue trouver Caspar.

– Il fallait t'y attendre, en te pointant ici en tailleur blanc avec ton ventre plat et ta tignasse blonde. Les mamans n'ont *pas* un ventre plat. Dans la majorité des cas. Tu les mets mal à l'aise, Tessa. Elles ont l'impression d'être mal fagotées à côté de toi.

– Elles *sont* mal fagotées, riposta Caspar.

– Il parle ! » s'étonna Fran.

Ce que je trouvai assez agaçant. Je ne fus pas surprise de voir mon filleul lever les yeux au ciel.

« Je croyais que tu ne les appréciais pas plus que moi, commentai-je, pas très coopérative.

– Je me mets à leur place, c'est tout. Enfin, bref, tout le monde est parti.

– Quelle heure est-il ?

– Sept heures. »

Caspar et moi échangeâmes un regard coupable. Comment était-ce possible ?

« On avait des tas de choses à se raconter. Ça faisait des siècles que je n'avais pas vu Caspar.

– Eh bien, vous avez rattrapé le temps perdu, on dirait. »

Je me levai et suivis Francesca dans le couloir. Après cette petite scène, Caspar ne pouvait pas se douter que j'étais venue l'espionner.

« Puisque la voie est libre, je vais te faire du thé au masala, suggérai-je.

– Je préférerais un gros pétard. Ou un narguilé. »

Son subconscient lui jouait-il des tours ou essayait-elle de me dire qu'elle n'avait pas gobé l'histoire des bâtons d'encens ? Bien résolue à continuer à bluffer, je lui emboîtai le pas.

« On ne dit plus "pétard", soulignai-je.

– Ah bon ?

– On appelle ça un joint, un spliff ou de l'herbe comme au bon vieux temps.

– Un spliff ? Comment ça s'écrit, pour l'amour du ciel ?

– S-p-l-i-f-f ? Je pense. Je demanderai à un de mes amis. »

Francesca s'arrêta net, fit volte-face sur le tapis usé et, dans le couloir étroit, elle me dévisagea.

« Ça doit être tellement facile d'être toi, dit-elle.

– Comment ?

– Pas étonnant que Caspar t'adore. Regarde-toi. Élégante. Décontractée. Libre…

– Fran, repris-je, une nuance d'incrédulité dans la voix. C'est toi qui m'as priée de venir lui parler. Je me borne à faire ce que tu m'as demandé de faire.

– Je sais. Je suis désolée. C'est juste… oh, je ne sais pas. »

Elle secoua la tête.

« Alors, qu'en penses-tu ?

– Je pense qu'il va bien, Fran. Un peu rebelle sur les bords, mais il est toujours lui-même.

– Tu es sûre que je n'ai aucun souci à me faire.

– À peu près sûre.

– Il me déteste.

– Mais non, petite nigaude ! Tu es une maman géniale et si Caspar ne s'en rend pas compte, c'est un imbécile. Ne le prends pas personnellement, je t'en conjure. C'est une histoire d'hormones. Répète après moi : c'est une histoire d'hormones. »

Mais elle refusa. Elle estimait le connaître mieux que moi. Il s'avéra qu'elle avait raison.

Nick l'attendait au pied de l'escalier, un verre de vin à la main.

« À la survie », dit-il en lui tendant le verre avant de lui déposer un baiser sur la tête. Ils marchèrent bras dessus, bras dessous jusqu'au canapé et s'y laissèrent tomber. Comme je dis toujours, ces deux-là sont faits l'un pour l'autre. Il en a toujours été ainsi. Francesca ne voyait-elle pas à quel point j'étais jalouse d'elle ? Il n'en avait pas toujours été ainsi. Au début, je m'apitoyais plutôt sur son sort.

Le jour où Francesca avait débarqué chez moi en larmes, nos chemins s'étaient irrémédiablement séparés. Elle avait extirpé de la poche de son anorak bleu bon marché le test de grossesse qu'elle tenait serré dans sa main droite et me l'avait montré comme un enfant met sous le nez d'un copain un gros bonbon à moitié sucé : deux lignes bleues en apparence inoffensives qui signifiaient tellement plus que ce que nous aurions jamais pu imaginer.

Nick était aussi méritant à l'époque qu'il l'est aujourd'hui. Il manifestait, il protestait. Aujourd'hui il travaille pour une ONG dont la mission consiste à s'assurer que les grandes compagnies telles que Nike et Gap n'emploient pas des enfants dans leurs fabriques. Mais Francesca était plus futée que nous deux réunis. Toujours première à l'école, elle avait un jour reçu une lettre l'informant qu'elle était la meilleure élève de sa région dans trois matières ! Elle était assurée d'avoir un poste dans le cabinet d'avocats le plus en vue avant même que nous ayons achevé les examens de fin d'année. Quand elle décida de garder le bébé, ils lui affirmèrent qu'on lui garderait la place, mais elle n'y alla jamais. Pour finir, les propositions se tarirent à mesure que de nouvelles vagues de talents déferlaient, balayant jusqu'à ses remarquables aptitudes. Ils avaient fait tellement attention, ils ne comprenaient pas comment c'était arrivé. Au bout du compte, ce fut ce qui l'emporta. Si un enfant est déterminé à naître au point de vaincre les préservatifs, le coït interrompu et la méthode Ogino, sans doute avait-il le droit de vivre. Preuve de la force de caractère de Francesca, elle obtint la meilleure note au diplôme alors qu'elle devait accoucher huit jours après son dernier examen. Caspar était un beau bébé de quatre kilos deux cents. Là aussi, elle obtint un score maximal. Dix sur dix au test APGAR.

Caspar avait neuf mois quand Nick et Fran se marièrent. Il fut baptisé le même jour. J'étais à la fois marraine et demoiselle d'honneur, enveloppée dans une horrible jupe bouffante style fin années 80. Ce fut une merveilleuse journée. Je croisai les doigts derrière mon dos quand le curé me demanda de renoncer au mal. À vingt ans, je n'étais pas prête à faire ce serment. Je m'amusais trop. Quand le bouquet vola dans les airs, je le laissai obligeamment tomber à mes pieds. Le mariage viendrait plus tard, ça ne faisait aucun doute dans mon esprit. Mais je n'avais aucune envie de précipiter les choses. Pas question que j'attrape des roses pour sceller mon sort. J'étais tellement sûre que je me marierais et que j'aurais des enfants que je ne me posais même pas de questions. Je sais aujourd'hui une mini-fraction de ce que je croyais savoir alors, et c'est suffisamment peu pour que je me rende compte que je ne savais strictement rien.

Quand Caspar eut huit ans, sa première petite sœur Katie vit le jour; trois ans plus tard, une autre fille, Poppy, arriva sur la scène. Francesca avait peut-être renoncé à faire du droit, mais ce qu'elle avait accompli était nettement plus impressionnant : une famille réussie et heureuse. Quand je pense que je m'étais apitoyée sur son sort le jour où j'avais ignoré le bouquet de fleurs ! Je la regardai blottie contre Nick sur le sofa, les yeux rivés sur Katie en train de déchirer les emballages de ses cadeaux. *Tu as tort, Francesca. Ce n'est pas facile d'être moi, parce que je n'ai qu'une seule envie : être toi.*

J'allai chercher mon manteau et pris congé d'eux. En jetant un coup d'œil par-dessus mon épaule à leur petite maison, j'aperçus un filet de fumée qui s'échappait du Velux sur le toit. J'entrevis l'extrémité incandescente d'un pétard – appelez ça comme vous voulez – briller dans l'obscurité, et je sus que Caspar s'était relancé à corps perdu dans son nouveau hobby. Avant de démarrer, je lui envoyai un texto rapide à propos de son anniversaire. Subtil. Érudit. Poétique. « Sois à ton anif ou oublie l'iPod. » Puis je traversai la ville sans décapoter la voiture en écoutant cette musique à l'eau de rose propre au dimanche soir que j'ai en horreur, sans jamais l'interrompre pour autant. Je faillis me rendre chez Claudia, mais j'avais ma dose de bonheur domestique. Aussi dirigeai-je ma Mini droit vers la maison pour affronter ma toute première soirée de dimanche solitaire sans la perspective de retourner au turbin le lendemain.

Alors que je refermai la porte de mon studio derrière moi d'un coup de pied, le téléphone se mit à sonner. À ma grande surprise, c'était Samira. Samira ne faisait jamais rien le dimanche. Je roulai par-dessus l'accoudoir du canapé, m'attendant à ce qu'elle me fasse des excuses pour la veille. Je pouvais toujours attendre ! Je devrais la connaître à ce stade. Le leitmotiv de sa famille doit être quelque chose comme « Mieux vaut mourir que de s'excuser », ce qui pourrait expliquer qu'ils ne se parlent pas.

« Vigie-suicide pour les célibataires, lança-t-elle. C'est dimanche soir. »

J'étais vexée naturellement.

« Je ne parle pas que de toi, bécasse. J'ai convié mes amis célibataires à dîner. C'est un truc nouveau que j'ai inventé pendant ton absence. Je ne supporte plus les dimanches soir. J'étais pratiquement sur le point de me jeter par la fenêtre, alors j'ai lancé le mouvement. Tu viens ? C'est très décontract. »

L'espace d'un instant, je fus trop déboussolée pour réagir. Voir du monde un dimanche soir, c'était beaucoup me demander. En outre, l'apitoiement sur moi-même avait repris ses droits et faisait comme une boule dans ma poitrine. J'étais à deux doigts d'entonner *On my own* de la comédie musicale *Les Mis*.

« Allons, Tessa. Pleurer toute seule dans le noir n'est pas une façon de passer son dimanche soir quand on est une femme adulte. »

C'est ce que j'aime chez Samira, elle ne mâche pas ses mots. Évidemment, si vous lui retournez la politesse, elle ne vous adresse plus la parole pendant des semaines. Comme je l'avais appris au fil du temps, les amis ne changent jamais ; on apprend juste à ignorer leurs travers ou à s'en accommoder. Je me levai donc et me lançai dans une expérience tout à fait inhabituelle consistant à décider ce que j'allais me mettre sur le dos un dimanche soir. Les copains de Samira, je les connais. Ils sont aussi décontractés que George W. Bush est doué en vocabulaire.

Une heure plus tard, je me garai devant l'immeuble de Samira, me sentant plutôt cool. J'avais décapoté ma Mini ce coup-ci. J'avais fini par opter pour une minijupe en jean, taille basse, pour mettre en valeur mes deux principaux atouts : un ventre plat et de jolies jambes. D'autant plus qu'elles étaient bronzées. J'avais pris la voiture pour tenir en échec la chair de poule et les hommes en maraude. C'était dimanche soir, il ne fallait pas en faire trop. Je portais un hideux soutien-gorge couleur chair avec des bretelles de six centimètres de large, absolument immonde en soi, mais fabuleux sous un tee-shirt blanc qui mettait mon hâle en valeur et dissimulait les boutons que j'avais sur le dos, quand j'en avais. Ce qui n'était pas le cas pour le moment, grâce au soleil.

Concernant l'abstinence du dimanche soir, je m'étais mis le doigt dans l'œil. Le petit dîner décontracté de Samira se révéla être un curry tapageur réunissant non moins de trente personnes. Une atmosphère « esprit du Blitz » régnait parmi nous. Qu'avions-nous à perdre, nous autres pauvres adeptes de Vigie-suicide ?

Moyennant des bakchichs, deux livreurs d'un traiteur indien avaient été déroutés de leur circuit habituel, pourtant chargé le dimanche soir, pour nous nourrir et nous abreuver. Gentille attention, pensai-je. Qui mangeait du curry le dimanche soir ? Les couples. C'était un joli pied de nez aux adeptes du cocooning. J'en fis part à Samira, mais elle se borna à me dévisager d'un air interdit.

« Le magasin appartient à mon oncle. »

Bon, pas drôle. OK.

C'était sympa, d'autant que beaucoup de célibataires étaient venus avec leurs amis célibataires, si bien que ça ne faisait pas trop clique ni surcharge ! S'ils avaient des enfants, ils le gardaient pour eux. Personne ne parla d'école. Je bus de la Tiger Beer avec bonheur en bavardant avec tous ceux qui se trouvaient dans mon angle de vision, et ce fut super. Pendant les heures que je passai en leur compagnie, personne ne me demanda ce que je faisais dans la vie, ce qui est la marque d'une bonne soirée. Les grands thèmes ont raison des menus propos. Personne ne s'intéressait à la banalité du quotidien ; les gens voulaient parler d'autres lieux, d'autres gens, de leurs lectures et de bars géniaux dénichés dans des villes étrangères.

Je rencontrai un mec du nom de Sebastian. Il était grand, légèrement dégarni, plutôt bel homme bien qu'il eût les jambes arquées. Il me faisait rire et me réapprovisionnait en Tiger Beer. Lorsqu'il s'éclipsa pour aller aux toilettes, Samira vint m'informer qu'il était conseiller auprès du gouvernement, une sorte de politicard. Je trouvai ça assez sexy. Je n'étais jamais sortie avec un fonctionnaire. Il me donna sa carte. C'est une habitude chez les célibataires modernes. J'y jetai un coup d'œil. C'était officiel. Il travaillait pour le ministère du Commerce et de l'Industrie. Il m'annonça qu'il devait partir, et je me sentis triste quand il prit congé de moi. Vingt minutes plus tard, je vis les petite et grande aiguilles converger vers le 12 du cadran et je sus qu'il était temps pour moi d'aller me coucher. Je remerciai Samira et repris l'élégant ascenseur pour regagner le rez-de-chaussée. En sortant de l'immeuble, j'aperçus Sebastian en train de discuter avec un groupe de gens que je n'avais pas rencontrés. Il me sourit alors qu'il prenait congé d'eux.

« Je pensais que tu étais parti, dis-je, debout seule avec lui sur le trottoir.

– Mes adieux ont pris un peu plus de temps que prévu. »

Il sourit à nouveau.

« Comment rentres-tu chez toi ? »

Je brandis mes clés de voiture sous son nez. Il fronça les sourcils.

« Qu'est-ce qu'il y a ?

– Tu as trop bu.

– Pas vraiment. J'ai énormément mangé.

– Je t'assure que si, et je suis bien placé pour le savoir pour la bonne raison que j'ai fait de mon mieux pour te soûler. Où habites-tu ?

– À l'Embankment.

– Parfait. C'est sur ma route. Je vais te raccompagner, ensuite je prendrai un taxi. »

Ce qu'il fit, si ce n'est qu'entre le moment où il me raccompagna chez moi et celui où il prit un taxi, il se retrouva dans mon lit.

3

Disparition éclair

Les choses se sont passées de la manière suivante. Il a garé ma voiture dans mon parking au sous-sol, nous avons rejoint l'ascenseur et nous sommes montés. Instinctivement, j'ai appuyé sur le 11. Mon étage. Juste en dessous du penthouse. Avant le quatrième étage, il m'avait pris la main et attirée contre lui. Peut-être a-t-il pensé qu'en enfonçant la touche 11, je lui donnai le feu vert. Je n'ai pas eu le courage de lui dire qu'il faisait erreur. Je lui ai rendu son baiser et ce n'était pas désagréable. Pas désagréable du tout. Il a enchaîné tous ces trucs que les hommes sont censés faire, mais dont ils se passent en général malgré les innombrables livres, articles de magazines et éminentes comédiennes qui tentent de les remettre sur le droit chemin. Il a écarté une mèche rebelle de mon visage. Il a gardé ma main dans la sienne, puis m'a enveloppée dans ses bras. Après cinq semaines de posture du cobra, cela ne me causa pas la moindre douleur physique. Il fit glisser le dos de sa main sur mon visage si tendrement que lorsque la porte de l'ascenseur s'ouvrit en produisant un bruit métallique, je l'ai suivi dans le couloir, j'ai déverrouillé ma porte et je l'ai laissé entrer.

Je n'eus même pas à faire semblant de préparer un café. Tout se déroula assez vite à partir de là. Je fus frappée par la manière dont mon corps me trahissait et lui obéissait. Peu importait que mon soutif soit immonde, ou que ma petite culotte ne soit pas assortie. J'avais envie d'action, peau contre peau, et il était évident que je me préoccupais peu de savoir à qui appartenait cette peau. Mon ardeur alimenta la sienne qui jeta à son tour du supercarburant sur la mienne. Je me pressai contre lui. À un moment donné, ce fut comme si on faisait l'amour alors qu'on était toujours habillés. Je sentais son érection à travers son pantalon tandis qu'il se plaquait contre moi.

Nous culbutâmes sur le lit, je soulevai mon postérieur et ensemble, nous ôtâmes ma petite culotte. J'envoyai balader mes bottes et avec les pieds, tel un singe, je fis glisser son pantalon de ses hanches. Peut-être ses jambes arquées y étaient-elles pour quelque chose, quoi qu'il en soit, le jean ne descendit jamais plus loin que ses genoux. Ça m'était égal. Mains, bouche, cheveux, cou, poitrine, partout, et puis bingo ! il se glissa en moi et je tremblai de la tête aux pieds. Je sus alors que ça n'arrivait pas très souvent. Que ça colle aussi bien ! Nous poussâmes et soupirâmes, pressâmes et griffâmes, et pendant quelques minutes époustouflantes, je fus libre de toute pensée, tout mon être existant pour cette sensation et rien que cette sensation. C'était glorieux. Magnifique. Puis, aussi vite que cela avait commencé, ce fut fini.

« Oh, non ! » beugla-t-il, ce que je trouvai gentil. Je pense qu'il n'avait pas plus envie que moi que ça s'arrête là. Cela dit, je n'avais aucun reproche à lui faire – si j'avais été un garçon, j'aurais joui dans l'ascenseur. Je trouvai qu'il avait fait fort en tenant le coup aussi longtemps. Il frémit et se figea. Mon corps mit un moment à comprendre que c'était terminé et continua à s'arquer, à se languir, mais la pression avait disparu et il n'y avait plus de résistance. Nous restâmes allongés un moment sans bouger, le temps de nous ressaisir. De laisser l'animal partir et l'être civilisé revenir. Seulement mon animal était têtu. Il en voulait encore. On ne peut pas inviter un loup et lui demander de partir sans le nourrir. Les animaux sauvages ne se comportent pas comme ça.

Sebastian roula sur lui-même, remonta son pantalon et se leva. Une fois qu'il eut fermé sa braguette, il se retrouva tout habillé. Comme s'il ne s'était rien passé. J'essayai de sourire. Peine perdue. Il se dirigea vers la salle de bains. J'entendis le bruit de la douche, ce qui me parut étrange, puis le son de la chasse d'eau me parvint et je devinai qu'il avait voulu un peu d'intimité pour faire pipi et péter en même temps. Je songeai à l'histoire de Marilyn Monroe et d'Arthur Miller. Un jour, Arthur emmena sa nouvelle petite amie chez ses parents pour la leur présenter. Ils dînèrent en petit comité dans la petite maison des Miller. Après le repas, Marilyn se leva pour aller aux toilettes. Gênée par la proximité de la salle de bains, elle fit couler l'eau pendant qu'elle se soulageait, par pudeur. Plus tard, quand le dramaturge demanda à ses parents ce qu'ils pensaient de sa nouvelle conquête, sa mère lui répondit : « C'est une gentille fille, Arthur, mais elle pisse comme un cheval. »

Je devais sourire quand Sebastian jeta un coup d'œil par-dessus le petit mur de la bibliothèque.

« Ne fais pas semblant d'être aussi aisément satisfaite. Tu fais la tronche en dessous. »

Je me couvris avec le drap parce que je n'avais pas envie de partir à la recherche de mon slip dans la pénombre, mais il m'arracha le drap et me tira hors du lit. Me prenant la main, il m'entraîna vers la salle de bains remplie de vapeur. Il faisait carrément sombre dans la pièce. Je remercie le ciel pour les variateurs de lumière et le fait que mon ventilateur était HS. Dans la pièce obscure et remplie de volutes de vapeur, Sebastian entreprit de me déshabiller convenablement. Mon tee-shirt passa par-dessus ma tête. Le soutif libéra sa charge. Ma jupe tomba à terre et je me retrouvai nue devant lui. Il se dévêtit rapidement à son tour et m'attira sous le jet d'eau. J'allais enfin baptiser ma salle d'eau.

« Recommençons, dit-il, et cette fois-ci, je vais essayer de prendre mon temps. »

Il versa du gel-douche dans le creux de sa main et l'appliqua consciencieusement sur mon corps. C'était un travail de qualité supérieure, dedans comme dehors. Je lui rendis la pareille, gâchant un bon brushing pour une fellation. Mais le jeu en valait la chandelle. Les jambes arquées de Sebastian étaient parfaites pour faire l'amour debout ; elles offraient un cadre bien solide même si la tablette fit son office. Ce fut bon, bien que cela n'atteignît jamais les summums de ces premiers instants dans la chambre. Vraiment très bon. Une baise à marquer dans les annales. En définitive, nous fîmes l'amour encore deux fois pendant la nuit jusqu'à ce que je le supplie d'arrêter. Je m'assoupis, le sourire aux lèvres, tandis qu'une aube rose et brumeuse se levait sur la Tamise.

Le matin, il était toujours là. Je dus regarder deux fois la forme de ce corps dans mon lit avant d'y croire. L'espace d'un instant, je crus qu'il était mort tant il était immobile. Quand Cora venait dormir chez moi lorsqu'elle était bébé, il m'arrivait de me lever quatre ou cinq fois dans la nuit pour m'assurer qu'elle respirait encore. Je posai la main délicatement sur sa poitrine, et, retenant mon souffle, j'attendais la prochaine inspiration. Même si j'avais tenté de manger cet homme la veille au soir, je redoutai tout contact physique à présent. Je me bornai à bouger un peu les draps et je fus soulagée de le voir remuer. Tout ensommeillé, il se tourna vers moi.

« Bonjour, dit-il.

– Salut.

– Je m'appelle Sebastian. Je crois que nous nous sommes déjà rencontrés.

– Une fois, répondis-je. Brièvement. Comment ça va ?

– Extrêmement bien, m'assura-t-il. J'ai fait un rêve extraordinaire. Il y avait une fille avec des jambes fabuleuses. Je n'avais jamais vu des quadriceps pareils. Elle a noué ses jambes autour de moi comme ils font dans les films. C'était incroyable. »

Il me caressait le bras du bout des doigts tout en parlant. Je ne voyais pas comment je pouvais avoir encore envie de faire l'amour, mais une sensation de brûlure familière et pas tout à fait indésirable, venue de nulle part, s'insinua dans ma conscience. Je ne m'étais même pas brossé les dents. Ni hier soir ni ce matin. Mais dans le plus pur style des Muppets, cet homme faisait surgir l'animal en moi, et très lentement cette fois-ci, nous nous frottâmes jusqu'à l'oubli. Il eut recours à sa main, et à mes doigts, pour me conduire jusque-là, mais je décrochai la timbale, pas qu'un peu, et lui aussi, à égalité, jusqu'à la fin. S'il s'était agi d'une course, il y aurait eu une photo au finish. Je me rallongeai en riant. Je n'arrivais pas à me départir de ma mine bêtement satisfaite.

« Mission accomplie », dis-je.

Le regrettant aussitôt. Au cas où il me prendrait au mot. Il jeta un coup d'œil au réveil sur la table de nuit.

« Merde, il est tard. Il faut que j'y aille.

– Moi aussi, répondis-je avant de me rendre compte qu'il n'en était rien.

– Te joindrais-tu à moi pour une douche ? »

Il souriait à nouveau.

« C'est hors de question. Je ne me fais pas confiance. Je me doucherai toute seule. »

Je me levai d'un bond et me dirigeai vers la salle de bains, indifférente au fait qu'il était probablement en train de reluquer mon postérieur. Je l'envoyai après moi, équipé d'un kit de voyage Virgin classe affaires, incluant une brosse à dents vierge. Il en ressortit quelques minutes plus tard, rutilant, fleurant bon, les cheveux mouillés, plaqués en arrière.

« Tu vas travailler en jean, demandai-je, comme il achevait de rentrer sa chemise dans son pantalon.

– J'ai toujours un costard au bureau pour les urgences. »

Je souris, mais une petite voix au fond de mon crâne se demandait si c'était moi l'urgence.

Nous marchâmes ensemble jusqu'à la station de métro, nous arrêtant en route pour acheter des cafés et des croissants que nous mangeâmes sur le pouce. Un mec qui passe la nuit, c'est quelque chose. Faire l'amour le matin ne veut pas dire grand-chose – tant qu'ils y sont, pourquoi pas. Mais une conversation. Voilà qui était inhabituel. Et maintenant un café et des croissants. Se pourrait-il que… ? Je me fis violence pour m'empêcher d'imaginer d'adorables petits bambins aux pattes arquées. En vain. Ils étaient là, bien vivants, pleins d'énergie, me rendant nerveuse. Nous allâmes ensemble jusqu'à Westminster, en nous esclaffant tout du long, puis il se sauva après m'avoir embrassée sur la bouche.

« Tu as été fabuleuse », dit-il, puis les portes se fermèrent. Sebastian était parti.

Helen faisait tournoyer une bouteille de Perrier miniature entre ses doigts sans piper mot. Je la dévisageai. Nous avions pris place à la table de sa salle à manger high-tech. Je l'avais finalement sans les bébés, mais elle n'était pas encore tout à fait à moi.

« Tu ne m'as pas écoutée ? demandai-je avant de boire une gorgée de vin. Il m'a dit : "Tu as été fabuleuse" et puis il a filé. »

Helen leva les yeux et fronça les sourcils.

« Je n'arrive pas à croire que tu aies fait semblant d'aller travailler. Comment étais-tu habillée ?

– J'avais mis un tailleur.

– Un tailleur ?

– J'ai fait ça machinalement. C'était lundi et j'étais sur pilote automatique.

– Ça s'est passé lundi ?

– Oui, je te l'ai déjà dit. Tu ne m'écoutes pas ?

– Désolée.

– Qu'est-ce qui ne va pas ? Pourquoi es-tu si distraite ?

– Désolée, répéta-t-elle en enroulant une longue mèche de cheveux autour de son doigt. Les jumeaux m'ont encore empêchée de dormir cette nuit.

– Les nounous ne sont-elles pas censées assurer dans ce cas ?

– Je les allaite, tu le sais bien, et ils sont affamés en ce moment. Une crise de croissance sans doute… Peu importe. Comment se fait-il que tu ne m'avais pas encore parlé de ce type ?

Je n'y suis pour rien. C'est la faute des sangsues suspendues à tes mamelons. Pardon. Tâche d'avoir des pensées positives et chaleureuses et de ne pas te montrer trop acerbe.

« Ça ne fait que six jours que je suis rentrée.

– J'ai l'impression d'être totalement hors circuit. »

Je posai ma main sur la sienne.

« Ne te fais pas de souci, Helen. Tu ne rates pas grand-chose.

– C'est facile à dire pour toi. Tu t'éclates, toi. »

Ce n'était pas l'impression que j'avais.

« J'ai essayé de t'appeler plusieurs fois. La nounou ne te l'a pas dit ? »

Elle fronça les sourcils, comme si elle essayait de se souvenir, mais je savais pertinemment que tous mes messages lui avaient été transmis.

« Bref, je suis en train de te faire un récit complet, mais tu n'as pas l'air de saisir. Il a dit : "Tu *as été* fabuleuse." C'est magnifiquement formulé. Une manière de me complimenter tout en m'envoyant promener.

– Imagine qu'il soit allé jusqu'à Canary Wharf?

– Il travaille pour le gouvernement. À Westminster. C'était pas sorcier. J'ai rebroussé chemin tout simplement et je me suis changée en arrivant à la maison.

– Il t'aime bien, on dirait – il t'a offert un croissant. Feras-tu de nouveau semblant d'aller au travail la prochaine fois que tu le vois ? »

C'est très agaçant de parler à quelqu'un qui n'écoute pas.

– Non, Helen. S'il avait dit : "Tu *es* fabuleuse", j'aurais peut-être eu droit à d'autres croissants. "Tu es fabuleuse", veut dire : prenons un verre ensemble, remettons ça ce soir, et demain soir, et voyons où cela nous mène. Alors qu'au passé, cela signifie au revoir et merci. Une manière géniale de prendre la poudre d'escampette. Sans compter que je peux difficilement faire la fine bouche. J'ai baisé avec lui après une conversation de quarante minutes à propos de tout et de rien. Je l'ai consommé. J'ai eu mon content, lui de même. C'était un contrat à court terme.

– À mon avis, il va t'appeler.

– Ça ne m'étonne pas de toi, répondis-je. Ta vie est parfaite. Dans un monde comme le tien, il appellerait. Pas dans le mien. Et épargne-moi tes tirades du *Desiderata* à propos de l'amour aussi infini qu'un champ de blé, parce que je t'avise que je suis tombée sur une vaste étendue toute pelée. »

Helen se leva, s'empara d'une peau de chamois et se mit en devoir de polir une surface qui n'en avait nul besoin. C'est une grande maison, je sais, mais elle ne manque pas d'aide. La femme de ménage vient chaque matin. Il y a une nounou tous les jours de la semaine pour prendre soin des bébés. Sans parler de la perle qui vit sous leur toit. Elle s'appelle Rose. Je connais Rose depuis presque aussi longtemps que Helen. Elle est originaire des Philippines. Elle tenait la maison du père de Helen à Hong Kong et elle a été la gouvernante de Helen depuis son plus jeune âge. Le mariage de ses parents n'avait pas tenu le coup bien longtemps ; Helen passait toutes ses vacances à Hong Kong avec son père et Rose. Ou plutôt avec Rose. On ne devient pas un magnat des affaires en restant à la maison le soir pour lire des histoires à ses enfants. Rose faisait la navette en avion avec Helen. Marguerite, la mère de Helen, n'était guère plus disponible. Fortunée, divorcée depuis peu, elle passait le plus clair de son temps en compagnie de la jet-set européenne. Les nounous qu'elle embauchait ne faisaient pas long feu, Helen s'ingéniant à leur rendre la vie impossible. Au bout du compte, Rose en était venue à suivre Helen à la trace. Je suppose que l'on peut la tenir pour responsable de son éducation. Non. Pas responsable. La responsabilité incombe aux parents. Mais c'est elle qui faisait tout le boulot. Elle tressait ses cheveux, s'assurait qu'elle se brossait les dents, elle l'habillait, la nourrissait. Les seules constantes dans la vie de Helen, c'étaient Rose, l'absence de Marguerite et la fortune de son père.

Marguerite et moi sommes à couteaux tirés. Sa manière de dénigrer sa fille sans détour me sidérait autrefois. Si pour ma part j'ai été élevée dans une serre, Helen faisait songer à ces minuscules plantes qui parviennent à pousser sur un pan rocheux. J'en ai conclu il y a belle lurette que si Marguerite s'était astreinte aux tracas d'une grossesse, c'était dans l'unique but de s'assurer une mégapension alimentaire. Je ne dis pas que le père de Helen se désintéressait de sa fille. Bien au contraire. Il l'idolâtrait. Mais ce n'est pas la même chose. L'enfance de Helen a été ce mélange savamment destructeur de gâteries et de négligences. Lorsque son père est mort prématurément, Rose est venue s'installer à Londres pour de bon auprès de Helen. Elle y est toujours. Je crois qu'elle est censée être à la retraite maintenant, mais elle ne prend jamais un instant de répit. C'est plus fort qu'elle. Inutile de dire qu'entre Rose, la nounou et la femme de ménage, la maison de Helen est toujours nickel chrome. C'est tout juste si on y trouve des indices d'une vie quelconque, et certainement aucune des jumeaux.

« Je suis jalouse, dit Helen.

– Comment tu peux dire ça ! Je me suis fait proprement larguer.

– À t'entendre, tu t'es offert une spectaculaire partie de jambes en l'air. À l'heure qu'il est, je serais prête à payer l'équivalent des frais de scolarité de Bobby et de Tommy pour ça.

– Toujours rien de ce côté-là ? »

Elle secoua la tête.

« Neil ne s'approche même pas de moi. »

J'aurais été diablement soulagée à sa place, mais il est vrai que je préférerais rester vieille fille jusqu'à la fin de mes jours plutôt que de coucher avec Neil. Je serais plus bienveillante à son égard si j'étais certaine qu'il rendait mon amie heureuse, seulement c'est loin d'être le cas. Entre nous, leur mariage a été l'une des expériences les plus pénibles de mon existence. À l'époque, Neil essayait de percer dans la comédie, et je dois reconnaître que je doutais de ses motivations. Helen est ce qu'il est convenu d'appeler une héritière. C'est vrai que, dès le départ, je m'étais posé des questions sur Neil. Mais elle avait toujours cru en lui, et elle avait eu raison. Il était sur le point de devenir célèbre, et ne ratait jamais une occasion de vous le rappeler. Les années où elle l'avait entretenu s'étaient inexplicablement effacées de sa mémoire. On aurait pu croire qu'il avait acheté la gigantesque maison avec ses propres deniers. Or, je savais pertinemment qu'il n'y avait pas investi un centime.

« As-tu eu des nouvelles de ton patron ?

– Ex-patron, soulignai-je. Non, j'avais l'intention d'appeler le bureau, mais je n'arrive même pas à composer le numéro. »

Certaines personnes de mon entourage ont l'air de penser que j'aurais dû serrer les dents et attendre que le gaillard se lasse de me voir repousser ses avances. J'ai bien essayé. Mais il ne s'est pas lassé et, plus je lui battais froid, plus les choses empiraient. Au début, j'étais juste un peu nerveuse quand il était dans les parages, mais quand j'ai vu qu'il ne me lâchait plus d'une semelle, j'ai pris peur. À la fin, j'étais terrorisée en permanence. C'était devenu invivable. J'allais travailler à reculons, je rentrais chez moi à reculons. J'en arrivais à redouter le téléphone, à sursauter en voyant mon reflet dans la glace. Appeler le bureau, ce serait renouer avec quelque chose que j'avais voulu laisser se décomposer tout seul. Mes collègues étaient comme une famille pour moi ; j'avais travaillé dix ans dans ce cabinet. Nous passions naturellement un tas d'heures ensemble. En les perdant, j'avais payé le prix fort pour recouvrer ma liberté. Je regardai Helen. Il allait falloir que je fasse quelque chose de cette liberté à présent.

La porte de la gigantesque cuisine s'ouvrit. Helen sursauta. Je fis la grimace. Notre conversation entre filles était terminée. Helen ne dirait plus rien maintenant que son éblouissant et célèbre époux allait prendre le relais. Il vint l'embrasser, puis se tourna vers moi.

« Waouh, Tessa ! Quelle mine ! » s'exclama-t-il.

Je me levai et scotchai un sourire forcé sur mes lèvres.

« Salut, Neil. Alors ta nouvelle pièce, ça se passe bien ?

– C'est super dur. »

Personnellement je n'avais jamais discerné la moindre once d'humour chez Neil, même s'il avait un certain talent pour les reparties misogynes, méchantes, racistes et les blagues de comptoir les plus salaces. Je n'arrivais pas à comprendre comment Channel 4 avait pu l'embaucher. Il m'embrassait toujours au coin de la bouche, de part et d'autre. Je trouvais cela super agressif et j'avais toutes les peines du monde à ne pas m'essuyer ensuite.

« Tu ne la trouves pas superbe, Helen ? demanda-t-il en me lâchant enfin le bras.

– Superbe, confirma Helen.

– En la voyant, je me rends compte que tu aurais bien besoin de vacances », ajouta Neil.

Il planta un doigt dans les côtes de sa femme avant d'aller se chercher une bière dans le réfrigérateur.

« Histoire de reprendre un peu de couleurs. Que dirais-tu de partir quelque temps maintenant que le tournage est terminé ? »

Je trouvai sa remarque déplacée. Si j'avais eu un tant soit peu d'estime pour lui, je lui aurais dit. « Va te faire foutre, connard ! Vous venez d'avoir des jumeaux, non ? »

Mais on ne peut pas parler aux gens comme ça à moins de les aimer. À la place, je m'éloignai de lui.

« Helen est ravissante, comme toujours. On a peine à croire que tu as donné naissance à ces deux bébés géants il y a quelques mois. Ce pull ne pourrait pas être plus moulant. Je l'adore, au fait.

– Considère qu'il est à toi, répondit-elle. Je le ferai nettoyer avant de te le donner. Cette couleur te va mieux qu'à moi.

– Je n'ai pas dit ça pour que tu m'en fasses cadeau, affirmai-je. Je te complimentais juste sur ta beauté.

– Évidemment, lança Neil. Il n'empêche que ça me ferait du bien à moi de prendre des vacances. J'ai travaillé comme un dingue. »

Le problème, c'est que Neil avait raison. Helen avait les traits tirés, et si elle avait toujours été mince, elle paraissait chétive à présent. Presque efflanquée. Seulement, n'incombait-il pas au mari de voir au-delà de ces choses-là et de s'en tenir aux éloges ? Surtout après une naissance. Je reportai mon attention sur mon amie. Elle avait de grands cernes sous les yeux et ses pommettes jadis enviables laissaient entrevoir leur vrai nature :

osseuse. Un crâne vide et creux. Grâce à ses origines asiatiques, Helen n'avait jamais le teint pâle et brouillé comme nous autres simples mortels, mais il n'empêche qu'elle avait une mine de papier mâché. En l'examinant d'un peu plus près, je me rendis compte qu'elle n'était pas si jolie que ça, qu'elle n'avait même pas l'air d'aller bien. La femme que j'avais en face de moi n'avait plus rien à voir avec la liane de dix-huit printemps que j'avais rencontrée sur la plage.

Neil lui ébouriffa les cheveux.

« Elle sait que je l'aime comme elle est. »

Helen lui sourit d'un air plein de gratitude. Il fallait que je m'en aille. Neil me donnait la nausée. Je savais qui il était au fond sans pouvoir le dire à Helen. L'effet qu'il avait sur sa femme me donnait envie de pleurer, mais que pouvais-je y faire ? Ce n'est pas mon genre de semer la zizanie dans les couples, même dans le cas de mariages auxquels je ne crois pas.

« J'ai pensé qu'on irait manger des sushis au coin de la rue, annonça Neil. Pourquoi tu ne viendrais pas avec nous ? »

Si Helen est sans doute consciente que je ne porte pas son mari dans mon cœur, Neil ne s'en doute apparemment pas le moins du monde. Les grands égocentriques ont une peau d'éléphant.

« Ça aurait été avec plaisir, mais j'ai quelque chose de prévu.

– Allons ! Ça sera plus sympa avec toi, reprit-il. Pour tout te dire, quand on est en tête à tête, Helen et moi, on parle de couches-culottes ! Ce n'est pas bon pour nous.

– C'est gentil d'essayer de me convaincre, répondis-je, pas convaincue du tout, mais je dîne avec Ben. »

C'était prendre mes désirs pour la réalité. Je n'avais rien de prévu en fait, mais je me sentais incapable d'affronter une soirée en leur compagnie. Je préférais voir Helen seule.

« Dans ce cas..., reprit Neil, nous ne saurions rivaliser avec Ben.

– Ignore-le, suggéra Helen. Il est jaloux, c'est tout.

– Bien sûr que je suis jaloux. Chaque fois que sa femme qui est la réussite incarnée part en voyage d'affaires, il va dîner avec une autre femme qui incarne elle aussi la réussite. »

Helen soupira. C'était l'allusion à la « réussite incarnée » qui avait fait mouche. On aurait pu penser que Neil faisait notre éloge, à Sasha et à moi, alors qu'en réalité, il s'en prenait à sa femme. Helen n'avait jamais travaillé. Jamais de sa vie. Elle n'avait pas vraiment de qualifications bien qu'elle eût entrepris diverses formations. Elle n'avait pas besoin de travailler. Mais cette oisiveté n'avait guère favorisé sa confiance en soi, enfin le peu d'assurance que sa mère lui avait laissée.

Après son divorce, sa mère, Marguerite, avait gravi les échelons au sein d'un journal pour se hisser finalement au rang de rédactrice en chef. Elle ne manquait pas d'aplomb, et c'était à elle que Helen devait sa beauté. On blaguait parfois en disant que Marguerite avait couché pour atteindre les sommets, mais en vérité, elle est loin d'être bête, elle est même redoutable. Peut-être Helen l'avait-elle déçue, mais bon sang, un peu d'encouragement n'aurait pas fait de mal ! J'ignore si la barre avait été mise trop haut, ou si elle était tout bonnement restée à terre. Nous avions dix-huit ans, Helen et moi, lorsque nous nous étions rencontrées, et je suppose qu'à ce stade, le mal était fait. Voir Neil se comporter exactement comme Marguerite me brisait le cœur parce que je savais que cette enveloppe émaciée cachait une fille qui avait une pêche d'enfer. Celle que j'avais connue jadis. Celle qui avait été à mes côtés du temps de mes vingt ans, celle avec laquelle j'avais fait des trucs totalement irresponsables et qui me manquait aujourd'hui.

« Une réussite incarnée qui est actuellement au chômage, soulignai-je, essayant de prendre subtilement sa défense.

– Pas pour longtemps, je parie. Alors vous dînez tous les deux en tête à tête, Ben et toi ? Nous cacheriez-vous quelque chose ? »

Il ne manque jamais une occasion de tenir des propos salaces, c'est plus fort que lui.

« Si tu parles de se raconter les derniers potins en grignotant quelque chose, la réponse est oui. »

Je ne devrais même pas répondre.

« Et sa femme ne s'en offusque pas ?

– Non, pour la bonne raison qu'il n'y a aucune raison de s'en offusquer. Bon, pourrions-nous changer de sujet, s'il te plaît ? »

Je n'aime pas qu'on me taquine à propos de Ben. Surtout en présence de Helen.

« Sur la défensive, hein…, susurra Neil.

– Non, je trouve ça assommant, c'est tout. Je croyais que vous alliez manger des sushis. »

Neil enlaça sa femme.

« Allons, Tessa. Tu sais très bien qu'on adore fourrer notre nez dans les affaires des autres. »

Pourquoi les gens mariés font-ils ça? Pourquoi se pourlèchent-ils les babines en cuisinant les autres sur leur vie sexuelle ? J'avais l'impression d'être un animal de laboratoire.

La nounou apparut avec deux bébés talqués, tout roses, sortant du bain et prêts à bâfrer de nouveau. Je ne les trouvais pas très beaux. Ils ressemblaient malheureusement plus à leur père – plutôt trapu, menton en galoche – qu'à ma ravissante amie. Ils n'avaient hérité d'elle que ses yeux noirs. Les chromosomes de l'homme blanc avaient eu raison de ses gènes orientaux.

« Pourquoi est-ce que tu ne les allaites pas ici? dit Neil. Figure-toi qu'elle arrive à les nourrir en tandem maintenant. »

Euh…

« Tu les allaites encore ? m'enquis-je, surprise.

– Il est recommandé de les allaiter un an, intervint Neil. Ça améliore les capacités cérébrales.

– De qui émane cette recommandation ? demandai-je. Sûrement pas de gens qui ont des jumeaux.

– Ça ne leur fait pas de mal en tout cas, rétorqua fièrement Neil. Vise un peu la taille de ces gaillards. »

Ils étaient effectivement grassouillets, mais ce n'était pas à eux que je pensais.

« Neil a des allergies, tu comprends », précisa Helen.

Je la dévisageai. Comment avait-elle fait pour devenir une lopette pareille ? La Helen d'autrefois n'hésitait pas à danser sur les comptoirs des cafés, à faire du stop, à s'envoler pour une capitale européenne ou une autre dans le dessein de s'introduire sans invitation dans une soirée, à se baigner à poil en plein hiver. Je n'aurais jamais fait autant de fredaines sans elle. Les choses avaient tellement changé.

« Helen s'en sort admirablement bien, la plupart du temps. Allez, chérie, montre à Tessa. »

Je n'avais vraiment pas besoin qu'on me montre, mais Helen souleva docilement son chandail et dégrafa son soutien-gorge d'allaitement. Je n'irais pas jusqu'à dire que j'éprouvai de la répulsion, mais je n'étais pas franchement à l'aise. Bobby non plus, apparemment. Dès qu'on le tendit à sa mère, il se mit à protester, se cambrant en donnant des coups de pied. Helen tenta de lui enfoncer son mamelon dans la bouche. Je fis mine de chercher quelque chose dans mon sac.

« Y a un problème ? » demanda Neil.

Les pleurs de Bobby déclenchèrent ceux de Tommy. J'étais incapable de les distinguer, mais leurs vêtements coordonnés avaient été monogrammés avec soin, ce qui simplifiait grandement la tâche. Je m'étais tellement impliquée avec Caspar, et plus encore avec Cora que j'étais inquiète de n'éprouver pour ainsi dire rien pour ces deux petits monstres en dehors d'un agacement tenace. Ce n'était pas leur faute si Helen s'était éloignée de moi, ils n'y étaient pour rien si mon amie s'était volatilisée, si elle s'était fait avoir, elle était la seule responsable.

Leurs braillements commençaient à m'écorcher les oreilles.

« C'est à cause de la lumière et des gens, dit Helen. Je fais généralement cela en haut dans une pièce sombre. Ça les aide à s'endormir. Désolée, Tessa. Les deux dernières heures de la journée me semblent toujours infiniment plus longues que les dix précédentes. »

Je souris gentiment, mais en mon for intérieur, je me disais : « Essaie de te débrouiller sans le soutien de nounous, comme la plupart des gens, et là, tu pourras te plaindre. »

« J'étais sur le point de partir de toute façon, dis-je en prenant mon sac, bien déterminée à me sauver avant de me trahir.

– Reste prendre un verre avec moi, dit Neil.

– Il faut vraiment que je me sauve. »

Helen rendit Bobby à la nounou qui le reprit sans moufter. Elle posa habilement les deux bébés en équilibre sur ses hanches et entama son long retour jusqu'au dernier étage. Helen s'approcha de moi et me serra dans ses bras. Ce fut une longue étreinte et l'espace d'un instant, l'inquiétude me saisit. Quand les gens se cramponnent à vous comme ça, c'est qu'ils ont peur que le courant les emporte.

« J'ai l'impression que la nounou aurait besoin d'un coup de main », nota Neil en la regardant monter l'escalier avec ses deux fistons replets et braillards.

Tu as deux mains, bordel, tu n'as qu'à l'aider, telle fut ma réaction immédiate. Pas étonnant que je ne sois pas mariée. Helen s'abstint d'exprimer mes pensées. Elle ne semblait même pas les partager. Elle me libéra de son étreinte, se détourna de moi sans le moindre regard de conspiration et sourit.

« J'arrive », dit-elle d'une voix douce en rejoignant son mari dans l'entrée. Puis main dans la main, ils suivirent leur progéniture dans l'escalier.

Je n'avais pas prêté beaucoup d'attention à la grossesse de Helen. J'avais suffisamment d'ennuis comme ça. C'était la période où mon ex-patron avait cessé d'être casse-pieds pour devenir franchement terrifiant. Bien qu'elle attendît des jumeaux, Helen avait conservé la ligne plus longtemps que la plupart des futures mamans de ma connaissance qui n'en avaient porté qu'un seul. De sorte qu'il m'arrivait d'oublier carrément qu'elle était enceinte. Presque toutes les jeunes mères de mon entourage allaitaient, ainsi que des millions d'autres que je ne connaissais ni d'Ève ni d'Adam. Je voyais des femmes enceintes partout. Une véritable épidémie. C'était tout du moins l'impression, déformée, que j'avais. Quant à moi, j'étais traquée par un homme marié qui me suivait jusqu'à chez moi. Pendant que mes amies et connaissances parlaient du développement du fœtus, des avantages et des inconvénients des tablettes d'oméga-6, moi, je téléphonai à ADT pour qu'on m'installe un système de télésurveillance chez moi. Alors, c'est vrai, j'étais passée à côté de la grossesse de Helen. L'accouchement par césarienne avait eu lieu sur rendez-vous au Portland Hospital, ce qui ne m'impressionnait pas vraiment parce que je soupçonnais que Neil avait fait pression sur sa femme pour qu'elle ait ses bébés là-bas après la lecture d'un article du magazine *Hello!* Au lieu de roucouler devant des nouveau-nés, je passais mon temps au tribunal à me battre contre l'homme qui régissait ma carrière. Je n'avais même pas pris la peine d'envoyer un bouquet de fleurs à l'hôpital.

J'allai prendre mon manteau là où Rose l'avait pendu. Je passai rapidement aux toilettes et me lavai les mains. Les braillements se prolongeaient en haut. Ça ne faisait qu'empirer. Neil s'en était mêlé, sans grand résultat apparemment. Je n'avais toujours pas entendu le son de la voix de la nounou. J'enfonçai mon chapeau sur ma tête, jetai un rapide coup d'œil à mon reflet dans la glace de l'entrée et me sentis toute légère à l'idée de m'en aller. Je tirai la lourde porte derrière moi en poussant un grand ouf. Le soleil couchant rehaussait les tons roux des feuilles d'automne et les arbres vibraient de mille couleurs. L'air frais avait un effet purifiant. Il y avait un café français et une librairie non loin de là. Je pouvais m'acheter un livre et m'installer devant un petit verre de vin, peut-être même dîner seule, de bonne heure… Pourquoi pas ? J'étais libre de faire ce que bon me semblait et l'espace d'un instant, je me souvins de ce que j'avais toujours trouvé merveilleux dans ma vie.

Parvenue à la barrière, j'entendis la porte se rouvrir derrière moi. En me retournant, je vis Helen sur le seuil.

« Ne me laisse pas là », me lança-t-elle d'un ton implorant.

Neil surgit à son tour, la saisit par la taille et l'entraîna à l'intérieur en riant. En regardant fixement la porte close, j'eus la sensation de m'affaisser. Se pouvait-il que je sois devenue amère au point d'être infoutue de me réjouir pour mon amie ? Ce moment affectueux, espiègle, entre eux n'était-il pas la preuve que la seule personne qui empoisonnait leur relation, c'était moi ? Mon soulagement avait été de courte durée. J'avoue non sans honte que je me mis à pleurer sur mon sort. Ce n'était plus une agréable soirée fraîche. Il faisait froid. L'air n'avait rien de purifiant. Ça empestait le monoxyde de carbone. La perspective d'une soirée seule à manger plus mal qu'à la maison en lisant un livre cher et pas drôle me paraissait une désespérante contrainte à présent. Je restai plantée sur le trottoir jusqu'à ce que le froid s'immisce à travers les fines semelles de mes souliers. Je frissonnai. Valait-il mieux faire partie de quelque chose à n'importe quel prix ou ne rien avoir ? Helen avait une maison gigantesque, des employés, un mari, deux fils – et moi, qu'est-ce que j'avais ? Ce n'était peut-être pas elle qui se faisait avoir, en fait.

J'ai revécu cet instant mentalement des milliers de fois depuis lors et je jure de l'avoir vue rire. Je me rends compte à présent que je ne voyais que ce que je m'attendais à voir. Même si j'étais méfiante sur le moment, et si j'aurais donné cher pour discerner davantage de choses, c'était impossible. J'étais programmée différemment. Et c'est la raison pour laquelle, même maintenant, et sachant ce que je sais, je me souviens juste de l'avoir vue rire quand Neil l'avait entraînée gaiement à l'intérieur de la maison.

4

Une euphorie pas très catholique

Je résolus d'appeler Ben à la rescousse. Un dîner avec lui me paraissait tout indiqué. Sasha décrocha à sa place. Je lui demandai s'ils étaient disposés à me retrouver dans un sas de décompression quelconque, de préférence pourvu de vodka. J'alléguai que j'avais passé la journée avec des bébés et que j'avais besoin de parler avec une grande personne.

« Je sors. Ben n'a rien de prévu, mais je ne suis pas certaine qu'il satisfasse aux critères invoqués.

– Je ne comprends pas.

– Tu as dit qu'il te fallait une grande personne.

– Oui. Oh... »

J'approchais de la station de métro à contre-courant des banlieusards qui rentraient chez eux.

« Est-ce que ça va ?

– Ne me pose pas la question.

– D'accord.

– Les hommes sont des bébés. Je suis partie quatre jours pour le boulot. À mon retour, j'ai trouvé le frigidaire vide, bien qu'il ait pensé à reconstituer le stock de bières. En revanche, il a oublié de sortir les poubelles et de faire la lessive, il n'a pas été foutu de faire le lit ni de remettre un rouleau de papier aux toilettes. Alors, si tu veux m'emprunter mon mari, c'est sans problème et je ne suis même pas sûre de vouloir le récupérer. »

En temps normal, quand je lui demandais si elle voulait bien me prêter Ben, Sasha me répondait : « Seulement si tu me le rends », ce à quoi je répliquais d'un ton guilleret : « N'est-ce pas toujours le cas ? », mais Sasha avait l'air exaspérée cette fois-ci.

« Puis-je faire quelque chose pour toi ?

– Seulement si tu es capable de reprogrammer l'espèce masculine.

– Désolée. »

Je m'arrêtai devant la station de métro. Mon itinéraire dépendait de l'issue de cette conversation.

« Dans ce cas, je doute que tu puisses quoi que ce soit pour moi. Ne t'inquiète pas, Tessa, tout va bien entre nous, en fait. J'ai juste besoin de passer quelques heures à lui casser du sucre sur le dos avec une copine.

« Retrouve-moi, suggérai-je. (Je bloquai le passage aux gens qui montaient les marches quatre à quatre.) L'un ou l'autre Harding, ça m'est égal !

Je sentis le tiraillement désagréable qui accompagne un mensonge et m'empressai d'ajouter, sur une note plus sincère :

« J'adore nos conciliabules entre filles.

– Tu ne peux pas faire l'affaire, Tessa. Tu le défends toujours.

– Et ça t'embête !

– C'est tout à fait admirable, mais ce soir j'ai besoin de cracher mon venin en buvant un bon coup. Comme une femme fort sage m'a dit un jour : “Ce n'est pas parce qu'on a un mari qu'on n'a pas de peines de cœur.”

– Qui est-ce qui a sorti ça ?

– Toi, nigaude !

– Vraiment ? »

Je n'en croyais pas mes oreilles. Ça me paraissait beaucoup trop intelligent pour venir de moi.

« Tu te sous-estimes, Tessa. J'appelle Ben.

– Merci. Tout va bien, tu es sûre ?

– Pas de soucis. Il y a toujours des hauts et des bas. Il faut juste essayer de ne pas l'oublier lorsqu'on est dans le creux de la vague. Quand je rentrerai ce soir à la maison, je l'aimerai de nouveau. Je lui arracherai probablement ses habits et…

– Tu peux m'épargner les détails, merci.

– De toute façon, il est toujours plus gentil avec moi après t'avoir vue. Tu as une bonne influence sur lui. Alors, d'accord, emprunte-le-moi pour la soirée, mais même s'il répugne à rentrer, je t'en conjure, renvoie-le-moi quand tu en auras fini avec lui.

– N'est-ce pas toujours le cas ? »

Il y avait sept ans maintenant que nous avions ce type d'échanges, généralement sans le côté venin à cracher, mais grosso modo à l'identique.

De retour dans mon petit logis, j'eus tout juste le temps d'appeler mes parents avant que Ben ne me téléphone de sa voiture pour me dire qu'il était devant chez moi. Je lui répondis que je descendais illico, ce que je fis. C'est ça que j'aime. Être occupée. Continuellement en goguette. Le sourire qui illumina le visage de Ben quand il me vit était l'antidote parfait pour contrecarrer l'humour insalubre de Neil, les braillements des jumeaux et les tétons de Helen. En fait, Ben est le remède à presque tout. Il est grand, carré d'épaules et bien qu'un peu enrobé autour de la taille ces temps-ci, il est toujours aussi beau. Cheveux noirs, yeux bleus… Faut-il vous en dire plus ?

« Tu n'as pas daigné te faire belle pour moi à ce que je vois ?

– Tu dois te contenter des miettes. Désolée. J'ai vu mes filleuls et j'ai besoin d'un verre. Sur-le-champ. »

Il m'ouvrit la portière.

« Qu'est-ce que tu racontes ? Tu es superbe. Sasha me l'avait dit.

– Qu'est-ce qui se passe entre Sasha et toi ?

– Rien. Elle a pété un câble parce que j'avais oublié d'acheter du lait, c'est tout. Ça lui arrive de temps en temps quand elle revient de voyage. Elle a pris l'habitude de se faire servir à l'hôtel, des hommes qui lui font des courbettes et lui cirent les pompes. Un jour où elle se montrait particulièrement tatillonne, j'ai plié le PQ en petits triangles pour l'énerver.

– Ça a dû la calmer, remarquai-je d'un ton sarcastique.

– Ça finit toujours par s'arranger. Tu sais ce qu'on dit à propos des disputes...

– OK, OK. Pas la peine d'enfoncer le clou. »

Il ferma ma portière et fit le tour de la voiture. Une fois installé au volant, il me regarda à nouveau, plus attentivement.

« Tu es vraiment superbe, Tess, dit-il. Tu as l'air d'aller mille fois mieux qu'avant ton départ. Je n'avais pas envie que tu partes, mais c'était manifestement la chose à faire. Tu es resplendissante.

– Rien de mieux qu'un régime à base de haricots secs.

– Ton tipi devait chlinguer.

– Il vibrait carrément !

– Je ferais peut-être mieux d'ouvrir la fenêtre. »

Il boucla sa ceinture de sécurité et démarra.

« Alors qu'as-tu fait de beau depuis que tu es rentrée ? »

Je souris.

« Quoi ? Je ne le crois pas ! *Déjà ?* »

Je hochai la tête. Je ne peux rien lui cacher.

« En fait, je n'ai aucun mal à le croire. Regarde-toi. Bon sang, je suis jaloux ! C'était bien ?

– Ne dis pas des choses comme ça, répondis-je. J'adore ta femme.

– Moi aussi. On ne va pas entrer en lice pour déterminer lequel d'entre nous aime le plus ma femme, mais je t'avoue que, de temps en temps, l'imprévu me manque. Le frisson. Ce n'est pas comme si je trompais Sasha, je n'y pense même pas. Des souvenirs m'assaillent parfois, c'est tout.

– Tant que tu ne sombres pas dans la nostalgie.

– Ça me manque parfois, c'est mon droit, non ?

– Ce n'est pas à moi qu'il faut le demander. Je ne connais pas les règles.

– Était-ce le genre "pas le temps de se déshabiller, je n'en peux plus ?" »

Je ne pus réprimer un sourire.

« À peu de chose près, oui. J'ai ôté ma petite culotte tout de même.

– Naturellement, dit-il.

– Et lui son pantalon, mais seulement jusqu'aux genoux. »

On riait tous les deux quand il s'engagea dans la circulation, et on riait toujours en entrant dans le bar. Voilà pourquoi nous sommes si liés, parce que nous pouvons parler de ce genre de choses. En fait, on parle de tout. Sauf de nous-mêmes.

Nous avions choisi un bar qui se trouvait dans la zone de parking de Ben. Il projetait de laisser sa voiture là et de revenir la chercher le lendemain matin. Voilà pourquoi je suis limite alcoolique. Dès qu'un de mes amis éprouve le désir d'échapper un moment à la béatitude domestique, il me fait signe parce que je fonctionne en solo. Je n'ai pas besoin de téléphoner à la maison pour demander la permission de sortir. Ni de réserver une baby-sitter un mois à l'avance. Ni de consulter mon agenda. Quand mes potes célibataires ont le moral dans les chaussettes, ils me passent un coup de fil parce qu'ils savent que je suis embourbée dans mon état de vieille fille et qu'on n'a jamais de mal à me persuader d'aller me délester de quelques biffetons dans un bar d'hôtel. Même mon vieux père m'appelle parfois quand il est d'humeur à passer une soirée dans la pollution citadine, ce qui se produit outrageusement souvent pour un homme de quatre-vingt-quatre ans. Je pourrais décliner toutes ces propositions, bien sûr. Mais pourquoi ? Il semble qu'il y ait des gens que je ne me lasse pas de voir. Et Ben en fait partie.

« Que dirais-tu d'une bouteille de champagne pour fêter le retour de ma vieille copine ?

– C'est toi qui paies ?

– Seulement les deux premières bouteilles, répondit-il. Après ça, c'est toi qui régales. »

Vous comprenez maintenant? Je regardai Ben gagner le comptoir. Je regardai les autres femmes en faire de même. Je regardai ces femmes le regarder, se retourner vers moi et me sourire, et les vis échouer dans leurs tentatives pour attirer son attention. J'avais connu ce dévouement toute ma vie et ça faisait chaud au cœur.

Ben s'accouda au comptoir et me fit un clin d'œil. Il avait des rides d'expression autour des yeux que je n'avais pas vues venir au fil des années, mais il restait essentiellement le garçon aux yeux bleus, au nez aquilin qui avait fait son entrée dans notre salle de classe des millions d'apéros plus tôt. C'était le milieu du troisième trimestre et nous avions onze ans. Je me souviens de ses cheveux d'une longueur grotesque. Des cheveux que sa hippie de mère avait laissés fièrement pousser durant toute son existence de nomade, des cheveux que Claudia et moi coupâmes une semaine plus tard, à la demande de l'intéressé, avec une paire de ciseaux à ongles dérobée. Sa mère l'emmenait partout où cela lui chantait, ou, comme nous l'apprîmes plus tard, partout où les hommes lui convenaient. Ces déracinements perpétuels annihilaient en un sens ses vastes expériences, et nous eûmes vite fait de nous apercevoir qu'il était naïf et qu'il avait besoin d'être materné. Or, nous n'aimions rien de mieux qu'un bon projet dans lequel nous investir. Nous l'avions donc pris sous notre aile alors qu'il était en position de faiblesse et qu'il n'avait aucune idée de son potentiel. Notre amitié avait survécu à la puberté. Plus rien ne pouvait la briser désormais. S'il existe un citoyen de l'univers, c'est bien Ben.

Mon portable vibra. C'était le numéro de Helen chez elle. À propos d'anciens citoyens de l'univers… J'enclenchai la messagerie. J'avais eu mon compte de son petit foyer douillet pour la journée. Ben revint armé d'un seau à glace. Il emplit nos deux coupes. Nous trinquâmes à la santé et au bonheur, comme toujours. C'était une vieille habitude ; seul le contenu de nos verres avait changé. À la santé et au bonheur. C'était beaucoup demander, évidemment.

Je lui racontai ma déprimante visite chez Helen et Neil. Ben connaissait Neil par son boulot. Comme il travaillait pour une boîte de relations publiques dans les médias, il leur arrivait de se croiser. Le plus souvent tard le soir dans des clubs privés. C'était comme ça que je savais certaines choses sur Neil que j'aurais préféré ne pas savoir.

« Les jumeaux ne t'ont toujours pas séduite, on dirait ? »

Il me connaissait décidément beaucoup trop bien.

« En toute honnêteté, on pourrait en dire autant du reste de la famille. Neil me donne la chair de poule et Helen est une vraie carpette. Je ne sais pas ce qui lui est arrivé. Tu n'es pas devenu con en te mariant, toi.

– C'est parce que j'ai toujours été con.

– Comment oses-tu dire ça ? Je n'accepte pas qu'on puisse dire du mal de toi.

– Au fait, j'ai vu Neil l'autre soir, lança-t-il en me faisant la grimace. Il recommence à faire des siennes.

– Oh, non !

– Bien peur que si. »

Je me bouchai les oreilles.

« Je ne veux pas le savoir.

– Je te dis juste ça parce que, enfin, tu ne devrais peut-être pas être trop dure avec elle.

– C'est bizarre tout de même ! Ils décident tous les deux d'avoir des enfants. La vie de Helen change irrémédiablement, et Neil continue son petit bonhomme de chemin sans changer ses habitudes d'un iota.

– Tu comprends maintenant pourquoi Sasha ne veut pas d'enfants.

– Tu n'agirais pas comme ça. »

Ben haussa les épaules.

« Je ne la tromperais peut-être pas avec des actrices ivres, mais… »

Nouveau haussement d'épaules.

« J'aime ma vie telle qu'elle est. Jouer au foot le soir, au tennis le matin, sortir avec toi et me bourrer la gueule. Je n'ai pas envie de changer tout ça sous prétexte d'équité. On risque de se retrouver coincés tous les deux à la maison à nous ennuyer à mourir.

– Mais vous voulez des enfants tout de même ? insistai-je, estimant qu'il éludait la question.

– Je partage totalement le point de vue de ma femme sur ce point. Une fois n'est pas coutume.

– Vraiment ? Vous êtes déterminés à ne pas en avoir ?

– Absolument. Et toi ?

– Bien sûr que j'en veux.

– Pourquoi ?

– Ne sois pas ridicule. J'en ai envie, c'est tout.

– Mais pourquoi ? Tu vois bien tous les ennuis qu'ils causent ?

– Tu es égoïste, c'est tout. Comme tous les hommes.

– En fait, je pense que c'est tout le contraire.

– Il va falloir que tu m'expliques, dis-je en riant.

– Sasha voyage beaucoup, elle ne veut pas renoncer à sa carrière et c'est ce qui arrive quand on a des enfants, à moins qu'on se satisfasse d'une nounou à plein-temps, ce qui n'est pas son cas.

– Tu pourrais être papa au foyer.

– Papa au foyer ? Dans quel article du *Daily Mail* as-tu été pêcher un truc pareil ? »

J'étais très vexée.

« Je ne lis pas le *Daily Mail.* C'est une formule de mon cru.

– Je ne suis pas ce genre d'homme. Règle numéro un, connais-toi toi-même. Sasha et moi ne sommes pas faits pour être parents. Mieux vaut le savoir que d'avoir des enfants qu'on n'a pas vraiment désirés, qu'on ne connaît pas vraiment et qu'on ne pourra pas aimer comme il faudrait. »

Il n'avait pas tout à fait tort. Après tout, l'art d'être parent n'était pas le fort de la famille Harding. Pourquoi perpétrer le supplice ? Cela dit, Ben est un homme merveilleux, ce qui ne se trouve pas à tous les coins de rue. J'estimais dommage qu'il n'y ait pas plus de Ben Harding dans ce monde.

« Tu ferais un papa génial à mon avis. Attentionné, charmant, généreux, ce que tu es déjà et davantage.

– Tu n'es pas objective.

– Pas le moins du monde, je l'avoue.

– Mes enfants t'aimeraient plus qu'ils ne m'aimeraient, comme tous les gens que je connais. Y compris ma femme. Je suis sûr que ça me taperait sur les nerfs.

– Tu as raison, et puis de toute façon, j'ai mon compte de filleuls. »

Ben remplit nos coupes à nouveau.

« Qu'est-ce qui te fait dire que tu as envie d'avoir des enfants ? me demanda-t-il quand nous eûmes trinqué une fois de plus. En dehors de la pression sociale, j'entends. Tu as une vie de rêve, tu t'en rends compte, j'espère ? »

La fêtarde. Mademoiselle l'Optimiste. Heureuse. Heureuse. Heureuse. C'est tout moi.

« J'ai un peu réfléchi, répondis-je d'un ton hésitant. Tu sais, en Inde… »

Ben se prit la tête à deux mains.

« Oh, non, lança-t-il d'un ton railleur, tu ne vas pas me faire le coup de devenir baba cool, d'aller vivre dans un ashram entourée d'une ribambelle de petits morveux à la tignasse tout emmêlée nés d'un barbu prénommé Saule.

« Saule abattu. Pas un ashram, je verrais plutôt un casino dans une réserve d'Indiens d'Amérique du Nord. Je serais la fille en tenue léopard avec les faux ongles et les diamants de pacotille. »

Ben rit à gorge déployée.

« Je vois ça d'ici. Tu fumerais des More, tu te ferais refaire les seins et tes mômes ne mangeraient que du pop-corn.

– Comment oses-tu ? Je n'ai nullement besoin de me faire refaire les seins ! »

Il me prit par le cou et me déposa un baiser sur la joue…

« Oh, Tessie, mon cœur, j'espère qu'on continuera toujours comme ça, à nous bourrer la gueule en nous tordant de rire ?

– Tu finiras par me quitter pour une autre buveuse invétérée. Une fille au foie plus solide avec moins de varices.

– Je ne te quitterai jamais.

– Ils disent tous ça jusqu'au jour où les premières taches de vieillesse apparaissent.

– Un sang pur, même à haute dose, ne saurait remplacer un passé commun.

– Et question passé commun, on se pose là », renchéris-je.

J'avais parlé sans réfléchir.

Ben me serra l'épaule un peu plus fort.

« C'est le moins que l'on puisse dire. »

Je me dégageai.

« Tu es ivre ?

– Oui.

– Tant mieux, dis-je en souriant.

– Et toi ?

– Ça ne fait aucun doute.

– Parfait. Si on buvait un autre verre ? »

Comme je le disais, il vaut mieux éviter certains sujets.

Totalement imbibés de champagne, nous finîmes par lever le camp. Devant chez moi, Ben bondit hors du taxi et m'ouvrit la portière. Comme toujours. Il pria le chauffeur de patienter quelques instants, le temps de m'accompagner jusqu'à ma porte. Il n'avait aucun souci à se faire pour ma sécurité. Roman veillait, mais Ben m'avait toujours accompagnée jusqu'à ma porte. Il me serra dans ses bras.

« Tu m'as manqué, dit-il. Je t'en prie, évite de partir trop souvent t'examiner le nombril. Ma vie s'en va à vau-l'eau quand tu n'es pas là. »

Je souris, le visage blotti contre sa chemise. Cette odeur de coton que je connaissais si bien.

« As-tu reçu la carte que je t'ai envoyée de ma grande plage déserte ?

– Tu as tracé une croix sous un palmier avec pour légende : "Envoie du réapprovisionnement." Trois mots, Tessa King, en un mois. C'est un peu léger.

– Mais drôle.

– Tu es toujours drôle. »

Il m'embrassa sur la bouche.

« Bonne nuit, beauté.

– Bonne nuit, Ben. »

La porte se referma. Je me détournai et me dirigeai vers l'ascenseur, sentant déjà le blues m'envahir. Me souvenant tout à coup de la soirée organisée par Channel 4, je fis volte-face. Ben regagnait le taxi à pas lents. Je rouvris brusquement la porte.

« Hé, l'ivrogne, tu vas à la première de la nouvelle comédie de Neil ? »

Il se retourna, cessant du même coup de froncer les sourcils.

« Euh… je n'en avais pas l'intention, mais si tu y vas… »

Je hochai la tête.

« Helen m'a demandé de venir. Je pense qu'elle a besoin de quelqu'un pour lui tenir la main. Tu sais comment Neil peut être parfois.

– Super ! Profitons-en pour faire la fête, dit-il, tout sourires à présent. On se retrouve là-bas. »

Je continuai à hocher la tête.

« Entendu. Et Ben, merci pour cette charmante soirée de bienvenue. »

Il posa la main sur son cœur, inclina la tête et monta dans le taxi. Mon deuxième trajet jusqu'à l'ascenseur fut moins sinistre. Je me couchai de bon poil.

Le lendemain, à une heure tapante, je pénétrai dans le restaurant Sticky Fingers, dans High Street Kensington. Caspar était déjà là, affalé sur sa chaise, mais présent et dans une tenue correcte. Je tâtai l'iPod dans mon sac, contente d'avoir eu suffisamment confiance en mon filleul pour faire un paquet cadeau. Seize ans est un âge important pour un garçon. Cet anniversaire marque la naissance d'un homme. Cela dit, pour rien au monde je n'aurais voulu être à sa place.

Il y avait un garçon assis à côté de lui, plus grand, plus mince que Caspar. Il s'appelait Zac. Il se leva pour me serrer la main. Son jean était tellement bas sur ses hanches qu'on voyait son boxer. J'avais envie de le remonter d'une secousse et de rentrer sa chemise dans son pantalon. Je me faisais vieille ! Caspar marmonna quelque chose qui aurait aussi bien pu être un bonjour qu'une menace de mort voilée émanant d'un mafioso. Je fis un clin d'œil à Francesca pour l'empêcher de lui rentrer dans le lard. Ça n'arrangerait sûrement pas les choses. Poppy et Katie étaient là aussi, en train de siroter des milk-shakes plus grands qu'elles, ainsi que Nick, et Paul, son frère célibataire que je trouve sympathique, mais qui ne me plaît pas du tout. Ce coup monté se perpétue depuis quatorze ans. Fort heureusement, Paul et moi sommes de mèche depuis la troisième tentative, ça n'a donc plus d'importance. Pour nous, en tout cas. Mais je crois bien que Francesca et Nick y croient encore.

« Voudriez-vous un verre de vin, mademoiselle King ? fit une voix mâle, sensuelle, à ma droite. Ou un bloody mary ?

– Je t'en prie, appelle-moi Tessa. Dans ma tête, j'ai le même âge que toi. Tâche de t'en souvenir quand tu m'adresses la parole. »

Il sourit.

« Un Coca, alors ? »

Je lui rendis son sourire.

« Je ne suis peut-être pas jeune à ce point-là »

Il se pencha vers moi et sa jambe toucha la mienne.

« Rien de tel qu'une seconde jeunesse », me souffla-t-il.

J'avais probablement mal entendu. Se pouvait-il que ce garçon, ce gosse, flirte avec moi ? Je reportai mon attention sur lui ; il baissa les yeux d'un air faussement timide. Nom d'une pipe… Étais-je destinée à devenir la Joan Collins de mon cercle d'amis ? Je m'imaginai dans quelques années : voiture décapotable, un jeune aux hanches sveltes, couvert de bijoux, vautré sur le siège passager, ressemblant à s'y méprendre à un jeune Robert Downey Junior (il apparaît souvent dans mes fantasmes). Je commençai à apprécier la scène qui se déroulait dans ma tête quand, en y regardant de plus près, je m'aperçus que mon jeune étalon était en train de remplir son formulaire d'inscription à l'université. Je m'empressai de commander un cheeseburger à point avec frites et beignets aux oignons, et du coleslaw, histoire de manger un peu sain. Mais d'abord une bière mexicaine avec une rondelle de citron vert. Un pur délice. J'étais de bonne humeur. S'il y avait de la tension dans l'air, je l'exploserais tel un bulldozer, avec un enthousiasme indéfectible.

« Je suis contente que tu aies eu mon message », glissai-je à Caspar en souriant tandis que le reste de la tablée s'affairait autour d'un milk-shake renversé.

Puis je baissai la voix en me penchant vers lui.

« Mais tu n'as peut-être pas su lire entre les lignes. Venir, c'est bien, mais il faut un sourire pour conclure l'affaire. Et pendant qu'on y est, j'ajoute une autre clause. Redresse-toi illico ou je rends l'iPod et je m'achète la paire de chaussures Jimmy Choo que ton cadeau d'anniversaire a mise hors de ma portée. »

C'était comme ça que ma mère s'y prenait avec moi quand j'étais petite. Selon elle, tout est dans le ton. Le ton et l'expression. Les mots importent peu. Ça avait dû marcher avec Caspar parce qu'il eut l'air d'avoir peur tout d'un coup et se redressa aussitôt. Francesca se tourna vers nous à l'instant où je m'écartai de son fils qui sortit du même coup de son mutisme.

Pour ce qui était de la conversation, j'avais l'impression d'être la seule à avoir le ballon. Je dribblai, esquivai, fis des passes et récupérai prestement la balle, mais dès que je la lâchai, la tablée sombrait dans le silence. À la fin du déjeuner, je n'en pouvais plus. Le clown de service avait fini son numéro. Ma seule récompense pour ce remarquable exercice dialectique, c'était l'attention que m'accordait Zac qui flirtait allégrement avec moi – avec un indéniable succès, qui plus est. Il était très bien avec Francesca aussi, poli, charmant, et traitait Nick avec déférence. Je n'avais à faire preuve de déférence envers personne, Zac pouvait donc se déchaîner sur moi. Il me chuchotait des sous-entendus sournois à l'oreille et me posait des questions personnelles sous couvert de propos badins. Impressionnant, c'est le moins que l'on puisse dire. Estimant préférable d'en revenir à une discussion du style « tata timbrée » avant d'aller trop loin, je proposai un questionnaire à mes compagnons de table dans l'espoir que les liens familiaux que je connaissais si bien reprendraient le dessus.

« Question s'adressant à tout le monde, sans ordre particulier : qui est la dernière personne que vous avez embrassée ? »

Je me tournai vers Nick.

Il se tourna à son tour vers Francesca et l'embrassa sur la bouche.

« Ma femme, répondit-il.

– C'est ce qui s'appelle réagir au quart de tour, commentai-je. Caspar ?

– C'est complètement naze, ce jeu.

– Oh, mon Dieu, je crois que Caspar n'a jamais embrassé personne », lança son père.

Les filles pouffèrent de rire. Je pointai l'index vers la plus jeune.

– Snoopy, répondit Poppy sans l'ombre d'une hésitation.

– Francesca ?

– Le jardinier, mais il ne faut pas le dire à Nick.

– On n'a pas de jardinier, rétorqua Poppy.

– C'est papa le jardinier, souligna sa grande sœur. Ha ha !

– Zac ?

– Dans la vie ou dans mes rêves ? »

J'eus l'horrible sensation de piquer un fard.

« Dans la vie.

– Jen Packer. »

Caspar se redressa d'un bond.

« Tu m'avais dit que non. »

Zac haussa les épaules.

« Qu'est-ce que tu veux que j'y fasse, mon pote ? Elle s'est jetée à mon cou.

– Et toi, Paul ? » m'empressai-je d'ajouter.

Il prit une profonde inspiration. Nous attendîmes.

« Gérard. »

Nick et Francesca se tournèrent vers lui comme un seul homme. Un silence tendu s'ensuivit.

« Qui veut une glace ? » demandai-je en faisant un clin d'œil à Paul.

Zac me rattrapa alors que nous descendions High Street Kensington.

« Vous n'avez pas répondu à la question que vous nous avez posée. »

Il était plus grand que moi, malgré ses seize printemps, et je ne suis pas petite. Il avait des jambes interminables et son jean pendait sur ses hanches saillantes. L'envie de serrer les anneaux de sa ceinture entre mes dents et de lui arracher son futal me titillait. Ne trouvant rien à répondre, je gardai le silence.

« Je sais qui je voudrais que ce soit.

– Ah bon ! Qui donc ? demandai-je au lieu de tourner ma langue sept fois dans ma bouche.

– Je crois que vous le savez, mad'moiselle King. »

J'explosai de rire.

« Désolée », bredouillai-je, avant de retenir ma respiration. Ce qui n'arrangea rien. Je pouffai de plus belle. Je ne pouvais plus parler. Il avait l'air tellement penaud, le pauvre, mais quand je suis partie on ne peut plus m'arrêter, comme une gamine de dix ans. J'essayai de m'excuser, mais sa mine grave me revenait sans cesse à l'esprit, et cette manière qu'il avait de se pourlécher les lèvres. Je l'imaginai en train de s'entraîner devant la glace, répétant son laïus, ses regards langoureux, et redoublai d'hilarité. Je tentai de lui prendre le bras pour me faire pardonner, mais il se dégagea. J'étais en mauvaise passe maintenant, mais la situation n'en était que plus drôle. Au moment où je pensais m'être ressaisie, je recommençai à me bidonner, expédiant des postillons sur le trottoir devant moi. Zac s'immobilisa. Morte de rire, je poursuivis ma route. C'était peut-être pour ça que je n'avais jamais de jules à son âge. Et que je n'en avais toujours pas. Je continuai à me fendre la poire tout le long du chemin jusqu'à chez moi, puis par intermittence dans l'après-midi ainsi qu'un nombre incalculable de fois devant la glace pendant que je me préparais pour sortir ce soir-là.

J'ouvris une bouteille de vin avant de m'offrir un long bain. On a tous besoin de constantes dans la vie. Telle était la mienne : me vautrer dans un bain chaud et huileux avec un verre de vin.

Puis je téléphonai à Billy.

« Salut, Billy, c'est moi.

– Mieux vaut tard que jamais. Comment vas-tu ? Quand est-ce qu'on se voit ? Alors, t'as pris ton pied ?

– J'ai l'impression d'être revenue depuis un siècle. Que dirais-tu d'un soir la semaine prochaine ? Tu fais quelque chose ce soir ?

– Ha ha. »

Mère célibataire, Billy est trop fauchée pour sortir, ce qui ne lui fait du reste ni chaud ni froid. J'aurais dû m'en douter.

« Si tu veux venir à la maison, j'ai loué un film.

– Ce serait avec plaisir, mais je…

– Évidemment, suis-je bête ! »

Elle marqua un temps d'arrêt.

« … Alors, c'était comment ?

– Tu peux venir avec moi ce soir si le cœur t'en dit.

– C'est gentil, mais je ne peux pas. Magda est sortie, tu comprends… Amuse-toi bien en tout cas. »

Je savais pertinemment qu'elle déclinerait mon offre. C'était toujours comme ça. Mieux valait qu'il en soit ainsi au fond, Billy et Samira n'étaient pas faites pour s'entendre à mon avis. Billy n'était pas assez coriace pour les gens de l'espèce de Samira, et, pour être vraiment honnête, j'avoue que je n'avais pas envie de la porter à bout de bras toute la soirée. J'avais déjà assez de mal à tenir le choc face à la redoutable force de gravité de Samira.

« Comment va ma petite filleule ?

– Merveilleusement bien. »

Le ton de Billy s'adoucit comme chaque fois qu'elle parlait de sa fille. Nous causâmes un moment de Cora, de l'école, de sa santé, de son prof préféré.

« Pardonne-moi, dit Billy, je t'enquiquine avec tout ça. Tu es attendue.

– Ne sois pas ridicule, répondis-je d'un ton badin. Ces détails de la vie quotidienne me donnent enfin l'impression de faire partie du genre humain. »

Je ne mesurais pas la véracité de mes propos.

« En attendant, je commence à avoir des rides, ce qui veut dire que je vais avoir de plus en plus de mal à attirer les chalands.

– Arrête ! Tu es superbe.

– On se voit la semaine prochaine.

– Ça me ferait très plaisir. Salut, Tessa. C'est gentil à toi d'avoir appelé. »

Je fis un réel effort vestimentaire et me maquillai avec soin pour une seule et unique raison : il y avait une vague chance que Sebastian soit là ce soir. Les amis de Samira n'étaient-ils pas tous comme culs et chemises ? Cheveux défrisés, seins au balcon, jambes à la parade. En temps normal, je n'allie pas les deux – poitrine et gambettes –, je trouve que c'est un peu *too much*, j'ai dépassé les trente-cinq ans, mais j'étais d'humeur audacieuse. Non, ce n'est pas le mot. Optimiste plutôt. Pour ne pas dire « désespérée ». Plus tôt dans la semaine, je m'étais posée devant mon portable en tripotant la carte de Sebastian. Celle qu'il m'avait donnée avant qu'on s'envoie en l'air. Et qu'il ne m'aurait probablement pas donnée *après*. Mais je ne voulais pas penser à ça. L'espoir fait vivre. Il avait réveillé ma libido. De la nourriture pour l'âme, au moment où je redoutais de ne plus jamais avoir ce genre d'appétit.

Je me refuse à ressasser ce qui s'est passé avec mon patron. Pour tout vous dire, j'en ai par-dessus la tête de cette histoire.

Mais il y avait des moments où j'avais le sentiment d'être responsable à cent pour cent, rien qu'à cause de ma manière d'être. J'avais bu des pots avec lui, comme on n'avait pas manqué de le remarquer. Je ne pouvais pas dire le contraire, mais c'était avec le reste des employés. On disait aussi que je m'habillais parfois de manière provocante pour aller au bureau. Toute travailleuse qui se respecte a une tenue qui se transforme en toilette du soir. Vu mon emploi du temps, je n'avais pas toujours le temps de rentrer me changer. Il m'arrivait souvent de sortir des W-C pour dames avec un haut différent en trottinant sur des escarpins d'enfer pour aller retrouver des amis. J'avais le sentiment de n'avoir rien fait pour allumer mon patron, mais il m'arrivait parfois d'avoir des doutes.

Après cette sinistre affaire, j'avais la rage. Rage mâtinée de pitié. De tristesse. De culpabilité. D'incrédulité aussi. Cela ne m'aurait servi à rien de rencontrer quelqu'un pendant cette période, j'étais fermée comme une huître. Et puis il y avait eu l'intermède avec Sebastian. Mes papilles avaient repris vie. J'en voulais encore. Je n'allais pas me contenter d'une seule friandise. Je voulais l'usine entière, nom de nom ! Je m'étais si bien « remise » que j'entrevoyais déjà une fin de conte de fées pour un roman qui n'avait même pas encore trouvé d'éditeur.

J'avais fini par craquer, j'avais tapé son adresse e-mail et commencé à écrire dans un style guilleret : « Pas de souci, je ne suis pas dingue, suis une femme indépendante » – sans agressivité – « et équilibrée. » Ça n'allait pas du tout. Même « salut » paraissait louche. J'avais effacé le message et jeté sa carte de visite à la poubelle. Ça n'avait rien de bien téméraire, je pouvais toujours avoir son numéro par Samira. Cela dit, ce ne serait peut-être pas nécessaire. Peut-être qu'en me voyant en beauté ce soir, il se ruerait sur moi pour me dire qu'il n'avait pas arrêté de penser à moi, et que penserais-je d'aller vivre en banlieue dans la mesure où son salaire ne suffirait pas pour acheter un grand appartement en ville, rapport aux enfants…

Le taxi s'arrêta devant l'adresse que Samira m'avait indiquée à Belgravia. Je jetai un coup d'œil à la maison de cinq étages, illuminée de mille feux, en me demandant si le chauffeur ne s'était pas trompé. Excitée comme une puce, je sortis mon portefeuille pour payer la course et me souvins alors que j'avais omis d'aller chercher du liquide. Pas grave. J'avais toujours un billet de 50 livres dissimulé dans mon sac pour les urgences. Et pour les fois où j'oubliais d'aller au distributeur. Le billet était planqué là depuis des lustres. Je le cherchai, il n'était pas là. Je vérifiai au cas où je l'aurais raté la première fois. En vain. Je perdais la tête ou quoi ? Se pouvait-il que je l'aie dépensé sans m'en rendre compte ?

Je tendis une carte de crédit au chauffeur. Il m'informa que sa machine était cassée, et cela m'en coûta 3,80 livres de plus, le temps de localiser une billetterie. Au retour, les feux rouges rajoutèrent encore quelques livres, et en payant, je m'aperçus que le voyant de sa machine était allumé. On ne serait pas en train de se ficher de moi par hasard ? Me suis-je plainte ? Ai-je fait un scandale ? Que nenni ! Je lui remis le montant de la course, et parce que je suis une imbécile et que j'aime qu'on m'aime, je lui donnai un pourboire par-dessus le marché. Quand le taxi redémarra, l'envie me prit de lui courir après pour réclamer mon argent durement gagné, mais tous les feux étaient verts, comme par magie, et de toute façon, j'avais des talons aiguilles aux pieds. J'avais espéré qu'après l'Inde, ces stupides contrariétés cesseraient de m'affecter, que j'en viendrais à les considérer comme des broutilles inhérentes à la vie citadine au lieu d'y voir la preuve que le monde entier conspirait contre moi. Mais voir ces phares arrière s'estompant dans la nuit, tout comme j'avais vu Helen ramenée tendrement à la maison par son mari, ne faisait qu'accentuer mon sentiment de solitude.

Je pénétrai dans une somptueuse demeure qui promettait une somptueuse soirée, mais la seule chose que je vis, c'est que Sebastian n'était pas là. Tout l'éclat des festivités en puissance se ternit d'un seul coup. Je n'avais plus du tout envie de faire la java.

La soirée solitaire que j'avais passée à mon retour n'avait somme toute rien d'une anomalie passagère. Tout ce riz complet pour rien ! J'aurais beau engloutir des tonnes d'antidépresseurs, ça n'y changerait rien. Cette profusion de minicanapés mignons à croquer et les hectolitres de champagne n'y suffiraient pas non plus. Un grand beau (et jeune) serveur basané me tendit une coupe de champ' glacée. J'y trempai mes lèvres. C'était délicieux. Bon, le champagne ferait peut-être l'affaire pour le moment, pensai-je en engloutissant une grande lampée.

Malgré mes jérémiades, ce fut une super soirée en définitive. Je tombai sur plusieurs personnes que j'avais connues à diverses époques de mon existence et que je n'avais pas revues depuis perpette. D'anciens collègues. Des copains de fac. Et même un ex, ce qui n'était pas pour me déplaire parce que je trouvais que j'étais en beauté, et qu'il était à l'évidence du même avis. Quand il me demanda un peu plus tard pourquoi nous avions rompu, je me surpris à tirer une ligne rouge imaginaire en travers de ce chapitre de ma vie en gribouillant dessus « Affaire classée ». Des siècles auparavant, il m'avait dit en buvant une bière que je n'étais pas son type de fille. Il avait beaucoup d'affection pour moi, m'avait-il assuré, mais je ne lui plaisais pas vraiment. Il avait changé de point de vue apparemment. Je m'excusai auprès de lui et mis le cap sur Samira. J'étais plus séduisante aujourd'hui qu'à vingt ans ! Il fallait fêter ça. Encore un peu de champagne, s'il vous plaît.

Samira et moi étions déjà passablement pompettes lorsque nous quittâmes la maison de Belgravia pour aller dans un club privé à Soho. Un type sympa aux cheveux poivre et sel me demanda s'il pouvait partager notre taxi. Il était seul. Puis deux nigaudes firent tout un foin parce qu'elles ne voulaient pas être séparées et insistèrent pour qu'il aille dans une autre voiture. Il avait l'air tellement triste debout là sur le trottoir que je sortis du taxi à sa suite et lui proposai d'en attendre un autre avec lui, mais quelqu'un beugla qu'il restait une place dans un autre taxi et m'alpagua. Monsieur Poivre et Sel dut remonter dans le premier. Tout cela en l'espace de quelques minutes. Mais c'est très important pour la suite, c'est pour cela que j'accorde une attention disproportionnée à ce manège.

Je revis Monsieur Poivre et Sel qui faisait le pied de grue au milieu d'une foule de gens devant une banale porte. Il y avait une soirée privée apparemment, et les membres du club eux-mêmes n'avaient pas le droit d'entrer. Il allait falloir traverser Soho pour aller ailleurs. Souvenez-vous – je portais des escarpins vertigineux. Marcher n'était pas une partie de plaisir. Je commençai à me demander si c'était une bonne idée de crapahuter en ville. J'avais passé une bonne soirée, il était tard. Avais-je vraiment besoin de jouer les prolongations ? J'avais assez bu. Monsieur Poivre et Sel coupa court à mes tergiversations en m'offrant son bras. Un dernier petit verre pour la route ? Bien sûr. J'étais une femme faible, faible.

En plein cœur de Piccadilly Circus, ma soirée prit un tournant dramatique. Nous étions en train de philosopher sur l'aspect déplorable de la vie moderne qui permettait que des gosses de seize ans à peine, garçons et filles, dorment dehors. Une petite bande de jeunes à capuches assez craignos était agglutinée au pied de la statue d'Éros. Les garçons avaient des canettes de bière à la main, les filles sifflaient du Bacardi Breezer. Un nuage de fumée flottait au-dessus d'eux. Soudain j'aperçus Caspar parmi eux, une canette de Red Stripe dans une main, un pétard dans l'autre. La terminologie avait nettement moins d'importance tout à coup que ce qu'il tenait à la main, un dimanche au petit matin.

Je me figeai en jurant entre mes dents.

« Qu'est-ce qui se passe ? demanda Monsieur Poivre et Sel d'un air inquiet.

– C'est mon filleul là-bas, et il n'a rien à faire là. »

Caspar était facile à repérer parce qu'il ne faisait pas la même chose que les autres. À savoir dévorer la frimousse d'une fille tout en tripotant sous sa jupe. Ou roupiller par terre. Il était à l'écart du groupe de mômes lubriques en survêt qui s'ingéniaient à provoquer les touristes. Il était assis tout seul, l'air hagard, alternant les gorgées de bière et les taffes. Ça ne me disait rien qui vaille.

« Je vous rattrape », dis-je en dégageant mon bras pour me diriger vers cette faune.

Je m'assis sur la pierre glacée. Il ne réagit pas avant d'entendre le son de ma voix.

« Bon anniversaire, Caspar. »

Il sursauta, se mit péniblement debout et jeta le pétard presque consumé.

« Du calme. Je ne suis pas flic.

– Qu'est-ce que tu fous là ? C'est maman qui t'envoie ?

– Charmant ! Ai-je l'air de patrouiller les rues à la recherche d'adolescents égarés avec ces pompes ? Un peu de respect pour mon style ! »

Il me regarda, perplexe, oscillant doucement comme un peuplier dans la brise d'été.

« Je suis avec des amis, lui expliquai-je en détachant mes mots. À vrai dire, il y a un type aux cheveux poivre et sel que je trouve assez sympa, alors, s'il te plaît, évite de me dégobiller dessus, ça pourrait lui ôter l'envie. »

Il sourit malgré lui.

« Cela dit, je crois que j'ai ma dose. Il est peut-être temps que je rentre. Tu veux venir avec moi ? »

Il secoua la tête.

« Ça me rendrait service. Je m'étais promis de ne plus lever de mecs. Tu es le moyen de contraception idéal.

– C'est dégueulasse ce que tu dis.

– Ben quoi ? » rétorquai-je en lorgnant le couple à côté de nous. Ça devenait torride, là, sur le trottoir. « Tu me trouves trop vieille pour m'envoyer en l'air ?

– Ferme-la, Tess.

– On ne parle pas comme ça aux grandes personnes. »

L'hypocrisie de ma remarque le fit rire, ce qui me plut. J'avais envie qu'il soit de mon côté. Je voulais retrouver le petit garçon intelligent, drôle, celui qui me mettait en boîte impunément.

« Tu es sûr que tu ne veux pas venir avec moi ?

– Certain.

– Où sont tes potes ?

– Dans le coin, répondit-il, à nouveau sur la défensive.

– Francesca et Nick savent-ils où tu es ? »

Il haussa les épaules. Je ne voulais pas perdre le terrain que j'avais conquis. Je lui tendis donc ma carte avec mon numéro de portable en retenant ma langue de vipère.

« Sois sympa, ne la jette pas, dis-je en le voyant la fourrer dans sa poche. Ne la donne pas à Zac non plus. »

Il sourit à nouveau. J'avais à l'évidence marqué des points en ne succombant pas aux charmes de Zac. Ce n'est pas toujours facile d'avoir un copain séduisant. Cela expliquait-il ses sautes d'humeur ? Caspar était mignon, mais il n'était pas très grand et il avait les cheveux tout bouclés. Il faisait plus chérubin que dieu du sexe, même si je savais qu'il embellirait en prenant des années et qu'il serait bel homme en définitive. Il en avait été ainsi pour son père. Je suppose que Caspar n'en avait rien à faire ; seul le présent comptait pour lui. L'important, c'est que Zac était probablement dans les parages entouré d'une meute de filles et que Caspar était assis là tout seul.

« As-tu de l'argent pour rentrer ?

– Non », me répondit-il aussitôt.

J'ouvris mon portefeuille. Je me souvins des 50 livres qui s'étaient volatilisées et repensai au jour où je lui avais demandé de surveiller mon sac. Je chassai très vite cette sinistre supposition de mon esprit et lui tendis un billet de vingt. Il me l'arracha pratiquement des mains.

« Je ne t'en fais pas cadeau, mon petit gars. Ça vaut un lavage de voiture. Intérieur compris. Deux même.

– C'est comme tu le sens », marmonna-t-il.

Je sus alors que je l'avais à nouveau perdu.

Je finis par dénicher la boîte, mais pas de Monsieur Poivre et Sel en vue. Chaque fois que j'étais sur le point de partir, quelqu'un m'apportait un autre verre. Un petit quart d'heure se changeait ainsi en une heure. Je finis par repérer mon gaillard, mais j'aurais eu du mal à parvenir jusqu'à lui vu la manière dont notre bande était installée. Peu importait ; je m'amusais très bien sans lui et j'avais plaisir à croiser son regard de temps en temps et à échanger des sourires avec lui.

J'étais en train de fantasmer gentiment sur lui quand il surgit devant moi pour m'inviter à danser. Je devais en tenir une bonne, parce que je trouvai que c'était une excellente idée. Nous gagnâmes la piste et une danse plutôt scabreuse s'ensuivit. Il était grand et, souple comme une liane, il n'avait aucun mal à faire ces pirouettes qui ne marchent que si l'on est un professionnel ou suffisamment beurré pour se lâcher complètement, ce qui était mon cas. Je ne sais même pas comment j'arrivais encore à tenir debout. Je me souviens d'avoir marché à reculons sur la piste en faisant signe à Monsieur Poivre et Sel de me suivre. Pour qui est-ce que je me prenais ? Allez savoir ! Bonnie Tyler, peut-être bien. C'était drôle en tout cas et quand je n'étais pas en train de l'aguicher, j'arborais un sourire rayonnant digne d'un médaillé olympique.

Le seul problème, c'est que je ne savais pas du tout comment il s'appelait et j'étais trop gênée pour lui demander. Lui connaissait mon nom, j'ignore comment, et ça n'arrangeait pas mon cas, sans compter qu'il n'arrêtait pas de me parler de notre précédente rencontre. Je n'en avais strictement aucun souvenir, seulement j'avais feint de m'en rappeler. J'étais coincée. Heureusement, il connaissait Neil. Je cessai donc de jouer les détectives avec l'espoir que Helen me mettrait au parfum. Plus de souci. Retour à la danse salace.

Finalement, au bout du rouleau, nous évoluâmes à notre insu vers un slow auquel je ne m'adonne généralement pas, mais il faisait sombre, je doutais qu'on nous regarde, et puis c'était plutôt agréable au fond. Je sus une fraction de seconde avant que cela se produise qu'il allait m'embrasser. J'étais fin prête. Le Seigneur avait malheureusement d'autres desseins.

« Tessa ! Ton téléphone n'arrête pas de sonner. Tu veux que je réponde ? »

Samira était au bord de la piste, mon portable à la main.

« Je te jure, il vient de sonner quatre fois de suite. La personne qui t'appelle ne laisse pas de message, mais ça m'a l'air urgent. »

Il était trois heures du matin ; à cette heure-là, les appels répétés ne sont pas de bon augure. Je m'arrachai à Monsieur Poivre et Sel. C'était le numéro de Caspar.

« Caspar ? Est-ce que ça va ?

– Tessa ?

– Qui est-ce ?

– C'est Zac. »

Nom de Dieu.

« Tu devrais être au lit à cette heure-ci !

– Vous prenez vos rêves pour la réalité, là. Écoutez, j'ai pensé qu'il fallait que quelqu'un sache que Caspar est en train de gerber tout ce qu'il sait, mais après tout, rien à foutre. J'essayais de me rendre utile, c'est tout.

– Où est-il ?

– Ah, maintenant ça vous intéresse de me parler ? »

Des gamins. Ces ados n'étaient que des gamins et les hommes des bébés. J'étais rapidement en train de renoncer à l'idée de lier mon sort à l'un d'entre eux.

« Où es-tu ?

– Au coin de Wardour Street et Old Compton Street, devant une boîte. On s'apprête à entrer.

– Ne le laisse pas tout seul. J'arrive tout de suite.

– Il est hors de question que je le materne encore. »

Encore ?

« Ne sois pas ridicule. C'est ton ami. Je serai là dans cinq minutes.

– Il est couvert de vomi.

– Reste auprès de lui.

– Si ça peut vous faire plaisir. »

Quel enfoiré ! Monsieur Poivre et Sel me rattrapa au vestiaire. Je lui expliquai la situation en deux mots et partis à toutes jambes.

Je décidai de ne pas appeler Nick et Francesca. Les garçons avaient dû concocter une histoire pour se couvrir. *Je vais dormir chez des copains*... Le genre de trucs que les parents gobent encore et encore. Je ne voyais pas l'intérêt de les alarmer au milieu de la nuit. Mais moi, j'étais sacrément inquiète. J'aurais dû obliger Caspar à me suivre. Seize ans depuis un jour à peine, et je l'avais laissé tout seul, déjà passablement défoncé, à Piccadilly Circus. Une proie facile. Je voyais très bien comment il avait aggravé son cas au point de tomber dans les vapes et de rendre tripes et boyaux. Mon billet de 20 livres. Qu'est-ce qui m'avait pris de lui filer de l'argent ? J'aurais dû me douter qu'il ne prendrait pas de taxi. Le petit sagouin avait probablement une carte de bus, de toute façon. Je lui avais donné ce billet parce que je voulais qu'on m'aime. Ma mère dit toujours que les parents doivent se préparer à être haïs par leurs enfants. J'avais enfin compris pourquoi. Rongée par la culpabilité, je courais dans les rues désertes de Londres. Coupable, comme un parent. Ce n'était pas une sensation agréable.

Je m'en voulais et jusqu'au moment où je le vis, j'en voulais aussi terriblement à Caspar. Dans le coaltar, il était vautré dans un coin obscur, humide, qui empestait l'urine. Il était ivre et totalement défoncé, cela ne faisait aucun doute. Il était seul en plus. Pas trace de Zac. Puis je remarquai la policière. Elle se tenait à une certaine distance, mais elle avait le regard vissé sur lui et parlait dans un émetteur sur son épaule. Je m'élançai, courant tant bien que mal avec mes fichus talons.

« Euh ! Pardon ! Excusez-moi ! »

Elle se tourna vers moi

« Il est à moi. Je suis navrée. Je le ramène à la maison. »

Elle me dévisagea.

« Vous allez faire comment ? Il est dans les vapes. »

Merde. Merde. Merde.

« En taxi ?

– Faudrait encore que vous en trouviez un qui veuille bien vous emmener avant qu'il tombe en hypothermie. »

Je jetai un coup d'œil à Caspar. Elle n'avait pas tort.

« Vous pensez que ça va aller ?

– Il a beaucoup vomi. Ça ne servira à rien de lui faire un lavage d'estomac. »

Bordel.

« Qu'est-ce qu'il faut que je fasse ?

– Vous ne pouvez pas le laisser là en tout cas. Pour être franche, il me paraît un peu jeune pour traîner dans le coin. Vous saviez qu'il était là ?

– Il a eu seize ans aujourd'hui, enfin hier.

– Seize ans ! »

Je compris tout de suite que j'aurais mieux fait de me taire. À cet âge-là, on a le droit de s'envoyer en l'air, mais pas de boire. Allait-elle lui passer les menottes ?

« Il a dû trouver de la bière à la maison...

– Et vous, vous étiez où ? »

Elle n'avait pas besoin d'attendre ma réponse. Il lui suffisait de jeter un coup d'œil à ma tenue. J'étais sur le point de l'envoyer paître, mais je me rendis compte qu'elle risquait de ne pas me laisser le ramener à la maison. Je résolus d'encaisser sans moufter ses regards désapprobateurs et son ton moralisateur.

« Quelqu'un peut-il venir vous chercher ? »

Elle me punissait maintenant. Serais-je en train de vaciller dans Soho sur des talons aiguilles avec à peu près rien sur le dos alors qu'il faisait un froid de gueux si j'avais quelqu'un pour venir me chercher ? Non. Je serais couchée depuis onze heures avec un bon livre et, avec un peu de chance, peut-être aurais-je fait l'amour paresseusement, avant d'éteindre la lampe. J'aurais eu quelqu'un pour me tenir dans ses bras et me susurrer des mots doux à l'oreille jusqu'à ce que le sommeil s'empare de moi. En me réveillant, j'aurais trouvé une tasse de thé fumante sur la table de chevet...

« Est-ce que ça va, madame ? »

Je m'extirpai de ma rêverie.

« Ça va aller. »

J'allais m'en tirer. Je savais ce que j'allais faire. J'allais téléphoner à la compagnie de taxis à laquelle je faisais appel quand je travaillais. Je me souvenais du numéro de compte, ils ne pouvaient pas m'envoyer promener. Je m'agenouillai devant Caspar en m'efforçant d'écarter sa tête de ses genoux.

« Je ne ferais pas ça si j'étais vous », intervint la policière, une fraction de seconde trop tard. Le mouvement provoqua de nouveaux vomissements ; j'en avais plein sur moi. Il ne daigna même pas s'excuser, ni ouvrir les yeux. Cela m'inquiétait plus encore que les traces puantes du contenu de son estomac sur ma robe.

« Est-il inconscient ? » demandai-je.

Ce fut à ce moment-là, me semble-t-il, que l'opinion publique tourna en ma faveur. La policière entreprit de l'examiner pour moi. Elle braqua sa lampe sur ses yeux sans obtenir la moindre réaction. Il était catatonique. Un poids mort. Puis elle m'aida à l'allonger sur le sol et le mit en position latérale de sécurité. Les passants nous dévisageaient. Sans la présence de la policière, les railleries auraient fusé.

« Je ferais peut-être bien d'appeler une ambulance, dit-elle.

– Une ambulance ? Je ne voudrais pas leur faire perdre leur temps.

– Il a peut-être pris quelque chose. »

Peut-être !

« Vous devriez fouiller dans ses poches. »

Je devais avoir l'air terrifiée parce qu'elle se fit plus rassurante.

« Ignorons l'aspect légal pour le moment. Préoccupons-nous plutôt de sa santé. »

Je réfléchis une seconde et résolus de lui faire confiance. Elle devait en savoir plus long que n'importe quel parent sur ce genre de choses. Elle voyait probablement tout le temps des gamins dans cet état-là.

« Nous avons eu un petit problème avec le cannabis récemment. »

Le « nous » imaginaire.

« Avez-vous une idée de la dose… ? »

Je secouai la tête.

« Savez-vous s'il tâte d'autre chose ?

– Quoi par exemple ?

– Amphétamines, cocaïne…

– Il n'a pas d'argent pour s'en procurer, dis-je avant de lâcher un juron.

– Qu'est-ce qu'il y a ?

– Je n'arrive pas à le croire. »

Je regardai Caspar, mon gentil chérubin gisant dans son vomi et l'urine d'autres gens.

« Le petit salopard m'a volé 50 livres. »

Je me mis à fouiller dans ses poches et ne tardai pas à trouver la boîte en fer que j'avais vue le jour de l'anniversaire de sa sœur. Je m'étais laissé berner par le pouf, les posters d'ados sur le mur, les vestiges de l'enfance sur les étagères, mais ici, dans le froid, sur le ciment dur, cette boîte avait l'air nettement moins innocente. Je l'ouvris. Elle était presque vide, mais contenait tout l'attirail nécessaire. Papier à rouler. Bouts de carton déchirés. Un petit sachet de tabac. Un soupçon d'herbe. La policière me prit la boîte des mains. Elle la renifla.

« De la skunk, dit-elle. Je vous conseille d'avoir une petite conversation avec votre fils. »

Mon fils… Mon fils… Je ne pouvais pas le lui dire maintenant.

« Il s'agit d'une variété puissante de cannabis que l'on estime responsable de l'augmentation du nombre d'épisodes psychotiques chez les adolescents. Les preuves sont assez accablantes. C'est cher en plus, ce qui pourrait expliquer les 50 livres.

– Épisodes psychotiques ?

– Avez-vous noté des changements de comportement chez lui ? »

Francesca, oui.

« Je pensais que c'était la puberté.

– C'est possible, mais la skunk n'est pas bon signe. Si ma mémoire est bonne, d'après les statistiques, parmi tous les enfants souffrant de problèmes psychologiques, quelque chose comme quatre-vingt-cinq pour cent fument de la skunk. »

Nom de Dieu !

« Les autorités envisagent de modifier la loi.

– J'ai lu des trucs là-dessus, mais je ne pensais pas que ça me concernait.

– C'est toujours comme ça. »

Elle avait raison, évidemment. J'avais bien remarqué que Caspar avait changé, mais j'avais opté pour la politique de l'autruche. Francesca et Nick ne savaient plus par quel bout le prendre et je n'avais pas tenu compte d'eux. La super marraine ! Caspar recommença à avoir des haut-le-cœur, mais rien ne sortit cette fois-ci.

« Maintenez-le dans cette position pour l'empêcher d'avaler sa langue », me dit la femme.

Génial !

Le taxi finit par arriver. Je fis appel à tous mes pouvoirs de persuasion d'avocate pour convaincre le chauffeur d'accepter la course. Nous nous y prîmes à trois pour hisser Caspar dans le taxi et l'allonger par terre, sur le côté. Ce fut alors que je vis le petit rectangle de papier plié qui dépassait de sa poche arrière. Je levai les yeux vers la policière ; elle l'avait vu aussi. Je me penchai pour l'extirper et le lui passai aussitôt.

« On fait toujours l'impasse sur l'aspect légal des choses ? »

Elle ne répondit pas. Je ne pouvais pas l'en blâmer. Je lui en avais déjà suffisamment demandé. Elle déplia le papier sous nos yeux. Elle en éclaira le contenu avec sa torche, y mit un doigt et le frotta entre deux doigts. En voyant la poudre blanche, je sentis mon cœur se briser. L'herbe, c'était une chose, même l'herbe forte qui faisait de nos enfants des schizophrènes, mais ça, c'était une autre affaire.

« J'ai bien l'impression que je ne vais pas vous reconduire chez vous, en fait », dit le chauffeur.

– Si, si, répondit la policière.

– Ah bon ? »

Elle me mit le petit paquet ouvert sous le nez.

« Du talc, dit-elle.

– Mince alors ! » souffla le chauffeur.

J'examinai la poudre de plus près.

« Vous en êtes sûre ?
– Absolument. Les plus jeunes se font souvent avoir.
– Dieu merci.
– Il n'y a pas de quoi être soulagé, dit-elle en tenant la portière du taxi. Ce n'était pas du talc que votre gamin avait l'intention d'acheter ce soir. »

Roman m'avait vue aller et venir dans toutes sortes d'états avec une foultitude de gens, mais c'était bien la première fois qu'il me voyait traîner ma proie sur le sol du hall d'entrée. Le chauffeur de taxi avait détalé comme un lapin dès qu'il avait empoché son énorme pourboire.

« Doux Jésus ! Qui c'est ? me demanda Roman en prenant un bras.
– Mon filleul.
– Le jeune Caspar ? Non ! »

Oui, mon concierge connaît le nom de mes filleuls. Je ne vois pas ce qu'il y a de mal là-dedans.

« Il a eu seize ans aujourd'hui.
– Eh bien, faut espérer qu'il aura compris la leçon. Hein ? »

Roman hocha la tête en guise d'encouragement. On ne peut pas dire que ça me fit beaucoup d'effet.

Il m'aida à traîner Caspar jusque dans ma chambre, puis me laissa. Je le déshabillai et l'allongeai sur mon lit après y avoir étalé une vieille serviette de toilette. Il s'était souillé et rendit de nouveau. Je le débarbouillai, le torchai, pressai ses narines pour les dégager, puis je l'enveloppai dans une serviette blanche propre et je le remis en position fœtale en attendant le prochain jet de vomi, terrifiée à l'idée qu'il s'étouffe ou qu'il avale sa langue. Je restai debout toute la nuit. Au point du jour, j'avais l'impression d'avoir donné naissance à un adolescent.

5

La danse des papillons

On frappa à la porte, mais dans les brumes du sommeil, je ne percutai pas tout de suite. Puis mon portable sonna. Faute d'une réaction de ma part, ma ligne fixe sonna à son tour. Je tâtonnai autour du canapé où je m'étais affalée une heure après que Caspar eut enfin cessé de dégobiller. Je savais que le téléphone était là quelque part pour la bonne raison que je m'en étais servie pour appeler SOS médecins. Caspar était si glacial au toucher, quel que soit le nombre de couvertures que je posai sur lui que, l'esprit embrouillé par la fatigue, j'avais réussi à me convaincre qu'il était en train de mourir d'hypothermie.

« Ouvre la porte, c'est moi.

– Euhhhh…

– J'ai du café chaud. »

J'ouvris un œil et décrochai le combiné.

« Claudia ?

– Qui croyais-tu que c'était ?

– Je n'en sais rien. J'étais en plein rêve.

– Je suis devant ta porte. Il est presque midi. Lève-toi. »

J'allai ouvrir.

« Oh, mon Dieu ! dit-elle en me tendant un café. Tu viens de rentrer ou quoi ? »

Je portais toujours ma tenue olé olé. Du coup, j'avais l'air siphonnée, évidemment.

« La nuit a été longue ? »

Je bus une gorgée de café au lait sucré et manquai de pleurer de gratitude. Je hochai la tête et déglutis. Elle me suivit dans le simili couloir jusqu'au bar de la cuisine.

« Hum, fit-elle en lorgnant les vêtements qui jonchaient le salon. (Elle donna un coup de pied dans le jean, titilla une Converse en piteux état du bout du pied.) De deux choses l'une, soit tu t'envoies en l'air avec une star du rock, soit tu les prends au berceau maintenant. »

Je brandis un doigt en un geste fort peu distingué.

« Il est encore là ou il s'est enfui en courant à moitié à poil ? » poursuivit-elle, pas le moins du monde offusquée. Toujours incapable de parler, je désignai la bibliothèque. Claudia jeta un coup d'œil de l'autre côté. Caspar gisait là, sur le dos, bras écartés, emmailloté dans mes draps. Il avait l'air d'un ange, le saligaud. Alors que moi, j'avais tout d'un crachat de chouette ! J'avais besoin d'une dose supplémentaire de caféine et d'une bonne couche de fond de teint avant d'être à même de lui donner la leçon de morale de sa vie, et de la mienne. Claudia me dévisageait d'un air épouvanté.

« Je te dis pas, gémis-je en hochant la tête. Je suis restée debout toute la nuit avec lui. C'est terrible. Je n'en peux plus. Je n'ai plus l'endurance nécessaire. »

Claudia se boucha les oreilles.

« Seigneur ! Tessa. Je ne veux rien savoir.

– Savoir quoi ?

– Il a quinze ans, tu as perdu la tête ?

– Seize ans, depuis hier.

– Ça n'excuse rien, Tessa.

– Je sais. Il aurait pu se faire arrêter sous le coup de la loi pour la répression de l'ivresse publique, ou pire ?

– Hein ?

– Pour avoir pris une biture, si tu préfères. Je ne voulais pas faire flipper Fran, alors je l'ai amené ici.

– Oh !
– De quoi croyais-tu que je parlais ? »
Soudain l'horreur de ce qu'elle avait imaginé me tomba dessus comme une bouse d'éléphant.
« Claudia !
– Il est nu !
– Je pourrais être sa mère ! Je suis presque sa mère. C'est dégueulasse. Immonde. »
Claudia éclata de rire.
« Tu es une grosse cochonne en dépit de ton look Laura Ashley, lançai-je d'un ton accusateur. Comment oses-tu ?
– Je ne m'habille pas chez Laura Ashley.
– Menteuse !
– D'accord, mais seulement l'été. »
Cette fois-ci, nous pouffâmes de rire toutes les deux.
« Je ne peux pas croire que tu aies imaginé que je couchais avec Caspar. Tu me prends pour qui ? Je n'en suis pas encore là tout de même.
– Désolée, Tess, c'est à cause des hormones. J'ai la tête à l'envers. »
C'est la carte maîtresse de Claudia. Toute espèce d'agacement, d'effroi, d'ennui, de dépit – autant de sentiments que l'on éprouve sporadiquement à l'encontre de nos amis – s'évanouissait ainsi d'un seul coup. On ne pouvait plus lui en vouloir après ça.
« J'ignorais que tu avais entamé un nouveau traitement. Pardonne-moi.
– Et si ! Je viens juste de déposer un charmant échantillon d'urine au Lister. C'est tellement plus facile le dimanche parce que je peux me garer. J'ai eu l'idée de passer te voir et me voilà. Désolée de ne pas avoir appelé avant. »
Je n'avais plus vraiment prêté attention à ce qu'elle disait au-delà du mot Lister. Ce terme avait tellement de connotations : le Lister est un hôpital spécialisé notamment dans les FIV – fécondations in vitro. Je ne savais pas trop comment réagir. Il avait été le creuset de tant d'espoirs, anéantis les uns après les autres...

« Tu as recommencé les injections ?

– On a changé de tactique en fait, répondit Claudia à qui on avait injecté davantage d'hormones qu'à tous les bœufs américains réunis.

– C'est bien ou c'est pas bien ?

– C'est bien. Assieds-toi une minute, Tess. J'ai quelque chose à te demander. »

C'était donc ça. J'aurais préféré qu'elle choisisse un moment plus propice, où j'aurais été moins rétamée, quand tous les arguments soigneusement préparés contre sa requête visant à faire de moi une mère porteuse me seraient venus naturellement et de façon convaincante. J'allais me mettre à pleurer, à tous les coups, et je m'étais promis de ne pas le faire au moment crucial parce que la pauvre fille en avait suffisamment bavé et qu'il n'était pas question de moi, mais d'Al et elle, et… pour l'amour du ciel, pourquoi étais-je aussi égoïste…

« Serais-tu d'accord… »

Aaaaaaaahhhhhhhhhhh…

« … pour être la marraine de notre enfant ?

– J'y ai déjà réfléchi et je crains… Comment ? Qu'est-ce que tu as dit ?

– Accepterais-tu d'être la marraine de notre enfant ? »

Je sentis le fond de teint de la veille craqueler sous l'effet de la perplexité.

« Tu ne veux pas que je porte ton enfant ?

– Seigneur, Tessa, jamais je ne t'imposerais une chose pareille !

– Je serais prête à le faire.

– Menteuse !

– Tu as raison. Désolée. Mais j'y ai pensé.

– Moi aussi, mais ça ne fait pas partie des options. En revanche, avoir notre enfant comme filleul en est une. Alors, qu'en dis-tu ?

– J'en serais ravie. Tu n'as même pas besoin de me poser la question, mais je voudrais tout de même te faire remarquer un truc…

– Quel enfant ? dit Claudia, allant au bout de ma pensée.

– Ma foi… »

Elle ouvrit son sac, et l'espace d'un moment, je pensais qu'elle allait en sortir un bébé. Ce n'est pas aussi stupide qu'il n'y paraît. C'était un grand sac. À la Mary Poppins. Soyez indulgents, j'avais à peine dormi.

« Notre fille », dit Claudia en me tendant une échographie de la merveille en noir et blanc avec un effet de grain.

Un tout petit poing serré flottant sur une lippe boudeuse, un minuscule pouce tendu, au garde-à-vous. Un nez en trompette perché au-dessus et la tête en boule de bowling rattachée au corps par un cou légèrement incurvé. Je n'arrivais pas à en détacher mon regard. Ce n'était pas la première que je voyais une échographie, sachez-le, et elles se ressemblent toutes à mes yeux. Je me suis souvent demandé si ce n'était pas une super arnaque au fond – différentes femmes vont dans la salle d'échographie, mais il n'en sort qu'un seul cliché. Pourtant cette petite demoiselle avait l'air aussi complète et unique que si j'étais en train de la faire sauter sur mes genoux.

« Je suis enceinte de trois mois, reprit Claudia. Je ne l'ai dit à personne, au cas où. Au bout d'un moment, la compassion, ça soûle, mais elle a l'air bien accrochée et les médecins pensent que je ne cours pas plus de risques que les autres femmes à ce stade. »

Je hochai la tête, la gorge trop nouée pour parler. Puis Claudia m'attira à elle et je me mis à sangloter comme elle l'avait fait encore et encore chaque fois que leurs tentatives pour avoir un bébé avaient échoué. Elle me serra contre elle, comme je l'avais serrée contre moi. Jusqu'à ce moment, je ne m'étais pas rendu compte de la tension énorme que cela avait été de voir mon amie endurer une chose contre laquelle je ne pouvais rien. Je pleurais de soulagement, de peur, de joie.

« J'ai encore un bout de chemin à parcourir, je sais, mais pour le moment, je suis enceinte, Tessa, je suis enceinte. Je ne vais pas mettre ce miracle en doute, je suis une future maman comme les autres. Les médecins affirment que j'ai de bonnes chances d'arriver à terme, et je suis déterminée à y croire. »

Je pleurai de plus belle. Quelle mauviette je faisais !

Claudia me fit du thé et me prépara un toast. Je crois bien que j'étais en état de choc. Pendant que Caspar dormait tout son soûl, elle me relata les événements des trois derniers mois.

« Et hier, j'aurais juré que je l'avais senti bouger, acheva-t-elle. On aurait dit que quelqu'un faisait des bulles de savon dans mon ventre. C'est inimaginable. »

Elle rayonnait de bonheur.

« Fran comparait ça à une danse de papillons », soulignai-je, puisant comme toujours dans les expériences de mes amis pour tout ce qui était de la vie domestique et familiale, les faisant miennes.

En réalité, Fran avait fait cette remarque à propos de Caspar, son premier. Elle s'était montrée moins élogieuse au sujet des premiers signes de vie des filles. Pour Katie, elle avait surtout parlé des trois kilos qu'elle avait pris du jour au lendemain pour ainsi dire et de la certitude que le poids indiqué sur la balance n'évoluerait plus que dans un seul sens.

« Et Al dans tout ça ? demandai-je.

– Il est prudent, mais ravi, répondit Claudia en s'asseyant sur mon canapé crème. Seigneur, quelle splendide vue ! ajouta-t-elle, changeant de sujet, les yeux rivés sur la Tamise. Ça me fascine chaque fois.

– Je suis très fière de toi, dis-je en lui prenant la main. Vous êtes admirables, Al et toi. La plupart des couples laisseraient tomber après avoir subi un dixième de ce que vous avez subi. Cette petite fille a bien de la chance de vous avoir comme parents.

– Et plus de chance encore d'avoir la meilleure marraine du monde.

– Faut peut-être pas exagérer.

– Tu as laissé ton filleul dégobiller sur tes draps cent pour cent coton égyptien. Même si c'était tout ce que je savais sur toi, ce serait assez.

– Des draps en satinette percale royale avec un filigrane de deux cent cinquante, précisai-je.

– Tu vois bien ! »

Nous restâmes assises sur le canapé, nos mains posées sur son petit ventre qui contenait un miracle de sept centimètres, le regard fixé sur le fleuve incrusté de diamants en dessous de nous. Elle avait raison. La vue était splendide. J'avais le sentiment d'être bénie de Dieu !

Un peu après que Claudia eut ramené sa précieuse cargaison chez elle, Caspar entra dans le salon d'une démarche incertaine. En ma qualité d'avocate, j'avais eu affaire à des victimes de la maltraitance et de foyers brisés ; Caspar n'appartenait pas à cette catégorie. Tout est relatif dans la vie ; je ne pouvais pas lui demander de se comparer à un enfant mourant de faim au Soudan. Ces « conneries du tiers-monde », selon sa formule, dépassaient sa compréhension, la mienne aussi parfois, pour être honnête. Avais-je eu raison de choisir la méthode douce ? Fallait-il le reconduire chez lui sans autre forme de procès ? La fureur parentale réglerait-elle le problème ou l'aggraverait-elle au contraire ? Pourquoi les enfants ne s'accompagnaient-ils pas d'un manuel ? Je tenais peut-être ma chance de prouver que j'assumais pleinement mon rôle de marraine. Que j'étais capable d'assurer. Que je n'étais pas là uniquement pour donner des cadeaux et des enveloppes. En un sens, je m'estimais plus proche de Caspar et de sa génération que de ses parents. Je n'avais jamais fait le grand saut. Ni tourné le dos à l'irresponsabilité. Après tout, j'étais encore assez jeune pour être son amie tout en ayant le privilège de l'âge. Je devais pouvoir me mettre dans la peau d'une mère. Parce que je n'avais pas d'enfants, précisément. Il fallait que je le fasse au fond. Il n'y avait personne d'autre.

Je lui fis couler un bain. Je refis du thé et lui préparai des sandwichs au bacon, je trouvai de l'Alka-Seltzer et quelques comprimés de vitamines, et quand il fut un peu plus détendu, et qu'il se fut départi de son attitude défensive, je changeai de tactique. C'est une ruse de juriste.

« Je me fais du souci pour toi, Caspar.

– Y a pas de raison, grommela-t-il.

– Ça se comprend, vu ce que j'ai vu. »

Il me fit une grimace genre « Va te faire foutre, maman », avant de se rappeler qu'il n'était pas chez lui.

« C'est comme ça que tu me remercies de t'avoir ramassé sur le trottoir ?
– Désolé.
– Bon, raconte-moi tout.
– J'avais trop bu, faut croire.
– J'ai pigé ça toute seule vu que le contenu de ton estomac est toujours sur mes godasses. »
Il fit la moue.
« Ce n'est pas tellement la picole qui m'inquiète. Ça fait combien de temps que tu fumes de l'herbe ? »
Il haussa les épaules.
« Soit tu craches le morceau, soit je te ramène chez toi et tu t'expliqueras avec tes parents. À toi de décider. »
Il cala un coussin sous son menton.
« Tu ne peux pas comprendre.
– Essaie de m'expliquer quand même.
– Je n'ai pas à t'expliquer quoi que ce soit, riposta-t-il d'un ton rageur.
– Oh, que si ! Tu te serais réveillé à l'hôpital si je n'avais pas été là. Ou pire, tu ne te serais pas réveillé du tout étant donné que tu n'arrêtais pas de dégobiller alors que tu étais totalement inconscient. Sais-tu combien de gens meurent chaque année en s'étouffant avec leur vomi ? »
Il avait l'air un peu gêné au moins.
« Si je n'étais pas intervenue, tu aurais la police sur le dos par-dessus le marché, précisai-je. On t'a fouillé pendant que tu étais dans le coaltar. Et on a trouvé ça. »
Je brandis la boîte en fer.
« C'est pas illégal d'avoir de l'herbe sur soi.
– Tu as raison. Mais *ça*, c'est illégal ! »
J'ouvris l'autre main, celle qui contenait le sachet de talc. Je prenais un risque là, avec l'espoir qu'il ignorait qu'il s'était fait avoir.
« Alors je te repose la question. Que se passe-t-il, nom de Dieu ?
– Tu ne te rends pas compte de ce que je vis.
– Quoi ? Raconte ? Tu te fais tabasser ?
– Non.

– Un chagrin d'amour ?

– Non.

– Tu es homo ?

– Non.

– Alors quoi ? »

J'attendis. Il tripotait la ceinture de ma robe de chambre. Il avait l'air d'un gosse.

« Raconte, Caspar, repris-je d'un ton radouci. Je suis sûre que nous pouvons régler le problème, quel qu'il soit.

– Tu vas me prendre pour un con. »

Probablement.

« Pas si je peux faire autrement. »

C'était une réponse honnête, à mon avis.

« C'est à cause de la maison, dit-il.

– La maison ? »

Il hocha la tête. Cela devait lui faire mal au crâne parce qu'il fit la grimace.

« Que se passe-t-il à la maison ? »

Son silence prolongé m'inquiéta au départ. J'ai l'imagination fertile. Du coup, je brodai un max et j'étais furax parce que c'était pire que je ne l'avais supposé. Alors qu'en définitive, ce n'était rien. Une broutille. Il se sentait négligé. *Négligé.* Il semblait que Katie et Poppy accaparaient l'attention de Nick et Fran. Je fronçai les sourcils, déçue.

« Bon, résumons-nous. Tu en veux à tes parents parce que tu n'as pas de droits exclusifs sur eux ?

– Je n'ai jamais eu de droits exclusifs. Des droits exclusifs, c'est réservé à Nick et Francesca et aux filles. »

Le fait qu'il les appelât par leurs prénoms m'agaça.

« Je te prierai de ne pas manquer de respect envers tes parents en ma présence, petit ingrat. »

Il fit mine de se lever.

« C'est bon. On arrête là.

– Assieds-toi. Assis. »

Mon ton parut l'impressionner. Il obtempéra. Je me penchai vers lui.

« Imagine que dans quatre ans, tu as un fils. Tu ne peux pas fêter ton vingtième anniversaire parce que ta petite amie vient d'accoucher juste après s'être tapé ses examens de fin d'année. Pendant que tes copains font la teuf, vous passez vos nuits debout avec un bébé que vous ne connaissez pas. Au début, c'est sympa. Assez romantique, en fait. Mais six mois plus tard, ton gamin ne fait toujours pas ses nuits, et ta copine et toi, vous n'en pouvez plus. Tu cumules trois boulots qui te font chier pour payer le loyer et avoir de quoi acheter le lait en poudre et les couches. Rappelle-toi, tu as vingt ans. C'est dans quatre ans. Tes amis te disent de foutre le camp, que tu t'es fait piéger, que les assistantes sociales s'occuperont de ta copine et du bébé. C'est sacrément tentant parce que ta petite amie est trop HS pour t'adresser la parole, vu que toute son énergie passe dans la survie de cette minicréature dépendante. Au lieu de te défiler, tu proposes de l'épouser, tu assumes tes responsabilités et tu passes les seize années suivantes à faire en sorte que tout aille bien pour ta petite famille. Tu imagines ? Toi, dans quatre ans, papa pour la vie !

– C'est pas de ma faute si maman est tombée en cloque.

– Non. T'a-t-elle jamais fait ce genre de reproche ? »

Caspar secoua la tête.

« Je n'ai pas bien compris.

– Non.

– Alors, c'est quoi ces salades ?

– Tu ne sais pas ce que c'est, Tessa ! Papa et maman sont totalement accros l'un à l'autre.

– Et ça te pose un problème ?

– Tu vas me faire passer pour un enfant gâté là.

– C'est toi qui l'as dit.

– Je croyais que tu comprenais, que tu n'étais pas fâchée.

– Je ne suis pas fâchée, je suis folle de rage. »

La conversation prit une mauvaise tournure après ça.

« Ils se sont mis en quatre pour toi ! As-tu la moindre idée de ce qu'ils ont sacrifié ? »

Je ne parlais même pas des choses essentielles à côté desquelles ils étaient passés, telles que les vacances, un lave-vaisselle, une voiture, la carrière de Fran. Je parlais d'aller s'envoyer une petite pinte vite fait dans un pub. D'être présents lors de la remise de diplômes. De fêter ses vingt et un ans. D'avoir des copains.

« Ta mère était la fille la plus intelligente que je connaissais, que j'ai jamais connue d'ailleurs. »

Pas forcément évident par les temps qui couraient, il fallait bien l'admettre, mais le fait est qu'elle était nettement plus futée que moi. J'avais toujours bossé deux fois plus dur pour me maintenir à son niveau. J'étais assise à côté d'elle au premier cours magistral, et au dernier. La principale différence entre elle et moi à cette ultime occasion, c'est qu'elle avait un ventre énorme et moi, la gueule de bois. Dans les mois qui ont suivi notre diplôme, nous n'avons pour ainsi dire pas fermé l'œil de la nuit ni l'une ni l'autre, pour des raisons différentes. Pendant que j'allais aux cours de droit, elle, elle allait à la garderie. Elle emmenait déjà ses enfants à l'école quand j'ai commencé à démarcher les tribunaux.

« Elle avait de grands rêves, Caspar. Elle voulait travailler pour l'ONU, sillonner le monde, améliorer le sort des plus démunis. Il aurait suffi de vingt minutes sous anesthésie générale… »

Caspar fit la grimace. Mais il fallait regarder la vérité en face : un avortement, l'avortement que je lui avais du reste conseillé, et Francesca pourrait être à la tête de l'ONU à l'heure qu'il est.

« En définitive, elle n'a pas pu s'y résoudre et il s'est avéré que ses motivations étaient fondées. Ne la paie pas de retour avec ce comportement minable, Caspar, je t'en conjure. Pour elle comme pour toi. Parce que je vais te dire une chose, tu le regretteras au bout du compte et tu ne pourras jamais te faire pardonner. Et là, tu auras vraiment besoin de cette merde, achevai-je en brandissant le sachet de talc.

« C'était juste du speed. »

Du speed. Okay, probablement mieux que de la coke ou du crack.

« *Juste* du speed ? Et toute cette skunk que tu fumes ? Sais-tu que ça peut te rendre dingue ? Parano ? Asocial ? Qui est-ce que je décris là, en fait…

– Ce n'est que de l'herbe.

– Ce n'est pas *que* de l'herbe ou *juste* du speed, ce sont des drogues, Caspar. Peu importe ce que tu penses, mais je connais peu d'héroïnomanes qui sont passés directo du jus de pomme à l'héro, si tu vois ce que je veux dire. C'est un processus qui te bouffe petit à petit. Et ça commence exactement comme ça. Honnêtement, je te croyais plus futé que ça. »

Ce fut à peu près à ce stade-là que nous commençâmes à nous lasser l'un et l'autre de cette prise de bec.

Nous allâmes dans la cuisine et je mis de l'eau à chauffer. Caspar hissa son popotin sur un tabouret de bar et prit son menton entre ses mains. Mon angélique filleul, tout en boucles et en joues roses, se défonçant au speed ! Ça faisait froid dans le dos. Il avait reçu tellement d'affection. Je ne voyais pas ce que les parents pouvaient faire de plus qu'aimer leur enfant ? Qu'est-ce qu'ils voulaient, ces mômes, à la fin ?

« Tu préférerais que tes parents se haïssent ?

– Non, mais ça fout la honte.

– Ça te gêne qu'ils soient amoureux l'un de l'autre ? »

Nouvelle grimace.

« Tu ne te rends pas compte de la chance que tu as. Tu crois que les couples heureux courent les rues ? Réfléchis. Les parents de Fran sont séparés. Ceux de Ben ne se sont jamais mariés, Billy est divorcée et moi je suis seule…

– Tu n'es pas mariée. Ça ne compte pas.

– Je le serais peut-être si l'une des relations que j'ai eues avait marché.

– Il faudrait déjà que t'aies un mec, Tessa. »

La vérité sort de la bouche…

« Écoute, tu n'es pas en odeur de sainteté. Évite d'être insolent. Si tes parents font des apartés qui te passent au-dessus de la tête, s'ils s'offrent un petit câlin sur le canapé en se tenant par la main plutôt que de tenir la tienne, tu devrais remercier le ciel. C'est ce qui explique que tu as de bonnes bases. Que tu as un foyer.

– Je me sens de trop, avoua-t-il en s'emparant d'un cracker.

– Alors tu t'estimes en droit de leur faire honte à ton tour ?

– Pourquoi pas ?

– Tu ne vois pas que la seule personne qui te fait honte, c'est toi-même. »

Si Caspar était incapable de m'expliquer les motifs de son attitude ou de ses sentiments, c'était parce qu'il ne les comprenait pas lui-même. C'était un gamin. Qui réagissait de manière puérile. En jetant ses jouets hors de son landau. Le problème étant qu'à seize ans, il avait accès à des jouets d'adultes. Il se frotta la figure à deux mains. Quand il releva la tête, je vis des larmes briller dans ses yeux.

« Tu as raison. J'ai perdu tous mes potes. Zac est un con, je ne sais pas pourquoi je l'écoute. J'ai fait chier papa et maman... »

Je contournai le bar et passai un bras autour de ses épaules. Il se blottit contre moi comme il le faisait quand il était petit. Je sentis mon cœur se gonfler d'amour et faillis éclater en sanglots moi-même tant j'étais soulagée.

« Tessa ? marmonna-t-il au bout de quelques minutes.

– Oui ?

– Je t'ai volé 50 livres. »

Je pensais ne pas pouvoir l'aimer davantage, mais j'avais tort. Je déposai un baiser sur le sommet de son crâne.

« Je sais.

– Mais tu n'as rien dit.

– J'attendais que tu m'en parles.

– Je suis désolé, Tess – pour ça, pour l'autre soir, pour le comportement que j'ai eu le jour où tu es venue à la maison...

– Allons, allons, arrête de t'excuser. Auprès de moi, en tout cas. »

Je l'étreignis, consciente de l'amour inconditionnel dans toute sa puissance.

« Je vais avoir un casier ?

– Non, répondis-je, mais tu n'es pas passé loin, et crois-moi, un casier judiciaire pour détention de drogue, ça vous colle à la peau. »

Je savais de quoi je parlais, d'un point de vue juridique, mais pour des raisons personnelles aussi. Claudia et Al avaient voulu adopter un enfant après l'échec de leur troisième FIV. Ça n'a pas été une mince affaire. Al avait un casier. En revenant du Vietnam, il s'était fait prendre à la douane avec deux grammes de haschich. Il avait commis une bourde, évidemment. Il pensait les avoir perdus, mais le petit bout de shit s'était insinué dans la doublure de son sac par une déchirure. L'organisme spécialisé dans les adoptions ne faisait pas dans la nuance ; ils refusèrent de l'écouter. Paradoxalement, Claudia s'entendit dire qu'elle aurait plus de chances d'adopter un enfant si elle n'était pas mariée avec Al. Il parla de divorcer, mais elle ne voulut rien entendre. Même si c'était uniquement sur le papier. Nous étions tous persuadés que ce délit mineur n'aurait aucune incidence sur sa vie d'adulte. Nous avions tort, et pas qu'un peu.

« Je te suis reconnaissant de m'avoir tiré d'affaire, en tout cas.

– Je n'ai rien fait. La policière t'a accordé le bénéfice du doute.

– Je devrais la remercier.

– Tu peux le faire si tu veux. Je sais de quel commissariat elle dépend.

– Je lui écrirai un mot… »

Il poussa un profond soupir.

« C'est fini, Tessa, marmonna-t-il contre mon épaule. J'ai été nul, mais c'est fini. »

Je sentis alors que le petit garçon que j'avais aimé était parti, et qu'un homme bien le remplacerait, même s'il faudrait probablement attendre un peu. J'avais encore des progrès à faire sur le plan de l'instinct maternel !

6

Jamais deux sans...

Comment se fait-il qu'alors que je sais pertinemment que je dois me lever à l'aube et faire des effets de toilette pour aller parader, je regagne péniblement mes pénates à quatre heures du matin en dépit de la ferme intention que j'avais de ne prendre qu'un petit verre neuf heures plus tôt ? Toute la semaine, j'avais ignoré tout ce que j'avais à faire pour consacrer mon temps à des futilités. Nonobstant les longues conversations que j'avais eues avec mes parents à propos des démarches que je devais entreprendre, je me débrouillais pour oublier les coups de fil que j'étais censée passer jusqu'au moment où j'étais en plein cours de yoga, ou au cinéma. Ou bien, à trois heures du matin, réveillée comme en plein jour, je répétais inlassablement ce que je dirais quand j'appellerais l'agence de recrutement. Le matin venu, je me faisais un œuf dur, un petit café et je passais quatre heures à écouter de la musique en rangeant mon placard. J'étais passée maître dans l'art de la procrastination.

La veille au soir, vendredi, une ancienne collègue m'avait envoyé un texto pour me dire qu'elle était dans le quartier. Nous avions décidé de nous retrouver dans mon pub pour une petite séance de rattrapage rapide. J'aurais préféré éviter, même si j'appréciais beaucoup cette fille, parce qu'elle était trop proche du drame que j'avais vécu au travail que je tenais à distance pour le moment. Cependant, elle m'avait précisé qu'elle devait rejoindre des amis pour le dîner si bien qu'on ne risquait pas de s'enliser des heures dans une conversation à propos de mon ex-patron. Sans compter qu'elle avait changé de boulot. J'étais déterminée à ne boire qu'un petit verre avant de rentrer chez moi pour me purifier l'esprit en vue de la renonciation au diable indissociable du baptême des jumeaux qui devait avoir lieu le lendemain matin. J'avais juste pris quelques petits panachés, pour l'amour du ciel ! Ça ne pouvait pas me faire de mal. De moins en moins de limonade, voilà le problème. Je suis une femme dénuée de volonté que les responsabilités font fuir – sauf que ce n'est que la moitié de l'histoire, bien entendu. Dans le même temps, je meurs d'envie d'en avoir, des responsabilités, je rêve de dire un jour : « Désolée, impossible de trouver une baby-sitter. On se reverra dans dix-sept ans. »

Je n'aurais jamais dû sortir de chez moi parce que après ces panachés et des ragots en pagaille, il m'a semblé que ce serait une bonne idée de dire aux amis de mon ex-collègue de nous rejoindre au pub. Ensuite j'ai pensé que des chips pourraient très bien faire office de dîner. Et puis la cloche a sonné, annonçant la fermeture de l'établissement, et quelqu'un a suggéré d'aller dans une discothèque voisine dont j'ignorais jusqu'à l'existence. Après cela, bien sûr, tequila…

Les baptêmes civilisés ont lieu vers quinze heures. Le bébé, repu et reposé, a plus de chances de se faire l'écho du succès de ses parents et de gazouiller à l'envi pendant toute la cérémonie. Cela présente en outre l'avantage de donner aux parrain et marraine qui appartiennent souvent à une race à part le temps de se remettre de leur folle nuit. Or, Helen et Neil avaient opté pour un service à onze heures du matin, suivi d'un somptueux brunch au champagne dans leur colossale baraque. En me réveillant le lendemain matin, après mon « petit verre rapide », je soulevai le bandeau qui me couvrait les yeux pour jeter un œil encrassé de mascara au réveil. J'enfonçai la touche *snooze*, sachant que j'étais déjà à deux doigts de réduire mon record personnel de débarbouillage accéléré à une panique inconcevable. Mes cheveux empestaient la cigarette, mais je n'avais pas le temps de les laver et de les sécher. Je me demandais si un peu d'Air Wick ferait l'affaire ? Et si je mettais un chapeau en l'aspergeant de parfum. Je possède un chapeau mou tout à fait seyant, acheté sur Ebay, qui s'imprégnerait de ces bons effluves, mais cela m'obligeait à réviser presto le reste de ma tenue. Tailleur-pantalon. Bottes à talons. Adieu la marraine de conte de fées, aérienne, décontractée. Bonjour la reine hip-pop, gangsta rap. Le réveil se remit à sonner. Déjà vingt minutes de passées, c'était pas Dieu possible !

Une bonne rasade de Coca, de la crème teintée hydratante avec un indice de protection de vingt-cinq, dans un premier temps, tels étaient les éléments-clés de mon kit de remise en forme. J'emportai le Coca sous la douche et enduisis ma peau de pocharde d'extrait de pamplemousse, la tête couverte d'un bonnet de bain tellement serré qu'il me laissa de disgracieuses dentelures à la naissance des cheveux, des stigmates personnels. Une lotion parfumée pour le corps, brossage des cheveux, pas de maquillage – une touche de maquillage –, encore un peu de parfum, des bottes fabuleuses, sac et couvre-chef, et j'étais prête à franchir les vénérables portes de St John's Church juchée au sommet de Ladbroke Road. Claudia serait la bonne marraine. Je serais la marraine qui ferait lever les yeux au ciel aux mammys et rappellerait aux papys leurs vingt-cinq printemps. Je serais le yin et Claudia le yang. J'ignorais tout de l'identité des parrains. Des amis de Neil, sans doute. J'avais déjà décidé qu'ils seraient sans intérêt.

Au moment où mon taxi arriva à l'église, le Range Rover Sport ocre de Neil se rangea derrière nous. Je réglai la course et me retournai à l'instant où une Helen incroyablement glamour apparaissait. Elle portait un tailleur blanc d'une coupe exquise avec une jupe étroite, et des nu-pieds à talons. Son teint foncé étincelait, elle avait noué ses cheveux en une longue queue-de-cheval épaisse qui lui descendait jusqu'au creux des reins.

Un maquillage audacieux mettait en valeur ses grands yeux en amande. Pour tout bijou, elle portait une croix en diamants et son alliance, également en diamants. Disparue la créature hagarde que j'avais vue. Elle était d'une beauté à vous couper le souffle. La métamorphose était inimaginable. Elle me sourit alors que quelqu'un lui tendait un ballot de dentelles que je supposais être un de ses fils. Neil prit l'autre. Il avait l'air de péter la forme et je dus admettre qu'en dépit des préjugés que je nourrissais à son encontre, on ne sait jamais vraiment ce qui se passe dans l'intimité d'un couple, cette société secrète réduite à deux membres. Personne n'était en droit de les juger sur la base de bribes d'informations atterries aux pieds de profanes, ni de se perdre en conjectures faute d'être initié. Neil et Helen échangèrent un sourire et je m'engageai fièrement dans la file derrière eux, fin prête à devenir marraine une fois de plus. Deux fois de plus. Quatre fois. Jamais deux sans…

Claudia était déjà dans l'église en train de bavarder avec une rombière qui serrait une pile de livres de cantiques contre son sein. J'aperçus le crâne dégarni d'Al derrière un Caméscope vieillot et peu maniable avec lequel il s'ingénia à tout immortaliser pour la postérité. Je fis un signe à des gens que je crus reconnaître pour me rendre compte quelques secondes plus tard qu'il s'agissait des acteurs d'une sitcom dans laquelle Neil avait joué. Je m'empressai de baisser la main, détournai les yeux et souris à un pilier. Je me donnais tellement de peine pour avoir l'air à l'aise et à ma place. J'avais peut-être eu tort de m'habiller à la Michael Jackson.

« Tu es superbe, me chuchota Claudia en me saisissant le bras.

– Ça m'étonnerait, répondis-je. Mais c'est gentil quand même.

– Je t'assure, insista-t-elle. Pourquoi as-tu tant de mal à accepter un compliment ?

– Je viens à peine de me coucher.

– Maintenant que tu le dis, c'est vrai qu'on sent quelques relents de brasserie quand on s'approche de toi.

– Tu parles d'un compliment. J'espérais avoir couvert l'essentiel avec de l'essence de pamplemousse.

– Ne t'inquiète pas. Je suis enceinte. J'ai un odorat de fin limier. Personne d'autre ne s'en apercevra. C'était bien hier soir ?

– Très bien. J'ai revu une fille du boulot. »

Claudia m'entraîna un peu à l'écart.

« Oh, mon Dieu ! Et alors... ? »

Je soupirai.

« Il est parti. En fait, il a pété un câble après mon départ. Il a fallu l'interner. »

Claudia en resta bouche bée.

« Dépression nerveuse. Rien à voir avec moi, je te précise. »

J'éprouvai une drôle de sensation en disant cela. Soulagement. Incrédulité. Une profonde tristesse, de la colère aussi parce que si cela n'avait rien à voir avec moi, pourquoi avait-il choisi de me harceler, moi ? De m'appeler la nuit ; de se planter devant mon bureau pour me regarder travailler ; de m'aliéner mes collègues en me favorisant à la moindre occasion. Pour placer ensuite un obstacle en travers de ma route. Si je n'y étais pour rien, pour quelle raison ma vie était-elle chamboulée, entre parenthèses ?

« Il s'est avéré qu'il souffrait d'une espèce de TOC. Ça aurait aussi bien pu se manifester par une collection de copeaux de crayons à papier ou une hantise des fissures sur le trottoir. Mon amie ne connaissait pas tous les détails. Ils essaient d'étouffer l'histoire, mais ce serait sa femme qui l'aurait fait enfermer.

– J'en connais beaucoup qui feraient volontiers la même chose.

– Pas toi. »

Claudia sourit tout en continuant à me tapoter le bras en un geste qui se voulait rassurant.

« Tu dois te sentir soulagée tout de même.

– Effectivement. Ça prouve au moins que je n'ai pas tout inventé.

– Pourquoi aurais-tu tout inventé, voyons ! »

Pour rendre ma vie plus intéressante, avais-je envie de répondre.

Je marquai un temps d'arrêt.

« Parce que je m'ennuyais au boulot ? »

Claudia me frictionnait le bras de haut en bas à présent.

« Non, ma chérie, c'était bien réel. »

S'il y avait quelque message subliminal dans sa réponse, je choisis de l'ignorer. Juste au cas où.

Al s'approcha et enlaça sa femme. Claudia leva vers lui un regard rayonnant. Al est plus svelte que Ben et il a nettement moins de cheveux, évidemment. Mais ils ont des points communs. Ils ont tous les deux le charme facile, et ce sont l'un et l'autre des hommes d'une grande intégrité. Al parle doucement et écoute les autres, ce que Helen apprécie aussi beaucoup chez lui. Hé, on l'adore tous, notre Al ! C'est un homme foncièrement gentil et, à l'évidence, ça ne se trouve pas sous le pas d'un cheval. Il rendit son sourire à sa femme et continua à lui sourire jusqu'à ce qu'elle soit distraite par l'organiste en train de pomper ses pédales, puis je vis son expression changer. Le regard que nous échangeâmes en disait long. Il avait compris que je savais, je savais maintenant qu'il savait que j'étais au courant et que nous étions tous les deux terrifiés. Claudia reporta son attention sur nous et le moment passa.

« Alors, Tessa, es-tu prête à accueillir Jésus dans ton cœur ? me demanda-t-il en se penchant pour m'embrasser.

– Un homme célibataire, ingénieux et disposé à subvenir à mes besoins. À ton avis !

– Je croyais qu'il était marié, qu'il portait des robes et qu'il avait un penchant pour les prostituées, riposta Al avant que sa femme lui assène un coup dans les côtes. D'ailleurs, ne dit-on pas qu'il en aurait épousé une ?

– Nous sommes dans une église, Al ! se récria Claudia en levant les yeux au ciel.

– L'histoire des robes, je pourrais m'y faire, mais les hommes mariés, je n'y touche pas.

– Penses-tu que la monogamie et le monothéisme vont de pair ? demanda Al en inclinant la tête de côté.

– Alexandre Ward, seriez-vous en train de suggérer que Jésus aurait pu prendre une deuxième épouse ?

– Taisez-vous ! » protesta Claudia.

Je gloussai.

« Claudia a le sentiment que nous flirtons dangereusement avec le blasphème à mon avis.

– Non, répliqua-t-elle, hilare. C'est du blasphème pur et simple... oh, révérend Larkin, permettez-moi de vous présenter Tessa King, l'autre marraine. »

Je me retournai vers un bel homme souriant arborant un col ecclésiastique.

« Ah, oui, bien sûr, celle qui n'a pas pu venir à notre petite réunion de préparation au baptême. »

Je me creusai la cervelle en quête d'une raison qui aurait pu m'empêcher de vouloir un tête-à-tête avec cet homme. J'y étais ! Je ne suis pas chrétienne et considère la religion organisée comme un obstacle à la cohésion sociale et à la paix dans le monde. Comprenez-moi bien, je n'ai aucun problème avec Dieu. J'ai un problème avec ce que l'on fait en Son nom. Tous Ses noms. Vous me direz que c'est hypocrite de ma part d'accepter le rôle de marraine dans ce cas ? J'ai débattu la question d'innombrables fois et j'en suis arrivée à la conclusion commode qu'il n'en était rien. En trichant un peu sur les mots, ajoutant une voyelle ici ou là, les professions de foi se changent facilement en codes de conduite sensés que je verbalise volontiers. Le renoncement au mal est un art que je perfectionne peu à peu. Au baptême de Caspar, j'avais opté pour des éternuements au moment de dire amen, mais ça n'avait pas vraiment marché en fait parce que j'avais attrapé un fou rire. Je doute que Fran et Nick s'en soient offusqués. Le jour de leur mariage et du baptême de leur fils, nous n'avions pas cessé de nous bidonner. On jouait à être adultes. Enfin, moi en tout cas.

« Claudia m'a laissé entendre que vous étiez une pro du baptême. Vous connaissez probablement tout par cœur. »

Je souris au pasteur. Il essayait d'être gentil, mais ses paroles avaient un mordant qui m'était familier et que j'étais déterminée à ignorer.

« Un cours de rattrapage devant une petite bière ne serait probablement pas inutile. »

Il rit.

Claudia l'imita.

« Tu es horrible », me chuchota-t-elle à l'oreille tandis qu'il s'éloignait.

Elle avait tort. Je ne suis pas horrible. En revanche, je me sentais horriblement mal. Je ne voulais pas être la vamp, la prédatrice, la femme aux mœurs dissolues. Ce n'était pas vraiment moi. Ne le voyaient-ils donc pas ? Le naturel revenait au galop, je jouais mon petit numéro conformément à l'idée qu'ils se faisaient de moi. Je n'avais pas envie d'être une marraine professionnelle. Je voulais être moi-même. Mais qui étais-je ? Dès que je pensais le savoir, tout basculait.

J'avais dû froncer les sourcils parce que Claudia paraissait inquiète tout à coup.

« Tu es sûre que ça va aller ? »

Je hochai la tête comme Churchill. Pas l'homme d'État. Le chien qui hoche la tête.

« Je sais ce que tu ressens, ne l'oublie pas », ajouta-t-elle.

C'était vrai. Nous avions eu notre lot de baptêmes l'une et l'autre. C'est juste que c'était la première fois qu'elle était enceinte.

Je l'embrassai sur la joue.

« Bon. Allons-y. »

Elle me prit le bras et ensemble, nous remontâmes l'allée pour prendre notre place au deuxième rang.

Beaucoup de mes amis célibataires supportent mal les mariages. C'est un rappel cuisant de ce qu'ils n'ont pas réussi à faire : trouver quelqu'un pour les aimer. Je n'ai pas ce problème. À vrai dire, j'adore les mariages dès lors que je connais bien les futurs époux. En revanche, je vous recommande instamment d'éviter les mariages de gens qui ne font pas partie de vos amis, auxquels on vous convie à l'improviste. Je suis allée à plusieurs, pensant qu'une petite virée dans de nouveaux pâturages donnerait de nouvelles récoltes intéressantes. Pas du tout. Mes compagnons de table étaient soit gays, préados ou pires que Gengis Khan. J'ai arrêté d'accepter ces invitations. Sans compter qu'elles me coûtaient les yeux de la tête.

Les mariages d'amis, c'est facile. J'y vais sans en attendre quoi que ce soit, hormis passer un moment agréable avec mes copains. Les baptêmes, c'est différent. Aux mariages, on a juste un pas de retard. Un problème qui pourrait se régler avant la fin de la soirée. À défaut, à la fin du mois peut-être, pour la bonne raison qu'on ne sait jamais quand on va rencontrer « l'âme sœur ». Aux baptêmes, il est manifeste qu'on a plus d'un pas de retard, et tout à coup, la fille en robe blanche qui monopolise l'attention est édentée, bave et vous rappelle qu'il faut du temps pour fabriquer un bébé et que vous n'avez toujours pas trouvé quelqu'un avec qui en faire un et s'il y a bien une chose qui vous fait défaut, c'est le temps. Je baissai la tête, feignant de prier, ce qui revient à peu près au même à mon avis. *Faites que maman reste forte. Faites que mon papa reste en vie. Que mes amis aillent bien. Que mes filleuls soient heureux*. Et moi ? Que demander pour moi ? Je fermai hermétiquement les paupières. Je veux des enfants, mon Dieu. Plus de filleuls !

« Hé, Tessa, pousse-toi un peu. (C'était Neil.) Voici David et Michael. »

Je levai les yeux vers les parrains. Nous échangeâmes des poignées de main. David ne portait pas d'alliance, mais il y avait une tache crayeuse sur l'épaule gauche qui m'avait tout l'air d'être de la bave séchée. Comme de bien entendu, quelques instants plus tard, un petit bambin accourut et lui tendit un train en plastique avant de filer en trombe dans la direction d'une femme qui tenait un bébé dans ses bras. Elle me sourit. J'en fis autant. Quant à Michael, je savais que c'était un comédien sans parvenir à mettre un nom sur son visage.

« Félicitations pour *La Taule*, j'ai adoré », lui dit Claudia avec effusion.

Ah, ça y est. Ça me revenait. *La Taule* était une série à succès dans laquelle Neil avait joué un petit rôle. Michael en était l'auteur. Il avait remporté des tas de prix, si ma mémoire était bonne.

« Le monde est à vos pieds maintenant, je suppose, ajouta-t-elle. C'était génial.

– Ma petite amie est en plein tournage, répondit-il sèchement. Elle serait là autrement. »

Claudia parut perplexe.

« Je comprends, dit-elle, puis elle se tourna vers moi pour s'assurer qu'elle avait mal entendu.

– Mais oui, tout se passe bien pour nous », conclut-il avant de se tourner vers David, l'autre parrain.

L'orgue commença à mugir.

« Bienvenue dans mon monde, chuchotai-je à l'oreille de Claudia.

– Je ne comprends pas.

– Tu n'as pas mis ton alliance. »

Claudia jeta un coup d'œil à sa main.

« Elle est chez le bijoutier. Et alors ?

– Il a tenu à te préciser qu'il était en main pour que tu n'ailles pas t'imaginer autre chose. »

Elle fronça à nouveau les sourcils. La chère petite, il y avait tellement longtemps qu'elle n'était plus dans la course.

« M'imaginer quoi ?

– Qu'il va t'épouser et te faire un enfant.

– Je me suis bornée à le complimenter sur sa série, chuchota-t-elle d'un ton furieux, couvrant presque Mozart.

– Tu es une femme dans la fleur de l'âge sans bague au doigt. C'est un homme et il est par conséquent censé être dans ton collimateur en tant que donneur de sperme potentiel. Il délimitait simplement le terrain de bataille. »

Claudia s'adossa au banc. De temps à autre je la voyais secouer la tête une fraction de seconde tandis qu'elle digérait mes propos et ceux de son voisin.

« Je n'ai pas cherché à l'allumer, que je sache. »

Je haussai les épaules.

« Tu lui as parlé. »

Claudia secoua la tête derechef. À un moment donné, elle pressa ma main dans la sienne.

« Tu es très courageuse, Tessa », chuchota-t-elle en regardant droit devant elle.

Je pressai sa main à mon tour, puis la lâchai. Venant de la femme la plus courageuse que je connaissais, c'était un compliment que j'acceptais de bon cœur.

Al vint nous rejoindre. Il se glissa à côté de moi sur le banc de sorte que je me retrouvai prise en sandwich entre sa femme et lui. Il tendit le bras derrière mes épaules, se pencha et serra la main des deux autres hommes. Claudia s'écarta de moi une fraction de seconde de manière à ce que les doigts d'Al ne l'effleurent même pas. Al ne l'avait probablement même pas remarqué, mais ça ne m'avait pas échappé. Pas plus qu'au comédien maqué parce que quand nous nous remîmes à parler, il s'entretint avec moi sans retenue. Il me regarda dans le blanc des yeux, fixa son attention sur Al, mais évita de jeter ne serait-ce qu'un coup d'œil à Claudia. Elle me servait de tampon. Ce serait de courte durée. On comprendrait vite qui appartenait à qui, mais pour le moment, je n'étais pas un paria. J'étais juste une femme plutôt jolie dotée d'assez de savoir-vivre pour faire rire un comédien professionnel. Je n'avais que faire des attentions dont il m'honorait, mais j'observai avec ironie la façon dont il ignorait mon amie. L'épisode ne dura que quelques minutes en tout, mais j'appris beaucoup de choses.

Nous entonnâmes des cantiques, écoutâmes des prières et des passages des Évangiles. C'était une superproduction. Puis nous remontâmes l'allée pour gagner les fonts baptismaux où l'on versa le contenu de deux bouteilles d'eau minérale de deux litres dans un récipient en verre. Le pasteur baissa dans mon estime à ce stade. C'est difficile d'imaginer que les eaux du Jourdain provenaient de bouteilles en plastique vert, ce qu'il nous pria néanmoins de faire. Les jumeaux ne proférèrent pas un son. Ils dormirent d'un bout à l'autre de la cérémonie. Ils ne firent même pas la grimace quand on fit couler de l'eau à la louche sur leurs crânes. Ne les ayant pour ainsi dire jamais vus autrement qu'en pleurs, je m'étonnai de la facilité avec laquelle on pouvait les adorer quand ils étaient endormis et j'eus un élan d'amour envers eux, qu'à ma grande honte je n'avais jamais éprouvé auparavant.

Helen se tenait devant la foule bigarrée, aussi ravissante que le jour où nous l'avions rencontrée au Vietnam. Je me pris à songer de nouveau à l'extraordinaire potentiel qu'elle recelait alors. Un potentiel resté inexploré. Peut-être les jumeaux seraient-ils sa révélation. Peut-être avait-elle besoin de prodiguer son amour pour se réaliser. Peut-être Neil était-il un moyen pour arriver à ses fins, et cela valait-il le coup.

« Vous en remettez-vous à Jésus-Christ, notre Sauveur ? »

Le pasteur me regardait. Déconcertée, je marmonnai une réponse, consciente que, si je ne croyais pas un mot de tout ça, je parviendrais à soutenir son regard et à garder le bec clos.

« Vous soumettez-vous au Christ ? » ajouta-t-il, les yeux toujours rivés sur moi.

Est-ce que je me trompais ou cet interrogatoire devenait-il de plus en plus ardu ? « Soumettre » est un mot que je prononce difficilement.

« Je me soumets à la vie », m'empressai-je de répondre en avalant le dernier mot.

J'aurais dû potasser le sujet.

« Venez-vous au Christ, à la voie, la vérité, la vie ? »

Doux Jésus ! Je sentais venir les grondements d'un fou rire de gamine. Les tressaillements incontrôlables aux coins des lèvres. Claudia me connaissait suffisamment pour éviter mon regard, mais je vis Al sourire narquoisement derrière son Caméscope. Nous devions avoir quatorze ans quand nous nous étions fait jeter d'un concert de chants de Noël à l'école pour avoir explosé de rire pendant l'*Adeste Fideles*… Absurde, je sais, mais impossible de me retenir. Je fis semblant de tousser. Le pasteur détourna les yeux. Il en avait probablement assez vu.

Parrains et marraines se passèrent les bébés catatoniques et nous fîmes tous un signe de croix sur leurs fronts sereins. Le mien ressemblait plutôt à une caresse qu'à une croix, mais je commençais vraiment à éprouver de l'amour pour eux. Ce fut plus facile après cela car le groupe se mêla au service et l'attention cessa d'être centrée sur nous quatre. Nous regagnâmes nos places pour un ultime hymne et le Notre Père. J'avais toujours aimé cette prière ; je la comprenais et la récitais avec enthousiasme. Puis un beau jour, ils avaient modifié le texte, ce qui m'avait écœurée parce que j'y avais cru dur comme fer quand ils disaient que c'étaient les termes que le Seigneur Lui-même nous avait enseignés. Comment avaient-ils osé tout changer ? Je n'avais peut-être que treize ans, mais on ne m'avait pas si facilement ! J'en étais venue à me demander quelles autres libertés ma religion avait prises au nom du Seigneur. Depuis des années, j'avais l'intention de poser la question à un prêtre. C'était peut-être l'occasion.

Soudain quatre trompettistes surgirent de nulle part. Claudia, Al et moi étouffâmes de nouveaux gloussements, convenant tacitement qu'ils y allaient un peu fort. Encore un « Merci, mon Dieu », puis au son de « Oh, quand les Saints », nous, héritiers de la promesse de l'esprit de paix fûmes libres d'aller nous cuiter.

Au soleil, sur le parvis de l'église, tout le monde souriait en tournant en rond et en posant pour les photographes. Nous nous rangeâmes le long du mur du cimetière pour la photo de famille. Les jumeaux dormaient toujours malgré les trompettes, ce qui me paraissait bizarre. Tout le monde s'extasiait de leur sagesse. Je vis Marguerite s'approcher des nouveaux baptisés et remarquai que même la Némésis de Helen ne pouvait éclipser le sourire éblouissant de mon amie. Les épaisseurs de robes de baptême, les douces odeurs de bébé et l'amour de ses amis lui offraient une protection. Oui, pensai-je en déposant un baiser au passage sur la joue de Neil, le jeu en valait peut-être la chandelle. Pas pour moi, mais pour Helen. J'étais heureuse pour elle. J'étais heureuse pour Al et Claudia qui se tenaient enlacés à présent. Je jetai un coup d'œil à ma montre. Oui, j'étais heureuse, heureuse, heureuse, alors maintenant, c'était peut-être l'heure de boire un verre ?

Personne n'avait l'air de vouloir se diriger vers le portail, aussi rongeai-je mon frein en arborant un air radieux.

« Tessa King, fit une voix dont l'accent m'était par trop familier. Tu es seule ? »

Non, je suis en compagnie de mon ami imaginaire. À votre avis ? Mais Marguerite savait pertinemment à quoi s'en tenir. Elle a une conscience féroce de la force des mots. C'est son point fort.

« Marguerite, m'exclamai-je, le sourire aux lèvres, en me tournant vers elle. Comme vous devez être fière de votre fille aujourd'hui. Elle est absolument ravissante. Honnêtement, je trouve qu'elle embellit encore en prenant de l'âge. On ne dirait pas qu'elle vient d'accoucher ! »

Marguerite me rendit mon sourire, mais je savais que le score était de un partout. Marguerite ne s'enorgueillissait apparemment jamais de la beauté de sa fille. Quoi que Helen accomplisse, elle n'en tirait pas vanité. Nous savions tous, dès le départ, que le cours d'architecture d'intérieur que Helen avait commencé ne la mènerait nulle part, mais au moins elle avait essayé de faire quelque chose. Helen était extrêmement cultivée. Sauter dans des avions entre des parents en guerre lui avait donné l'occasion de visiter à peu près toutes les grandes galeries d'art du monde, la plupart des sites historiques de l'ancien monde et du nouveau, et elle avait l'œil pour les belles choses. Sa maison à Notting Hill témoignait de son bon goût. Mais Marguerite avait descendu en flammes la décoration intérieure en la qualifiant de passe-temps pour les riches blondes évaporées. Helen ne l'avait jamais digéré et elle avait abandonné le cours à mi-chemin.

J'examinai la mère de mon amie, si différente de la mienne. Ses longs cheveux gris étaient tressés dans son dos. Elle portait un pantalon en cachemire gris de chez Nicole Farhi et un châle assorti maintenu en place par une grosse broche d'ambre. Le col amidonné de son chemisier blanc auréolait son long cou. Elle était, elle avait toujours été l'élégance faite femme. Marguerite s'habillait exclusivement chez Farhi. C'était une forme de signature, tout comme le vernis rouge foncé laquant ses ongles coupés court. Elle aussi se maquillait fortement les yeux en noir, ce qui lui allait encore très bien. C'était Helen sans les gènes asiatiques. Je savais beaucoup de choses sur cette femme – elle était vaniteuse, égoïste, capable de taper 110 mots à la minute, elle passait l'essentiel de sa nourriture au mixer et elle n'aurait jamais, jamais dû avoir un enfant.

« Je ne vois pas la nécessité d'en faire tant, dit-elle, son léger accent trahissant encore ses origines alpines. Bien sûr, c'est merveilleux qu'elle ait réussi à avoir des enfants, mais on aurait pu se passer des trompettes ! »

Elle me sourit en prenant un air de conspiratrice.

Je me retins de lui envoyer une vacherie.

« Il n'y a pas de mal à vouloir faire valoir ses exploits, soulignai-je en embrassant du regard les deux ballots de dentelle.

– Parce que tu trouves qu'avoir un enfant, c'est un exploit ? C'est à la portée de tout le monde, voyons. »

J'orientai mon regard vers Al et Claudia. Il se tenait derrière elle, son menton délicatement posé sur sa tête, l'enlaçant des deux bras, leurs quatre mains posées sur son ventre.

« Pas vraiment, non. »

Marguerite observait Neil en train de recevoir l'accolade d'autres petits hommes blancs en costards.

« Enfin, tu vois ce que je veux dire. Tant qu'ils sont bébés, ce n'est pas bien compliqué. On verra comment ils s'en sortent plus tard. Ce ne sera peut-être pas aussi facile qu'elle le pense. »

Je crois bien que c'était la première fois que j'entendais Marguerite faire allusion à ses déficiences maternelles, même indirectement.

« Elle a Rose pour la seconder, répondis-je, déterminée à ne pas la laisser s'en tirer à si bon compte.

– Rose, bien sûr. Mais elle devrait se méfier. Ce n'est pas toujours bon d'avoir trop d'aide. »

Elle reporta son attention sur moi.

« Il faut apprendre à se débrouiller tout seul dès les premiers temps ou on risque de ne jamais y arriver. J'étais entourée par la famille de mon ex-mari, qui n'arrêtait pas de baragouiner en chinois et accaparait Helen. J'étais complètement déboussolée. »

Étais-je supposée m'apitoyer sur son sort maintenant ? Elle pouvait toujours attendre. Pas après toutes les années de torture psychologique dont j'avais été témoin.

« Je crois qu'avec des jumeaux, c'est un peu différent. Je la vois à peine, et pourtant elle a de l'aide. Elle ne vit plus que pour eux.

– Elle voulait une fille, tu sais. Tu comprends ça, toi ? »

Marguerite rentra les joues. Je m'abstins de répondre, bien résolue à ne pas m'aventurer sur ce terrain.

« Elle a écopé de deux garçons à la place, la pauvre. Qu'est-ce qu'on va en faire ? Les garçons sont tellement primitifs. Il faut leur faire faire de l'exercice, comme les chiens.

– Elle les adore.

– En es-tu sûre ?

– Évidemment, répondis-je sans même réfléchir à la question. Pas vous ? Ce sont vos petits-fils. »

Elle se renfrogna.

« Pourquoi prends-tu toujours les choses tellement à cœur. C'est assommant à la fin !

– Oh, mon Dieu, Marguerite ! m'exclamai-je en souriant d'un air taquin, alors qu'en réalité, je m'efforçais de regagner du terrain pied à pied. Pas facile d'admettre qu'on est grand-mère, à ce que je vois ?

– Allons, Tessa, tu es plus fine que ça. Fais-moi la grâce de ne pas jouer les idiotes. Ce que je veux dire, et que tu choisis d'ignorer, c'est que tu ne discernes peut-être que ce que tu as envie de voir. Helen a un mari et des enfants. Tu en conclus qu'elle est heureuse. Je me trompe ? »

J'avais envie de lui tirer la langue, mais cela ferait trois points à un pour elle. Elle porta son regard sur ses petits-fils.

« La vie n'est pas aussi simple que ça, à mon avis, reprit-elle. Je suis contente d'avoir des petits-enfants, bien sûr. Mais tu me demandes de sauter de joie parce que ma fille a réussi à faire ce que les femmes sont programmées à faire. Il est question de bébés. Les bébés ne sont pas d'un grand intérêt, comme tu le sais, j'en suis sûre.

– Sauf pour leur mère, soulignai-je, enfonçant encore un peu le clou.

– Ça n'est pas garanti du tout, Tessa. »

La preuve.

Elle n'en avait pas fini.

« Imagine que tu aies un enfant, mais que tu n'aies pas la mentalité de martyre requise pour renoncer à l'essentiel de toi-même afin de l'élever, au moment précis de ta vie où tu pourrais tirer le meilleur parti de ton éducation pour accomplir quelque chose de notable. On n'est pas des bêtes ! Ne pourrait-on pas contrer cette préprogrammation ? On a le droit d'être des individus tout de même. Tout cela est parfaitement grotesque. »

Marguerite avait raison sur un point. Je prenais les choses trop à cœur. J'aurais préféré qu'il en soit autrement parce que j'aurais pu apprécier certains de ces arguments, mais je savais qu'elle s'ingéniait à justifier la nullité de ses soins maternels alors qu'elle aurait dû faire amende honorable. Ce qui aurait sans doute suffi. Helen n'en demandait pas beaucoup plus, à mon avis.

« Les grandes femmes et la maternité ne vont pas de pair », conclut magistralement Marguerite.

Alors c'est ça ton excuse, pensai-je. Mais je ne suis pas aussi courageuse que j'en ai l'air, alors je la bouclai.

« Nous savons l'une et l'autre que Helen n'avait plus beaucoup d'options. Que pouvait-elle faire d'autre ? »

Votre fille avait énormément de potentiel. Si seulement elle avait été mieux conseillée.

« C'est logique somme toute, dis-je.

– Qu'est-ce qui est logique ?

– Toutes les mères de mes amis qui ont des enfants m'ont dit qu'elles aimaient leurs petits-enfants autant qu'elles avaient aimé leurs propres enfants, voire davantage. »

Je marquai un temps d'arrêt.

« À l'évidence, ça marche aussi dans l'autre sens.

– Tu partages mon point de vue à maints égards, Tessa, que tu l'admettes ou non, sinon tu ne serais plus célibataire. À moins que tu ne sois une de ces pauvres désespérées qui attendent qu'un homme veuille bien prendre soin d'elles. »

Elle pensait m'avoir piégée, mais elle se trompait.

« J'estime que c'est plus une question de prendre soin l'un de l'autre.

– Doux Jésus, Tessa ! Si tu veux prendre soin de quelque chose, achète-toi une plante verte. Mais quoi que tu fasses, ne te laisse pas embarquer dans ce genre d'histoire. Ce serait du gaspillage. »

Marguerite partie, je restai comme fascinée par le mur en pierres couvert de mousse. Je tripotai les petites touffes d'un vert doux jusqu'à ce que je sois sûre qu'elle avait rejoint la congrégation. Je savais qu'elle était méchante, mais j'oubliais parfois que son intelligence faisait d'elle une adversaire redoutable. Cet ultime compliment mal placé lui avait permis de me damer le pion. J'avais absolument besoin d'un verre maintenant.

Le sous-sol de la maison de Helen et de Neil ressemblait à la boutique du traiteur Carluccio quand nous arrivâmes, et je fus vite rassérénée par de fabuleux légumes grillés, de fines tranches de jambon de Parme et assez de Gavi di Gavi pour remplir un aquarium. J'étais toujours scotchée au buffet quand David, un de mes coparrains, m'y rejoignit. Celui qui avait de la bave sur sa veste et un train en plastique dans la poche.

« Tessa, c'est bien ça ? »

La bouche pleine, je me bornai à hocher la tête.

« Comment connaissez-vous Helen et Neil ? » demanda-t-il, se servant et enfournant la nourriture directement.

Je déglutis à la hâte. Je voulais que les choses soient parfaitement claires.

« Helen est mon amie. Je la connais depuis l'âge de dix-huit ans.

– Et Neil ?

– Je l'ai connu après leurs fiançailles.

– Ils n'ont pas traîné, hein ? »

Quatre mois. À qui le dites-vous !

« Le jour où on rencontre l'âme sœur, on sait tout de suite à quoi s'en tenir. Enfin, c'est ce qu'on dit. »

David haussa les épaules.

« Alors vous avez fait vos études ensemble, Helen et vous ?

– En fait, on s'est rencontrées au Vietnam.

– Au Vietnam ? Je croyais qu'elle était à moitié chinoise.

– C'est le cas. On voyageait sac au dos.

– Helen a voyagé sac au dos ?

– Enfin, pas tout à fait, mais ce n'était pas non plus du Louis Vuitton. »

Il n'avait toujours pas l'air convaincu. Si seulement ils avaient une idée de ce qu'elle avait été autrefois. De ce qu'elle était encore. En dessous des paillettes.

« Ne vous laissez pas leurrer par la cuisine Gaggenhau et les tenues Manolos. Helen était une vraie sauvage. »

Comme Helen s'ingéniait à jouer les Bree Van de Kamp, il ne me croyait pas. Pourtant, j'avais vraiment envie qu'il connaisse la Helen que je connaissais.

« Je vous assure. La première fois que je l'ai vue, elle était coincée dans un hamac et se bidonnait parce qu'elle n'arrivait pas à s'en extraire. L'acide y était pour beaucoup. »

David sourit. Je continuai.

« Inutile de vous dire que nous avons tous eu le coup de foudre pour elle. Nous avons fait le reste du voyage tous les quatre en goûtant à tout un échantillonnage de produits locaux.

– Vous voulez dire, ceux qui ne se vendent pas sur le marché.

– Faites comme si je ne vous avais rien dit.

– Vous avez dû bien vous amuser.

– Ça a été l'un des moments les plus fabuleux de mon existence », répondis-je, sincèrement.

Je cherchais Helen des yeux, en proie à un élan de nostalgie. L'un des ou *le plus* fabuleux, me demandai-je. Comment l'expliquer ? N'était-ce pas ce que je m'efforçais inlassablement de recréer ? China Beach. Le LSD. La liberté. Le tout exacerbé par la douleur cuisante d'une peine de cœur qui me donnait l'impression d'être tellement vivante ? Je jetai des coups d'œil dans la pièce. Helen était passée à autre chose, cela ne faisait aucun doute. Al et Claudia aussi. Jadis des copains. Beaucoup plus maintenant. Il ne restait plus que moi, alors ? Seule sur China Beach, attendant toujours le coucher du soleil. Je levai les yeux, perdue dans mes pensées, pour découvrir Helen près de nous.

« Qu'est-ce que c'est que ces mines de conspirateurs ? demanda-t-elle en souriant.

– Tessa est en train de me préciser un certain nombre de détails croustillants à votre sujet.

– Oh ! »

Elle me dévisagea.

« Il exagère, ripostai-je en plantant ostensiblement un doigt dans les côtes de David.

– De quoi parlait-elle ? Parce que rien de ce qu'elle peut raconter sur moi ne vaut ce que je peux raconter sur elle.

– Chiche ! lança David. China Beach. »

Je pensais que Helen allait se démonter, mais à mon grand soulagement, son sourire se changea en rire.

« Tout est probablement vrai, ce dont Tessa se souvient en tout cas, dit-elle. Mais interrogez donc cette sainte-nitouche à propos d'un certain voyage en auto-stop sur une Honda Eagle dans le quartier chaud d'Aix-en-Provence ou d'une balade seins nus dans la campagne avec un saxophoniste… »

Je pointai l'index dans sa direction.

« Je n'étais pas toute seule.

– À China Beach, non plus, je n'étais pas toute seule. »

Elle se tourna vers David.

« Ou encore quand je me suis retrouvée coincée dans un refuge de montagne à boire du schnaps et qu'il a fallu que je rentre à skis avec les pisteurs à la lumière d'une torche… »

Elle se frotta le menton.

« Ou quand j'ai baratiné un pilote pour qu'il me ramène chez moi en avion… »

Elle planta un doigt sur sa tempe.

« Ou la fois où j'étais en transit à Bali après un voyage en Australie, quand j'ai décidé de rester après avoir vu un certain champion du monde de surf se diriger vers la douane… Ou la fois où…

– Bon d'accord, m'exclamai-je en riant. Tu as gagné. Je suis une dépravée moi aussi.

– On dit que les jeunes gaspillent la jeunesse. »

Elle secoua la tête.

« Pas dans notre cas, hein, Tessa ? »

Elle me déposa un petit baiser sur la joue.

« Vous vous êtes amusées comme des petites folles, on dirait !

– C'est tout l'intérêt d'être une héritière et une éternelle étudiante. »

Helen me fit un clin d'œil.

« Qu'avez-vous étudié ? lui demanda David.

– Je ne parle pas de moi. L'intello, c'est elle. »

Elle me prit le bras.

« Tessa a fait des études de droit. Pour moi, c'était génial parce qu'elle avait beaucoup de vacances.

– Beaucoup de travail aussi, rétorquai-je.

– C'est ça qui est étonnant chez toi. Tu t'es toujours débrouillée pour faire les deux avec autant de conviction. »

Elle se tourna vers David.

« Alors, David, êtes-vous jamais allé au Vietnam ? »

Il secoua la tête en souriant niaisement. Je reconnaissais cette expression. Je l'avais déjà vue des millions de fois. Il venait de tomber raide dingue amoureux de la mère de ses filleuls.

Elle lui effleura l'épaule.

« Eh bien, il faut absolument que vous y alliez. Emmenez les enfants, c'est tellement facile là-bas. Et la nourriture… »

Elle ferma les yeux un instant, toute à ses souvenirs.

« Ça a été fabuleux pour nous. »

Je souris. Elle disait vrai.

« À ma mort, j'aimerais que l'on disperse mes cendres sur China Beach !

– Helen ! Ce n'est pas un sujet à aborder au baptême de tes fils !

– C'est important, insista-t-elle, la mine grave. On ne sait jamais ce qui peut arriver. »

Je secouai la tête.

« China Beach sera probablement comme la Costa Brava d'ici à ce qu'on passe l'arme à gauche. Rien que des casinos et des bars à putes.

– Bon, dans ce cas, n'importe quelle plage fera l'affaire.

– Ma femme vient d'une famille grotesquement aristocratique, dit David. Ils se détestent tous, mais à leur mort, ils se retrouvent tous dans un immense caveau, que cela leur plaise ou non. Personnellement, j'aime l'idée qu'on disperse mes cendres sur une plage. Est-ce envisageable ? Pas à moins que je divorce, ce que je n'ai aucune intention de faire, sinon mes gosses n'auront pas leurs parts du gâteau.

– Vous plaisantez ? »

Il sourit.

« Un vieux fou l'a stipulé dans son testament.

– C'est bizarre, dis-je. »

Helen sourit et s'excusa, comme l'hôtesse hors pair qu'elle était. Nous la regardâmes s'intégrer gracieusement dans un autre groupe de convives et les envoûter à leur tour.

« C'est la première fois que j'ai une vraie conversation avec Helen, nota David. Elle est très différente de ce que je pensais.

– Je vous l'avais dit !

– On ne s'attend pas du tout à ça, ajouta-t-il sans la quitter des yeux.

– Vous êtes un ami de Neil, c'est pour ça. »

Je regrettai aussitôt d'avoir dit ça sur ce ton.

« Il y a certaines choses qu'on ne dit sans doute pas à son mari, vous comprenez… »

David reporta son attention sur moi.

« Vous n'êtes pas son mystérieux petit frère, rassurez-moi ? Seigneur, j'ai toujours été la reine des gaffes !

– J'ignorais que Neil avait un frère.

– Personne ne le sait. C'est pour cela qu'il est mystérieux. »

Neil passa près de nous à cet instant, une bouteille de champagne à la main. J'essayai de réduire David au silence, mais il était trop tard. Je savais que Neil ne voyait plus sa famille, Helen me l'avait dit. Il avait honte d'eux.

« Hé, Neil, lança David. Ton frère est-il là ?

– Doux Jésus, non, répondit Neil sans s'arrêter, bien que j'aurais juré l'avoir vu se hérisser. On ne se ressemble pas du tout, lui et moi. Crois-moi, il ne te plairait pas. »

Mais moi, je l'adorerais. Mes pensées se lisaient à l'évidence sur mon visage parce que David sourit à nouveau.

« Qu'est-ce qu'il y a ?

– Vous n'approuvez pas le choix de votre amie en matière de mari, hein ? »

Je fis la grimace.

« Non. Enfin, si… bien sûr que si. Elle est heureuse…

– Oh, ne vous inquiétez pas. Je garderai votre secret. Pour être honnête, je ne l'apprécie pas beaucoup non plus.

– Ah bon ? »

Il se pencha vers moi.

« Je travaille pour la BBC. Nous avons collaboré une ou deux fois, mais je ne dirais pas que nous sommes amis.

– Pourquoi vous a-t-il demandé d'être parrain, dans ce cas ? » m'enquis-je, un peu lente à la détente sans doute.

David n'avait pas l'air tout à fait à l'aise.

« Eh bien, nous ne nous en sortons pas mal. Ils espèrent avoir de beaux cadeaux, je présume. »

Je secouai la tête.

« Ils n'ont pas vraiment de problèmes d'argent non plus. Je ne pense pas que ce soit ça. Que faites-vous à la BBC ?

– Responsable du département Comédie.

– Ah !

– Je ne vous le fais pas dire !

– Pourquoi avez-vous accepté ?

– Comment pouvais-je refuser ?

– Je ne sais pas », répondis-je.

Au moment où je commençais à éprouver des sentiments un peu plus chaleureux à l'égard de Neil, on venait me rappeler à quel point il était monstrueux. Parmi tous les hommes de la planète que Helen aurait pu épouser, pourquoi l'avait-elle choisi, lui ?

« Ne vous inquiétez pas, dit David. Ma femme est merveilleuse. Al et Claudia ont l'air très sympas. Nous n'aurons qu'à nous serrer les coudes, nous enivrer à mort aux anniversaires et oublier Noël à tour de rôle.

– Et l'autre parrain – on ne va pas se soûler avec lui ? chuchotai-je.

– Pas à moins que vous teniez à passer la journée entière à parler de Michael Kramer.

– Je m'en doutais. »

Une femme se pencha sur l'épaule de David.

« Salut. Inutile de te demander contre qui tu râles ?

– Tessa. Ma femme, Ann. »

Je reculai involontairement d'un pas. Je ne voulais pas qu'elle s'imagine que je courais après son mari.

« Pas de problème, dit David. Tessa pense elle aussi que Neil est un enfoiré. »

Je me cachai le visage dans les mains.

« David, tu es censé faire briller la lumière de Jésus sur le monde, pas débiner notre hôte.

– Ann est quelqu'un de beaucoup plus sympa que moi, comme vous pouvez le constater, dit David.

– Tellement sympa que je suis venue jusqu'ici pour te dire que Sam a fait caca partout. »

C'était le moment où la femme rappelait à son mari ses devoirs familiaux et le libérait de ma toile d'araignée.

« Super, dit David. Pardonnez-moi, Tessa, c'est mon tour.

– Oh, que non ! Je préfère plonger les bras jusqu'aux coudes dans de la merde de bébé plutôt que d'écouter Michael Kramer parler de lui parce qu'il pense que je vais tout te répéter et que tu lui donneras du boulot.

– Désolé. »

David avait l'air sincèrement gêné.

« J'ai l'habitude. C'est juste que j'en ai vite marre quand ils essaient de m'embobiner. »

Elle se tourna vers moi.

« Pardonnez-moi. Ce n'est pas que je veuille me faire passer pour la cinquième roue du carrosse, mais ça m'énerve que les gens m'adressent la parole uniquement à cause de ce que fait mon mari. »

Elle redressa les épaules. Elle me plaisait.

« Bon. J'y vais.

– Où est Luke ? » demanda David.

Il se tourna vers moi.

« C'est notre fils. Il a trois ans.

– Il est en train d'essayer d'arracher les paupières des jumeaux. J'imagine qu'il y a assez de personnel dans la maison pour éviter le pire. »

Ann prit une coupe de champagne sur le bar.

« Faut que je boive encore un petit coup, je crois. À plus tard, acheva-t-elle en me souriant. C'est moi qui vais sentir le caca. Cela m'évitera peut-être les harcèlements de tous ces comiques aux dents longues.

– Avec Neil, c'est sûr, ça marchera, lançai-je.

– Il n'aime pas changer les couches ? »

Je secouai la tête.

« Bon, j'espère que c'est un bon coup au moins », dit-elle en s'éloignant, m'évitant Dieu merci d'avoir à répondre. Neil était loin d'être un père fantastique, et d'après ce que Helen m'avait dit, ce n'était pas un amant génial non plus. Était-ce un bon mari ? Eh bien, je ne pouvais rien prouver, mais... je ne voulais pas penser à ça. Soyons positifs. Je m'excusai auprès de David et partis à la recherche de mes filleuls.

Je trouvai Claudia avec les jumeaux.

« Tu crois que c'est normal qu'ils dorment aussi longtemps ? me demanda-t-elle en me voyant approcher. On ne devrait pas les nourrir à un moment ou à un autre ?

– Ils ont dû bien manger avant la cérémonie. »

Je jetai un coup d'œil à ma montre. Il était presque trois heures.

« Helen a probablement triché. Elle a dû leur donner de la viande et des légumes. Je me souviens quand Billy a sevré Cora, la première fois qu'elle a mangé du poulet, je crois bien qu'elle a dormi six heures. Son corps s'est carrément mis en veilleuse pour digérer.

– Tu vas nous être d'une aide précieuse quand notre bébé sera là », me dit Claudia.

Je m'assis près d'elle et pris un des bébés endormis sur mes genoux. Nous en avions un chacune.

« Sais-tu lequel est lequel ? demandai-je.

– Pas la moindre idée. »

Le bébé sur mes genoux s'étira.

« C'est un vrai ! » m'exclamai-je en me penchant sur lui.

Tout ensommeillé, il ouvrit un œil et me regarda.

« Salut, toi, dis-je. Tu as tout raté. »

Il bâilla en gardant l'œil ouvert et ouvrit l'autre lentement. Il était tout flapi après son long sommeil, mais quand je lui souris, il esquissa une grimace qui dévoila ses gencives. Comme par magie, son frère reprit vie à son tour. Nous roucoulâmes toutes les deux en cajolant nos petits fardeaux et fûmes récompensées par d'autres sourires édentés. Je surpris Helen en train de nous regarder. Elle avait l'air inquiète. Je voulais la rassurer en lui disant que ses petits garçons allaient très bien.

« Ils viennent de se réveiller », articulai-je en silence pour ne pas faire peur aux petits.

Helen s'écarta des gens avec lesquels elle parlait et se hâta de nous rejoindre. Elle ne souriait pas.

« Tout va bien, lui assurai-je. Les drogues ont cessé de faire leur effet, c'est tout. »

Elle se figea.

« Quoi ?

– Je plaisante », m'empressai-je de dire.

J'avais juste envie de continuer à m'amuser.

« C'est complètement imbécile ce que tu viens de dire, Tessa. »

Elle me prit le bébé des bras et appela la nounou pour qu'elle prenne l'autre. J'eus la sensation qu'on m'arrachait cet enfant. Il se cambra et se mit à gigoter comme la fois où j'étais allée chez eux la semaine précédente.

« Tout allait très bien », insistai-je dans l'espoir de la tranquilliser et de dissiper le malaise ambiant. Ça n'arrangea rien. Ce fut même pire.

« Plus maintenant », riposta-t-elle.

Sous-entendait-elle que c'était de ma faute, ou étais-je parano ? Les invités s'étaient aperçus que les vedettes du jour, pour ainsi dire absentes jusque-là, étaient réveillées. Un petit groupe se rassembla autour d'eux. Je vis l'attitude de Helen changer du tout au tout tandis que les gens s'avançaient en demandant à les prendre dans leurs bras. Les jumeaux se mirent à se trémousser de plus belle et celui que tenait la nounou commença à pleurer.

« Ils ont faim, lança Helen d'une voix forte en s'écartant de la meute. Je n'en ai pas pour longtemps. »

Sur ce, elle sortit précipitamment de la pièce. Je la suivis des yeux. Je connais des femmes qui protègent jalousement leurs nouveau-nés, mais là, c'était grotesque. Helen redoutait-elle que je contamine ses enfants d'une manière ou d'une autre ?

Ce soir-là, de retour à la maison, dans mon survêt fabuleusement immonde, les pieds douloureux et le foie apaisé par une théière de camomille et quelques brownies faits maison (oui, il m'arrive de faire de la pâtisserie), j'appelai Ben. Je lui relatai mon entrevue avec la harpie, ma rencontre avec le prêtre sexy et lui confiai que le parrain connaissait à peine Neil et Helen.

« … et puis, elle a complètement changé. Je tenais le bébé. Quand elle m'a vue, elle s'est jetée sur moi et me l'a pratiquement arraché…

– Tu exagères, j'en suis sûr.

– Pas du tout, insistai-je. J'espérais te voir au baptême.

– Nous avons reçu le carton d'invitation, mais la copine de Sasha, Carmen, est venue pour le week-end avec son mari, tu vois de qui je veux parler… »

Oui et non. C'est « leur » monde à eux, et je n'y ai pas vraiment ma place. Tous les amis de Ben et de Sasha sont mariés, sauf moi. Sasha organise de grands dîners ; elle m'avait invitée ainsi qu'un banquier de la City, mais elle avait trouvé que je n'appréciais pas ses efforts, alors elle avait cessé de me faire signe.

« C'était sympa jusqu'au moment où Sash et moi nous sommes ridiculisés en chantant en duo. Au fait, tu ne devineras jamais sur qui on est tombés…

– Donne-moi un indice.

– S'est arraché un doigt en essayant de confectionner une bombe.

– Non ! Ce zinzin, Kevin, Trevor…

– Keith. »

Je hurlai.

« Keith Jackson, bien sûr ! Il lui manque toujours un doigt ? Où étiez-vous ?

– C'est un méga homme d'affaires.

– Dans un karaoké ?

– Je ne l'ai pas entendu chanter.

– Imbécile. Je te demande si vous l'avez rencontré dans un karaoké ?

– C'est carrément le patron d'ICI, un truc comme ça. Je doute que ce genre de gens fréquentent les karaokés.

– Waouh ! Keith Jackson.

– On est allés dans un nouveau restaurant branché où on se ruine rien qu'en buvant de l'eau minérale. Il était là en compagnie d'une jolie blonde.

– Keith Jackson avec une jolie blonde ?

– Il a super bien réussi, je t'assure. Il m'a reconnu et il est venu à notre table. Il n'arrivait pas à croire qu'on était encore amis. Il veut absolument qu'on dîne ensemble. J'ai l'impression qu'il aimerait bien te revoir.

– S'il te plaît ! Il a toujours la même tronche ?

– Exactement la même.

– Merci. Ne compte pas sur moi… »

Nous continuâmes à bavarder durant toute la diffusion d'*Antiques Roadshow*, plus jusqu'à la fin des informations. Pour finir, j'avais chaud à l'oreille et ça me chatouillait tellement que j'annonçai à Ben que j'allais me coucher.

« Ne t'inquiète pas pour Helen, dit Ben. Ce sont ses hormones qui la travaillent. Ne le prends pas personnellement.

– On se verra à la soirée de Channel 4.

– J' t'aime », dit Ben, avant de raccrocher.

J'aurais dû suivre son conseil. À la place, je m'allongeai sur mon lit et gambergeai des heures à propos de Helen. Tant qu'on parlait du passé, tout allait bien, mais dès qu'il était question de son mari et de ses enfants, elle passait en mode défensif. Elle m'avait arraché son enfant des bras. On ne pouvait pas faire plus direct. J'en vins à la triste conclusion qu'elle avait franchi un seuil et qu'elle ne reviendrait pas en arrière. Je pouvais concevoir que ses enfants comptent plus pour elle que notre relation, mais cela signifiait-il qu'il ne restait aucune place pour notre belle amitié ? Et, si c'était le cas avec elle, n'en serait-il pas de même un jour avec Claudia et Al ? Allais-je tous les perdre ainsi les uns après les autres ? Je tapotai continuellement mon oreiller. Pour je ne sais quelle raison, je n'arrivais pas à me sentir à l'aise. En temps normal, le dimanche soir, je panique si mes vêtements revenus du pressing ne sont pas pendus dans mon placard, si je ne suis pas couchée à 21 h 30, mais je me souvins tout à coup que je n'avais pas à mettre un tailleur le lendemain matin ni à prendre le métro à huit heures. Je pouvais dormir toute la journée si ça me chantait. Alors je me relevai pour aller me préparer quelque chose à manger avant d'aller me vautrer sur le canapé pour zapper jusqu'à ce que je trouve un film idiot à regarder. Il était deux heures et demie du matin quand je succombai finalement au sommeil.

7

La frise

J'adore aller chez Claudia. Il y a une exposition permanente de ma vie sur les murs de son escalier. Chaque fois que je vois ces photos format 15×25, je m'étonne que ces souvenirs soient encore tellement présents dans mon esprit, que les plaies ne se soient pas encore refermées et je m'émerveille à la pensée qu'on se soit amusées à ce point. Les photos montent l'escalier en ordre chronologique. Je fais ma première apparition sur la troisième marche. J'ai sept ans. Claudia estime que, quand j'en aurai quarante, il n'y aura plus assez de marches. Elle n'aurait plus un centimètre d'espace sur les murs si le bébé naissait. *Quand* il naîtra, voulais-je dire. Ma collection de photos est identique à la sienne, si ce n'est que la mienne est rangée dans un gros sac de sport sous mon lit.

En réalité, la maison de Claudia est un témoignage de tout le temps libre dont elle a disposé pendant qu'elle essayait d'avoir un bébé et des cours innombrables où elle s'est inscrite pour essayer de penser à autre chose. En vain. Elle dessinait des enfants, ses sculptures avaient des formes fœtales, ses coussins des tons pastel et ses tricots étaient tous de la même taille. Du coup, sa petite maison au sud de la Tamise a tout du bric-à-brac, même si elle est très confortable. La seule chose qui manquait, c'était un bébé. Comme je n'avais rien à faire cette semaine-là, j'avais accepté de bon cœur de l'aider à repeindre enfin la chambre d'enfants avec une peinture non toxique. Al était en route pour Singapour où sa société avait prévu de construire un nouvel hôtel. Claudia avait esquissé une frise sur les murs. Il me suffisait de m'en tenir aux couleurs qu'elle avait indiquées.

Je l'attendais sur la troisième marche en contemplant nos petites personnes à sept ans se tenant par la main d'un air grave, les yeux plissés à cause du soleil. Nous n'avons pas tellement changé, je vous assure. Elle a toujours des cheveux noirs luisants coupés au carré et moi, cette tignasse blonde frisée (même si je triche maintenant vu que je commence à grisonner). Elle a toujours les yeux bleus et moi marron sauf quand il m'arrive de tromper sur la marchandise en portant des lentilles de contact teintées. Physiquement, nous sommes aux antipodes l'une de l'autre. J'ai toujours été nettement plus grande qu'elle. Je suis toute en longueur. Elle est toute en courbes. Elle a une peau de poupée de porcelaine ; la mienne est grêlée. (J'exagère un peu évidemment – j'ai deux petites cicatrices dues aux boutons définisseurs de personnalité que j'ai eus pendant l'adolescence, mais j'ai vraiment l'impression d'avoir le visage grêlé.) Son nez est un bouton de rose, le mien, un bec. J'ai de longues jambes ; les siennes atteignent le sol sans changer de forme. D'innombrables fois, nous avons troqué mentalement des parties de nos corps pour en arriver à la conclusion qu'à nous deux, nous aurions pu atteindre la perfection. Même si j'ai toujours pensé qu'il faudrait davantage d'elle, et elle davantage de moi. Nous nous étions disputées à ce sujet un soir de beuverie. Les filles sont si bêtes parfois !

Une autre photo quelques marches plus haut nous représente en rang d'oignons avec nos camarades de classe. On est tous en uniforme à l'école de Camden. Ben et Al y figurent aussi. C'est un cliché historique parce que c'était le trimestre où Al s'était joint à notre trio. Ben et Al s'étaient déjà rencontrés à l'époque où Ben et sa mère avaient vécu quelque temps dans le North Yorkshire. Par un caprice du destin, et pour des raisons totalement distinctes, la famille d'Al avait déménagé un beau jour pour venir s'installer plus au sud. Un Al dégingandé et nerveux s'était ainsi retrouvé assis à un bureau dans notre classe. Il n'était pas resté le « nouveau » bien longtemps. Ben s'était souvenu de lui sur-le-champ, leur amitié avait repris là où elle en était restée du fait du départ inopiné de Ben, et notre trio devint un quartet. Al apportait une note champêtre à notre monde urbain. À Regent's Park, on labourait des champs, on élevait des vaches. On se prenait au jeu. Nous étions si heureux tous les quatre.

Claudia me rejoignit dans l'escalier avec une tasse de café pour moi et une tisane pour elle.

« C'est ma préférée », dit-elle en désignant la seule photo que j'avais encadrée moi aussi. Elle avait été prise après le brevet. Nous étions sur le point d'être séparés par de méchants parents ayant des opinions divergentes sur les études secondaires. Nous avions pris le train pour aller sur la côte sud en emportant du cidre en pagaille. Sur la photo nous sommes blottis les uns contre les autres sur une plage de galets, au coucher du soleil, ivres, heureux, libres. Un passant avait pris la photo. Ben et Al nous tiennent par les épaules, Claudia et moi. Nous rions tous à propos d'une blague qu'Al avait faite, sans nous occuper du photographe. C'est une photo magnifique. Les galets ont des nuances magenta et le ciel derrière nous est violet foncé. J'envie notre jeunesse et je rêve souvent de retourner sur cette plage. Tout était si platonique, si innocent. Si léger. Al et Claudia ne devinrent un « vrai » couple qu'une dizaine d'années plus tard. Claudia me taquinait toujours en me disant que s'il devait se passer quelque chose dans la bande, ce serait entre Ben et moi. Elle se trompait lourdement.

« Qu'est-ce qu'il avait dit, Al, pour qu'on se bidonne comme ça ?

– Je ne m'en souviens pas », me répondit Claudia.

Ben n'avait pas passé son bac. Sa mère avait besoin qu'il se mette à gagner de l'argent pour ne plus être obligée de dépendre de ses amants. À seize ans, il était toujours sidéré par son insouciance. Il ne comprit que bien plus tard qu'elle était loin d'être insouciante. Il s'était donc fait embaucher comme coursier par une société de postproduction. C'était là qu'il avait rencontré Mary. Elle avait deux ans de plus que lui, et elle était réceptionniste. Ce fut une relation ridiculement sérieuse. Pendant que Claudia, Al et moi, on se retrouvait le week-end pour siffler du Southern Comfort à la limonade, Ben jouait dans la cour des grands. Mary et lui donnaient des dîners ; elle servait des avocats à la vinaigrette en entrée. Elle était plutôt sympa, Mary, mais elle avait une mentalité de vioque en plus d'être plus âgée que nous. Je pense que si Ben était tombé dans le panneau, c'était parce qu'il n'avait pas eu une famille normale. Il n'y avait jamais rien à manger chez Ben. Chez Mary, le réfrigérateur était plein à craquer, et puis il y avait un papa, une maman, un gentil petit frère et un chien. Ils couchaient ensemble une fois par semaine comme un vieux couple. Ben n'avait que dix-sept ans. Nous, on trouvait ça désopilant. Al et Claudia tout du moins. Moi, ça me fichait en rogne.

« Je l'ai perdu pendant les années Mary, dis-je en regardant une autre photo d'Al et Claudia et moi au marché de Camden. Sans Ben.

– On l'a tous perdu, répondit Claudia.

– C'est ce que je voulais dire. »

Mes parents avaient un peu d'argent à ce stade – deux revenus, un seul enfant, aussi avaient-ils jugé bon de me mettre dans le privé. Je ne voulais pas y aller, mais je dois reconnaître que j'obtins de meilleurs résultats au bac que si j'étais restée à Camden. Il fallait ça pour m'obliger à me concentrer ; on faisait trop les fous. Être nouvelle dans une école qui coûtait la peau des fesses à mes parents eut cet effet. Je trimais dur pendant la semaine et, le week-end, je retrouvais Claudia et Al (ainsi que Ben quand on lui lâchait un peu la grappe). J'avais du mal à comprendre les gosses de riches – ils chahutaient en classe, certains ne se donnaient même pas la peine de venir en cours ; ils avaient l'air de se soucier comme d'une guigne des examens, et du reste. Cela m'ouvrit les yeux d'une certaine manière et je me repliai vite sur le territoire où je me sentais à l'aise. Avec mes vieux copains. Je n'étais pas vraiment intimidée même si mes parents le pensaient, je crois ; j'étais déçue plutôt. C'étaient des gamins intelligents, plus intelligents que moi, et tellement privilégiés, mais ils n'en avaient rien à faire de l'éducation. Parce que c'était un outil dont ils estimaient pouvoir se passer, probablement. En tout état de cause, je suis sortie de cette école avec des notes canon et pas un seul ami. Mes parents avaient raison de nous séparer, bien sûr – ma carrière, mon indépendance, mon super appart sont le fruit de ces excellents résultats, mais je me prends encore à le regretter parfois.

« Et celle-là ? » lança Claudia en désignant une photo représentant Ben à l'hôpital avec la jambe surélevée, Al penché affectueusement sur lui. Je hochai la tête. Ah, celle-là ! C'était l'été après le bac. L'été où nous étions censés partir au Vietnam tous les quatre. Ben avait réussi à se libérer parce qu'il avait trouvé un meilleur boulot qui démarrait en septembre. Les choses commençaient à se tasser avec Mary, Dieu merci, et nous espérions tous que leur relation ne résisterait pas à cette séparation temporaire. Mais il n'y eut pas de séparation. Ben s'était cassé la jambe une semaine avant le départ. J'étais avec lui quand c'est arrivé. Je fixai la jambe de Ben et son visage grave. Une grande partie de ma vie est liée à cette fracture. Mais c'est une autre histoire.

Claudia me tira sur la manche. Je la suivis à l'étage où elle me tendit une des vieilles chemises d'Al. Que j'enfilai docilement. Je m'attendais à moitié à une blouse avec mon nom brodé dessus.

Je commençai par les drapeaux verts. Claudia s'attaqua au rouge vif. La radio était branchée sur Magic FM, nous ouvrîmes la fenêtre et, le nez sur nos pinceaux, nous braillions nos chansons préférées quand elles passaient.

« Combien de temps Al est-il censé rester à Singapour ? demandai-je, m'efforçant de couvrir la voix de Claudia qui s'emballait sur *Stay* des Shakespeare's Sister.

– Plusieurs mois. Typique, non ? Mais c'est un énorme chantier et l'argent supplémentaire ne nous fera pas de mal. Le plan est le suivant : il travaille sur ce contrat pendant ma grossesse, il prendra un congé après la naissance de la petite. »

Claudia sourit. Je sentis ma poitrine se serrer.

« Tu te souviens quand Ben faussait compagnie à Mary pour nous retrouver en douce chez Ed's Easy Diner ? » dis-je pour changer de sujet.

Claudia posa son pinceau.

« S'il te plaît, Tessa, laisse-moi en parler. Tout va bien se passer.

– Pardonne-moi. »

Elle avait raison, bien sûr, mais j'avais tellement peur pour elle. Si j'étais satisfaite de la vie que je menais, c'est notamment parce que je n'éprouvais pas ce besoin désespéré d'avoir un enfant. Même si c'était en train de changer. Je continuais à y tenir plus pour Claudia que pour moi.

« Je me souviens bien du Ed's. De ses frites au fromage surtout – qu'est-ce que je donnerais pour en manger maintenant », reprit Claudia.

Son envie se lisait sur son visage. Je l'enlaçai.

« Tu es vraiment enceinte, hein ! Pas de doute ! »

Elle me sourit. Elle était si heureuse.

« Je m'invente des fringales, juste pour en avoir. Je porte des habits de grossesse alors que je n'en ai pas besoin. C'est pathétique. Al est allé m'acheter de la glace avant de partir ce matin.

– Fais bien attention, Claudia Ward. Le surplus de calories nécessaire pour mener une grossesse à terme équivaut à un yaourt par jour. Et non à une tonne de Smarties ! »

Elle plongea son pinceau dans le pot de peinture et se retourna vers le mur.

« Comment sais-tu ces choses-là ?

– Question d'osmose, répondis-je.

– C'est bizarre.

– Pas vraiment. Tous les gens que je connais ont eu des enfants, ou sont sur le point d'en avoir. Je suis imbattable sur ces trucs-là. Des gerçures aux mamelons ? Enduisez-les de Kamillosan – un excellent brillant à lèvres de surcroît. Des croûtes de lait ? De l'huile d'olive. On déconseille fortement le talc maintenant parce que les fines particules s'insinuent dans les poumons. Les totottes ont de nouveau la cote. Je n'en ai rien à faire de tout ça. Je n'en ai certainement pas besoin, mais elles me le disent quand même, les choupettes, et pour une raison que je ne comprendrai jamais, elles s'imaginent que ça me passionne.

– Je fais pareil, non ?

– Ça ne me gêne pas, venant de toi, lui assurai-je. Je suis peut-être un tantinet sur la défensive, mais je suppose que j'engrange toutes ces infos dans l'espoir de trouver ça palpitant un jour.

– Oh, Tessa, ça viendra. Il suffit que tu rencontres quelqu'un.

– Tu n'es pas au courant ? Il n'est plus nécessaire de rencontrer quelqu'un maintenant.

– Hein ?

– C'est juste que j'ai fait passer ma carrière avant mon horloge biologique. Apparemment, il existe désormais une machine dans laquelle toutes les femmes carriéristes comme moi peuvent faire pipi pour déterminer combien d'ovules il leur reste. Juste au cas où je rate l'occasion d'avoir un bébé en me rendant à une réunion un jour.

– Je ne te suis plus très bien, là. »

Je m'adossai à un pan de mur sec. Moi aussi j'étais un peu perplexe, pour être honnête. L'article que j'avais lu à ce sujet m'avait mise hors de moi.

« Pendant toutes ces années, je me suis imaginé que je travaillais pour payer mon appartement, les factures, pour subvenir à mes besoins, puisqu'il n'y avait personne pour le faire à ma place. Il s'avère que j'ai fait carrière pour des motifs égoïstes en définitive. Je ne peux pas faire autrement que travailler. Ce n'est pas à cause de mon boulot que je n'ai pas d'enfants, c'est parce que je n'ai rencontré personne pour m'en faire. Maintenant s'ils inventent une machine sur laquelle je peux faire pipi et que le numéro de téléphone de mon partenaire idéal s'affiche, j'achète !

– Tu n'as pas besoin d'une machine, tu rencontreras quelqu'un bientôt. On ne sait jamais ce qui nous attend au coin de la rue.

– Combien de coins de rue, Claudia ? Parce que j'ai l'impression de les avoir tous dépassés. »

Cette conversation me déprimait. Je préférais ne pas penser à tout ça.

« Je rencontre tout le temps des gens. Ça ne marche jamais. Je ne sais pas pourquoi.

– Hum.

– Pourquoi ? Qu'est-ce que je fais de travers, à ton avis ?

– Tu tiens vraiment à ce qu'on approfondisse ? me demanda-t-elle, une note plus sérieuse s'insinuant dans sa voix.

– Oui. J'ai besoin d'un maximum d'aide, Claudia. J'aimerais être à ta place, bientôt. J'y tiens. Dis-moi, qu'est-ce que je fais de travers ? »

Claudia posa son pinceau. Je l'imitai.

« Je ne pense pas que tu fasses quoi que ce soit de travers, me répondit-elle en baissant la radio.

– Mais… ?

– En même temps, tu ne laisses personne t'approcher suffisamment pour faire quoi que ce soit de travers. Tu n'esquives pas, mais on ne peut pas dire que tu saisisses les choses à bras-le-corps. J'ai vu des hommes s'éloigner de toi parce que tu n'offrais aucune prise. »

Je repris mon pinceau.

« C'est du jaune, dit Claudia.

– Désolée. »

Je reposai mon pinceau.

« Tu n'es pas d'accord ? »

Je soupirai bruyamment.

« J'ai l'impression de passer mon temps à essayer de saisir l'insaisissable. L'année dernière n'a pas été géniale, certes, mais c'était compréhensible. Je me suis fait sauter il y a deux semaines, si ça peut aider.

– Ça ne compte pas. Tu ne le reverras jamais.

– Ce n'est pas de ma faute. Je préfère les nazes.

– À qui la faute alors ? De toute façon, tu dis n'importe quoi. Ce n'est pas vrai que tu choisis les plus nazes. »

J'éludai la question.

« J'ai rencontré un type sympa la semaine dernière. On s'est échauffés sur la piste de danse, mais il a fallu que je parte pour vérifier que Caspar n'était pas en train de se noyer dans son vomi.

– Rien ne t'obligeait à t'occuper de lui. Tu aurais pu appeler Fran.

– Sûrement pas !

– Tu aurais très bien pu, Tessa. Tu as choisi de ne pas le faire.

– Caspar avait besoin de mon aide. Crois-moi, le refourguer à ses parents n'aurait fait qu'aggraver les choses. De toute façon, le type ne m'avait pas demandé mon numéro.

– Tu aurais dû lui donner.

– Impossible. Tu te souviens de l'attitude de Michael envers toi au baptême ? »

Elle hocha la tête.

« Tu lui avais à peine dit bonjour qu'il s'est fermé comme une huître. L'indifférence est de rigueur de nos jours. Il suffit que tu mentionnes ton adresse pour qu'on te prenne pour une cinglée… »

Je marquai un temps d'arrêt pour faire bonne mesure.

Ce que je disais était vrai au fond. On vit dans un monde féroce. Est-ce moi ou les autres ? Je ne saurais le dire, mais je commençais à avoir la sensation de tout foirer pour l'unique raison qu'il m'arrivait de dire que j'aimerais bien avoir un mari et des gosses. Pouvait-on me reprocher de vouloir la même chose que tout le monde ? Pourquoi fallait-il que je fasse tout toute seule alors que les autres avaient de l'aide ? Quand allait-on s'occuper de moi ? Je m'emparai d'un bâton et entrepris de remuer énergiquement la peinture. Je n'aimais décidément pas ces conversations.

« J'ai été blessée, je suppose. Je me protège maintenant.

– Ne me ressors pas cette vieille rengaine. On en a tous pris dans la gueule. Ce n'est pas une raison pour se barricader. Et ton patron n'a rien à voir là-dedans.

– Ex-patron.

– Comme tu veux, Tessa. Je te parle d'une chose qui se perpétue depuis longtemps, et tu le sais.

– Depuis quand ?

– Tessa…

– Je ne vois pas de quoi tu parles. Explique-toi. »

Claudia me fixa intensément. Je faisais l'idiote. Ce que j'avais appris à faire si bien que je réussis presque à me persuader que je ne voyais pas du tout ce qu'elle voulait insinuer.

« Tu es lesbienne. »

Il y eut une seconde de silence avant qu'on éclate de rire toutes les deux.

« Quelle cruche ! bredouillai-je.

– Je t'ai bien eue ! »

Elle s'esclaffa de nouveau.

« Et si c'était le cas ? J'ai peut-être juste du mal à l'admettre. »

Elle pouffa de plus belle. Cette femme avait un cœur de pierre.

« Foutaises. Je regrette souvent que tu ne le sois pas. Je connais quelques femmes gays super qui seraient parfaites pour toi.

– Et je suis supposée te remercier ? Cela dit, j'ai bécoté une fille un jour, et c'était pas si mal.

– Tu pourrais peut-être aller voir un acupuncteur et lui demander qu'il fasse ressortir ton côté féminin.

– Le côté masculin, imbécile !

– Ça dépend si tu veux être le garçon ou la fille dans le couple.

– La fille. Non, le garçon. La fille. Je refuse de me départir de mes attributs féminins et je n'ai pas vraiment envie de trouver une virago en train de se raser dans ma baignoire. Il faudra qu'on ait chacune son appart. Bon, je suis la fille, je gagne toujours de quoi subvenir à mes besoins – il faut que je sois indépendante sur le plan financier –, et je me borne à convoquer ma pétasse qui est en fait un mec déguisé, pour une partie de jambes en l'air de temps à autre. Attends, mais c'est ma vie, ça ? »

Claudia pouffa de rire de nouveau.

« Arrête. Je vais faire pipi dans ma culotte. »

Elle quitta subitement la pièce. Je l'entendis rire en montant l'escalier pour gagner la petite salle de bains située sur le palier du dessus. Quelle bécasse ! Je poussai un soupir de soulagement. Claudia était une femme sage. Elle savait qu'il valait mieux de ne pas rouvrir les vieilles blessures. L'espace d'une seconde, pourtant, j'avais cru qu'elle allait me mettre au pied du mur. Et je n'étais pas sûre d'être capable de lui mentir aussi facilement que je me mentais à moi-même.

Je montai le son de la radio et passai aux motifs bleu canard. La frise commençait à prendre forme. C'était l'année de mon bac que j'avais compris que je filais un mauvais coton. Peut-être était-ce Mary me parlant des projets que Ben et elle avaient élaborés, à moins que je ne fusse lente à la détente et que mes hormones ne se soient réveillées qu'à dix-sept ans. Ou que j'aie toujours aimé Ben plus que je ne devais. Rien d'étonnant à cela ! À quatorze ans, il ouvrait les portières aux filles. Il n'avait pas ce côté brutal qu'ont les garçons à cet âge-là, il savait parler aux femmes, et même s'il était volage, il les laissait toujours tomber en douceur. Tout le monde avait le béguin pour lui, même les profs, mais c'était moi qu'il avait choisie comme amie. Moi. Il ne s'est jamais rien passé entre nous, mais beaucoup de gens s'imaginaient le contraire. Les filles qui s'amourachaient de lui me considéraient comme une menace et m'en faisaient voir de toutes les couleurs. J'étais effectivement une menace, en un sens. J'étais sa meilleure amie et cela me donnait un avantage sur elles. Le jour où je me rendis compte que je voulais être plus qu'amie avec lui, ce fut terrible. Non seulement je risquais de perdre son amitié, mais j'étais devenue comme toutes les autres, et je savais exactement ce qu'il pensait de toutes ces autres.

Je n'avais jamais dit à personne qu'il me plaisait. Pas même à Claudia, même si je soupçonnais qu'Al et elle avaient longuement épilogué sur l'éventualité d'une histoire entre nous. Cela ferait une belle fin, non ? Mais ils ignorent ce qui s'est passé le jour où Ben s'est cassé la jambe. Helen est la seule à le savoir. Et si je me suis laissé aller à tout lui raconter, c'est parce que lorsqu'on s'est rencontrées sur la plage au Vietnam, je pensais ne jamais la revoir.

Une autre chanson venait de s'achever. Ça en faisait quatre depuis que Claudia était partie aux toilettes.

« Claudia ? Tu reviens ou pas ? »

Pas de réponse. Je posai mon pinceau et m'essuyai les mains sur la chemise d'Al. J'ouvris la porte.

« Eh, lâcheuse ! Tu n'as pas le droit de me faire venir ici pour travailler pendant que tu fais la sieste. »

Toujours pas de réponse. Ai-je précisé que la maison n'est pas très grande ? On entendait la chatière claquer à tous les étages. La salle de bains n'est qu'à un demi-étage au-dessus de moi. La porte était légèrement entrouverte.

« Claud, tu es toujours là-dedans ? »

Elle ne répondit pas. Je savais qu'elle était là. Je sentais sa présence derrière la porte. Je poussai doucement celle-ci et guignai à l'intérieur. J'aurais préféré être aveugle plutôt que de voir ce que je vis ce jour-là. Claudia était assise sur le trône avec son jean de femme enceinte autour des chevilles. Elle avait les genoux écartés. Je ne voyais pas son visage parce qu'elle regardait fixement à l'intérieur de la cuvette des toilettes, mais elle avait le bras tendu vers moi. Il y avait du papier imprégné de sang dans la paume de sa main. Le sang s'insinuait entre ses doigts et gouttait sur le sol en bois blanc, près de ses pieds. Flottant dans le creux de sa main, il y avait… je ne sais toujours pas ce que c'était à ce jour. On aurait dit un bout d'éponge pourri, tout gris. Le fait que ce n'était pas rouge m'effraya, c'était de la couleur d'une pierre tombale.

L'odeur de sang émanant de Claudia était forte – terreuse, doucereuse. J'entendais des dégoulinements. Rapides, aigus, comme si on avait mis en marche un métronome avec le poids à sa base. Puis plus lents, plus denses. Ce fut seulement quand Claudia releva la tête pour me regarder à travers le rideau de ses cheveux noirs que je compris ce que c'était. Un filet de sang rouge vif s'écoulait d'elle. Par intermittence, son corps rejetait des globules noirâtres visqueux et les crachait dans les toilettes. Ils sombraient dans l'eau rouge et se figeaient au fond de la cuvette.

« Je n'arrive pas à faire partir la peinture rouge, dit-elle en fixant sa main.

– Oh, ma chérie. »

Je pris la chose dans sa main et frémis en la sentant glisser comme du foie cru entre mes doigts. Je la jetai dans la baignoire.

« Je veux que tu t'allonges, ma chérie. D'accord ? Tu peux faire ça ?

– Je n'arrive pas à faire partir la peinture rouge, répéta-t-elle.

– Ce n'est pas grave. On nettoiera plus tard. Appuie-toi sur moi. Appuie-toi sur moi. »

Dès qu'elle fut levée, je me rendis compte que j'aurais dû commencer par lui enlever son jean. Mais il était trop tard. Je ne pouvais plus faire marche arrière. Un filet de sang lui barrait l'intérieur de sa cuisse. J'enveloppai une serviette de bain autour de sa taille, la maintenant en place tout en soutenant Claudia et nous marchâmes à petits pas jusqu'à la chambre comme deux petites vieilles. Ignorant ses draps brodés main, j'ouvris le lit, l'allongeai et couvris cet effroyable gâchis entre ses jambes. Puis je la laissai parce qu'il fallait que je parle à son médecin et je ne voulais pas qu'elle entende. J'aurais appelé les urgences, mais je ne voulais pas qu'on l'embarque dans l'hôpital le plus proche. Elle avait des spécialistes, des gens aptes à comprendre ce qu'elle perdait vraiment.

« Les renseignements, Craig à votre…

– L'hôpital Lister, à Londres.

– Pardon ?

– L'hôpital Lister. S'il vous plaît, c'est urgent.

– Dans quelle ville ?

– Londres. Pour l'amour du ciel, s'il vous plaît...

– Je ne peux pas vous donner un numéro si vous ne savez pas...

– Je suis désolée. »

Je n'étais pas désolée du tout. Je lui aurais volontiers foutu mon poing dans la gueule.

« Souhaitez-vous être mise en relation ?

– Oui.

– Cela vous coûtera...

– J'en ai rien à foutre... »

Il y eut un silence, et pendant un terrible moment, je crus qu'il avait raccroché. Puis j'entendis une sonnerie. J'ignore ce que je racontai à la femme qui répondit, mais très vite, on me passa quelqu'un qui connaissait Claudia et prononça son nom avec douceur. Il voulait savoir ce que j'avais vu, combien de sang elle avait perdu et de quelle couleur il était. Je le lui dis.

« Elle est en train de perdre son bébé, dit la voix.

– Je le sais, bordel ! hurlai-je. Dites-moi comment arrêter ça, dites-moi juste ça, dites-moi comment arrêter ça, s'il vous plaît, s'il vous plaît... dites-moi comment arrêter ça. »

Ma voix s'était brisée la première fois que j'avais prononcé ces mots, mais je ne pouvais pas m'empêcher de les répéter parce que je savais que lorsque je cesserais de poser la question, je devrais accepter qu'il n'y avait pas de réponse. Claudia était en train de perdre sa petite fille et je ne pouvais rien faire. Adieu la frise !

8

Amnésie volontaire

Je remontai en courant dans la chambre de Claudia. Elle n'avait pas bougé. Je lui répétai ce que le médecin m'avait dit.

« L'ambulance arrive. Ils vont te conduire à l'hôpital et t'examiner. Une hémorragie importante ne signifie pas forcément que tu as perdu le bébé. »

Elle n'avait pas l'air de comprendre. Elle se bornait à me regarder. Elle avait les cheveux collés sur la figure. Je soulevai les draps. La serviette avait glissé. Il y avait du sang partout. Trop de sang. Je le savais, mais je gardai un sourire rassurant scotché sur mes lèvres. Je lui ôtai son pantalon, l'essuyai au mieux, puis lui mis une culotte propre. J'avais trouvé des protège-slips dans la salle de bains, un paquet à moitié plein. Trop de sang avait été absorbé dans cette maison au cours des neuf dernières années. Je glissai deux serviettes dans sa culotte, puis je pris un gant de toilette et nettoyai au mieux ses mains et ses jambes. Tout devenait rose. Je l'aidai à s'asseoir, enfilai une jupe par-dessus sa tête et la descendis jusqu'à sa taille. Je voulais en cacher un maximum, mais je ne pouvais pas lui cacher la vérité.

Claudia ne disait rien, elle se contentait de secouer la tête. C'était un mouvement insignifiant, mais extrêmement significatif. Je la mis debout. Elle poussa un cri, se pencha brusquement en avant et retomba sur le lit, la tête entre ses genoux, en respirant par halètements brefs, staccato. Nous attendîmes que la douleur passe. Je vis son visage tout crispé se détendre peu à peu. Puis elle vomit. Partout par terre.

« Je crois que c'est sorti, dit-elle en relevant les yeux vers moi.

– Ça va. Ça va aller. »

Ça n'allait pas du tout, bordel de merde, arrête de dire que ça va. Je lui enlevai de nouveau sa culotte. J'avais la nausée et je devais faire la grimace pour m'empêcher de dégobiller. J'essayai de ne pas regarder.

« C'est mon bébé ? » demanda Claudia.

J'emportai la culotte dégoulinante et la jetai dans la baignoire. C'était la même chose. De l'éponge grise. Comme du placenta, mais pas de sang. Mort.

« Non, chérie, criai-je. Ce n'est que du sang »

Comme si ce n'était rien? Je retournai dans la chambre. Claudia scruta mon visage.

« Trop de sang? demanda-t-elle.

– Je ne sais pas », répondis-je.

Mais je mentais. Je répétai l'opération avec les serviettes et un autre slip et parvins à la descendre au rez-de-chaussée. L'ambulance ne tarda pas à arriver. Je montai dedans avec elle. Allongée sur la civière, elle se laissa faire par l'infirmier quand il lui retira son haut. Elle portait toujours la chemise d'Al. Moi aussi. J'ai coutume de marchander avec un Dieu auquel je ne suis pas sûre de croire. Quand la sclérose en plaques de ma mère pointe sa vilaine tête, je tâche de me couvrir en proposant des marchés à tout Dieu susceptible de m'écouter. Mais en regardant l'infirmier verser une giclée de gelée claire sur le ventre de Claudia, je priai plus fort que j'avais jamais prié de ma vie. Un grand silence se fit dans l'ambulance. Je ne respirais plus quand il fit rouler l'appareil à échographie sur son ventre au milieu de la gelée. Nous attendîmes que le son de la vie surgisse de l'amplificateur. Des battements de cœur trépidant, s'accélérant. Rien, à part des parasites. Les épaules de l'infirmier s'affaissèrent. Je tendis la main vers celle de Claudia.

« On a des appareils plus performants à l'hôpital, dit-il. Le bébé est peut-être dans une position inhabituelle. Vous en êtes à combien de semaines ?

– Quatorze, répondis-je.

– Nous vous conduisons là-bas le plus vite possible. Il se peut que je ne capte pas les battements cardiaques. »

Claudia sourit faiblement. Le médecin envoya un message radio au conducteur, l'ambulance fit un bond en avant et les sirènes emplirent l'air. Je n'arrivais pas à me sortir de l'esprit cette matière grise, spongieuse. Ma minuscule filleule, si parfaite, qui se suçait le pouce, était morte. Je le savais.

Le saignement ralentit, quand nous arrivâmes à l'hôpital, il avait presque cessé et nous reprîmes espoir. On emmena Claudia à la hâte dans la salle d'échographie où on lui rajouta une couche de gelée. Nos espoirs étaient vains. Ils éteignirent le son de la machine et la détournèrent du regard de Claudia. Je fus la seule à voir la forme du bébé. Flottant dans l'obscurité. Immobile. Il y avait davantage de vie dans l'image floue que Claudia m'avait montrée que sur cet écran. À un moment, l'infirmière déplaça l'appareil ; on aurait dit que le bébé avait bougé. Je tressaillis, mais elle secoua rapidement la tête. Elle retira le bâton, essuya la gelée, rabattit le haut de Claudia, puis elle rapprocha sa chaise.

« Je suis vraiment désolée, madame Harding. Le fœtus est mort. »

Nom de Dieu, fallait-il qu'elle soit aussi brutale ? Je vis Claudia se mordre la lèvre. Il n'y avait peut-être pas d'autre solution. C'était peut-être le seul moyen pour qu'une mère admette que la force de vie invisible qu'elle avait portée en elle avait cessé d'exister. Il n'y avait pas eu le moindre signe avant-coureur.

« Nous allons vous laver, puis votre médecin viendra vous parler des possibilités. »

Je repris la main de Claudia. Nous hochâmes la tête de concert d'un air hébété.

Ils essayèrent de la transférer sur un fauteuil roulant, mais elle refusa. Elle se leva du lit, se redressa et sortit de la pièce.

Il n'y avait rien à dire. Au bout d'un moment, Claudia leva les yeux vers moi.

« Al. »

Je lui lâchai la main.

« Je vais lui laisser un message.

– Ne lui dis rien.

– Entendu. Je vais juste lui dire d'appeler. Je suis tellement désolée, Claudia.

– Je sais », dit-elle, puis son regard se fixa à nouveau sur ses genoux. Quand je revins, elle parlait au spécialiste. Il lui proposait deux solutions : laisser la fausse couche suivre son cours ou subir un curetage qui nécessitait une anesthésie générale durant laquelle l'utérus serait nettoyé. Je ne pouvais rien imaginer de pire que la suite de ce dont j'avais été témoin chez Claudia.

« Combien de temps cela prendra-t-il sans le curetage ?

– Cela peut prendre jusqu'à dix jours. »

Je regardai Claudia.

« Ne t'impose pas ça.

– Y a-t-il des risques ? demanda-t-elle.

– C'est sans doute préférable si vous souhaitez concevoir à nouveau. Il y a moins de risques qu'il reste de la matière. On procède souvent à un curetage en préambule à un traitement pour une FIV, cela crée un environnement bien net, mais c'est agressif et vous avez eu votre lot de traitements agressifs. »

Claudia m'avait dit un jour en plaisantant qu'elle avait l'équivalent de toute une équipe de tournage dans le vagin. Cette fois-ci, au moins, elle serait dans le coaltar.

Elle n'écoutait pas le spécialiste, alors je m'efforçais de déterminer ce qu'Al aurait fait s'il avait été là. Il aurait voulu qu'elle souffre le moins possible, que tout soit fini au plus vite. Que le sang et l'horreur cessent. Il ne voudrait pas que Claudia sente des morceaux d'elle-même tomber et se demande toute sa vie ce qu'elle avait tenu dans sa main, quel morceau.

« Pouvez-vous procéder au curetage aujourd'hui ?

– Je peux m'en occuper tout de suite. »

Claudia releva les yeux vers moi. Je hochai la tête. Elle se tourna vers le spécialiste.

« Finissons-en », dit-elle.

Façon de parler. Ces choses-là ne sont jamais finies.

Je restai auprès d'elle jusqu'au moment où elle compta à rebours à partir de dix. Je vis l'anesthésiste ouvrir la valve à son poignet et y verser l'anesthésique. Elle ne dépassa pas sept. Je regardai le médecin.

« Assurez-vous que vous enlevez tout. Pas d'infections. Pas de complications. Plus de sang. Et s'il vous plaît, venez me chercher quand elle reviendra à elle. »

On me fit entrer dans une petite salle d'attente verte. Dès que je fus seule, je sortis de mon portefeuille l'échographie prise à douze semaines dont Claudia m'avait fait cadeau après avoir franchi la barrière des trois mois. Je fixai la petite tête, le minuscule pouce, les lèvres parfaites, le profil de bébé. Je les caressai du bout du doigt. Quand je me mis à pleurer, ce fut pour Claudia, pour ce bébé miniature que je n'avais jamais rencontré. Mes larmes étaient intarissables. Je sanglotai en silence entre mes mains. Je pensai à ces neuf années, aux échecs précédents, à l'espoir innocent qu'elle avait eu, à nous avant tout cela, où nous pensions en être à ce stade, où nous en étions en réalité, où j'en étais moi, je pensai à mon enfance, à ma solitude, et une nouvelle vague de chagrin me submergea. Je n'arrivais plus à être courageuse. Ni pour Claudia, ni pour moi-même. Mes pleurs redoublèrent. Comment pouvais-je m'apitoyer sur mon sort alors que ce n'était pas moi qui avais perdu un bébé ? Une infirmière entra, évalua la situation d'un coup d'œil et en arriva à une conclusion erronée. Me prenant pour une mère éplorée, elle mit son bras sur mes épaules et me tendit un mouchoir. Je m'abstins de rectifier son erreur. J'ignore pourquoi, mais c'est ainsi. Ça faisait du bien qu'on m'enlace pour une fois.

Mon portable vibra dans ma poche. Je jetai un coup d'œil au numéro qui s'affichait.

« C'est le papa », dis-je en me tournant vers l'infirmière.

Elle se leva pour partir. J'attendis que la porte se referme avant de répondre.

« Tessa ? Est-ce que Claudia va bien ?

– Oui. Mais…

– Le bébé.

– Je suis désolée, Al. Elle a fait une fausse couche.

– Je peux lui parler ?

– Elle est dans la salle d'opérations.

– Mon Dieu…

– Ça s'est passé très vite.

– Dis-lui que je prends le prochain avion. Dis-lui que je l'aime. N'oublie pas.

– Promis. »

Il avait raccroché. Je l'imaginais se ruant à l'aéroport de Singapour, cherchant désespérément quelqu'un qui l'aiderait à rentrer chez lui au plus vite. Sans vouloir expliquer pourquoi, mais contraint de le faire de peur qu'on ne le prenne pas au sérieux. Il serait peut-être même obligé d'exagérer, comme si ce qui se passait n'était pas suffisant. Une femme sur trois fait une fausse couche, alors ce n'est pas une affaire, si ? Pas tant que ce n'est pas votre tour. On frappa doucement à la porte. Une autre infirmière passa la tête dans l'embrasure.

« Elle est revenue à elle. »

Il avait fallu vingt-sept minutes pour enlever ce qui s'était édifié en neuf années et quatre-vingt-dix-huit jours.

Claudia commençait à ouvrir les yeux quand j'entrai dans la salle de repos. Elle avait le regard voilé et de la peine à articuler. Elle sourit au médecin. Puis à moi.

« J'ai parlé à Al. Il rentre.

– Dis-lui de ne pas se faire de souci pour moi, me répondit-elle. J'ai une ravissante petite fille à la maison. »

Le toubib et moi échangeâmes un regard.

« Il m'a demandé de te dire qu'il t'aime de tout son cœur.

– Il va me quitter maintenant.

– Il ne ferait jamais une chose pareille.

– Ne le laisse pas me quitter. Où est mon bébé ? Tessa, qu'as-tu fait de mon bébé ?

– Tout va bien, madame Harding? intervint le médecin. Vous êtes encore sous l'effet de l'anesthésie. Vous êtes à l'hôpital, vous vous souvenez ? Nous avons dû vous opérer. Vous avez perdu votre bébé. Mais vous en aurez un autre.

– Plus maintenant, dit Claudia. Ne m'obligez pas à recommencer. Ne m'obligez pas. S'il te plaît, Tessa, ne m'oblige pas… »

Elle n'acheva pas sa phrase, et s'endormit. J'étais inquiète.

« C'est juste l'effet des drogues, me dit le médecin se voulant rassurant. Laissez-la dormir. Vous pourrez la ramener chez elle vers six heures. »

Je l'abandonnai au personnel de l'hôpital. Hélai un taxi et retournai chez Claudia.

Tout était silencieux dans la maison. Je passai devant les photos sans les regarder et entrai dans la chambre d'enfants. Nos drapeaux rouges et verts ressortaient sur le mur blanc. Nos pinceaux étaient tout raides. Je montai à l'étage au-dessus. La salle de bains était dans un état innommable. J'enfilai des gants de caoutchouc pour mettre tout ce qu'il y avait dans la baignoire dans un sac en plastique. J'y ajoutai le jean et la culotte souillés. Je tirai la chaîne sans regarder dans la cuvette. Quand l'eau eut cessé de gargouiller, je m'assurai que tout était parti. Ce n'était pas le cas. L'épaisse substance noire pareille à du foie était restée collée au fond. Je m'emparai du balai des toilettes, frottai jusqu'à ce que l'eau devienne toute rouge, puis tirai à nouveau la chaîne. Il fallut que je m'y reprenne à trois fois avant que tout disparaisse. Je jetai le balai dans le sac avec tout le reste. Je défis le lit et emportai les draps pleins de sang dans la buanderie. Je les mis à laver à haute température, puis remontai m'occuper du matelas et du vomi. J'épongeai les endroits imprégnés de sang, puis j'inclinai le matelas. Je fis disparaître le contenu de l'estomac de Claudia et épongeai aussi la moquette. Puis je redescendis pour voir si les draps tournaient toujours dans le tambour de la machine. Je jetai un coup d'œil à ma montre. J'allais avoir besoin d'aide.

Vingt minutes plus tard, j'ouvrais la porte à Ben. En costume-cravate. Il était sorti d'une réunion pour prendre mon appel et n'y était jamais retourné. Dès que je lui avais raconté ce qui s'était passé, il avait quitté son bureau.

« Je ne sais pas quoi faire, Ben. Je ne sais pas s'il faut repeindre ou non. Je ne peux pas laisser ça comme ça et une couche de blanc ne suffira pas à cacher cette frise. Je n'ai pas envie de peindre la pièce en rouge, et le rose a trop de connotations... »

Il m'ouvrit grands les bras. Je m'abattis contre sa poitrine, le laissant me serrer contre lui quelques instants. J'avais de l'aide maintenant. On allait se débrouiller d'une manière ou d'une autre.

« Allons, allons, fit-il en me caressant les cheveux.

– J'ai tellement de peine pour Claudia, Ben. C'était horrible – on était en train de peindre, de rire de choses idiotes, et tout à coup, elle fait une hémorragie. Il y avait du sang partout. Il faut à tout prix qu'on repeigne cette pièce. Elle peut rentrer à la maison dès ce soir.

– Orange. »

Ben me lâcha pour prendre deux pots de peinture à ses pieds.

« C'est une couleur vive, mais assez dense pour couvrir ce que vous avez déjà peint sur le mur. Je les ai achetés en route.

– Tu es génial. Merci.

– Ne sois pas ridicule. C'est pour Claudia et Al qu'on fait ça. De combien de temps disposons-nous ?

– Les gens de l'hôpital vont m'appeler quand les saignements auront cessé pour de bon. Deux heures avec un peu de chance.

– Mettons-nous au travail. »

Nous ne parlâmes guère en peignant. J'étais tellement concentrée sur ma tâche que je ne pensais à rien d'autre. Nous couvrîmes d'abord le mur où il y avait le plus de drapeaux. Puis je posai mon pinceau et descendis à la buanderie pour faire une autre lessive de draps. Je sortis le premier lot. Il restait une tache rose auréolée d'un cercle plus foncé. Je jurai d'une voix forte. Je n'avais pas d'autre solution que de les jeter. Je les enfouis dans un autre sac-poubelle avant de remonter. Ben faisait de rapides progrès sur le second mur.

« Tu peux te débrouiller ? Il faut que j'aille faire le lit.

– Tu as besoin d'aide ?

– Non. Continue à peindre. Tu en as dans les cheveux, au fait.

– Sasha va s'imaginer que je suis en pleine crise de la quarantaine et que je me teins.

– Ça ferait la combientième crise ? demandai-je en essayant de sourire.

– Je n'en sais rien, mais ça commence à suffire, répondit-il en se remettant à peindre. »

Je retournai le matelas et allai chercher des draps propres pour refaire le lit. Quand j'eus fini, je remarquai une tache de sang sur le tapis. En descendant à la salle de bains pour mouiller une éponge, je m'aperçus qu'il y avait encore du sang dans la baignoire. C'était comme s'il y avait du sang partout tout d'un coup. Je voyais encore un vague reflet rose au fond de la cuvette des toilettes. Impossible de le faire disparaître. Soudain j'eus la nausée. Basculant en avant, je me cognai la tête contre la poignée de la porte et poussai un cri de douleur. Je me tâtai le front, il était trempé de sueur. Ce n'était pas le moment d'attraper la grippe. J'essayai de me relever, mais mes jambes cédèrent sous moi et je retombai comme une masse.

« Ça va, Tess ? »

J'entendis Ben monter l'escalier en courant et ouvrir la porte de la salle de bains à la volée. En me voyant par terre, une éponge pleine de sang à la main, il jura.

« Je n'arrive pas à faire disparaître le sang », m'écriai-je.

Je crus que j'allais vomir. Ben me saisit à bras-le-corps ; il m'aida à me relever, rabattit le couvercle des toilettes et m'assit dessus. Puis il ouvrit une fenêtre et m'ordonna de ne pas bouger. Il revint quelques minutes plus tard avec du jus d'orange et une banane.

« Mange. Tu nous fais encore des tiennes. »

Je me sentais ridicule. J'ai une petite tendance à l'hypoglycémie. Parfois quand je suis stressée, fatiguée ou que j'ai l'estomac vide, mon taux de glycémie dégringole. Ou bien mon insuline monte en flèche. Les trois conditions étaient réunies en l'occurrence. J'engloutis pratiquement la banane en une seule bouchée et bus la moitié du berlingot de jus d'orange en quelques goulées avant de le rendre à Ben.

« Viens là », dit-il en me prenant de nouveau dans ses bras.

Les larmes me submergèrent. Il fallait que j'arrête de pleurer comme ça. Ce n'était pas moi qui étais en cause. Ben me caressait les cheveux.

« Allons, allons. Cesse de t'inquiéter pour eux. Ça va aller. Ils sont là l'un pour l'autre. Ça ira.

– Quand Claudia est revenue à elle, elle a dit qu'Al allait la quitter. »

Il m'écarta de lui et me dévisagea.

« Al ne la quittera jamais. Leur amour est profond. C'est l'amour de toute une vie. Il ne la quittera jamais, crois-moi. »

Je reniflai. Ben me proposa sa manche. Puis il glissa une mèche de mes cheveux derrière mon oreille.

« Allons, ma petite cocotte, on a encore de la peinture à faire. »

Je hochai la tête. En descendant l'escalier, je lui demandai comment il pouvait être sûr qu'Al ne quitterait jamais Claudia.

« Parce que je lui ai posé la question une fois, après l'échec d'une FIV. Je lui ai suggéré qu'il pouvait toujours envisager, enfin tu vois, un autre chemin.

– Tu lui as suggéré de quitter Claudia ? m'écriai-je, furieuse.

– On discutait simplement. Il m'a rembarré lui aussi. Il m'a répondu que c'était absolument hors de question. On avait un peu des problèmes à ce moment-là, Sasha et moi, et j'avais quelques doutes sur le mariage. Quoi qu'il en soit, il avait bougrement raison. Les femmes comme Claudia et toi, ça ne se trouve pas tous les jours. »

Il s'immobilisa dans l'escalier et se retourna vers moi.

« En fait, ça ne se trouve qu'une fois dans sa vie. »

Voyant qu'il continuait à me dévisager, je détournai les yeux. J'étais à côté de la photo. Celle de Ben sur son lit d'hôpital. Avec sa jambe fracassée. Il suivit mon regard, puis reporta son attention sur moi. Tout se figea. Du coup, je pensai au bébé de Claudia.

« La tache sur le tapis », bredouillai-je en remontant les marches en courant.

Ben était en train de peindre le dernier mur quand je partis chercher Claudia à l'hôpital. À notre retour, il avait fini, les pots de peinture avaient disparu. Il y avait de la soupe et du pain sur la table de la cuisine, ainsi qu'une bouteille de ce vin rouge léger que Claudia aimait bien. Il la serra dans ses bras. En l'absence d'Al, il était le meilleur substitut. Il l'avait eu au bout du fil alors qu'il s'apprêtait à embarquer. Al n'avait rien dit de ce que Ben prétendit qu'il avait dit. Il était sous le choc, il pouvait à peine parler, mais Ben le connaissait suffisamment pour savoir ce qu'il aurait voulu faire passer, et il sut merveilleusement bien s'y prendre.

Je fis réchauffer la soupe tout en l'écoutant parler à Claudia. Il n'essaya pas de minimiser les choses. Il s'abstint de prétendre que c'était mieux ainsi. Il lui parla de faire son deuil. Lui suggéra d'organiser un petit service religieux. D'encadrer l'échographie si elle en avait envie. Il l'étreignit quand elle sanglota et la laissa pleurer tout son soûl. J'attendis dans la cuisine en remuant la soupe jusqu'à ce que ses larmes se tarissent d'elles-mêmes. Plus tard, quand nous eûmes bordé Claudia dans son lit, j'embrassai Ben sur la joue.

« Merci, lui dis-je. Je n'aurais jamais pu m'en sortir sans toi.

– Je suis là. »

De retour dans la cuisine, nous achevâmes la bouteille de vin. Nous discutâmes en boucle de ce qu'Al et Claudia allaient faire désormais. Allaient-ils essayer de nouveau ? Adopter un enfant à l'étranger ? En Russie ? Au Sri Lanka ? En Chine ? Allaient-ils voyager ? Déménager ? S'effondrer ? Survivre ?

« Ils s'en sortiront », affirma Ben.

Je hochai la tête.

« J'en suis sûre, Tess. »

Il se leva et s'étira.

« Veux-tu que je te raccompagne chez toi ?

– Non. Je vais rester ici jusqu'à ce qu'Al soit de retour.

– Où vas-tu dormir ?

– Sur le canapé.

– Tu veux que je reste avec toi ?

– Non, non, ça va aller. Il n'y a pas de place de toute façon.

– Nous avons déjà dormi ensemble sur ce canapé.

– Seulement quand on était assez bourrés pour que je ne m'aperçoive pas que tu ronfles.

– Et que je ne sente pas tes coudes pointus.

– Mes coudes ne sont pas pointus. »

Il m'embrassa sur le front.

« Si. En plus, tu pètes en dormant. »

Je le repoussai avant de le suivre jusqu'à la porte d'entrée. Nous nous étreignîmes à nouveau un long moment. C'était ce genre de journée. Il cala une mèche de cheveux derrière mon oreille.

« Tu es une merveilleuse amie, Tess. C'est nous qui ne pourrions pas nous passer de toi. »

J'étais trop épuisée pour parler. Au point de me méfier de ce que j'étais capable de dire. Je me bornai à le dévisager d'un œil las. Il prit mon visage à deux mains et me caressa doucement la joue du bout du pouce.

« Dieu merci tu étais là. Dieu merci tu étais de retour », dit-il.

Puis il se pencha et m'embrassa sur la bouche. Je ressentis comme une décharge électrique, non pas parce que son baiser dura une fraction de seconde de plus que d'habitude, mais parce qu'il me tenait toujours la joue. Ses doigts glissèrent vers ma nuque et se déployèrent dans mes cheveux. Nos visages étaient à quelques centimètres l'un de l'autre, mais nous ne bougions plus. Je ne sentais plus que le doux massage de son pouce dans mes cheveux.

« Tu m'as manqué plus que de raison, Tessa », murmura-t-il.

Je posai la main sur sa joue avec l'intention de la retirer aussitôt, mais elle resta scotchée là. J'étais irrésistiblement attirée. Nous nous rapprochâmes encore, avec une infinie lenteur, et quand nos lèvres se touchèrent à nouveau, on aurait dit qu'on me brûlait avec une flamme. La pression de sa bouche sur la mienne me faisait l'effet d'un baume. Le baiser s'intensifia. Mon cœur battait à tout rompre tandis que nous restions collés l'un à l'autre, n'osant plus bouger. Et puis le barrage céda, et sans le moindre signal avant-coureur, nos lèvres s'écartèrent, nos têtes s'inclinèrent, nous nous enlaçâmes et, l'espace d'une seconde, nous franchîmes une ligne invisible et ce baiser prit une tout autre connotation.

« Al ? Al ? Aide-moi ! »

Nous nous ressaisîmes instantanément, mais nous restâmes face à face, haletants, une seconde ou deux encore. Je secouai la tête, je ne sais pas pourquoi – l'incrédulité, un signe d'avertissement, la honte ? En entendant Claudia crier de nouveau, je tournai les talons et montai les marches quatre à quatre.

Quand je redescendis, Ben était parti. Je m'assis en haut de l'escalier, le visage dans les mains, regardant fixement entre mes doigts, me sentant à la fois bête et troublée. Que s'était-il passé ? S'était-il passé quelque chose ? Un baiser sur les lèvres, ce n'était pas grand-chose. Ben me prenait toujours dans ses bras quand les choses allaient mal. Mon esprit me jouait assurément des tours. Il ne s'était rien passé. Il n'allait rien se passer.

Ben était marié, Ben était mon ami ; il resterait mon ami. Point barre. Pour finir, mes yeux se posèrent sur la photo de lui à l'hôpital. Je m'en approchai et la détachai du mur. Je l'emmenai dans le salon, m'allongeai sur le canapé avec le reste de mon verre de vin et la fixai jusqu'à ce que ma vue se brouille.

Je me défends généralement de faire ressurgir ce vieux souvenir du fond de ma mémoire, mais c'était un jour pas comme les autres et la vie me semblait comme magnifiée. C'était l'été. Je venais d'avoir mes résultats du bac. Ils étaient meilleurs que je ne l'espérais, et j'avais été admise à la fac de droit. Ben et moi étions seuls à Camden. Al était allé voir sa famille dans le Cheshire, Claudia faisait un stage à Reading. Mary était partie avec ses parents et, pour une fois, Ben avait décidé de ne pas suivre. Sa mère fêtait le solstice d'été quelque part dans le sud-ouest, et mes parents avaient accepté sans difficulté que j'aille passer une semaine chez Ben. Pourquoi s'y seraient-ils opposés ? Cela s'était produit tant de fois auparavant. Je ne me souviens plus si je leur avais précisé que la maman de Ben ne serait pas là, mais ils ne la considéraient pas vraiment comme quelqu'un de responsable et je doute par conséquent que sa présence ait pesé sur leur décision. J'avais travaillé dur et j'avais rempli le contrat. Je méritais une récompense.

Pendant quatre jours, on n'avait vu personne, on n'avait parlé à personne d'autre. On avait regardé *Halloween 1* et *2* au lit ensemble et on s'était fait des frayeurs. On avait fait la cuisine, on avait bu du vin au soleil en discutant à bâtons rompus de nos futures vies d'adulte. On avait passé beaucoup de temps au pub. Le deuxième jour, je commençai à avoir douloureusement envie de lui. Je me mettais sur son chemin rien que pour sentir sa main posée sur moi quand il m'écartait de sa route. Je le chatouillais, je lui assénais des coups, je posais mon bras sur le sien, je lui plantais mon doigt dans les côtes. J'étais dingue de lui. Le regarder faire les choses de tous les jours me ravissait. Commander une bière, choisir un tee-shirt, me préparer une tasse de thé. Il y avait un restaurant italien bon marché près de chez lui où l'on pouvait manger des spaghetti à la bolognaise pour 1,99 livre. Nous y dînâmes le troisième soir. J'avais dû boire trop de vin parce que je me mis à faire des remarques suggestives qui avaient toujours été hors de propos entre nous. Il crut que je me payais sa tête.

Cette nuit-là, je restai éveillée près de lui, consumée par le désir et la peur, à parts égales. Sa peau frôlant la mienne me hérissait les poils des bras. J'étais forcée de respirer par la bouche car je suffoquais d'être si près de lui sans pouvoir le toucher. Vers quatre heures du matin, je lui pris la main. Il la serra en retour. Je l'imitai. Nous ne lâchâmes prise ni l'un ni l'autre. La pression s'accrut, je sentais mon pouls battre dans mes doigts et j'avais le souffle de plus en plus court. L'idée que tenir la main de quelqu'un puisse être érotique à ce point peut paraître absurde, mais c'est ainsi. Toutes les pensées que j'avais eues à son sujet, chaque fois que j'avais failli lui révéler mes sentiments à son égard, que je m'imaginais l'avoir surpris en train de me regarder à la dérobée, tout cela passait en quelque sorte de ma main à la sienne. En serrant sa main, je lui communiquais plus de choses que tout ce que j'aurais jamais pu lui dire. C'était une déclaration de désir physique. Je crois bien avoir joui à un moment donné. Si les muscles de ma main brûlaient de la fatigue d'une poigne si forte, tous les muscles de mon corps étaient pareillement en éveil. Ce ne fut peut-être pas un orgasme physique. Ça se passait plutôt dans la tête. Je ne l'avais pas imaginé en tout cas, mais cela s'était produit à un niveau trop profond pour que je puisse le mesurer dans ma chair. Je l'aimais. Je l'aimais avec toute l'énergie dont j'étais capable, et je ne pouvais que me cramponner à lui. Nous n'échangeâmes pas un mot. Nous nous endormîmes en nous tenant par la main. Le matin venu, nous ne parlâmes ni l'un ni l'autre de ce qui s'était passé et j'en vins à me demander si je n'avais pas rêvé.

Ce jour-là, Ben avait tout à coup des choses à faire sans moi. Je me sentais abandonnée. Écartée. Confuse. Je paniquai. J'appelai des copains d'école et nous prîmes rendez-vous au parc. Je pique-niquai avec eux, mais le cœur n'y était pas. Partie de Frisbee, vin tiède, saucisses froides. Pendant tout ce temps-là, je pensais à la main de Ben dans la mienne en me demandant si j'avais été la seule à ressentir cette décharge électrique. Le soir venu, je rentrai chez moi plutôt que de retourner chez Ben. Je dus me forcer à avancer, pas après pas, alors que je n'avais qu'une seule envie : courir ventre à terre dans la direction opposée. Maman ne dormait pas encore. Elle m'appela depuis sa chambre.

« Tout va bien ?

– Oui. Pourquoi ?

– Ben a téléphoné. Je pensais que tu étais avec lui.

– Il avait des choses à faire. Je suis allée voir des copains.

– Il a appelé en tout cas. Il avait l'air inquiet, il me semble. »

Je fis l'idiote.

« Je vais lui passer un coup de fil. »

J'ai continué à faire l'idiote depuis.

Nous n'avions pas de portable à l'époque. Je composai le numéro de chez lui. Qu'espérait-il ? Que je l'attende toute la journée à la maison ?

« Où es-tu ?

– Chez moi.

– Oh ! »

Comment ça, « oh ! » ?

« Je ne savais pas combien de temps tu serais pris.

– Je suis juste allé signer des papiers pour mon nouveau job. Je te l'ai dit. »

Me l'avait-il dit ? Étais-je trop à fleur de peau ? Déboussolée ? Pourquoi avais-je l'impression d'avoir été trahie alors qu'il était parti deux heures ?

« Désolée. J'ai mal compris. Je croyais que tu serais occupé toute la journée.

– Peu importe dès lors que tout va bien.

– Ça va.

– Tu en es sûre ?

– Oui. Et toi, ça va ?

– Pas de problème.
– Bon. On se parle demain alors.
– Entendu », répondit-il.
J'avais raccroché en gémissant.

Le lendemain soir, Ben m'avait proposé de dîner dans un restaurant plus huppé que ceux que nous avions l'habitude de fréquenter. Nous avions parlé de nous, nous félicitant d'avoir passé du bon temps ensemble. Il avait regretté de ne pas me trouver en rentrant la veille au soir. Il n'avait pas vraiment envie d'appeler Mary. Je me demandais s'il avait une idée derrière la tête ou si ses références fréquentes à notre « amitié » avaient pour but de me rappeler les limites. Ces propos pouvaient être interprétés dans un sens comme dans l'autre. Il me déclara qu'il m'adorait. Mais ça, je le savais. Ce que je ne savais pas, c'était comment. Ni jusqu'à quel point.

Sur le chemin du retour, nous nous étions engagés dans un passage, éclairé par un unique réverbère situé tout au bout. Nos pas résonnaient entre les murs tandis que nous marchions en silence vers le halo de lumière jaune. Quelque chose nous poussa à nous arrêter. Un bruit ? L'intuition ? Allez savoir. Toujours est-il que nous nous tournâmes simultanément l'un vers l'autre. Rien ne serait arrivé sans ce tunnel. Nous avions l'impression que le monde avait cessé d'exister. Il n'y avait plus de Mary. Plus de bande de copains. Plus d'attentes. Rien que Ben et moi. Notre monde. Né de quatre journées passées ensemble en tête à tête.

« Qu'est-ce qui nous arrive ? avait-il demandé tout à coup.
– Je n'en sais rien.
– Ça me rend dingue.
– Moi aussi, fut tout ce que je réussis à dire.
– Qu'est-ce qu'on va faire ? »

À propos de quoi ? Nous n'étions même pas capables d'exprimer à haute voix ce que nous éprouvions. Je n'osais rien dire. J'en mourais d'envie, mais je redoutais de tout gâcher. Ben fit un pas dans ma direction… Que se passerait-il si on s'embrassait ? Un baiser en entraînerait-il un autre ? Puis d'autres encore. On avait dix-huit ans. Ça ne durerait pas toute la vie. On se séparerait au bout du compte, et ce faisant, on ruinerait notre amitié. Je paniquai. Plutôt que de l'attirer vers moi, je lui pris la main.

« Rentrons à la maison », dis-je en le poussant vers le bout du passage. J'avais besoin de réfléchir. Parce que si on s'embrassait, il n'y aurait plus moyen de faire marche arrière.

Si seulement j'avais eu le courage d'agir selon mes convictions. Si seulement j'avais obéi à mon cœur, et non pas à ma tête, je me serais attardée un peu plus longtemps dans ce passage perdu, la cycliste aurait eu le temps de filer et le nom d'Elizabeth Collins me serait resté inconnu. Si seulement j'avais répondu à sa question par une autre. Si je lui avais chatouillé les côtes, si je l'avais mis en boîte comme je l'avais fait tant de fois auparavant. Si je l'avais juste embrassé, comme j'avais envie de le faire – aurait-ce été si grave ? Mais je ne l'avais pas fait. Je m'étais dégonflée. J'avais dit : « Rentrons à la maison », remettons ça à plus tard, demain matin, on aurait oublié, réfléchissons, retardons l'échéance, fuyons, n'importe quoi plutôt que regarder les choses en face.

C'est ainsi que nous nous étions retrouvés face à une cycliste, gisant à terre, toute contorsionnée, à une cinquantaine de mètres de l'endroit où nous avions émergé du tunnel. Elle avait descendu la colline à tombeau ouvert, sur le trottoir ; elle n'avait pas de phare ni de casque. Nous ne nous étions même pas arrêtés pour voir s'il y avait des piétons, sans parler de cyclistes. Elle avait heurté Ben de plein fouet, lui fracassant la jambe. Je l'avais vue décoller du vélo et voler par-dessus le corps de Ben alors qu'il s'effondrait à terre. Je vis sa tête éviter un lampadaire, à un millimètre près. Elle dérapa sur le ciment, s'éraflant toute la peau du visage, puis roula dans le caniveau. Ben m'avait lâché la main et s'était mis à se tortiller de douleur.

L'instant d'avant s'était évaporé. Le monde réel était venu me rappeler qu'il n'y a rien de plus brutal que la vie et qu'on prend des risques en allant à contre-courant.

La fille était commotionnée au point de ne plus savoir comment elle s'appelait, aussi restai-je auprès d'elle. Une autre ambulance emmena Ben. Quand je fus enfin en mesure de le rejoindre à l'hôpital, Mary et sa famille étaient à son chevet. Impossible de l'approcher, et lorsque finalement j'y parvins, nous étions mal à l'aise. Je n'arrivais pas à me sortir de l'esprit l'image de la tête de la cycliste frôlant le lampadaire. À quelques millimètres près, elle serait morte. Je l'aurais tuée. C'était un signe d'avertissement flagrant : je devais laisser Ben tranquille. Deux semaines plus tard, notre avion se posait à Hanoi et je passai les mois suivants à feindre l'amnésie.

Comme je l'ai dit, une grande partie de ma vie est liée à cette séparation.

À six heures le lendemain matin, j'entendis une clé tourner dans la serrure. Je me redressai au moment où Al entrait dans le salon. Il n'avait pas l'air d'avoir beaucoup dormi non plus. Je l'étreignis en lui disant que Claudia dormait toujours, que les médecins lui avaient donné des somnifères, mais qu'elle avait crié dans son sommeil. Puis je rentrai chez moi en voiture. Ce fut seulement en arrivant à la maison que je réalisai que j'avais gardé la photo de Ben à l'hôpital dans ma poche. Je la glissai dans le tiroir de ma table de chevet avant de me mettre au lit. Roulée en boule, la couette remontée au-dessus de ma tête, je m'endormis en suçant mon pouce, songeant que j'aurais tout donné pour que rien de tout cela ne soit arrivé.

9

Le doudou

Je ne savais pas ce que Claudia aurait envie de manger, si tant est qu'elle eût la moindre envie, aussi apportai-je de tout : du bacon, des œufs, des yaourts, du müesli bio, du pain frais, des kiwis, du jus de fruits, des croissants aux amandes, du moka. Je sonnai à la porte et entendis le pas lourd d'Al descendant l'escalier. Il entrouvrit la porte, la mine farouche. Je le vis prendre conscience que la personne qui se tenait sur le seuil de sa maison était amie et non ennemie. Son expression s'adoucit, il se détendit et ouvrit finalement en grand. Il me prit instinctivement mes paquets des mains. Ben et Al sont taillés sur le même modèle à cet égard.

« Je ne pourrais jamais assez te remercier, me dit-il en enveloppant les sacs en plastique autour de moi en guise d'étreinte. Heureusement que tu étais là. Entre. Elle dort. »

Je le suivis dans la cuisine. En passant devant l'escalier, j'aperçus le pourtour indistinct, un peu crasseux, de la photo manquante. Je jurai en silence. Elle était toujours chez moi, mais ce n'était pas pour cela que j'avais juré. Je fixai la marche et revis en pensée, comme je l'avais fait des milliers de fois pendant la nuit, un baiser qui était arrivé près de vingt ans trop tard.

J'effleurai mes lèvres du bout des doigts et ce souvenir me fit chavirer de désir.

Al nous servit du café dans des grandes tasses et le mit à réchauffer au micro-ondes. Il sortit un croissant pour chacun de nous. Nous n'avions guère dormi l'un et l'autre et nous avions tous les deux envie d'une mégadose de sucre. Je trempai le croissant dans mon moka et le suçai. Al m'imita.

« Tu penses à tout, hein, Tessa ? Je n'en croyais pas mes yeux quand j'ai vu que tu avais repeint la… »

Chambre d'enfants. D'amis. Le rappel constant de notre infécondité.

« Je n'aurais pas pu le faire sans Ben. C'est lui qui a choisi la couleur.

– Vous êtes les meilleurs amis du monde. »

J'ai embrassé Ben sur les marches. J'ai profité de votre tragédie pour franchir une barrière. Quel genre d'amie est-ce que cela fait de moi ? Si Claudia n'avait pas crié… Une fois de plus, mon visage devait trahir mes pensées parce que Al avait l'air inquiet.

« Je suis vraiment désolé. Ça a dû être terrible », dit-il.

Je dissipai son inquiétude d'un geste.

« Qu'est-ce que vous allez faire ?

– Foutre le camp d'ici, me répondit-il instantanément. Tout est organisé. C'est juste que je ne l'ai pas encore dit à Claudia.

– Tu veux déménager ?

– Non. Je veux quitter le pays. J'ai un boulot à Singapour. Nous sommes logés dans un hôtel appartenant à la même chaîne que celui que nous construisons. Le cadre est magnifique. Claudia pourra se reposer, elle passera ses journées à faire de la thalasso, à nager, en se remettant à son rythme. Mon travail n'est pas trop prenant. Nous devrions pouvoir déjeuner ensemble presque tous les jours, découvrir un peu la région le week-end, aller d'île en île. Mes patrons sont au courant de la situation et ils sont prêts à se montrer flexibles, peut-être pas indéfiniment, mais pendant quelque temps au moins.

– Combien de temps serez-vous partis ?

– Deux ou trois mois. C'est une bonne idée, tu ne trouves pas ?

– C'est une super idée. Je n'ai pas vraiment envie que vous partiez, mais vous devriez le faire.

– Je vais essayer de vendre la maison, ajouta-t-il. J'ai téléphoné à un agent immobilier pour qu'il vienne la voir demain pendant que Claudia sera chez le médecin. Je sais que c'est un peu gonflé de ma part de te demander ça, mais j'ai pensé que tu pourrais peut-être te charger de la vente.

– Bien sûr, répondis-je. C'est comme si c'était fait. »

Il posa sa main sur la mienne.

« Merci, Tessa. Je savais que je pouvais compter sur toi. »

Un sentiment de satisfaction déferla en moi plus vite que le triste rappel de la raison pour laquelle il me demandait ce service. Je m'étais toujours mise en quatre pour mes amis. C'est ma famille en quelque sorte. Aussi trouvai-je réconfortant qu'Al et Claudia estiment pouvoir se reposer sur moi. Même s'ils étaient les principaux intéressés dans cette histoire, nous étions tous impliqués.

« Tu as tout prévu », notai-je quand il retira sa main.

Il remua son café.

« J'ai appris à craindre le pire. »

Il se frotta les yeux. C'était un geste involontaire, mais cela me fit songer à l'incroyable stress auquel il avait été soumis toutes ces années. On ne peut pas être indéfiniment l'élément fort. Quelque part, à un moment donné, il fallait relâcher la pression.

« Tu es un type exceptionnel, Al. Claudia a de la chance de t'avoir.

– Tu crois ça ? Elle tomberait probablement enceinte comme ça avec quelqu'un d'autre, dit-il en claquant des doigts. Elle pourrait certainement adopter.

– Ne dis pas des choses comme ça. Tu es l'homme de sa vie, l'unique, et il en sera toujours ainsi.

– Nous savons tous que ce n'est pas vrai. Les gens perdent leur conjoint, mais ils trouvent un nouveau compagnon et ils sont tout aussi heureux, parfois même davantage. Ils ont le cœur brisé, mais ils tombent de nouveau amoureux. On a tort de dire qu'on n'aime qu'une seule personne dans sa vie. Claudia trouverait une autre âme sœur. »

Il me faisait peur.

« Al ! Tu penses à toi ou à elle, là ?

– À elle. C'est elle qui est là-haut, shootée à mort pour échapper à la souffrance que je lui cause.

– Tu n'y es pour rien, me récriai-je. Elle n'y est pour rien non plus. C'est juste une épouvantable vacherie qui vous est tombée dessus à tous les deux. Claudia voulait des enfants, c'est vrai, mais pas sans toi. Ce serait trop cher payer.

– C'est déjà trop cher payer, Tessa. Je ne supporterais pas de la voir subir ça encore une fois.

– Je suis sûre qu'elle n'en a aucune envie. Et si vous envisagiez l'adoption à nouveau ?

– Ce n'est pas possible. Mon casier…

– Je ne te parle pas d'ici. À l'étranger, où l'on est moins regardant. En Chine, en Afrique, en Estonie, en Russie. Il y a des orphelins partout, Al. Une multitude d'enfants qui ont besoin d'un foyer.

– Le moment est peut-être venu de s'y intéresser de plus près », reconnut Al.

Pour être franche, je m'étonnais qu'ils ne l'aient pas fait auparavant.

« Ça pourrait être super, lançai-je en forçant un peu sur l'enthousiasme.

– Peut-être. Mais il faut d'abord que Claudia accepte que la FIV a échoué et qu'elle ne portera jamais notre enfant.

– Et toi ?

– Si Claudia retrouve le sourire, je peux vivre sans enfants. Mais si elle a tenu bon, au fil de toutes ces épreuves, c'est parce qu'elle a toujours pensé que ça finirait par marcher. Il fallait qu'elle y croie. Peut-être pas cette fois-ci, mais la prochaine. Il fallait qu'elle en soit convaincue sinon elle aurait été incapable de se lever le matin. Comment se départir d'une foi aussi inébranlable ? C'est comme ordonner à quelqu'un de ne plus croire en Dieu.

– Alors tu pourrais envisager l'adoption ?

– Nous avions choisi cette solution avant la FIV parce qu'on nous avait assuré que nos chances étaient minces. Nous avons commencé par là et on nous a truandés. Je me suis fait truander. Je nous ai truandés tous les deux.

– On ne va pas revenir là-dessus. La drogue avait glissé dans la doublure de ton sac. Ça aurait pu arriver à n'importe lequel d'entre nous. Nous étions tous coupables !

– Mais je m'étais rendu compte qu'elle avait disparu. J'aurais pu me donner un peu plus de mal pour chercher. Comment est-il possible qu'une seconde dans le passé, il y a vingt ans ou presque, puisse encore me nouer l'estomac et me bloquer la respiration ? »

Rentrons à la maison.

« Je ne sais pas », répondis-je, sentant mon cœur s'emballer comme à l'accoutumée. Mais c'était possible, ça ne faisait aucun doute.

Je m'assis au chevet de Claudia. À côté de ce lit que j'avais défait et refait la veille. Je jetai un rapide coup d'œil au tapis. On distinguait encore l'auréole rose. Je me demandais si elle s'en irait un jour. *Disparais, fichue tache !* Al avait sans doute raison. Cette maison recelait trop de souvenirs pénibles. Ils avaient besoin d'un changement. Pourquoi pas Singapour, pour commencer ? Claudia remua la tête sur l'oreiller. Elle ouvrit un œil, très lentement, et me regarda. Elle sourit et referma l'œil. Il s'ouvrit de nouveau quand elle bâilla, et elle se força visiblement à ouvrir l'autre. Elle cilla plusieurs fois des paupières pour les empêcher de se refermer. J'avais l'impression de la voir une nouvelle fois revenir à elle après l'anesthésie. Ou de regarder les jumeaux s'extirper du sommeil après le baptême.

« Salut, toi, dis-je tout doucement.

– Salut, répondit-elle d'une voix enrouée.

– Je t'ai apporté du jus de fruits frais et un peu de thé vert. »

Elle sourit et essaya de se redresser. Elle retomba presque aussitôt sur l'oreiller.

« Où est Al ?

– En bas. Tu veux que j'aille le chercher ?

– Il tient le coup ? »

J'écartai une mèche de son visage.

« Il se fait du souci pour toi. Comment te sens-tu ?

– Molle. Non, pas molle. Vidée. »

Je lui pris la main.

« T'ont-ils expliqué ce qui s'est passé ? » me demanda-t-elle.

Je hochai la tête. Ça n'allait pas être facile.

« Le placenta s'est détaché de la paroi utérine.

– Mon bébé est mort de faim.

– Non, Claudia. Ne pense pas ça. »

Je fis le tour du lit et m'allongeai près d'elle.

« Une fois l'apport d'oxygène interrompu, c'est allé très vite. Elle n'a rien senti.

– J'ai cru la sentir bouger pendant qu'on peignait. Comment ai-je fait pour ne pas me rendre compte que quelque chose n'allait pas ? J'aurais dû m'en apercevoir, non ? Quel genre de mère serais-je ?

– Arrête. Ça n'arrangera rien, ça ne changera rien non plus à ce qui s'est passé. Tu as eu un problème médical, qui n'a rien de rare. Le médecin a dit qu'il n'y avait aucune raison de penser qu'une autre FIV ne marcherait pas, et cette fois-ci, ils comptent te surveiller de très près et te garder au lit. Il t'expliquera tout quand tu iras le voir demain. »

Claudia poussa un profond soupir. Le silence se prolongea un moment tandis que je lui caressais les cheveux en attendant que des paroles réconfortantes me viennent à l'esprit. Mais rien ne vint. Al nous trouva là quelques minutes plus tard. Le thé avait refroidi. Claudia se souleva et s'abattit contre la poitrine de son mari. Il l'enveloppa précautionneusement dans ses bras et la berça doucement. J'entendais Claudia pleurer et je vis qu'Al, lui aussi, pleurait.

Il était temps de partir. Les amis servent à quelque chose. Les maris à autre chose.

J'avais descendu la moitié de l'escalier quand j'entendis Al derrière moi. Il dévala les marches jusqu'à moi, m'étreignit un moment, puis me déposa un petit baiser sur les lèvres.

« De la part de nous deux, dit-il. On t'aime. »

Il me serra contre lui une fraction de seconde, puis retourna auprès de sa femme. Je restai plantée sur ma marche. Il était inutile de me remercier, mais j'étais rassurée, à une exception près : l'idée de ce qui s'était passé entre Ben et moi sur ces mêmes marches, dans des circonstances similaires, la veille au soir ait pu être purement platonique était grotesque. Ce qui venait de se produire entre Al et moi l'était, indiscutablement. Plus que ça, c'était un geste fraternel, paternel. Familial. L'étreinte entre Ben et moi relevait de tout autre chose et je ne savais pas quoi en penser. Je tirai la porte discrètement derrière moi et gagnai ma voiture, le cœur lourd de tristesse et de culpabilité. Quelle que soit l'issue terrible que le baiser de Ben à dix-huit ans aurait pu avoir, ça n'aurait pas pu être pire que ça.

Mon portable vibra dans ma poche. C'était le numéro de Ben chez lui. Je fixai les chiffres un instant. Ne pas répondre reviendrait à admettre que quelque chose clochait. Je n'avais jamais évité un coup de fil de Ben de ma vie. Aggraverais-je les choses en répondant ? Étais-je capable de faire comme si de rien n'était ? Je fixai toujours l'écran de mon portable… À d'autres ! Depuis des années, je faisais semblant.

« Salut, dis-je d'une voix douce.

– Salut, Tessa. J'ai pensé que tu aurais peut-être besoin qu'on te remonte le moral. »

Ce n'était pas Ben. Évidemment que non. Il m'appelait toujours de son portable. Jamais de chez lui.

« Pardon ?

– Ben m'a raconté ce qui s'est passé. »

Non. Non. Non.

« Comment ?

– Ça ne va pas trop, hein ? Ben m'a dit que tu avais passé la nuit là-bas. Al est de retour, n'est-ce pas ?
– Oui.
– Tu es toujours avec eux ?
– Je partais.
– Bon. Pas question que tu m'envoies promener sur les roses. Retrouve-moi au café bio à Battersea. Je pars tout de suite.
– Oh, Sasha, c'est gentil, mais je…
– Tessa… je t'invite à déjeuner, je vais te bourrer de lentilles et de vin bio, je te ramènerai à la maison ensuite. Il est temps que quelqu'un prenne soin de toi. Vingt minutes. J'y serai.
– Sasha, je t'assure, je…
– Tu ne peux pas te coltiner les merdes des autres *ad vitam aeternam*. Ce n'est pas possible. Il faut que tu gardes un peu d'espace pour toi. Je suis déjà dans ma voiture. »

Elle raccrocha, ne me laissant pas le choix. Pourquoi fallait-il qu'elle soit aussi gentille, bougre de bougre ! Pour la même raison que d'habitude. Elle est comme ça. En temps normal, se goinfrer de germes de luzerne en buvant du vin avec Sasha avant de s'allonger sur un canapé pour bavasser en lâchant des vents serait un moyen idéal de passer un samedi. Mais en temps normal, je n'embrassais pas son mari.

Le café est minuscule, mais il était encore tôt et Sasha avait réservé une table près de l'entrée qui donnait sur un petit triangle de boutiques. Sasha est une femme ravissante avec une silhouette et une coupe de cheveux à la Annie Lennox. Elle porte des lunettes étroites, rectangulaires, qui lui donnent un air à la fois tendance et intelligent. En vérité, elle est plus intelligence et moins tendance que ne le laissent supposer ses lunettes. Sa mise un peu négligée est probablement une bonne chose – si elle était trop élégante, elle serait redoutable et lorsqu'elle met un tailleur, je ne peux pas m'empêcher de l'imaginer un fouet à la main.

Je l'ai toujours trouvée suave ; je ne veux pas dire obséquieuse, plutôt sans aspérités. Elle a des opinions très arrêtées, comme nous tous, mais elle n'est pas de ceux qui vous balancent ses arguments à la figure. Elle ne vous saute pas à la gorge comme le font certaines personnes. Elle s'engage lentement mais sûrement sur le champ de bataille dialectique et se débrouille Dieu sait comment pour parer à tous les projectiles venant dans sa direction jusqu'au moment où elle se retrouve avec un drapeau fermement planté dans le sol. Je pense que ça vient d'une assurance profondément ancrée en elle. Je ne connais pas bien sa famille, mais j'ai rencontré ses parents et ses deux jeunes frères, et ils ont tous cette même confiance en eux. Cela découle à mon avis d'un cocktail puissant mêlant un individualisme soutenu et une grande unité familiale. Elle a toutes les qualités dont Ben a besoin. Pour cette raison, je n'ai jamais pu que me réjouir du choix de mon ami.

Elle m'embrassa avec effusion et me tendit un verre de quelque chose de vert et de pétillant que je bus goulûment. Il s'avéra que c'était exactement ce dont j'avais besoin. Sasha me connaissait bien. Je voulais être la femme qu'elle connaissait. Je ne voulais pas être la fille nerveuse, distraite, coupable qui était assise devant elle.

« Raconte-moi ce qui s'est passé », dit-elle.

Comme elle se proposait de m'inviter à déjeuner, je supposais qu'elle parlait de Claudia perdant son bébé et non pas du baiser que j'avais échangé avec son mari. Je me plongeai dans ces tristes souvenirs. De cette façon, ce n'était pas difficile de dissiper toutes les autres pensées.

« C'était terrible, dis-je. On était en train de peindre la chambre d'enfants en riant comme des bécasses du triste état de ma vie sentimentale. Si je me souviens bien, Claudia a suggéré un moment que je devienne lesbienne, ou que j'étais une lesbienne et que je ne le savais pas encore. Elle a juste posé son pinceau pour aller aux toilettes en riant de sa blague. Aucun signe avant-coureur. Rien. J'ai continué à peindre. Je ne me suis même pas rendu compte qu'elle n'était pas revenue. Elle n'a pas émis un son quand ça s'est produit. Elle est restée assise sur la cuvette des toilettes et c'est là que je l'ai trouvée. »

Pendant que les plats allaient et venaient, je parlai à Sasha du sang, des douleurs, de mes efforts pour tout nettoyer. Je lui parlai de l'hôpital, des larmes que j'avais versées dans les bras d'une infirmière sans rectifier son erreur quand elle s'était imaginé que j'avais perdu mon bébé. Je lui parlai des étranges amas sanguinolents restés collés au fond de la cuvette des toilettes. Je lui parlai des épaisses protections féminines et des yeux de Claudia chavirant tandis que l'anesthésiste comptait à rebours à partir de dix. Je lui racontai tout avec force détails, jusqu'au moment où j'avais bordé Claudia dans son lit. Puis je sautai un épisode.

« Ben est parti. J'ai somnolé sur le canapé jusqu'à l'arrivée d'Al à six heures du matin et puis je suis rentrée chez moi.

– Comment allait-elle aujourd'hui ?

– Elle culpabilise et elle est passablement dans le coaltar. Al ne veut pas qu'elle revive ça.

– Je m'étonne qu'ils l'aient supporté tant de fois. »

J'étais du même avis qu'elle, mais chaque fois qu'ils envisageaient de renoncer, on mettait au point une nouvelle technique, un spécialiste découvrait une méthode inédite, les statistiques devenaient plus encourageantes. La FIV est un secteur médical en plein essor. De nombreux traitements de pointe émanent d'authentiques cliniques bien intentionnées, mais pas tous. Claudia passait des heures sur Internet. Elle tombait sur une histoire de grossesse miraculeuse qui la frappait et se lançait à corps perdu dans une nouvelle course à la fécondité.

« Elle n'est pourtant pas crédule de nature.

– Elle avait tellement envie que ce soit vrai. Ça faisait d'elle une cible facile.

– Pourquoi est-ce qu'ils n'adoptent pas ? Je n'arrive pas à comprendre.

– Ils ont essayé. Ça n'a pas marché.

– Il y a des années de cela.

– J'ai bien peur qu'ils soient considérés comme trop vieux maintenant.

– Dans ce pays peut-être, mais pas en Chine.

– J'en ai parlé avec Al justement. Il m'a dit qu'ils se pencheraient sur la question. »

Sasha n'avait pas l'air convaincue.

« Au bout de neuf ans ? Ils vont se pencher sur la question ? »

Je brandis les mains. J'avais eu la même réaction.

« Ça doit être très dur de se soumettre à des FIV à répétition – c'est un traitement agressif, sans parler de l'éradication du sexe pour le plaisir du sexe. Il faut y croire à cent pour cent. Mais si on arrive à se convaincre que ça marchera, alors on recommence et l'adoption fait l'effet d'un pis-aller. Je ne sais pas. Je ne trouve pas ça logique.

– Ben et toi n'avez pas particulièrement envie d'avoir des enfants. C'est normal. »

Sasha eut une moue étrange, réprobatrice, mais elle ne chercha pas à le nier.

« Tu veux des enfants, toi ?

– Évidemment. »

Si j'avais été honnête avec moi-même, j'aurais reconnu que ce qui me terrifiait le plus, c'était la perspective de ne jamais en avoir. Ça me rendait dingue, mais c'était comme ça. Cette hypothèse m'épouvantait. Mais comment le dire à Sasha ? Comment lui avouer que cette envie d'avoir des enfants affectait mon comportement ? Qu'elle dépassait l'entendement ? Que ça m'incitait à considérer son mari avec un désir dont je ne savais que faire ? Je ne pouvais pas lui dire ça.

« Quand j'ai pleuré hier à l'hôpital, c'était à cause de cette peur qui a commencé à m'envahir.

– Quelle peur ?

– La peur de ne pas avoir d'enfants, Sasha. J'ai pleuré à cause d'enfants imaginaires que je n'aurai peut-être jamais alors qu'on était en train d'arracher à Claudia un vrai bébé. Je suis ignoble. »

Ça ne faisait aucun doute, mais pas forcément pour cette raison.

« Pas du tout. Allons, Tessa. C'est sûr que ce ne doit pas toujours être facile d'être seule à ton âge, mais, tu sais, avoir des enfants n'est pas nécessairement la solution.

– Tu dis ça parce que tu ne ressens pas la même chose. Je t'envie. C'est un sentiment horrible et ça me désespère. Je n'avais jamais pensé que je serais désespérée. Rien que le mot me… »

Je me frottais les yeux.

« Je ne sais pas.

– Tu te trompes, Tessa. Je désespère moi aussi d'avoir des enfants. »

Je relevai brusquement les yeux et cessai de saccager mon plat du bout de ma fourchette.

« Comment ?

– Mais j'ai l'intime conviction que trop souvent les gens ont des enfants pour des mauvaises raisons. »

J'étais perplexe.

« Comment peux-tu dire ça ?

– Parce qu'il y a une différence énorme entre vouloir un enfant et avoir envie d'être parent. Je pense que la notion du bébé nous aveugle, ce bébé Pampers idéal que nous sommes tous supposés avoir.

– C'est l'instinct maternel qui fait son office.

– Non, c'est le désir de procréer.

– Allons, Sasha. Je ne veux pas d'une version de moi en miniature, je veux un bébé, un enfant, un être à aimer.

– Dans ce cas, va en chercher un en Chine.

– Ce n'est pas aussi simple que ça.

– Pourquoi… »

Sasha laissa sa question en suspens.

Parce que je veux un enfant à moi ? Parce que je veux me voir en miniature ? Un mari qui m'adore, un foyer, un môme avec ses yeux et mes jambes ? Parce que je veux la même chose que tout le monde ?

« Je n'arrive même pas à me trouver un jules. »

C'était une esquive pitoyable et Sasha le savait, mais elle s'abstint de relever. Elle commanda un cappuccino au soja décaféiné et un gâteau à la carotte. Je sentais que j'étais sur la défensive ; je lui en voulais. J'estimais que Claudia et Al avaient besoin de notre soutien, et non d'un examen approfondi de leurs motivations. J'occultais le fait qu'elle disait pour ainsi dire mot pour mot ce que j'avais dit moi-même à Al. Ce qui ne m'empêchait pas d'être en rogne.

Elle avait raison, bien sûr. Il y a une différence considérable entre désirer un enfant et vouloir être parent. L'égoïsme d'un côté, l'altruisme de l'autre. Si les deux vont de pair, parfait ! Mais ça n'était pas toujours le cas, sinon, les mauvais parents n'existeraient pas. Et des mauvais parents, il y en avait à la pelle, comme Ben, Helen, ou ma propre mère pouvaient en témoigner. J'en voulais à Sasha parce que ça me convenait, parce que au milieu de la nuit, j'avais imaginé qu'elle était mariée au père de mes enfants hypothétiques. Parce que je l'adorais et que je savais qu'elle avait épousé l'homme qui lui convenait et que je n'aurais jamais ces enfants-là.

La serveuse apporta la tranche de gâteau et les cafés.

« Je suis désolée, Sash, je suis sens dessus dessous.

– Ne t'excuse pas. C'est parfaitement compréhensible. »

Pour une raison inexpliquée, le morceau de gâteau à la carotte que j'enfournai n'avait pas aussi bon goût qu'il aurait dû. J'observais Sasha tout en remuant le sucre brun dans mon café, lentement, méthodiquement.

« C'est moi qui te dois des excuses, reprit-elle. Je prends les choses trop à cœur. Si Claudia a envie de s'imposer tout ça, ça la regarde.

– Elle aimerait juste être maman. »

De nouveau cet étrange regard désapprobateur.

« C'est précisément ce dont je parle.

– Je ne comprends pas.

– Tu sais, si toutes les femmes pensaient comme Claudia, je n'aurais pas de mère. »

Je fronçai les sourcils.

« Mais tu as une maman merveilleuse prête à tout donner pour tes frères et pour toi.

– C’est vrai, mais ce n’est pas vraiment ma mère, comme tu le sais pertinemment. »

Je m’adossai à mon siège. Bien sûr… sa mère biologique avait pris la poudre d’escampette quand Sasha n’était encore qu’un petit bout de chou. Son père s’était remarié quand elle avait environ six ans. C’était cette nouvelle épouse que Sasha appelait maman. J’avais complètement oublié que ce n’était pas sa « vraie » mère. C’était de ça dont elle voulait parler, à l’évidence.

« Arrête de penser à avoir un enfant, Tessa. Demande-toi plutôt si tu as vraiment envie d’être parent. Je ne te parle pas du rêve – le bébé en pleine santé, le mari adorable, le foyer – mais d’une responsabilité phénoménale, qui bouleverse la vie, de la dure réalité d’être un parent avec tous les risques que cela comporte, et si la réponse est oui, alors jette-toi à l’eau. De nos jours, rien ne t’arrêtera, si tu y tiens vraiment. »

Ce matin-là, je m’étais réveillée la tête pleine de pensées désespérantes, pitoyables, franchement traîtresses. Je regagnai mon appartement le cœur plus léger après avoir déjeuné avec la seule personne que j’aurais juré de ne pas vouloir voir. Même ma mission dans les magasins pour faire quelques emplettes pour Claudia et Al n’avait été en fait qu’une bonne intention déguisée. Je ne supportais pas d’être seule étant donné que depuis que j’avais ouvert les yeux à l’aube, je n’avais pensé qu’à Ben. C’était plus facile de me replonger dans la tragédie de mes amis ; je pouvais me concentrer sur autre chose. Un fantasme inquiétant, d’une précision alarmante, avait commencé à passer en boucle dans ma tête. Ben me déclare un amour éternel. Sasha et Ben décident à l’amiable d’aller chacun de leur côté, Ben et moi dansons au coucher du soleil, attendant une ribambelle de petits Ben et Tessa. C’était abominable. C’était délicieux. Tentant. Révoltant. Parfait. Parfaitement stupide.

Je m’assis sur le canapé après avoir envoyé valser mes chaussures. Commençons par le commencement. Certes, nous avions franchi une barrière. Mais une fraction de seconde seulement. Cet élan résultait de circonstances difficiles. Entendez par là l'épreuve que nos amis de toujours traversaient. Je ne parle pas de l'état actuel de ma vie.

Nous avions détalé tous les deux à l'instant où nous avions entendu la voix de Claudia. Si nous étions vraiment des charlatans, nous aurions très bien pu ignorer les marmonnements délirants de Claudia et nous en donner à cœur joie. Elle était sonnée après tout, et ne s'était même pas rendu compte que j'étais venue redresser ses oreillers, remonter le drap et tripoter la poignée de la fenêtre. Elle n'était pas consciente des atermoiements qui avaient eu lieu sous couvert de bons soins. Ben avait déguerpi sans prendre le temps de discuter ni raviver la flamme. Le charme était rompu. Il n'y avait pas de cycliste fonçant vers un lampadaire. Aucun dommage n'avait été perpétré. Rien de cassé. Rien n'avait été fait qui ne pouvait être défait. Ce n'avait été qu'un moment, et le moment était passé.

Je me terrai tout le reste du week-end.

La meilleure chose à faire, la seule solution en fait, c'était d'oublier et de concentrer mon attention sur l'avenir. Mon avenir. Je devais passer des coups de fil à ces fameux chasseurs de têtes. J'avais des heures de recherches à faire sur les orientations vers lesquelles ma formation juridique était susceptible de me conduire, hormis directement à la case départ, la magistrature. Paradoxalement, Sasha m'avait insufflé un nouvel élan. Le moment était venu de réfléchir à ce que je voulais vraiment dans la vie, de prendre la balle au bond. Avais-je envie d'être mère ? C'était une méga question. C'était mettre la charrue avant les bœufs surtout. Il me fallait déterminer mes objectifs et les mesures à prendre. Comment et pourquoi – au lieu de qui et quand. À neuf heures tapantes, lundi matin, j'étais prête. Après avoir pris une profonde inspiration, je décrochai mon téléphone.

« Bonjour. Tessa King à l'appareil. Pourriez-vous me passer votre service de recrutement juridique…

– Un instant, s'il vous plaît. »

J'attendis. Si j'avais retardé ce moment, c'était parce que je n'arrivais pas à me résoudre à expliquer pourquoi j'étais actuellement au chômage. Mais il fallait que je me bouge. Que je mette un terme à la pause forcée dans ma carrière que ce gus avait provoquée. Entendez par là, mon ex-patron, rien que d'y penser…

« Tessa King, ici Daniel Bosley, responsable du service juridique. J'attendais votre appel avec impatience.

– Oh ?

– Oui, vous êtes dans mon collimateur depuis un bout de temps, mais j'ai bien cru qu'on ne réussirait jamais à vous sortir de votre tanière.

– Eh bien… »

Nouvelle inspiration profonde.

« Inutile de dire quoi que ce soit. Je suis au courant de tout. Ne vous inquiétez pas pour ça, tirez un trait, on n'en parle plus… »

La conversation se poursuivit sur un mode agréable. Je devais envoyer mon CV, ce qui me convenait puisqu'il n'incluait aucun détail sordide. À vrai dire, il me présentait sous mon meilleur jour. Cohérente. Consciencieuse. Loin du monde de la varicelle et des activités sportives. Rien ne m'empêchait d'aller travailler de bonne heure et de partir tard, sans compter que les risques de congé maternité s'amoindrissaient de jour en jour. Si j'étais moi, je n'hésiterais pas une seconde à m'embaucher !

Enhardie, je passai un autre coup de fil dans la foulée. Pourquoi ces appels sont-ils rarement aussi terribles qu'on l'imagine, alors qu'on imagine toujours le pire ? Je travaillais tout le restant de la journée, imprimant des formulaires avant de les remplir, étiquetant des boîtes de rangement. J'imprimai plusieurs exemplaires de mon CV sur du beau papier raide avant de songer que de nos jours, tout se faisait par e-mail. Les temps avaient changé depuis la dernière fois où je m'étais trouvée sur le marché du travail.

Quand mon téléphone sonna, j'étais tellement absorbée que je ne reconnus pas la voix tout de suite.

« Bonjour, fit une voix masculine, profonde.

– Bonjour, répondis-je.

– Tessa, c'est toi ? »

Ma poitrine se serra tout d'un coup.

« Qui est-ce ? demandai-je.

– C'est Caspar. »

Je soupirai de manière audible, desserrai lentement mon poing cramponné au combiné, soupirai encore. J'avais les paumes moites. Depuis quand avait-il une voix aussi grave ?

« Tessa, tu es là ? »

Moins cool que je le pensais. Un pas en avant. Trois en arrière. Et merde !

« Pardonne-moi, mon chéri. Que puis-je faire pour toi ?

– J'appelle juste pour dire bonjour. »

Ah, vraiment ?

« À d'autres, mon petit cœur ! Qu'est-ce qui se passe ?

– Je t'assure. Je voulais juste te remercier de m'avoir tiré d'affaire le week-end dernier.

– Caspar, je t'aime, tu le sais, mais en seize ans, tu ne m'as jamais appelée si ce n'était pour me demander quelque chose. Ce n'est pas grave, ça m'est égal. Je suis là pour ça.

– J'adore l'iPod. »

Il était tenace, il fallait l'avouer.

« Tant mieux. Tu as déjà mis de la musique dessus ?

– Ouais, je suis allé sur un site d'enfer où on peut télécharger huit cents chansons en… »

Je décrochai, là. Caspar est un vrai petit génie de l'informatique. Il a toujours eu des super notes en maths, en physique et en techno. Les ordinateurs n'ont pas de secret pour lui. Sans le responsable de l'informatique pour régler mes problèmes au bureau, j'étais fichue. Je fais toujours ce truc typiquement féminin qui consiste à redémarrer à la moindre contrariété.

« … je peux venir mettre le tien à jour si tu veux. Tu dois en avoir marre d'Abba.

– Je tiens à te préciser que j'écoute Eminem à l'instant présent.

– Oh !… Un rapper blanc. Super branchée, Tessa. Qu'est-ce qu'elle va nous faire après ça ?

– Tu es un horrible gamin, Caspar. On ne te l'a jamais dit ?

– On me le dit sans arrêt. Au fait, tu as parlé avec mes parents récemment ?

– Pourquoi ? Que s'est-il passé ? »

Voilà enfin la raison de son appel.

« Eh bien, maman recommence à me prendre la tête. Je me demandais si tu pourrais lui en toucher un mot.

– Qu'est-ce que tu as fait ?

– Rien, je te jure. »

Ben voyons ! Je me levai de mon bureau et m'approchai de la fenêtre. Une vedette de la police remontait le fleuve en pétaradant.

« Bon, de quoi s'agit-il ?

– On a fait la fête, j'ai bu de la bière, mais…

– Caspar !

– Quoi ? Quatre malheureuses canettes, bordel de merde ! Une marque minable, en plus. Bon marché.

– Surveille ton langage, tu veux…

– Tu peux parler. Je t'ai déjà entendue jurer comme un charretier. »

Tout le problème était là. Étais-je une copine, un mauvais exemple, ou un bon prétexte, je me le demandais. En tout état de cause, je commençais à me dire que je n'étais peut-être pas la personne idéale pour ramener Caspar au pas. Il n'avait pas vraiment l'air disposé à m'écouter.

« J'ai réfléchi à ce que tu m'as dit, Tessa, et j'ai l'impression que s'ils me traitent comme ça, c'est à cause de ce que tu as dit. Tu as raison, tu as pigé, en plein dans le mille, hein ? Bon, alors maintenant que je sais, je ne vais pas encaisser ça pour rien, tu vois ? »

Et en langage humain, ça voulait dire quoi exactement ?

« Pardon ?

– Ils ont raté le coche. Ils sont à côté de la plaque, tu vois ? La réalité leur échappe. Ils sont genre coincés dans le passé. Faudrait qu'ils se mettent au parfum. Quatre bières, nom de Dieu ! Zac pique de la vodka sans arrêt à son vieux et personne ne s'en aperçoit. »

Combien de bouteilles de vodka un gamin pouvait chaparder avant qu'on le remarque ? me demandai-je, mais Zac n'était pas mon problème.

« Bon, tu es pardonné alors.

– Super.

– Attends, c'était ironique.

– J'ai laissé tomber la ganja. Elle ne va pas m'enfermer tout de même ? »

Pourquoi pas ? Votre charmant fiston sort un beau matin pour revenir l'après-midi, tout zarbi, avec des gros mots plein la bouche, vous sidérant avec son jargon des cités revu et corrigé.

« Ce n'est pas de ma faute, si elle sortait jamais. »

Quel manipulateur ! Enfoiré ! Ça m'était égal qu'il s'imagine me rouler dans la farine en empochant mes cadeaux et en me soutirant de l'argent de poche en sus, mais je n'allais pas être complice de ses magouilles destinées à entuber ses parents. Pas de mon plein gré en tout cas.

« Ne déforme pas mes propos. Ils étaient beaucoup plus vieux que tu ne l'es maintenant.

– Allons, ma poule, tu connais la musique. Tout est relatif. Sois sympa. Ils t'écouteront, toi ! »

Ma poule ? Je ne voyais pas du tout à quoi il faisait allusion.

« Je parlerai à ta mère, mais, dis-toi bien une chose, c'est elle la patronne. »

Il éclata de rire.

« Je ne plaisante pas », insistai-je en m'efforçant de prendre un vrai ton d'adulte.

Après ce coup de fil, je repensais au rire de Caspar. Nous avions beaucoup ri au fil des années – c'était le fondement de notre relation particulière – mais ce rire-là n'était pas le rire joyeux, chaleureux auquel j'étais habituée. C'était un rire plus sec, presque malveillant, et il me restait sur la conscience comme un bifteck bon marché.

Si les pubs à la télé montraient les ados en couches-culottes, je sentirais peut-être moins les pincements de mes ovaires. Je compatissais de plus en plus avec Fran et Nick. S'occuper de bébés n'était pas une tâche facile, incontestablement, mais *l'adulescence*, ça, c'était un vrai défi. Je savais que Katie et Poppy étaient très impertinentes envers leur mère, surtout l'aînée qui semblait avoir réponse à tout, mais à cet âge-là, on pouvait encore les envoyer dans leur chambre ou au coin. Que faire quand ils sont plus grands que vous ? Quand ils se fichent de vous ?

Je retournai à mon bureau et éteignis mon ordinateur portable avec la sensation d'avoir accompli plein de choses. Je rangeai mes papiers, remis mon ordi dans sa housse et replaçai l'imprimante sous le petit bureau Ikea qui occupe un angle de ma chambre. Cela ne servait à rien de se faire continuellement du souci pour tout le monde. Mieux valait m'occuper de mes affaires. Je lavai la cafetière et la tasse dont je m'étais servies. Mon appartement étant trop petit pour laisser traîner les choses, j'ai appris à être ordonnée. Je suis plutôt bordélique de nature, aussi ai-je dû faire appel à des trésors d'énergie pour localiser le gène « ordre » dans ma cervelle et l'éduquer. À présent, tel un fumeur reconverti, j'ai horreur du désordre. Probablement parce que je sais que ma vie est à une tasse sale près du chaos.

Ce lundi-là, en dépit de tout ce qui s'était passé, j'avais l'impression de contrôler la situation. J'avais fait un premier pas conséquent pour reconquérir ma vie et décidai de me récompenser par une petite visite au vidéoclub. Avant, je commandais des films *via* Internet mais, redoutant que cela ne me coupe un peu plus du monde extérieur, j'avais mis un terme à cette habitude depuis que j'avais arrêté de travailler. Faire les courses par

Internet, acheter mes bouquins, mes CD, mes cadeaux par ce biais avait considérablement réduit mes possibilités de contact. Du coup, il m'arrivait souvent de faire une incursion dans un pub pour compenser. Maintenant que j'avais davantage de temps, je me rendais compte que ce n'était pas nécessairement une bonne chose. J'enfilai donc un jean en meilleur état et me rendis au vidéoclub à pied. J'ai toujours du plaisir à discuter avec les cinéphiles miteux postés derrière le comptoir même si je trouve qu'ils rajeunissent à vue d'œil, comme tout le monde. Ils me conseillèrent *Guess who's coming to dinner?* – l'original, bien sûr. Je m'étais donné pour mission de voir tous les grands films. J'avais du pain sur la planche !

À huit heures, je regardai le film. À dix heures, je me fis couler un bain. À dix heures et demie, j'allai me coucher. À une heure et demie, je fixai toujours le plafond. Ma détermination à oublier Ben était sérieusement ébranlée. Soudain j'eus une illumination. Je pouvais me coltiner des adolescents. Je pouvais tout encaisser. Je voulais des vergetures. Aboulez les hémorroïdes ! Tant pis pour le prolapsus de l'utérus ! Vive l'incontinence si c'est nécessaire pour faire de moi une femme à part entière. Je voulais des enfants, pas des filleuls, je savais avec qui, et où le trouver. Je me redressai sur un coude pour ouvrir le tiroir de la table de chevet et sortis la photo de Ben à l'hôpital. Je posai la plaque de verre froide contre ma joue et reposai la tête sur l'oreiller. J'éprouvais la même chose qu'à l'époque. Non, c'était encore plus fort. Ça faisait vraiment, vraiment mal. Cette photo était un doudou bizarre, mais j'étais à un âge bizarre. Et j'avais besoin d'être rassurée comme jamais de ma vie.

10

Assez de simagrées

Le lendemain matin, je mis quelques habits dans un sac et je partis me réfugier chez mes parents, près de Marlow. Cette fichue photo était dans mon bagage jusqu'à la dernière minute, mais juste avant de quitter l'appartement, je réussis à l'en extirper et à la cacher parmi les livres de ma bibliothèque. Je retournai la chercher deux fois, mais je finis par la laisser.

J'avais pris congé de Roman en lui disant que je partais un ou deux jours, mais une semaine plus tard, j'étais toujours dans le Buckinghamshire. Difficile de s'en aller quand on vous couvre de tendresse. En outre, je redoutais ce que j'étais capable de faire à Londres sans chaperon ! C'est si agréable quand on vous concocte des petits plats pendant que vous vous pelotonnez devant un bon feu avec un livre, quand on vous tend un verre de vin d'office à six heures, quand on vous envoie vous coucher. Agréable aussi de raconter mon voyage en détail à mes parents, sachant qu'ils étaient sincèrement intéressés, d'éteindre mon portable, de partir en balade sur la piste cavalière et de pouvoir penser à lui en paix pendant des heures. Je n'aurais eu aucun mal à expliquer mon séjour prolongé à mes parents si nécessaire. Je ne les avais pas revus depuis mon retour d'Inde, et comme je ne travaillais pas, j'en profitai pour m'attarder auprès d'eux au-delà d'un week-end. En temps normal, quand le dimanche soir arrivait, je commençais juste à décompresser.

En définitive, je n'eus pas à fournir d'explications puisqu'ils ne me posèrent aucune question. Une semaine s'était pour ainsi dire écoulée et je pensais m'en être tirée à bon compte, jusqu'au moment où maman et moi allâmes explorer les buissons à la recherche des dernières mûres.

Elle trouva moyen de me piéger alors que j'étais penchée au-dessus d'une branche épineuse dans une position précaire.

« Tessa ? dit-elle d'un ton inquiet.

– Oui.

– Tu n'aurais pas quelque chose à me dire ? »

Je jetai une poignée de baies dans la barquette à glace vide qu'elle tenait à la main.

« Eh bien, j'ai beaucoup réfléchi à la situation politique de notre pays.

– Sérieusement, insista-t-elle. Nous nous faisons du souci à ton sujet, ton père et moi.

– Il n'y a aucune raison.

– Tu dis ça, mais on te trouve un peu… »

Elle cherchait ses mots.

Je ne parvenais pas davantage à remplir les pointillés. Perdue en mer… En transe… Dans un état de confusion totale… Seule et désespérée… En train de perdre la boule…

« Tu es sûre que ça va ?

– Ouais, ouais.

– Certaine…

– Tout va bien, maman, je t'assure. »

Nous poursuivîmes notre cueillette. Un silence pesant s'était installé entre nous. Il y avait de la tension dans l'air. J'attendais que maman trouve le courage de revenir à la charge. Je peux être horriblement bornée quand je veux. Je n'allais pas lui faciliter la tâche.

« Ça fait une semaine que tu es là… »

Ah ah. Exactement le piège dans lequel je voulais qu'elle tombe.

« J'ai pensé que ce serait sympa. Ça n'arrive jamais. Je suis toujours par monts et par vaux.

– Ne fais pas semblant de ne pas comprendre, Tessa, tu es très douée pour ça.

– Maman. Je vais recommencer à travailler d'ici peu et je ne viendrai plus que de temps en temps le samedi soir.

– Tu vas te remettre à travailler ?

– Évidemment.

– Tu cherches un autre emploi alors ? »

J'étais indignée.

« Je te l'ai dit. Tu ne m'as pas écoutée ? Le chasseur de têtes avec lequel j'ai eu un entretien était très optimiste. »

Elle se moucha avec un mouchoir en papier.

« Tu commences à avoir froid, maman, dis-je, aussitôt inquiète. On devrait rentrer.

– Ça va très bien. On n'en a pas encore ramassé assez », ajouta-t-elle en secouant les mûres.

Et je me demande d'où me vient mon côté borné ?

« Tu n'as fait aucune allusion à ce sujet, poursuivit-elle. Tu as parlé de Caspar, de Christoph, l'ex de Billy que tu as traqué jusqu'à Dubaï, du baptême, mais…

– Je suis désolée, j'étais sûre de vous en avoir touché un mot.

– C'est ce que j'essaie de te dire… »

J'attendis. Sa main planait au-dessus des ronces.

« J'ai l'impression que tu passes beaucoup de temps à t'occuper de tes amis…

– J'appelle Claudia souvent, c'est vrai, mais elle vient de perdre son bébé.

– Il n'y a pas que ça.

– Qu'est-ce que tu veux que je fasse ? Que je lui dise de tourner la page ? »

Ma mère arrêta finalement de faire semblant de chercher des mûres et se tourna vers moi.

« Tu as toujours été là pour tes amis, ma chérie, c'est l'une de tes plus belles qualités. Je t'en prie, ne le prends pas mal, mais…

– Mais quoi, maman ? Al était à l'étranger.

– Je ne te parle pas de Claudia. J'ai peur que, euh, pendant que tu t'occupes d'aider les autres, ta vie soit en quelque sorte… »

Elle hésita.

J'intervins avant qu'elle ait le temps de formuler ses craintes.

« Allons, maman, j'ai eu une année de merde. J'ai fait un break, mais vu tout ce qui s'est passé, je trouve que je m'en sors plutôt bien.

– Bien sûr, ma chérie. Je voulais juste m'assurer que tout allait bien autrement. »

Elle était téméraire. Je lui faisais perdre la piste bien plus facilement que ça d'habitude. Il est vrai que je n'avais jamais été dans cette position auparavant. Faux. Je l'étais depuis des années, mais je ne m'en étais pas rendu compte. J'aimais un homme que je ne pouvais pas avoir, et je m'étais contentée des miettes sur la table de Sasha. Moins on mange, moins on a besoin de manger, c'est tout au moins ce qu'on croit jusqu'au moment où on est si faible que nos organes vitaux protestent. Je commençais à penser que c'était exactement ce qui m'était arrivé. J'avais souffert de malnutrition pendant si longtemps que je ne sentais plus la faim. Je présume qu'au départ, j'étais suffisamment jeune pour qu'un chagrin d'amour imaginaire n'affecte pas trop le cours de mon existence. Les autres s'amusaient sans prendre la vie trop au sérieux ; nous étions tous solidaires. Et puis, petit à petit, ils s'étaient groupés deux par deux, pour devenir trois, quatre ou plus, pendant que, moi, je continuais à dépérir avec mes miettes.

« Tu es sûre que ça va, ma chérie ? »

Je lui tournai le dos et fixai les minuscules épines qui m'empêchaient d'obtenir ce que je désirais le plus. Non, ça n'allait pas. Ça n'allait même pas du tout. Je sentis les larmes me monter aux yeux ; je fermai résolument les paupières en les exhortant à refouler.

« Tessa ? »

Je ne voulais pas l'inquiéter. Je refusais d'être un fardeau. Je ne voulais pas en rajouter à la peur profondément ancrée qu'elle devait ressentir à chaque instant. Ma mission consistait à être une source de fierté, à égayer leurs vieux jours. Mais c'était ma mère, et il fallait bien que je me confie à quelqu'un, bon sang…

En faisant volte-face, j'aperçus mon père en pantalon de velours côtelé couleur moutarde qui remontait l'allée. Il agita la main avec enthousiasme.

« Bonjour, bonjour », brailla-t-il.

Maman continuait à me regarder.

Je m'écartai de la haie.

Elle me saisit la main.

« Tessa ? »

Je lui jetai un rapide coup d'œil en serrant sa main dans la mienne avant de me dégager.

« Tout baigne. Je te le dirais si ça n'allait pas, je te promets. »

C'était le plus gros mensonge de tous, bien sûr. Mais maman souffrait d'une sclérose en plaques en latence dans son système nerveux, tel un terroriste en sommeil, capable de rebondir et de frapper n'importe où à tout moment. Mon père était octogénaire. Ils avaient assez de soucis comme ça, sans m'ajouter à la liste. Je fonçai dans l'allée au-devant de mon père.

« Tu arrives à point nommé, lançai-je. On commence à avoir du mal à trouver les plus belles. »

Il me sourit. En remarquant ses dents vieillissantes, je détournai les yeux. Il glissa son bras sous le mien et nous rejoignîmes maman. Il jeta un coup d'œil dans notre récipient.

« Inutile de ramasser les vilaines, dit-il, s'emparant de quelques mûres qu'il rejeta dans la haie. Ça ne vaut pas la peine. On aura bien de la confiture, mais elle sera nettement moins bonne. »

Je levai les yeux vers lui avant de reporter mon attention sur les fruits, puis sur maman.

« C'est bien vrai, murmura-t-elle en hochant la tête. C'est bien vrai », répéta-t-elle en plongeant son regard dans le mien.

En rentrant, nous fîmes de la confiture et Dieu merci, il ne fut plus question de ma vie. Des amis de mes parents vinrent dîner. Ils sont toujours fiers de m'exhiber même si je me rends parfaitement compte qu'ils aimeraient bien avoir davantage de bonnes nouvelles à leur annoncer. Un autre après-midi, nous nous rendîmes dans la ville voisine ; je forçai maman à acheter des accessoires dont elle n'avait que faire. Papa et moi fîmes un tournoi d'échecs. Très amusant pour la bonne raison que je le battis, ce qui n'arrive pas très souvent. Il ne m'a jamais laissée gagner quoi que ce soit, pas même à la course quand j'étais petite. Un jour, j'avais surpris maman en train de le supplier de me donner une chance – je n'avais que six ans –, mais il n'avait rien voulu entendre. Sous prétexte que ce n'était pas bon de penser que la vie était un jeu d'enfant. Je rêvais de lui damer le pion un jour. C'était chose faite maintenant, et j'aurais donné cher pour qu'il en soit autrement.

En regardant mon père bricoler dans le jardin, je songeais que sa méthode n'était pas si mauvaise. Parce que en définitive, au-delà des doutes et des absurdités, je crois foncièrement en moi. C'est juste qu'il m'arrive parfois de l'oublier.

Dès la deuxième semaine, mon séjour chez mes parents avait fait merveille. Je me sentais beaucoup plus optimiste. Rien qu'à les voir accomplir leur curieux train-train quotidien, ils m'incitaient à prendre les choses à la fois très au sérieux et pas du tout. C'est un subtil équilibre difficile à trouver. J'avais presque cessé de penser aux raisons qui m'avaient poussée à fuir la ville. Presque.

Et puis Claudia avait téléphoné pour m'annoncer qu'elle partait. Je m'y étais attendu, mais pas si vite. Fidèle à lui-même, Al avait mis sa menace à exécution. Ils s'envolaient dimanche pour Singapour.

Claudia avait eu l'idée d'organiser un déjeuner d'adieu la veille de leur départ. Elle ne voulait pas filer à l'anglaise, selon sa formule. Ni prétendre qu'il ne s'était rien passé ou faire de sa fausse couche un sujet tabou. Elle ne voulait pas qu'on ait de la peine pour elle. Elle avait perdu son bébé, ça lui avait porté un coup terrible, mais avec le temps, affirmait-t-elle, elle s'en remettrait, cahin-caha. Elle était allée jusqu'à me dire qu'elle voulait qu'on s'amuse à ce déjeuner alors que pour ma part, je l'appréhendais. Au téléphone, elle m'avait demandé d'appeler le reste de la bande pour leur indiquer la date et le lieu du rendez-vous. Elle avait souligné qu'elle préférait ne pas les prévenir elle-même, consciente que personne ne savait quoi lui dire. Elle pensait que ce serait plus facile pour tout le monde si je m'en chargeais. Elle m'avait donné une liste. Il y aurait Al et elle, Helen et Neil, Ben, Sasha et moi. Sept. Je suis toujours le chiffre impair.

Je commençai par le plus facile. Je réservai une table dans un restaurant italien animé où les prix sont corrects et le service remarquable. Rien de tel qu'un serveur italien pour mettre de l'ambiance. Qui voulait de ces Français revêches ! Ensuite je composai le numéro de Helen. Neil répondit. Je lui expliquai la raison de mon appel.

« On va se marrer, j'ai l'impression », railla-t-il.

Si tu viens, pas sûr, pensai-je méchamment.

« En fait, Claudia va tout à fait bien. Elle veut juste passer un bon moment avec ses copains avant de partir.

– Ils en ont de la chance ! Deux mois en Extrême-Orient. J'aimerais bien envoyer ma morose épouse en voyage. »

Voilà pourquoi je déteste ce type-là. Ça se comprend, non ?

« Elle ne décolle plus de son lit, ajouta-t-il.

– Tu es sûr qu'elle va bien ?

– Elle va bien. Elle pionce toute la journée, c'est tout.

– Probablement parce qu'elle est debout toute la nuit.

– Les garçons dorment sans problème. Elle balise à propos de la mort subite ou je ne sais quoi. Elle se lève sans arrêt pour aller vérifier qu'ils respirent. À quoi ça sert d'avoir Rose à la maison si elle n'assure pas au moins une nuit de temps en temps ? »

J'avais vu la manière dont il s'adressait à Rose, et ce n'était pas agréable à entendre. Je préférais ne pas épiloguer sur cette question, qui me rendait hargneuse.

« Tu devrais lui dire d'arrêter d'allaiter. Franchement, j'ai l'impression que ça l'épuise. Elle n'est plus elle-même.

– Qu'est-ce qu'elle ferait dans ce cas, tu peux me le dire ? On a déjà deux nounous. Ce n'est pas comme si elle était surchargée.

– Certes, mais produire autant de lait chaque jour, ça équivaut à un minimarathon. Ça vous démolit.

– J'ai lu tout le boniment à propos de l'immunité. Donner le sein, c'est sain, comme on dit. Évidemment, du coup, je n'ai plus le droit d'y toucher. »

Il ne parlait pas des jumeaux à mon avis. J'aurais volontiers changé de sujet, mais je tenais à ce que Neil se rende compte de ce que cela coûtait à sa femme de nourrir ces deux méga bébés. Aussi continuai-je sur le thème de l'allaitement.

« Bon, mais dis-lui de tirer le lait au moins et de confier à quelqu'un d'autre – *à toi, gros paresseux !* – la tâche de les nourrir. Ils mettent un temps fou à manger.

– Elle s'est plainte auprès de toi ?

– Non. (Je ne voulais pas que Helen ait des ennuis.) Mais elle passe des heures enfermée là-haut dans la nursery. Je ne pense pas que ce soit bon pour elle.

– Je ne vois pas comment tu pourrais le savoir, Tessa. Tu n'as pas d'enfant, que je sache. »

Et moi qui croyais que ce serait un petit coup de fil de rien du tout.

« Tu penses que vous pourrez venir à ce déjeuner ? demandai-je en m'obligeant à adoucir ma voix. Ça ferait très plaisir à Claudia et à Al.

– Pas de problème.

– Super. Veux-tu que je te donne le numéro de mes parents au cas où Helen aurait envie de m'appeler ?

– Pas la peine. À samedi. »

Sympa ! Je raccrochai. Deuxième round. Je résolus de tricher en appelant Sasha sur son portable. La tonalité était d'une longueur inhabituelle. Elle était repartie à l'étranger.

« Sasha Harding.

– Salut, c'est moi. Tu as une minute ?
– Pas vraiment, chérie. Désolée.
– C'est au sujet d'un déjeuner d'adieu pour Al et…
– Quand ça ?
– Samedi.
– Super. Je rentre vendredi. Appelle Ben. Donne-lui les infos. Faut que je te laisse. »

Appelle Ben. Appelle Ben. Fastoche. Appelle-le comme tu l'as fait des millions de fois auparavant. Je pris une profonde inspiration avant de composer le numéro de son portable. Je le connaissais par cœur, naturellement. Je l'avais déjà composé une bonne dizaine de fois depuis que j'étais chez mes parents, sans aller jusqu'à enfoncer la touche d'appel verte. J'en avais envie. J'avais envie d'entendre sa voix. De raviver cette sensation. De vivre dans mes rêves. Je sentais encore la brûlure de ses lèvres sur les miennes. J'avais un souvenir très net du moment où nos bouches s'étaient offertes l'une à l'autre. J'en tremblais de désir et de honte. Il fallait que je me sorte de cet enfer.

Le téléphone cliqueta dans ma main.

« Quelqu'un peut répondre ? » cria mon père.

Je pressai le bouton vert et vis disparaître le numéro de Ben.

« Allô ?
– Allô ? répondit une femme.
– Allô, fit une voix d'homme.

Puis un silence confus.

« Tess ?
– Maman ?
– Bonjour, madame King.
– Qui est à l'appareil ? »

Je savais qui c'était.

« C'est Ben, madame King.
– Ben, pour l'amour du ciel ! Cesse de m'appeler Madame King. Tu approches de la quarantaine, non ? C'est indécent à la fin.
– C'est l'habitude, répondit-il.

– Comment vas-tu, dis-moi ? Ça fait des siècles qu'on ne t'a pas vu.

– Très bien. Et vous ?

– Je tâche d'éviter les ennuis, autant que faire se peut. J'ai fait campagne pour qu'on limite la vitesse à trente-cinq kilomètres heure aux abords des écoles, et puis j'ai eu un moment d'inattention et ça m'a valu trois points en moins sur mon permis. »

Ben gloussa. C'était la vérité. Cette réponse lui avait peut-être paru bizarre alors qu'il s'enquérait de sa santé, mais je connaissais bien maman et je savais pourquoi elle lui avait raconté ça. C'était sa manière à elle de lui dire qu'elle tenait encore la maladie en échec, qu'elle conduisait toujours, qu'elle n'avait rien perdu de son indépendance et continuait à avoir une vie. Durant les mauvaises phases, elle répondait plutôt : « Je fais beaucoup de puzzles », ou bien : « Je profite de m'occuper de mes albums de photos. »

Ben et elle continuèrent à bavarder. Je n'y voyais pas d'inconvénient puisque je n'arrivais pas à en placer une, de toute façon.

« Tessa m'a dit que tu avais été parfait l'autre soir, dit maman. (Je grimaçai en silence à l'autre bout de la ligne.) Je trouve merveilleux que vous puissiez compter ainsi les uns sur les autres. Bref, embrasse Sasha pour moi. Je vous laisse bavarder tous les deux, mais je te rappelle que nous dînons à sept heures. »

Encore une de ces plaisanteries typiques de ma mère. Il n'était que trois heures de l'après-midi, mais Ben et moi avions la réputation de bavasser pendant des heures. Je ne pensais pas que ce serait le cas cette fois-ci. J'entendis le déclic quand elle raccrocha l'autre téléphone de la maison. Nous étions seuls.

« Salut, Tess.

– Salut, Ben. »

Silence. Un silence étrange, puisqu'il n'était pas malaisé le moins du monde.

« Je croyais t'avoir perdue, dit-il.

– Désolée. Je ne t'avais pas dit que j'allais chez mes parents ?

– Non.

– Désolée. »

Un autre silence s'ensuivit. Un peu plus tendu.

« J'ai déjeuné avec Sasha, repris-je.

– Je sais. »

J'attendis.

« Elle était ravie de te voir », ajouta-t-il.

En d'autres termes, tu n'as pas fait de vagues.

« Moi aussi, ça m'a fait plaisir de la voir. Elle m'a beaucoup aidée en fait. Elle m'a donné quelques bons conseils. »

Allait-il me demander à quel sujet ? Il s'en abstint. J'avais entrebâillé la porte. Il l'avait refermée. J'avais envie de la défoncer à coups de pied, mais je devais la laisser fermée.

« C'est une femme pleine de sagesse, dit-il.

– C'est vrai, acquiesçai-je.

– Bref, je voulais juste m'assurer que tout allait bien pour toi. Je sais que Claudia est concernée au premier degré, mais c'était vraiment dur pour toi aussi. »

Je me souvins de cette cuvette de toilettes dont je ne pouvais détacher les yeux, mais chassai cette image de mon esprit.

« Je les plains de tout mon cœur. Je trouve que c'est bien qu'ils partent.

– Ils renoncent aux FIV alors ? C'est ça ?

– Claudia ne l'a pas dit comme ça, et le médecin m'a assuré que ce serait différent la prochaine fois, mais, qui sait...

– Différent peut-être, mais pas forcément fructueux.

– Ils sont futés, ces toubibs. Ils choisissent judicieusement leurs mots.

– C'est un business comme un autre, je suppose, reprit Ben. En tout cas, elle a eu de la chance que tu sois là. Ça a marché, la peinture orange ?

– Impeccable. Je ne te remercierai jamais assez d'avoir volé à mon secours.

– Ne sois pas ridicule. Tu sais que je serai toujours prêt à tout lâcher si tu as besoin de moi. »

Tout sauf ta femme. Mon estomac chavira. *Chasse cette vilaine pensée de ton esprit. Ouste !*

« Je sais. Merci.

– Al m'a téléphoné à propos du déjeuner samedi. Il m'a dit que c'était toi qui organisais.

– J'étais en train de composer ton numéro quand tu as appelé.

– Eh bien, la télépathie a mis du temps à marcher. Je t'exhorte à m'appeler depuis lundi dernier. L'espace d'un instant, j'ai craint que tu aies filé à l'ashram retrouver ta Suisse. »

Ce charmant échange se poursuivit encore une quinzaine de minutes. Nous effleurâmes plusieurs fois le sujet, même si personne ne s'en serait aperçu en écoutant notre conversation. Nous avions perfectionné cet art au fil des années, depuis que Ben avait été percuté par cette cycliste. C'était un système à double sens – nous étions tous les deux complices –, mais, à l'évidence, Ben tirait son épingle du jeu et je ne pouvais pas vraiment en dire autant. Il avait Sasha. Une femme incroyable qui touchait aux fibres mêmes de son être au point d'avoir aussi peu envie que lui de procréer. Je n'avais personne. Ben n'allait pas quitter sa femme pour moi. Je n'avais aucune envie qu'il le fasse, de toute façon. Je voulais vivre dans un monde parallèle qui n'existait pas hors de la sphère de mon imagination. Je voulais que les choses soient différentes. Et ça n'arriverait jamais si je ne faisais pas quelque chose tout de suite.

Je devais prendre une décision. Modifier le cours de mon existence. Renoncer à une relation imaginaire qui durait depuis vingt ans. Je devais divorcer d'un homme que je n'avais jamais épousé. Aller de l'avant. Pour survivre, je devais accepter que l'homme que j'avais considéré comme mien d'une certaine manière ne m'appartenait pas, ne m'avait jamais appartenu et ne m'appartiendrait jamais. Il fallait que je lui dise au revoir sans qu'il le sache jamais.

« Je dois te laisser, Ben, dis-je d'un ton plus ferme que je ne l'aurais souhaité.

– Entendu, mon cœur. À samedi. »

Le samedi en question était arrivé, et j'avais le cœur au bord des lèvres. Quand je poussai la porte du restaurant italien, des arômes d'ail et d'huile d'olive me chatouillèrent les narines. Al et Claudia étaient déjà attablés en compagnie de Ben et de Sasha. Il restait trois places entre eux deux. J'embrassai tout le monde – Ben en premier, ce qui était probablement normal – puis je pris place à côté de Sasha, ce qui l'était moins. Bien joué ! J'avais entamé le processus de rupture. Je m'asseyais toujours à côté de Ben. Machinalement. Sans y réfléchir à deux fois. Plus maintenant. Moi, Tessa King, je contrôlais désormais ma destinée.

Les serveurs insistèrent pour que nous commandions du vin ; ils nous apportèrent du pain et des olives, puis nous laissèrent étudier le menu en paix. Je servis le vin. Nous levâmes solennellement nos verres.

« À la santé et au bonheur », déclamâmes-nous de concert.

Notre grande requête devenait chaque jour plus difficile à satisfaire.

« Où sont passés Helen et Neil ? demandai-je.

– Ils ne se sont pas décommandés en tout cas, dit Claudia.

– Helen viendra », affirma Al.

Il y a intérêt, pensai-je.

Plus nous nous efforcions de nous détendre, plus le malaise ambiant grandissait. Nous connaissions tous la raison de notre présence, mais personne ne voulait en parler. En désespoir de cause, nous évoquâmes tous les sites proches de Singapour qu'Al et Claudia pouvaient visiter. Nous parlions de leur destination, mais pas du motif de leur départ. Les deux chaises vides entre Ben et moi me détournaient l'esprit de ma mission qui consistait à offrir à Claudia un agréable repas d'adieux. Je n'arrêtais pas de regarder ma montre.

« Je devrais peut-être l'appeler ? dis-je finalement. Je n'ai pas parlé à Helen directement. C'est Neil que j'ai eu au bout du fil. Il a peut-être oublié de lui transmettre.

– C'est inutile. Helen m'a appelée pour prendre de mes nouvelles, répondit Claudia. Elle va venir, c'est sûr. Elle doit avoir des problèmes d'organisation. »

J'étais déterminée à changer de sujet au plus vite.

« Où es-tu allée cette semaine, Sasha ? demandai-je en détournant les yeux de Claudia.

– En Allemagne, de nouveau. À Berlin. »

Elle secoua la tête en souriant d'un air canaille.

« C'est la fête en permanence dans cette ville. Je me couche toujours trop tard quand je suis là-bas.

– Fais gaffe, Ben, intervint Al. Elle va finir par se rendre compte qu'elle a fait un mauvais choix et se faire la malle avec une Bratwurst à gros biscoteaux, dégoulinante de bière du nom de Bruno.

– Jolie rime ! nota Ben.

– Merci.

– Je doute que Ben ait du souci à se faire à cause de moi », riposta Sasha en enveloppant son mari d'un regard tendre.

Des « ah » fusèrent autour de la table. Je gardai le silence, me demandant de qui Ben devait s'inquiéter, à part elle. À moins qu'elle ait insinué que le sujet d'inquiétude, c'était lui.

« J'ai rencontré la plupart des hommes avec qui Sasha voyage pratiquement toutes les semaines. Ils sont presque tous petits, bedonnants, avec un menton en galoche et…

– … des cerveaux surdéveloppés, acheva-t-elle pour lui. Qui contrôlent incidemment soixante-quinze pour cent des marchés monétaires européens. »

Ben considéra la tablée.

« Je suis foutu.

– Fort heureusement, je ne suis pas en quête d'un donneur de sperme, alors pour le moment, tu ne crains rien.

C'eut été une bonne blague dans des circonstances ordinaires, seulement les circonstances n'avaient rien d'ordinaire. Sasha se rendit compte instantanément qu'elle avait fait une gaffe. Je me creusai la cervelle en vain pour trouver une réplique et la sortir d'affaire. Sasha braqua un revolver imaginaire contre sa tempe et déclencha la gâchette.

« Désolée, Claud », dit-elle.

Claudia abattit ses deux mains sur la table.

« Arrêtez, dit-elle. Tous autant que vous êtes. Cessez de faire comme si on n'était pas là parce que Al et moi venons encore de perdre un bébé. C'est pour ça que je tenais à ce déjeuner, poursuivit-elle avec emphase. Pour qu'on ne soit plus obligés de jouer à ce petit jeu. Je n'ai pas le cancer. Je ne vais pas mourir. On a essayé, on a échoué, on réessayera peut-être. On échouera peut-être encore une fois. Que ça régente ma vie, passe encore, ça a été le cas, pour Al comme pour moi, je le regretterai toujours, mais il n'est pas question que ça gouverne notre amitié. Je veux savoir avec qui tu t'es envoyée en l'air récemment, Tessa. Je veux que tu me dises que tu n'en as rien à faire d'avoir des enfants, Sasha. Je veux que Ben continue de raconter à Al qu'il aimerait bien que sa femme arrête de réclamer des positions pas possibles pour faire l'amour…

– Comment tu sais ça ? » intervint Ben.

Mais Claudia était lancée. On ne pouvait plus l'arrêter.

« Vous pouvez parler de ragnagnas sans blêmir. Je veux que mes amis puissent se plaindre de leur progéniture sans se sentir coupables. Je veux dire à Helen qu'elle est une super maman quand elle arrive sans que tout le monde s'étouffe avec ses *vongole*. Vous comprenez ? »

Nous hochâmes tous la tête à l'unisson.

« Assez de simagrées. On arrête de marcher sur des œufs. Pigé ? »

Nouveaux hochements de tête.

« Bon, alors, commençons par le commencement, enchaîna Ben. Avec qui Tessa s'envoie-t-elle en l'air ? »

Question tendancieuse, s'il en est. Mais je ne jouais plus. *Pouce !*

« J'en suis arrivée à une conclusion terrifiante l'autre jour, répondis-je. Je suis célibataire, mais je ne suis pas frustrée sexuellement, ce qui ne peut vouloir dire qu'une seule chose.

– Vive les joujoux électroniques ! lança Sasha.

– Personnellement, je n'ai jamais été très branchée électronique, répondis-je.

– Tu devrais. La seule façon pour moi de rester fidèle pendant ces voyages d'affaires, c'est d'emporter un petit truc dans mes affaires.

– Pas si petit que ça, commenta Ben.

– C'est vrai ? » demanda Claudia.

Sasha lui fit un clin d'œil. Un long clin d'œil aguicheur. Elle savait s'y prendre, la coquine.

« Les mecs ont leurs films porno. Les filles, leurs jouets. Comme ça on revient tous contents auprès de nos conjoints. C'est ceux qui n'ont ni porno ni joujoux dont il faut s'inquiéter.

– Et ces gens-là contrôlent soixante-quinze pour cent des marchés monétaires européens ? s'enquit Al.

– Oui.

– Je crois qu'il est temps d'acheter des yens, ma chérie, renchérit-il.

– Je pense qu'il est temps de commander. On donne dans le lascif et il n'est pas encore une heure de l'après-midi, renchérit Claudia.

– Où sont passés Helen et Neil, pour l'amour du ciel ? » demandai-je.

Claudia, qui faisait face à la porte d'entrée, brandit l'index.

« Les voilà. »

Puis elle fronça les sourcils. Je fis volte-face. Helen se démenait comme un beau diable pour franchir le seuil du petit restaurant avec un landau si énorme que ça aurait valu le coup de l'équiper d'une pancarte « véhicule encombrant » et d'une escouade de motocyclistes. Des serveurs tout sourire essayaient de l'aider en s'exclamant *« belli bambini »*, ce en quoi ils manquaient indiscutablement de sincérité. Les jumeaux en étaient encore à leur période James Gandolfini. En bons serveurs italiens, ils ménageaient les apparences, voilà tout. Histoire de mériter leur réputation, et leur pourboire. Mais ce n'était pas ce qui me préoccupait le plus. Entre arrêter les simagrées et se pointer avec deux bébés vagissants à un déjeuner avec une femme qui avait perdu le sien quinze jours plus tôt, il y avait comme qui dirait de la marge.

Ben se leva.

« Elle a besoin d'un coup de main, j'ai l'impression.

– Où est Neil ? »

Personne ne répondit. Nous regardions Helen manœuvrer son véhicule entre les tables, cognant les gens, faisant tomber manteaux et chapeaux en passant. Elle avait dû s'excuser vingt fois entre la porte et notre table, au fond du restaurant. Si j'avais imaginé une seconde qu'elle amènerait les jumeaux, j'aurais choisi un autre endroit pour déjeuner, mais, bon d'accord, je suis peut-être ringarde, je pensais qu'elle se serait doutée que ce n'était pas une bonne idée.

« Désolée d'être en retard », dit-elle.

En retard ? Tu es désolée d'être en retard ? Tu ferais mieux de dire que tu es désolée d'être obnubilée par ta progéniture au point d'être devenue totalement insensible à ton entourage.

« Pas de souci, répondit Claudia. Je suis heureuse que tu sois là. »

La foncière générosité de Claudia a quelque chose de très agaçant parfois. Personne ne va donc protester en disant que ça ne se fait pas ?

« Où est Neil ? demandai-je une fois de plus avec un sourire crispé.

– Il était pris, euh, par le boulot. Montage-son… »

Encore un vendredi soir qui s'était éternisé, pensai-je. Je n'étais pas d'humeur compatissante. Tout le monde déplaça sa chaise pour faire de la place aux jumeaux.

« Je ne savais pas que tu viendrais avec les garçons, dis-je à Helen quand elle s'assit à côté de moi.

– C'était le jour de congé de la nounou. Neil était censé la remplacer, mais il a dû aller bosser, et j'avais tellement envie de venir… Au moindre incident, on s'en ira.

– Ne sois pas ridicule, protesta Claudia. Je ne vais pas voir mes filleuls pendant plusieurs mois. Je suis ravie que tu les aies amenés.

– Ils ont mangé. Ils devraient dormir. »

Je scrutai le visage de Helen. Elle avait davantage d'anti-cerne que Pete Burns, et Touche Éclat ne suffisait pas à dissimuler ses mensonges. Elle couvrait son sale mec, comme d'habitude. Elle avait l'air crevée et elle tremblait. Avant elle me parlait des nuits où Neil découchait, mais je suppose que c'est devenu gênant pour elle à force, dans la mesure où il ne changeait pas et où elle ne faisait rien pour l'en empêcher. « Je ne rentrerai pas tard. » « Un dernier verre et j'arrive. » Ou le classique : « Je suis en route. » Plusieurs heures s'écoulaient ; Helen était folle d'inquiétude et finalement il déboulait trop ivre pour se déshabiller. Je lui avais suggéré de l'enfermer dehors, mais elle avait trop peur qu'il la quitte.

Elle n'avait probablement pas fermé l'œil de la nuit, soit furieuse contre Neil – je crois qu'elle avait dépassé le stade de l'inquiétude –, soit auprès des jumeaux. (Je ne voyais pas comment ils pouvaient dormir autant la journée et faire leur nuit en plus.) Neil était peut-être rentré, ou peut-être pas. Dans un cas comme dans l'autre, il aurait été incapable de s'occuper des jumeaux. Helen avait dû boire des litres de café avant de se traîner jusqu'au restaurant avec ses gosses. Elle aurait mieux fait de ne pas venir du tout.

« Et Rose ? » demandai-je.

Je percevais les poignards dans ma voix, mais je n'arrivais pas à me contenir. Helen me jeta un coup d'œil nerveux. Je la rendais nerveuse. Tant mieux.

« Elle a travaillé trois week-ends d'affilée. Je ne pouvais pas lui demander ça.

– Je suis sûre qu'elle les aurait volontiers gardés quelques heures.

– Elle avait des projets. »

Pour je ne sais quelle raison, je ne croyais pas un mot de ce qu'elle me disait.

« Tu as besoin d'un verre de vin, dit Al.

– Je ne peux pas. J'allaite encore.

– Allons, l'exhortai-je, un verre, ça ne peut pas faire de mal.

– Le problème, c'est que j'en boirais bien plusieurs. »

Tout le monde rit en chœur.

« C'est si dur que ça, lança Al.

– Ils sont adorables quand ils dorment, répondit-elle. Quand ils sont réveillés, ils s'excitent mutuellement.

– Sasha a une amie de fac qui a eu des jumelles, intervint Ben. C'est l'enfer au début, paraît-il, mais une fois sortis de la phase bébé, les jumeaux se suffisent à eux-mêmes et jouent tranquillement ensemble. Tu seras dédommagée plus tard.

– Ils jouent ensemble ou ils se tapent dessus ? demanda Helen.

– Ce sont des filles, répondit Sasha. Même si je répugne à les stéréotyper sexuellement à un âge si précoce, il semble qu'elles passent des heures à faire du coloriage.

– Je suis sûre que mes fils en feront de même », répliqua Helen. Je crus discerner une touche de fierté dans sa voix. Je l'aurais giflée. Je me tournai vers Claudia. Elle avait un sourire scotché sur les lèvres. Arrêtez, avais-je envie de crier. Ça ne va pas du tout. On ne devrait pas être là à parler de vos bébés. Ne lui faites pas ça. Elle en a assez bavé !

J'étais trop énervée pour trouver une issue, mais Al, lui, n'avait pas perdu le nord. Il fit signe à un serveur et lui annonça que nous étions prêts à commander, ce qui n'était évidemment pas le cas puisque nous avions à peine jeté un coup d'œil au menu. Pendant quelques instants, tout au moins, l'attention de tout le monde fut accaparée par autre chose et lorsque la commande fut enfin prise, Al se lança dans un long récit très drôle à propos d'un des projets de construction auxquels il avait participé en Inde. J'écoutais d'une oreille distraite tout en discutant avec Helen dans ma tête, lui signifiant sans détour ce que je pensais de son tour de force. Ça me rendait folle de rage qu'Al soit obligé de ressasser de vieilles anecdotes pour l'empêcher de torturer son épouse.

Pour ce qui est de la colère, je suis incorrigible. Comme pour toute émotion forte envers autrui, d'ailleurs. Elle monte à la surface en bouillonnant et elle explose. Je suis incapable de contrôler ma déception, ma rage, ma tristesse. Quand je suis troublée, ça se voit. Je ferais un piètre espion. Le revers de la médaille, c'est que lorsque je suis heureuse, je me fends la pipe, je souris aux gens dans la rue. Quand je suis contente, je suis la sérénité même. La médaille a un troisième côté : ma façade en briques ! Réservée exclusivement aux émotions extrêmes. Je n'aime pas ça du tout. Mais Helen ne réagissait pas, de sorte que ma rage ne fit qu'empirer. Pendant tout le déjeuner, je me hérissais chaque fois qu'elle prenait la parole ; j'étais consciente de mon ton acerbe quand je m'adressais à elle. En définitive, j'allai aux toilettes rien que pour m'éloigner d'elle.

J'étais en train d'examiner mon reflet dans la glace quand Claudia entra. Je lui souris avec bienveillance, pensant savoir pourquoi elle s'était échappée elle aussi.

« Ça va ? lui demandai-je.

– Ça ira dès que tu arrêteras de t'en prendre à Helen.

– Comment ? »

Elle s'adossa contre le lavabo.

« Ce n'est pas de sa faute si Neil a dû aller travailler.

– Si tant est qu'il soit au boulot.

– Tu es un peu injuste, Tessa, tu ne trouves pas ? Combien de fois ton amie Billy s'est-elle plantée dans ses horaires de baby-sitter, t'obligeant à embarquer Cora avec toi Dieu sait où ? N'est-ce pas la raison pour laquelle Francesca n'est pas venue te chercher à l'aéroport ? Les enfants passent d'abord, c'est comme ça. Puisque tu l'admets dans le cas de Fran et de Billy, tu devrais en faire autant pour Helen.

– D'accord, mais la situation est un peu différente, tu ne penses pas ?

– Tu n'as pas écouté ce que j'ai dit tout à l'heure ? C'est dur à encaisser, bien sûr. Ça fait des années que c'est dur. Je compte les bébés dans la rue. Combien j'en vois. Mon record est de quarante-quatre en une seule journée. Quarante-quatre bébés qui n'étaient pas à moi.

– Justement ! C'est ton déjeuner d'adieux. Tu as vécu un enfer. Tu n'as pas besoin de ça.

– Tu ne comprends pas ce que je dis. Je ne demande pas à ces quarante-quatre mères de ne pas avoir d'enfants. Ni à Helen de ne pas avoir ses jumeaux. Je veux que tu aies des enfants toi aussi quand tu en auras envie. Le moment venu, je veux que tu me rebattes les oreilles avec leurs rots et leurs grosses commissions. J'aimerais en faire autant. Pas à ta place. Moi aussi. Si Helen s'était abstenue de venir, pensant que je préférerais ne pas la voir plutôt qu'elle se pointe avec ses enfants, au bout du compte je finirais tellement isolée que ce serait l'horreur. Je suis flattée qu'elle les ait amenés.

– C'est lui faire trop d'honneur, à mon avis. Elle est totalement obnubilée par ces mouflets et son horrible mari.

– Tu as sûrement raison, Tessa. Quand on a appelé Neil pour qu'il aille au boulot, elle a dû se dire, super, on va tous aller à ce déjeuner d'adieux qui n'aurait pas eu lieu si Al et Claudia n'avaient pas perdu leur bébé il y a une semaine. Quelle aubaine !

– Je doute qu'on ait appelé Neil.

– La question n'est pas là. Neil n'est pas mon ami. Helen, si. En prenant la décision de venir, elle a voulu instaurer une normalité entre nous. Si je n'avais pas fait une fausse couche, elle aurait amené les jumeaux sans y réfléchir à deux fois. J'ai besoin que vous soyez tous normaux pour éviter de sombrer dans cette folie qui menace de me consumer. »

Elle déglutit avec peine, tripota sa frange à plusieurs reprises avant de reporter son attention sur moi. Je l'observai attentivement. Elle releva ses cheveux, et je remarquai pour la première fois que son front s'était légèrement dégarni. Parce qu'elle avait la frange, ses cheveux lui retombaient sur le visage, mais en y regardant de plus près, ils me paraissaient clairsemés.

Je m'écartai d'elle quand elle me rendit mon regard.

« En amenant les jumeaux, Helen m'oblige à être normale. Il faut que tu le comprennes.

– Mais ça doit être tellement dur. »

Émotionnellement ainsi que physiquement, à en juger d'après son apparence.

« Même si c'est dur, ça ne l'est pas pour toi. Pourquoi es-tu en rogne ? »

Je la dévisageai.

« Tessa. Qu'est-ce qu'il y a ? »

Je secouai la tête.

« Qu'est-ce qui te tracasse à la fin ? »

C'est le problème avec les vieux potes. Pas moyen de se réinventer.

« Serais-tu enceinte ? »

J'en restai bouche bée.

« Mon Dieu, non !

– Si c'était le cas, tu me le dirais, hein ? »

Je l'attirai contre moi pour qu'elle ne puisse pas lire mon soulagement sur mon visage.

« Comment veux-tu que je tombe enceinte ? Je n'ai pas de jules attitré.

– Certes, mais tu couches à droite à gauche.

– Merci.

– Je dis juste qu'un accident est vite arrivé.

– C'est pas vrai. Les gens prennent des risques et ils se font avoir. Je ne prends pas de risques… »

Claudia ouvrit la bouche pour protester.

« Je t'assure.

– À d'autres ! L'autre soir, avec ce type, tu t'es servi d'un préservatif ? »

Pas la première fois, je te l'accorde, ni la deuxième, dans la douche.

« C'est pas juste. Les circonstances étaient exceptionnelles. »

Claudia croisa les bras.

« En d'autres termes : "Non, Claudia, parce que je suis une imbécile."

– Je prends la pilule, ripostai-je, pour me défendre.

– Jamais entendu parler des MST ? Sans parler de l'évidence.

– Bien sûr, mais…

– Ça n'arrive qu'aux autres.

– Je n'ai fait ça qu'une fois, Claudia.

– Hum hum. »

Elle n'était pas convaincue.

« Et si le jour où tu rencontres finalement quelqu'un et que tu tentes de fonder une famille, tu t'aperçois que tu ne peux pas avoir d'enfants parce que tu as couché avec des mecs sans protection ? Ça serait top, non ?

– On n'est pas ici pour parler de moi.

– Belle manière de prendre la tangente, ma jolie. Tu es très douée pour ça.

– Claudia, protestai-je, piquée au vif. Je suis désolée de m'en être prise à Helen, mais ne m'en veux pas.

– Il y a des moments où tu me fous en rogne. »

J'étais perplexe. C'était à Helen qu'on en voulait – enfant gâtée, égoïste avec son landau Bugaboo géant et ses sacs à couches assortis.

« Tu me caches quelque chose, je le sais, dit Claudia en plantant son regard bleu dans le mien.

– Pas du tout.

– Tu ne penses pas qu'il serait temps de regarder les choses en face ? »

Admettre que tu ne peux pas avoir d'enfants, par exemple ?

Je fis couler l'eau et me lavai méticuleusement les mains. Je voulais changer de sujet avant de dire quelque chose que je regretterais.

« Je regrette d'être sortie de mes gonds. »

Je m'approchai du sèche-mains et agitai mes doigts mouillés en dessous. Il ne se passa rien. Claudia me tendit du papier toilette.

« Merci. Je vais me calmer, je te promets. Tu crois que Helen s'en est aperçue ?

– Tu as une forte personnalité, Tessa, et quand tu montes sur tes grands chevaux, on s'écrase tous.

– Tu n'es pas mal non plus, dans le genre.

– Ça m'inquiète quand je te vois… »

Elle marqua un temps d'arrêt. J'en profitai.

« Je vais être gentille avec Helen, je te le promets. »

Elle posa sa main sur la mienne et me regarda dans le blanc des yeux.

« Tessa, tu n'as pas l'impression parfois qu'on est coincées ? Moi et cette histoire de bébé, toi et… »

Elle laissa à nouveau sa phrase en suspens, et je n'allais pas voler à son secours. Je lui rendis son regard d'un air morne. Il y a des moments où il faut être imperturbable. Comme un joueur de poker. J'ai un don pour ça aussi. Je devrais apprendre à jouer aux cartes en fait, parce que, si je suis transparente lorsqu'il s'agit des autres, quand il est question de moi, je suis capable de m'entourer d'un mur infranchissable. Ça rend ma mère dingue. Claudia abandonna la partie.

« Je sais que tu ne peux pas encadrer Neil, reprit-elle, mais Helen n'a pas ta force. Elle a besoin d'une assise. Loin de sa mère. Sur ce plan-là au moins, elle a réussi.

– Elle est de plus en plus branlante, son assise…

– Peut-être. N'empêche que tu devrais essayer de te montrer un peu plus compréhensive. Toi, on t'a toujours aimée, dès l'instant où tu as vu le jour. Tu cherches un amour inconditionnel et tu ne te contenteras de rien d'autre. Tant mieux, c'est normal d'être aimé. Mais Helen n'a jamais connu ça, alors lâche-lui du lest, même si elle est obsédée par ses petits garçons. Je parie que c'est une arme à double tranchant pour elle. En découvrant les profondeurs de l'amour maternel, elle doit se rendre compte à quel point elle a été peu aimée. Ajoute à ça les hormones, qui, j'en témoigne, sont capables de détraquer une femme aussi saine d'esprit soit-elle, un mari qui ne t'apporte aucun soutien, trop d'argent, pas de sommeil, et franchement, je trouve qu'elle s'en sort plutôt bien. »

J'aurais voulu que ma colère se dissipe, mais elle était tenace.

« Elle a besoin de toi, même si elle ne te le dira jamais elle-même », ajouta Claudia.

Elle avait trouvé le truc. J'aime me sentir nécessaire.

« Tu vas me manquer, dis-je, même si tu es une vraie harpie.

– Viens nous voir à Singapour. On partira à la découverte des plages. Al pourra travailler tranquillement comme ça, sans se préoccuper de moi. »

Ce n'était pas une mauvaise idée.

« Je pourrais.

– Tu pourrais.

– Rien ne m'en empêche, au fond. »

Claudia hocha la tête avec enthousiasme.

« En attendant, tu veux bien arrêter de terrifier la pauvre Helen.

– Entendu. »

Claudia me prit la main.

« À présent, allons boire un canon. Il faut que je profite des avantages qu'il y a à ne plus être enceinte. »

Je ne pouvais me résoudre à faire des excuses à Helen, mais je pris la peine de me pencher sur le landau et de produire des sons à la mesure des doux minois et de la bonne conduite de ses fils. Ils dormaient aussi profondément qu'au baptême et je me demandai si Helen n'exagérait pas son « cauchemar » et son épuisement histoire de cacher ce qui l'empêchait vraiment de dormir, à savoir : les absences de son mari. Elle se détendit visiblement et j'eus honte à la pensée d'avoir ce genre d'ascendant sur elle. J'insistai donc lourdement sur le fait qu'elle était absolument sublime au baptême et sur la splendeur de la réception.

« Je suis désolée de m'être volatilisée comme ça, me dit-elle à voix basse. Je crois que j'étais à court de balivernes. Et je m'excuse de t'avoir aboyé après.

– Qu'est-ce que tu racontes ?

– Je m'en veux d'avoir été si grognon ces derniers temps. Je commence à reprendre le dessus, je te promets. On ira faire la fête un soir, comme on a dit – même si c'était il y a un an et demi. Je ne te parle pas de la soirée de lancement. Rien que toi et moi, comme autrefois.

– Ce serait super, répondis-je, convaincue que j'avais encore un peu de temps devant moi.

– Ça me ferait du bien à moi aussi de sortir entre filles, dit Sasha, se joignant à notre conversation. Il y a beaucoup trop d'hommes dans ma vie en ce moment.

– Je laisserai les garçons avec Neil. Il n'aura qu'à les coucher.

– Il va t'accuser de ruer dans les brancards, à mon avis ! » intervint Ben.

Je m'attendais à ce que Helen se hérisse et se tourne vers moi en me traitant de rapporteuse, mais elle n'en fit rien.

« À qui le dis-tu ! répondit-elle avec un grand sourire. Je doute qu'il soit capable de les distinguer sans leur monogramme. »

Cette remarque déclencha l'hilarité générale, Helen riant plus fort que les autres. Elle avait rallié tout le monde à sa cause. J'aurais dû me réjouir de la voir dépasser mes attentes, mais bizarrement cela me mettait mal à l'aise. Je commandai une autre bouteille de vin et remplis généreusement les verres. Nous ne tardâmes pas à être un peu pompettes, à l'exception de Helen, et le volume sonore s'accrut proportionnellement autour de la table. Les bébés étaient sages comme des images et nous nous prîmes à regretter de ne pouvoir nous soustraire comme eux aux mauvaises blagues et aux vieilles histoires que nous ne cessions jamais de ressasser pour Dieu sait quelle raison. Claudia me faisait des grands sourires. Elle avait eu ce qu'elle voulait, contre toute attente. Nous réussîmes à déjeuner dans la bonne humeur. Comme une bande de vieux copains sans soucis, alors que rien n'était plus loin de la réalité.

Al et Claudia partaient le lendemain à la première heure. À cinq heures, nous réglâmes l'addition, laissant une foultitude de verres à limoncello vides éparpillés sur la nappe blanche en piteux état. Helen était partie plus tôt, quand les jumeaux avaient commencé à s'agiter. Nous l'avions exhortée à rester, mais elle avait répondu qu'il était hors de question qu'elle leur donne le sein en public et qu'ils étaient facilement distraits. Elle se rendait sans doute compte qu'elle dépasserait les bornes en allaitant devant Claudia. Il y a une marge entre jouer la carte de la normalité et enfoncer le clou, et j'appréciai silencieusement sa retenue.

Nous nous attardâmes quelques instants tous les cinq sur le trottoir. Le moment des adieux était venu. J'étreignis Al en premier et fus surprise de sentir ses côtes. Il avait encore maigri. Je lui redis à quel point je le trouvais génial. Sasha l'embrassa à son tour pendant que je serrais Claudia dans mes bras en lui promettant de me renseigner sur les vols. Puis Sasha étreignit Claudia et je me retrouvai à côté de Ben. Al héla un taxi. Claudia et Sasha continuaient à bavarder. Mon bras effleura celui de Ben ; je sentis la chaleur de son corps à travers mon chemisier. Il tendit le bras derrière mon dos et pressa mon autre épaule, puis il s'approcha d'Al. Nous agitâmes la main à l'adresse de nos voyageurs jusqu'à ce que la voiture disparaisse à l'angle de la rue. On n'était plus que trois.

Sasha aperçut un bus.

« Viens, Ben. Il va directement à la maison.

– On prend le bus ? s'exclama Ben.

– Ce que tu peux être snob. Allez, dépêche-toi, paresseux. »

Il se tourna vers moi.

« Allez, viens ! »

Sasha était déjà à mi-chemin de l'arrêt de bus, agitant frénétiquement la main.

– Vas-y, insistai-je en souriant.

– Je ne veux pas te laisser là toute seule.

– Ne te fais pas de souci pour moi.

– Tu es sûre ?

– Vas-y, répétai-je en le poussant légèrement.

– On se verra à la soirée de Channel 4 ? »

La soirée ?

« Pour la série de Neil.

– Seigneur ! »

J'avais complètement oublié qu'il y allait.

« Entendu.

– Super. »

Il m'envoya un baiser, se détourna et courut. Ils me firent signe depuis l'étage du bus en souriant comme des ivrognes.

Je leur rendis leur salut en jurant entre mes dents. A priori, l'époque où je m'appuyais sur Ben était révolue. Il fallait que je cesse d'usurper la place de Sasha. C'était la promesse que je m'étais faite. Je resserrai mon manteau autour de moi. *Je ne veux pas te laisser là toute seule. Je ne veux pas te laisser là toute seule. Je ne veux pas te laisser là toute seule.* Je regardai fixement le bus partir.

Alors ne me laisse pas, murmurai-je en baissant la main. Pour finir, le bus disparut à son tour à l'angle de la rue en emportant mes derniers amis. Et là, il n'y avait plus que moi.

11

Mensonges

Le lundi matin, je me réveillai déprimée. La semaine s'étendait devant moi sans que j'aie quoi que ce soit au programme en dehors d'un entretien avec un chasseur de têtes le mercredi et un rendez-vous avec mon comptable le vendredi. Nom d'un petit bonhomme ! Même en ajoutant quelques cours de yoga, diverses corvées, les courses, ça faisait pas mal de temps à remplir.

Claudia et Al me manquaient. On ne se voyait pas si souvent que ça, mais ça me faisait tout drôle qu'ils ne soient plus là. Sasha m'avait dit qu'elle serait partie toute la semaine, ce qui signifiait que je devais éviter Ben tant que je n'aurais pas repris mes esprits. Helen m'avait expliqué qu'elle emmenait les jumeaux et Rose à la campagne quelques jours afin de se reposer et d'être au top à la soirée de Neil en fin de semaine. Elle était toujours la reine du bal, même si je savais que ça lui coûtait d'aller à ces réceptions. Elle était incroyablement mal à l'aise pour une femme aussi belle, et étrangement timide. Lisant entre les lignes, j'en conclus qu'elle rendait probablement à Neil la monnaie de sa pièce après la nuit qu'il avait passée dehors la veille du déjeuner d'adieux de Claudia et d'Al. En dépit de sa répugnance à se salir les mains avec les jumeaux

– littéralement –, il ne faisait aucun doute qu'il aimait ses « fils et héritiers », selon sa formule. Enfin, sans aller jusque-là, il se félicitait tout du moins de leur existence, ce qui ferait probablement l'affaire jusqu'à ce qu'ils deviennent des compagnons un peu plus gratifiants. En attendant, je me réjouissais que Helen ait repris du poil de la bête.

Le ciel était d'un beau bleu automnal. Je refusais de continuer à me tourner les pouces en regardant le monde s'agiter autour de moi. Je suivais des yeux les cyclistes qui traversaient le pont. Voilà ce que j'allais faire – j'allais sortir mon vélo du local et aller faire un tour. Je m'empressai de composer le numéro de téléphone de Fran avant de changer d'avis.

« Salut, Fran, tu es occupée ?

– Très drôle. »

Je ne voyais pas ce qu'il y avait de drôle.

« Où es-tu ?

– À l'école. Sur le point de rentrer à la maison à bicyclette.

– Super. Tu ne voudrais pas me retrouver quelque part ? Battersea Park ? On pourrait faire un petit tour et boire un café.

– … Euh.

– Il fait un temps magnifique.

– Et puis merde ! Pourquoi pas ! La lessive peut attendre. J'y serai dans vingt minutes.

– Parfait, c'est le temps qu'il me faut pour retirer les toiles d'araignées de mon vélo. On se retrouve au portail, côté Chelsea Bridge.

– Génial, répondit Francesca. C'est exactement ce qu'il me faut. »

Roman se paya ma tête en me voyant apparaître avec mon casque et mon brassard réfléchissant. Mon vélo n'avait pas bougé de place depuis que je l'avais acheté dans l'intention de m'en servir tous les jours pour aller bosser. Ça devait m'éviter de payer une fortune pour pédaler sur place dans un club de gym. Cette tocade dura en tout et pour tout une journée. Aller au boulot en vélo, c'était génial ; le problème, c'était le retour. J'avais rendez-vous avec des amis dans la City ce soir-là, et après quelques verres, je m'étais perdue dans l'Aldgate East pour me retrouver finalement – et je ne sais toujours pas comment – en train de dévaler le tunnel de Limehouse Link où j'avais été forcée de pédaler comme une bête dans des ténèbres infestées de monoxyde de carbone avant de refaire surface à Canary Wharf, des kilomètres plus loin. Incapable d'affronter de nouveau les gaz d'échappement et la peur, j'avais appelé un taxi et dépensé une somme considérable pour regagner mes pénates avec mon vélo. J'avais eu mal aux fesses pendant une semaine. La bicyclette avait été reléguée à la cave, et je ne m'étais plus aventurée dessus depuis. Mais j'étais repartie de zéro, non ?

Francesca m'attendait sur son vélo antique, agrémenté d'un panier rempli de Dieu sait quoi ; elle avait des pinces au bas de son pantalon. Ses cheveux bruns ondulés étaient coupés assez court, ses vêtements dissimulaient sa silhouette, mais elle avait encore une peau jeune et lisse. On mérite bien ça quand on ne brûle pas la chandelle du tout ! Elle avait l'air un peu déjantée tout de même. J'étais sur le point de la taquiner, mais elle rit de moi avant que j'aie le temps de la mettre en boîte. Je suppose que ça avait quelque chose de pitoyable, tout cet équipement de cycliste flambant neuf sur une fille qui ne savait pas faire du vélo. Nous franchîmes le portail et nous élançâmes à une cadence tranquille, très féminine. J'avais envie de lui parler de Caspar, mais je me disais qu'il serait peut-être préférable de tourner un moment autour du pot.

« Comment va Nick ?

– Il est à Saigon.

– Il en a de la chance ! J'adore Saigon.

– Il ne voit pas grand-chose à part l'hôtel. Il est allé à une conférence internationale sur le travail forcé des enfants – tu sais, les gosses qui fabriquent ces baskets criardes. Pendant ce temps-là, à l'autre bout de la planète, moi, je suis chez Woolworths en train de batailler avec une gamine de cinq ans qui me réclame ces mêmes baskets.

– Tu me fais marcher, là ? m'enquis-je, sentant que mes joues commençaient à briller à force de pédaler.

– Pas du tout. Poppy a hurlé comme c'est pas possible quand j'ai dit non. Tu aurais dû voir les regards que m'ont décochés les autres mères. Il m'aurait suffi de débourser 4,99 livres pour avoir la paix. C'est une question de principe. Il ne faut pas céder. Si tu cèdes, tu es foutue. Ta parole ne vaut plus rien ; tes enfants te mettront sur la paille. Dire que j'étais juste allée acheter un ouvre-boîtes. »

Je ris.

« Tu t'en fiches, toi ! Tu ne sais pas ce que c'est que d'être humiliée par tes enfants en public.

– Non, répondis-je en accélérant un peu pour faire la course avec un écureuil. Mais je n'ai pas besoin d'avoir des enfants pour ça », ajoutai-je en me retournant vers elle.

Elle me rattrapa. Elle n'avait pas du tout l'air essoufflée.

« Elle m'a dit que je lui pourrissais la vie. À cinq ans ! J'aurais pu la tuer. »

Je dissimulai mon sourire. Je serais nulle question discipline. J'étais trop sujette aux fous rires.

« Je deviens aigrie. C'est à cause de ces vacances d'été qui n'en finissent pas.

– Les vacances d'été ? On est en octobre, Fran.

– Précisément. Et je ne m'en suis toujours pas remise. Nick était par monts et par vaux. Caspar m'a donné du fil à retordre, comme tu le sais. Les filles savent exactement à quel moment me mettre la pression. J'en ai assez, assez de me battre sur tous les fronts. »

Elle m'avait fourni un enchaînement idéal. Caspar. Je sautais sur l'occasion.

« Comment va mon charmant Caspar ?

– Une vraie teigne. Il est persuadé que je ne pige pas. Que je ne peux pas comprendre, que je n'ai jamais été jeune. C'est agaçant à la fin. D'accord, les jeunes d'aujourd'hui subissent probablement davantage de pression que nous, mais s'imaginer que je ne comprends pas ! »

Elle secoua la tête sous son casque.

« C'est ridicule. Il me tape sur les nerfs et tout ce que je fais, c'est mal. À propos, merci encore de l'avoir sorti du pétrin l'autre soir. Toi au moins, il t'écoute. C'est déjà quelque chose. »

Je formulai soigneusement ma question suivante.

« Il m'a dit que tu l'avais privé de sortie pour l'histoire de la bière.

– Ah bon ? Il t'a dit ça ?

– Il m'a appelé l'autre jour pour bavarder.

– Pour bavarder ? »

Elle freina brusquement. J'arrêtai de pédaler et fis demi-tour. Il était évident qu'elle ne croyait pas non plus à un coup de fil désintéressé.

« T'a-t-il précisé que la bière en question n'était pas à nous ?

– Euh... non.

– Ça ne m'étonne pas. Il est allé la piquer chez les voisins. Ils ont des enfants du même âge, on a l'habitude d'entrer librement chez les uns, chez les autres. On était en train de déjeuner ensemble, mais tout de même... J'étais gênée, tu n'as pas idée. Bref, je l'ai interdit de sortie. Il y en a eu des claquements de portes après ça. Je ne veux même pas y penser.

– Il s'est bien gardé de me raconter tout ça, le petit saligaud.

– Je ne sais pas ce qu'il a. Vraiment pas. »

Je songeai à mes frasques de jeunesse. Rien de bien grave, somme toute, mais je me souvenais d'avoir fait la tronche à mes parents pendant des mois parce qu'ils m'avaient empêchée d'aller à une soirée. Comme Poppy, j'avais pensé qu'ils me pourrissaient la vie.

« Chercherait-il à te punir de quelque chose que tu lui aurais fait ? »

Francesca me dévisagea, horrifiée.

« Quelque chose dont il t'accuserait à tort, j'entends ? »

Elle secoua la tête lentement et elle se remit à pédaler sans me répondre. Elle se dirigea vers la mare et prit de la vitesse. Je suivis, quelques mètres derrière. Je n'avais pas voulu l'offenser. Après avoir contourné l'étang, elle ralentit et je la rattrapai.

« Ça fait du bien, dit-elle. De s'emplir les poumons d'air frais.

– Tu devrais peut-être partir quelques jours en laissant Nick à la maison s'occuper de tout ça. On pourrait s'offrir une thalasso. Les tarifs sont très corrects en semaine. Je crois d'ailleurs que j'ai un bon que j'ai gagné je ne sais où. Je t'invite, si tu veux. Si ça se trouve, tu es juste claquée. »

À propos de « claquée », je remarquai que je pantelais. Et pas elle.

« Je devrais faire une cure de ginseng », dit-elle, ignorant ma proposition. Peut-être ne m'avait-elle pas entendue à cause de la cacophonie des oies aux abords de l'étang, à moins que mon histoire de bon ne lui dise rien qui vaille et qu'elle répugne à ce qu'on lui fasse la charité.

« Au diable le ginseng. Tu ferais mieux de sortir. De venir faire la fête un soir. Mets-toi sur ton trente et un, fais-toi un shampoing si ça n'abîme pas trop la couche d'ozone, enfile des talons, exhibe tes jolies jambes et viens faire la bringue avec moi.

– Pour m'accouder à un comptoir et me faire draguer ?

– Je pensais plutôt à une vraie virée. Sans conversations rasantes entre femmes à propos de vaccins. »

Cela me valut un coup de pied. Il est bon de connaître ses limites.

« Des célébrités, des cocktails gratis, de la musique live et assez de propos creux pour s'y noyer. Qu'en penses-tu ?

– Ça me semble parfait.

– Super. Viens à la soirée de Neil samedi à Channel 4.

– Neil. Tu veux dire le Neil de Helen ? »

Francesca était un peu intimidée par eux, je le savais.

« Il ne daigne même pas me regarder, sans parler de se souvenir de mon nom. Je doute fort qu'il m'invite à sa fête.

– Ce n'est pas sa fête, et tu n'as pas besoin d'une invitation de toute façon. Tu peux remplacer Claudia, Nick sera parfait en Al et moi, je viendrai accompagnée de Billy. Elle aussi a besoin de décompresser, à mon avis.

– Bon d'accord. Je demanderai à Caspar de garder les petites.

– Je croyais que tu étais contre le travail des enfants.

– Ce que tu peux être agaçante ! »

En souriant, je fondis sur une nuée de gros pigeons en train de picorer un demi-paquet de pain de mie. Était-ce l'effet des endorphines ou autre chose ? En tout cas, j'étais contente.

Avec Fran, Nick et Billy pour faire tampon, j'étais parée pour la soirée de Neil.

En rentrant chez moi, je téléphonai à Caspar. Le pauvre malheureux avait un portable. J'avais dû attendre d'avoir trente-deux ans !

« Allô ? chuchota une voix.

– Salut, Caspar, c'est moi. Tu peux parler ?

– Non, je suis en classe.

– Pourquoi est-ce que tu réponds dans ce cas ?

– Tu n'as qu'à pas m'appeler pendant les cours.

– Ne sois pas insolent !

– Tu adores ça, en fait.

– Comment se fait-il que tu sois d'aussi bonne humeur ? »

Mon ton était plus suspicieux que je ne l'aurais souhaité.

« Bon sang ! J'ai toujours tort, c'est pas possible !

– Désolée, et puis merde… écoute, Caspar, à propos de cette histoire de bière…

– Ça y est, ça recommence. Écoute, Tessa, tu n'es pas ma mère, alors, lâche-moi, tu veux.

– Mais…

– Quoi ?

– J'essaie de t'aider. Appelle-moi après le cours. »

Une demi-heure plus tard, je sortis toute dégoulinante de la douche, et m'enveloppai à la hâte dans une serviette pour répondre au téléphone. Ce n'était pas Caspar, mais Billy.

« Désolée de te déranger, dit-elle. (Elle s'excuse toujours pour tout.) Tu es occupée ?

– Pas du tout, répondis-je en relevant mes cheveux dans une autre serviette avant de m'allonger sur mon lit pour sécher.

– J'ai un énorme service à te demander.

– Vas-y.

– J'ai des petits soucis d'argent et…

– Combien te faut-il ?

– Je n'ai pas besoin d'emprunter. Euh, c'est Christoph, il a omis de payer certaines factures. Ça fait un moment que j'essaie de le joindre, mais tu sais comment il est, toujours en vadrouille, alors…

– Depuis combien de temps ? »

Billy répugne à me faire part des fredaines de Christoph. Sa loyauté envers l'homme qui lui a brisé le cœur, qui a gâché sa vie et abandonné un des enfants les plus merveilleux que je connaisse me laisse pantoise.

« Quatre mois.

– Il ne te rappelle pas ?

– Eh bien, comme je te l'ai dit, il est en voyage et…

– Billy !

– Je sais, je sais. C'est pour ça que j'ai besoin de ton aide. J'ai rendez-vous demain avec l'avocat.

– Très bien, ça c'est très bien.

– Ça t'ennuierait d'aller chercher Cora à l'école ?

– Pas du tout. J'en serais ravie. Ce sera le moment fort de ma semaine. »

Je disais vrai.

« C'est toi qui me rends service, crois-moi. Écoute, si tu es d'accord, je l'emmènerai jouer chez Nick et Francesca. Katie et Poppy l'adorent.

– Parfait. Merci beaucoup.

– C'est à ça que ça sert, les marraines.

– Tu es la meilleure, Tessa. Merci. »

Le lendemain, à trois heures et demie, j'étais devant l'école de Cora. La cohue de gens déambulant avec des poussettes, des vélos, des chiens, des scooters était ahurissante. Cora avait de la chance. Son école n'allant que jusqu'au CM2, elle n'avait pas à s'aventurer parmi des hordes de gamins plus grands, intimidants, qui tendaient à jouer les gros bras quand ils avaient affaire aux petits.

Cora est menue. À sept ans, elle a l'air d'en avoir cinq, et j'avais toujours peur qu'on s'en prenne à elle. Depuis la naissance, elle était en dessous de la norme sur la courbe de taille du carnet de santé. Quand il lui arrivait d'aborder la question, je lui disais que mieux valait cela que d'être dans la moyenne.

Dès qu'elle me vit, son visage s'illumina et elle courut vers moi, ses longs cheveux flottant dans le vent. Elle avait l'air d'une gitane avec sa peau claire, ses grands yeux bruns, sa dent manquante, ses bras graciles. Je m'accroupis, ouvris grands les bras et attendis que ce paquet d'énergie me heurte de plein fouet.

« Salut, beauté.

– Salut, marraine Tess, t'as une drôle de couleur de peau. »

Ah, oui ! Le bronzage qui fout le camp, le désœuvrement et un vieux flacon d'« effet bonne mine » déniché en rangeant l'armoire à pharmacie peut avoir ce genre d'incidence.

« J'espérais que ça ne se verrait pas trop.

– C'est pas que ça se voit, ça fait des traces. »

Elle me prit la main.

« T'es comme un zèbre, tu peux te cacher dans les fourrés pour ne pas te faire manger par un lion. »

Ça avait quand même un avantage. J'avais l'air siphonnée, mais au moins, je ne me ferais pas dévorer.

« Tu m'as apporté mon éléphant aux petites oreilles ? »

Rien ne lui échappe, à cette petite.

« Il est dans ma voiture. »

Elle me gratifia d'un sourire rayonnant.

Nous discutâmes de l'école, de ses copines que je connaissais à peine. Nous débattîmes longuement au sujet des chaussettes qui se mélangeaient à la gym. Cora trouvait ça hilarant. J'avais du mal à la suivre, mais ça n'avait pas d'importance. Bercée par le son de sa voix, je la laissai babiller.

« Comment va ta mère ? demandai-je.

– Elle est fâchée contre Christoph. »

Cora avait toujours appelé son père Christoph en dépit des remontrances de sa mère qui redoutait que l'intéressé se vexe les rares fois où il daignait les honorer de sa présence. Comme si Cora pouvait vexer quelqu'un ! À mon avis, cela reflétait sa sagesse innée. Christoph n'était pas digne du précieux qualificatif de « papa ». Ma filleule avait peut-être l'air d'avoir cinq ans, mais à sept ans, elle avait la mentalité d'une femme mûre. Il lui arrive de dire des choses totalement dingues qui me stupéfient. J'ai envie de les écrire et de les glisser dans des biscuits chinois tant ses propos me paraissent judicieux. *Cora dit...* J'ai sans doute un parti pris. À d'autres moments, elle confond des mots d'adultes et sort des trucs que je serais plutôt tentée d'envoyer à un magazine féminin pour la rubrique « blagues d'enfants ». Cela vient du fait qu'elle écoute beaucoup les conversations des grandes personnes qu'elle déchiffre avec un cerveau de petite fille.

Alors que nous nous dirigions vers la voiture, elle désigna le supermarché du coin.

« On a dû rendre les courses à la dame du magasin. J'avais pourtant aidé à tout mettre dans les sacs. Elle nous a tout de même donné les haricots blancs en boîte et le pain, alors c'était pas trop grave. C'est la faute de Christoph, c'est un menteur, un sale menteur. »

Pauvre Billy. Je pouvais lui prêter de l'argent sans problème. Elle était trop fière.

« La vendeuse m'a donné une sucette en me disant de le dire à personne.

– Pourquoi est-ce que tu me le dis alors ? demandai-je en lui ébouriffant les cheveux.

– Parce que tu n'es pas vraiment une grande personne. »

Je sortis un stylo imaginaire, pris une note imaginaire, l'enveloppai dans un rouleau imaginaire que je glissai à l'intérieur d'un biscuit imaginaire. Cora dit... *Tu n'es pas vraiment une grande personne.*

Nous arrivâmes chez Nick et Francesca. Katie et Poppy étaient ravies quand Cora venait jouer, tout comme elle l'était elle-même. Cora, c'était la confiture dans leur sandwich. Katie et Poppy étaient les sœurs qui lui manquaient. En fait, elle jouait à la perfection son rôle de cadette. Elle s'inclinait devant Katie, elle encourageait Poppy, et comme elle passait un temps fou à s'amuser toute seule, Cora n'avait pas besoin de rivaliser avec elles pour attirer l'attention. Son calme plaisait aux deux autres, l'écart était comblé et trois fillettes heureuses disparaissaient dans un monde où ni Francesca, ni Billy, ni moi ne pouvions les suivre.

Gavées de saucisses et de purée, elles allèrent jouer, nous laissant, Francesca et moi, nous installer pour une conversation en règle devant une grosse théière. Une conversation d'un seul tenant. J'avais l'habitude des discussions entrecoupées de : « Attends une seconde, il faut juste que je... descende un jouet, fasse couler le bain, allume la télé, les départage, aille chercher un pansement, torche un derrière, trouve une Barbie », suivis de : « Où en étions-nous ? », auquel succédait inévitablement un : « Attends une seconde, il faut juste que... » Mais elles étaient au fond du jardin toutes les trois et se désintéressèrent de nous sauf pour requérir bizarrement des cuillères en bois et des granulés de café.

« Comment va Caspar le magnifique aujourd'hui ? demandai-je.

– Plutôt mieux, en fait. Il a mis la table du petit déjeuner ce matin.

– Bien ! »

C'était la réponse que j'espérais entendre.

« Tu lui as reparlé, n'est-ce pas ?

– Brièvement », répondis-je.

Caspar avait fini par me rappeler l'autre soir. Entre-temps, j'avais résolu d'opter pour la tactique qui fonctionne le mieux avec les enfants : le chantage. Je lui avais gentiment rappelé l'histoire du casier, du speed, du fait qu'il avait failli se noyer dans son dégueulis et, avant qu'il ait le temps de prendre la mouche, je lui avais précisé que s'il faisait encore la moindre connerie comme chouraver de la bière, je récupérerais l'iPod. Je me réjouissais qu'il ait pris mes menaces au sérieux.

Francesca nous reversa du thé.

« J'ai l'impression que l'interdiction de sortie a fait son effet. Tu avais raison, je pense. On le négligeait peut-être un peu. »

J'avais dit ça avant le coup de la bière.

« Alors on a décidé de le payer quand il nous donne un coup de main au lieu de partir du principe qu'il est normal qu'il fasse du baby-sitting ou taille la haie. Il a dit qu'il pensait que Rachel, notre voisine, l'avait autorisé à aller se servir chez elle. Ce n'est pas très plausible, en tout cas il n'en mène pas large depuis que tu lui as parlé et je t'en remercie. »

Pas très plausible ?!

« Il veut économiser pour passer son permis, tu sais. Ça coûte cher, mais il a une année devant lui.

– C'est bien. C'est positif.

– Je trouve aussi.

– Qu'il économise jusqu'à son prochain anniversaire. Je lui donnerai ce qui manque, suggérai-je.

– Ce n'est pas pour ça que je disais ça. Ça lui prendra deux ans s'il le faut.

– Je serais ravie de l'aider, je t'assure. Mes parents ont toujours fait comme ça pour moi quand je voulais quelque chose qui coûtait plus de cinquante pence.

– Certes, mais tu étais fille unique. C'est moins facile avec trois enfants. On n'arrête pas de casquer. Casquer, casquer, on ne fait que ça. L'argent se volatilise, je te jure. Ce ne serait pas juste vis-à-vis des filles. À propos, je ferais bien d'aller voir ce qu'elles fabriquent. »

Pendant que Fran était dehors en train de négocier avec les petites le temps qu'il leur restait avant le bain, j'entendis la porte d'entrée se refermer, un sac tomber à terre et des pas lourds dans l'escalier. Je sortis dans le couloir et appelai.

« Hé, Caspar, tu pourrais au moins dire bonjour.
– C'est qui ? fit une voix revêche.
– Tessa.
– Oh, salut, Tessa, répondit-il sans ouvrir sa porte. Je ne savais pas que tu étais là.
– Viens me faire un bisou.
– J'arrive. Donne-moi une seconde. »

Mon sac était pendu en bas de la rampe d'escalier. Je soulevai le rabat et lorgnai mon portefeuille en me demandant si je devais en vérifier le contenu. Je laissai retomber le rabat, chassant ces vilaines pensées de mon esprit. La confiance est essentielle. Si Caspar disait qu'il avait arrêté de se droguer, c'est qu'il avait arrêté.

Francesca revint, ayant consenti un délai de dix minutes.

« Caspar est rentré, dis-je en finissant la vaisselle. J'ai l'impression qu'il m'évite.
– Il est probablement un peu gêné. Il t'adore. Il doit être mortifié d'avoir dégobillé par la fenêtre du taxi le soir où tu l'as sauvé. »

J'avais bien évidemment parlé à Francesca de ce fameux samedi soir et si je lui avais fait un compte rendu édulcoré des événements, je ne pensais pas lui avoir dit ça. Que lui avais-je dit ? Ça faisait près d'un mois. C'est le problème quand on ment. On se souvient moins bien des mensonges que de la vérité. J'avais laissé à Caspar la charge de décider ce qu'il voulait révéler à ses parents. Je ne m'attendais pas à ce qu'il leur fasse des aveux complets, mais je ne pensais pas qu'il mentirait. Je mourais d'envie de savoir de quoi je l'avais sauvé, mais je savais que ce ne serait pas une bonne idée de le demander à Fran.

« On prend tous une cuite un jour ou l'autre. C'est un rite de passage. Avec lequel je n'en ai pas encore fini moi-même, lançai-je en guise de perche.
– Certes, mais ce n'était pas sympa de la part de Zac de mettre de l'alcool en douce dans le soda. »

C'était donc ça ! Tout était de la faute de Zac. Motus et bouche cousue sur la dope, le speed, l'argent volé ou les démêlés avec la police. « Peu plausible » n'était pas précisément l'expression qui me serait venue à l'esprit.

« Je me félicite qu'il ait eu le bon sens de t'appeler », poursuivit Fran.

Un exploit, à n'en point douter, surtout quand on est inconscient. Saligaud ! Puis je me souvins de son air pitoyable, de sa promesse solennelle d'arrêter la drogue, de son empressement à me dire que c'était chose faite. Je ne voulais pas être trop dur avec lui – se piquer le nez et gerber faisaient partie des rites d'initiation. Ainsi que se défoncer et devenir parano. Et ce ne serait pas la première fois qu'un ado choure de l'alcool chez quelqu'un. D'accord, le speed, c'est peut-être un peu moins anodin, mais ça n'a rien d'exceptionnel non plus, je parie. Je n'ai jamais avoué à mes parents qu'un jour Ben avait dû m'enfoncer ses doigts dans la gorge parce que j'avais bu beaucoup trop de rhum. Et j'étais encore plus jeune que Caspar !

J'étais en train de raconter à Fran que Ben et moi avions fait une razzia sur les apéritifs de sa mère quand Caspar finit par apparaître. Il était tout propre et frictionné, ses cheveux mouillés sentaient le gel. Il avait mis des habits propres. Cela me mit la puce à l'oreille. Puis je flairai l'odeur de la pâte dentifrice mêlée à un after-shave du genre puissant, et mes soupçons s'intensifièrent. Je scrutai ses yeux ; ils n'avaient pas l'air d'être injectés de sang. Il ne bafouillait pas. Je ferais peut-être mieux de m'occuper de mes affaires. Et s'il n'avait pas arrêté de fumer, si c'était encore pire ?

« Salut, Caspar, tu es propre comme un sou neuf, je vois, mais je crois me rappeler que tu me dois un lavage de voiture. »

Je jetai un coup d'œil à ma montre. Le sursis accordé aux filles était écoulé. Nous avions une petite heure pour le bain et la pagaille qui s'ensuivait avant que je ramène Cora chez elle.

« Quand est-ce que tu veux que je le fasse ?

– Que dirais-tu de maintenant ?

– Je le ferai plus tard. Papa a rangé tout le matos sous l'escalier. »

Sur ce, il quitta la pièce.

« Ça s'améliore », me dit Fran sans prendre la peine de me demander pourquoi son fils me devait un lavage de voiture.

Ce que je m'abstins de lui préciser. À la place, je lui proposai d'aller faire couler le bain et je montai en prenant le pyjama de Cora au passage. J'ouvris légèrement le robinet et laissai la baignoire se remplir lentement, calculant que je devais avoir une dizaine de minutes devant moi avant que Fran ramène les petites.

J'entendis Caspar sortir et gravis à pas de loup les marches conduisant à sa chambre. Je jetai un coup d'œil sous le pouf. Derrière les étagères. Je trouvai un magazine porno roulé derrière la tête de lit, mais pas de boîte louche en vue. Je me mis à quatre pattes pour guigner sous le lit.

« Qu'est-ce que tu fais, Tessa ?

– Fran… Eh ben dis donc, tu as fait vite. »

Les trois gamines fixaient mon postérieur d'un air accusateur.

« C'est l'heure du bain, déclara Katie.

– La règle des dix minutes, ça marche, en fait, hein ? dis-je en me relevant.

– Qu'est-ce que tu cherchais ? »

Je tendis mon poignet dénudé.

« C'est tout bête. J'ai perdu un des bracelets que j'ai achetés en Inde. J'ai pensé qu'il était peut-être ici. »

Menteuse, cria une voix dans ma tête.

Je suivis la petite troupe jusqu'à la salle de bains où une baignoire à moitié remplie d'eau froide les attendait. Elles n'étaient pas très contentes. Je m'agenouillai à nouveau pour rectifier la situation.

« Vous voulez des bulles ?

– Oui, dit Poppy.

– Non » dit Katie.

Je me tournai vers Cora.

« Moitié-moitié », dit-elle, ce qui me parut une réponse judicieuse jusqu'à ce qu'elles passent les vingt minutes suivantes à faire un barrage pour les bulles du côté de la baignoire où se trouvait Poppy en poussant des hurlements de joie chaque fois que ces désobéissantes bulles s'échappaient en masse de la zone de démarcation. Finalement, nous les enveloppâmes dans des serviettes. Toutes frictionnées, dents brossées, elles étaient prêtes à aller se coucher. Je doute qu'il y ait une vision plus délicieuse au monde que celle de trois petites filles en train de s'ébattre dans le bain. Hormis peut-être trois petites filles en pyjamas propres, blotties sous la couverture en train de m'écouter attentivement pendant que je le leur lis *Cat and Fish.* Je trouvai cette histoire un tantinet psychédélique, mais elles avaient l'air d'apprécier.

Ce furent quarante minutes magiques. J'humai leur odeur collective et gravai dans ma mémoire la sensation de ces petites mains me caressant distraitement. Puis Poppy lâcha un énorme pet et tout le monde explosa de rire. Je décidai que le moment était venu de ramener Cora chez elle avant qu'on franchisse la ligne invisible séparant les anges et les démons. On ne sait jamais vraiment où elle se trouve, mais dès qu'on l'a dépassée, on se rend compte qu'on l'avait vue venir. J'embrassai les filles et pris Cora dans mes bras. Elle était encore si légère. Il m'arrivait de me demander si elle n'avait pas les os creux. Nous croisâmes Caspar dans l'escalier. Je l'embrassai au passage en le remerciant d'avoir nettoyé ma voiture et je lui promis de l'inviter prochainement à dîner.

Francesca surgit de la chambre de Katie alors que j'avais descendu la moitié des marches avec mon paquet humain.

« On se voit samedi soir alors, dit-elle. Tu as demandé à Caspar pour ton bracelet ?

– Aucune importance. »

Fran était trop méticuleuse de nature pour abandonner si vite la partie. Elle est capable de s'échiner toute la sainte journée s'il manque quelques éléments d'un puzzle et de fouiller de fond en comble le monceau de jouets si nécessaire.

« À quoi est-ce qu'il ressemble ? »

J'étais coincée.

« Il est en perles. En perles de corail. Rouges.

– Tessa pense qu'elle a peut-être perdu un bracelet dans ta chambre… »

Fran se tourna vers moi.

« Où as-tu cherché ? »

Enfer et damnation !

« Juste autour du pouf et sous le lit. Le fermoir ne fonctionnait pas très bien. »

J'étais aussi mauvaise que Caspar, il le savait pertinemment. Son expression en disait long. *Tu mens, tu mens comme un arracheur de dents.*

« Aurais-tu trouvé quelque chose qui ressemblerait à ça ? » insista sa mère.

Il secoua lentement la tête en continuant à me fixer d'un œil noir.

« Je ne pense pas que tu portais un bracelet rouge, Tessa, dit-il. Si je me souviens bien, tu étais tout en blanc ce jour-là.

– Tu as une sacrée mémoire, Caspar, nota Fran en déposant un baiser sur la tête de son fils. Tu sens drôlement bon, ajouta-t-elle sans se rendre compte du regard alarmant que Caspar posait sur moi.

– Souris, Caspar », dit Cora.

Comme je l'ai dit, rien ne lui échappe à cette petite. Elle se libéra et suivit Francesca en bas. Je restai plantée devant Caspar.

« Je suis désolée, Caspar.

– Tu es allée fouiller dans mes affaires. Même papa et maman ne feraient pas ça.

– Je me fais du souci pour toi.

– Je ne suis plus un môme, nom de Dieu !

– Bien sûr que si. »

Je sus à l'instant où je prononçais ces mots que ce n'était pas la chose à dire.

« Occupe-toi de tes oignons, Tessa, d'accord ?

– Tu m'as appelée, souviens-toi ? »

Qui faisait l'enfant, à présent ?

« Enfin, je pensais que tu avais besoin de soutien, tu vois.

– Et pour me soutenir, tu vas perquisitionner dans ma chambre ? »

Il fit volte-face et déguerpit.

« Caspar ? »

Pas de réponse.

« Caspar ?

– Laisse tomber, Tessa. Tu ferais mieux de t'occuper de tes fesses ! »

Il ferma la porte.

Pendant le trajet de retour chez Billy, obnubilée par Caspar, je prêtai une oreille distraite à Cora. Je pensai à mon filleul. Cela déplut à Cora que je réponde à peine à chacune de ses questions. Lorsqu'elle m'avait demandé : « Comment se fait-il que les cheveux frisent ? » par exemple, j'avais marmonné : « On est presque arrivées. » La seconde fois que je me trompai, elle se fâcha en me reprochant de ne pas l'écouter. Elle avait raison. Même avec les meilleures intentions du monde, ce n'était pas évident d'être attentif à son incessant monologue.

Parvenue à Kensal Rise, je me garai devant le petit immeuble en briques rouges. Elles habitaient au rez-de-chaussée, un appartement tout en longueur. Billy ouvrit la porte avant que nous ayons atteint le bout de l'allée envahie de mauvaises herbes. Elle a l'air d'une danseuse, Billy, avec ces longs cheveux noirs – dont sa fille a hérités – bien qu'ils soient striés de blanc à présent, ces membres gracieux, ces grands yeux bruns. Elle n'a pas changé de look depuis le jour où j'avais fait sa connaissance dans le couloir entre nos chambres. Elle a tout d'une Tsigane, ce qu'elle est au fond. Elle pourrait s'enrouler dix fois dans ses jupes tellement elles sont amples ; ses hauts sont ajustés à son torse étroit et musclé. C'est un style particulier qui a été à la mode au moins quatre fois depuis que je la connais. Pendant la période où elle était avec Christoph, elle avait un peu changé de genre. Il préférait les minijupes et les talons. Du coup, elle avait l'air d'une gymnaste venue de derrière le rideau de fer qui se serait déguisée en *sexcrétaire* pour amadouer un juge corrompu. Ses bijoux sont le reflet socio-économique de sa personnalité – ethniques et minimalistes, ce qu'elle peut se permettre. Elle sourit à sa fille.

« Tu es la meilleure chose qui me soit jamais arrivée », dit-elle en la serrant dans ses bras.

L'avocat avait dû lui annoncer une mauvaise nouvelle, pensai-je en regardant Cora écrabouiller les joues de sa mère entre ses paumes. Billy trouvait un grand réconfort auprès d'elle. J'aurais préféré qu'elle cherche ailleurs, mais elle avait apparemment du mal à trouver sa place dans le monde qui l'entourait. Elle avait tant donné d'elle-même à Christoph, je me demandais parfois s'il restait quelque chose.

« Tu t'es bien amusée ? » demanda-t-elle à Cora.

– C'était super. On a fait un gâteau pour les singes dans le jardin avec des cristaux magiques qui vous font les fesses toutes vertes. »

Billy m'interrogea du regard. Je haussai les épaules.

« Vous ne pouvez pas comprendre », ajouta Cora en entrant dans l'appartement qu'elle partageait avec sa mère et Magda, la jeune fille au pair polonaise. Il n'y avait que deux chambres. Elles étaient un peu à l'étroit. Cora avait sa propre chambre avant, et Billy dépensait une fortune pour la faire garder, à telle enseigne qu'elle était à découvert chaque mois. Sachant sa mère seule, Cora faisait des incursions chez elle la nuit, et Billy se réveillait le matin avec un petit corps blotti contre elle. Tout le monde lui disait qu'il fallait qu'elle soit ferme et qu'elle remette sa fille dans son lit. Le problème, c'est que Cora était tellement discrète que Billy ne bronchait pas quand elle se glissait à côté d'elle. Pour finir, je lui avais suggéré de tirer parti de la chambre abandonnée par sa fille : en prenant une colocataire susceptible de lui donner un coup de main le matin, d'aller chercher Cora à l'école et de monter la garde jusqu'à ce qu'elle rentre du travail. En outre, le loyer lui coûterait le tiers du prix. Nous avions réévalué ses dépenses mensuelles en fonction de cette nouvelle donne et en avions conclu qu'elle ne serait plus dans le rouge. En conservant ses habitudes frugales, elle n'avait pas tardé à rembourser ses dettes. Magda était une véritable bénédiction. Elle avait même un petit ami sympa, ce qui permettait à Billy de passer des soirées tranquilles, et elle était sur place pour garder Cora quand Billy le désirait, ce qui n'arrivait pas souvent. Tout le monde était content. Y compris Cora qui partageait désormais à plein-temps le lit de sa mère ainsi que sa garde-robe. La vie de ma filleule avait débuté dans un service de soins intensifs, après quoi elle avait passé des mois dans une salle d'hôpital. Elle pouvait dormir n'importe où, quoi qu'il arrive. Billy venait se coucher, elle faisait ses petites affaires, lisait, se démaquillait, et pendant tout ce temps-là, la petite créature recroquevillée sous sa couette dormait paisiblement sans que cela la dérange le moins du monde. Si j'avais comme doudou une photo encadrée qui ne m'appartenait même pas, celui de Billy, c'était sa fille.

J'eus le privilège de border Cora dans son lit ce soir-là, mais le dernier baiser, comme toujours, était réservé à sa maman. Billy referma doucement la porte derrière elle et m'entraîna vers le réfrigérateur. Elle me tendit une bouteille de vin, prit deux verres et un tire-bouchon et me rejoignit sur le canapé.

« Que s'est-il passé ? demandai-je.

– Je dois retourner au tribunal. »

Son expression ne trahissait aucune émotion.

« Pourquoi ?

– Il a modifié sa méthode de comptabilité. J'ai droit à dix-sept pour cent de ses gains.

– Ça devrait suffire !

– Encore faudrait-il qu'il les déclare. Il construit des bateaux pour un gros richard à l'étranger depuis quelque temps. L'argent ne vient pas en Angleterre. Il prétend que ses revenus sont très inférieurs, ce qui pèse sur ses débours, bien évidemment. En d'autres termes, il est en droit de demander que l'on réduise le pourcentage, au pire à dix pour cent.

– Ce qui te laisse… ? »

Je m'efforçais de ne pas m'énerver. Nous avions ce genre de conversations à propos de Christoph depuis que Cora était née, ou presque.

« Que dalle. Il dissimule cet argent qu'il a engrangé ailleurs. Il faut que je saisisse le tribunal de l'affaire pour l'obliger à le ramener. Le problème, c'est que ce sont des dessous-de-table, des liasses de billets dans des enveloppes en papier kraft. Dieu sait…

– Qu'en est-il pour – je bafouillai légèrement comme j'ai tendance à le faire chaque fois que j'aborde le sujet – pour son autre famille ? »

Christoph s'était remarié et il avait deux enfants qui fréquentaient les meilleures écoles privées et ne manquaient de rien. À part d'un père digne de ce nom.

« Elle a une fortune personnelle. Ils vivent à ses dépens.

– Astucieux !

– Je suppose que tout est déclaré et que les impôts sont dûment payés.

– Elle n'a pas peur ! remarquai-je avant de boire une gorgée de vin. Elle me fait presque de la peine, la pauvre !

– Ça se passe comme ça quand on est mariés, Tessa. »

Voyant mon air perplexe, elle ajouta :

« On se fait confiance.

– Oui, peut-être avec des gens comme Nick, Al ou… »

Prenant conscience que je m'aventurais en terrain miné, je voulus faire marche arrière. Mais il était trop tard.

« Ben. Je sais, tous ces hommes merveilleux à jamais fidèles et honnêtes. Mais Christoph l'a été avec moi, et il le sera avec sa nouvelle femme. On ne se donne pas de son plein gré à un homme que l'on imagine sautant sur tout ce qui bouge, dépensant tout votre argent pour vous laisser en plan avec des gamins et pas un sou vaillant au bout du compte. »

J'eus une vision de Helen chassée de chez elle avec ses deux enfants et de Neil filant avec une blonde dans une voiture de sport rutilante. Ce n'était pas si déplaisant parce que après ça, j'apparaissais à l'horizon, tel Zorro, en redresseur de torts.

« On sait que ça arrive, mais on ne se sent jamais concerné. Elle trouve probablement Christoph brillant et rêve du jour où ils achèteront un chalet en Suisse, une villa en Toscane et une baraque à Palm. »

Je fronçai les sourcils.

« C'est à Dubaï, où habite son nabab. Peu importe, ajouta-t-elle. Ce que je veux dire, c'est qu'on part du principe qu'un mari ne ment pas. C'est le seul moyen. »

J'étais en train d'imaginer Sasha en train d'embrasser Ben avant de repartir en Allemagne.

« Je n'ai pas envie de lui faire un procès, Tessa. J'en ai assez de toutes ces frictions. Il a vu Cora deux fois cette année. Les choses s'arrangent un peu.

– Comment ça, tu en as assez ? Tu lui as fichu une paix royale jusque-là. Ne le prends pas mal, Billy, s'il te plaît, mais tu t'es écrasée à chaque fois. On est en octobre. On ne peut pas vraiment parler de contacts réguliers.

– Il voyage… »

Je connaissais déjà tous ses arguments par cœur.

« Allons, Billy ! À quoi bon vivre comme ça ? Tu crois qu'il te remerciera de t'être montrée aussi compréhensive ? Il se fiche de tout le monde. Il ne pense qu'à lui. Pardonne-moi, Billy, mais quand vas-tu arrêter de te voiler la face ?

– Je crois qu'elle l'empêche de venir nous voir.

– Qui ça ?

– Sa nouvelle femme. »

Je me levai, trop fumasse pour parler de ça assise.

« Nouvelle ? Billy ! *Nouvelle ?* Ils ont deux filles !

– Il m'a dit un jour qu'elle était très exigeante. »

Je hurlai dans ma tête.

« Pas possible. Le pauvre chéri ! Une femme qui attend de son mari qu'il participe à la vie familiale. Tu as tout à fait raison, c'est sûrement une sorcière.

– Elle supporte mal notre existence, à Cora et à moi.

– Tu m'étonnes ! Ça lui rappelle que son mari est une vraie ordure !

– Tessa !

– Quoi ? Tu veux que je t'aide ou pas ? Je peux probablement récupérer cet argent pour toi, si tu veux ?

– Sans faire un procès ? »

J'avais envie de la secouer. Mais… maintenant que j'y pensais, il y avait peut-être un moyen d'y arriver sans passer par le tribunal. Je flairai un projet. J'étais déjà tout émoustillée à la perspective d'avoir du pain sur la planche.

« Qu'est-ce qu'il y a ? demanda Billy. Tu as un drôle de regard tout d'un coup.

– Si je peux prouver que Christoph gagne plus qu'il ne l'admet…

– Ce serait de l'espionnage. »

Je dissipai ses appréhensions au mieux.

« Pas plus qu'il ne le mérite, le salaud !

– Tessa ! »

Je te trouve lamentable, pensai-je, mais je m'abstins de le dire. J'avais le vent en poupe.

« J'ai un ami spécialiste dans ce domaine. Tu sais, beaucoup d'hommes cachent de l'argent à leur femme, généralement avant de leur annoncer leur intention de la quitter. C'est un monde sans pitié. Si tu as raison à propos de l'argent en sous-main, il n'aura pas envie qu'on aille fouiner dans ses affaires. »

Je me tournai vers Billy.

« On pourrait lui ficher la trouille. La menace d'un procès suffira peut-être à le faire raquer ! »

Un petit sourire vache flotta un instant sur ses lèvres.

« Qu'en dis-tu ? demandai-je.

– Je te donne carte blanche, mais je te demande de ne rien entreprendre sans m'en parler d'abord.

– Je te le promets.

– Une vraie promesse. Pas une promesse à la Tessa King. »

Je posai la main sur mon cœur en feignant d'être choquée.

« Qu'est-ce que tu entends par là ?

– Une promesse en l'air !

– Je te le promets sincèrement. Bon, si je commandais quelque chose à manger ? Je meurs de faim. »

Je mentais. J'avais mangé trop de saucisses chez Fran, mais si je commandais et payais plusieurs plats indiens à emporter, Billy aurait de quoi tenir plusieurs jours.

« Alors, reprit-elle, la bouche pleine de poulet au curry, aurais-tu de nouvelles frasques à me raconter ? »

Je secouai la tête en me resservant à contrecœur.

« Si je comprends bien, le gars de l'autre jour ne t'a pas rappelée ? »

Je n'étais pas trop sûre d'apprécier son « si je comprends bien », mais je secouai la tête derechef.

Le fantasme de Sebastian le haut fonctionnaire attendant devant mon immeuble sous une pluie battante pour me dire qu'il ne pouvait pas se passer de moi avait cédé la place à une vision nettement moins jouissive. Où je jouais le rôle d'une briseuse de ménage. Où je faisais fi des allégeances et des affections de mes amis de toujours, où ce baiser ne s'arrêtait pas quand Claudia appelait Al.

« Encore un coup pour rien, avouais-je finalement. Et toi, tu en es où ? » demandai-je, sachant qu'il était inutile de poser la question.

Billy avait rompu les fils susceptibles d'envoyer un signal quelconque au sexe opposé. Ce n'était pas qu'elle se faisait désirer. Il fallait être un tant soit peu aguicheuse pour ça. Elle restait tout bonnement sur la touche. Et ça marchait !

« Du côté des patients, rien à signaler ? » insistai-je en m'efforçant de prendre un ton encourageant.

Billy est assistante dentaire.

« À part les caries, non », répondit-elle.

C'est ce que j'entends par absence de signal.

« Vu mon âge et mon statut de mère célibataire, on ne peut pas dire que je sois l'idéal féminin de la plupart des hommes, tu vois. Sans compter que je suis divorcée et fauchée. »

Elle avait tort, bien sûr. Si elle avait pu se voir telle que je la voyais, nous n'aurions eu aucun mal à rafistoler ces fils. Elle était belle, éthérée, attentionnée, affectueuse ; elle était honnête, fidèle, dévouée, consciencieuse et assez en forme, à l'évidence, pour prendre part à un marathon ou jouer le rôle de Giselle. En la quittant, Christoph avait escamoté une puce de son système, ce qui l'avait rendue inerte. C'est le pire genre de rupture qui soit. Il ne voulait plus d'elle, et il s'était débrouillé pour que personne d'autre ne veuille d'elle non plus.

« Oh, j'allais oublier, ajoutai-je, déterminée à lui remonter le moral. Serais-tu disposée à sortir avec moi samedi soir. Channel 4 organise une grande fête pour célébrer le lancement d'une série comique dans laquelle Neil joue. Nick et Fran seront là, m'empressai-je de préciser avant que la terreur ne s'empare d'elle. Ça fera du bien à Francesca de mettre le nez dehors un peu. On pourra se pomponner et danser autour de nos sacs à main.

– Je ne sais pas, le samedi, les baby-sitters…

– Allons, Bill. Magda est censée garder Cora deux soirs par semaine et elle ne le fait jamais.

– C'est vrai, mais elle assure quand je rentre tard du travail et…

– Les cocktails sont à l'œil. Tu n'auras qu'à passer chez moi d'abord. On se préparera ensemble. Comme au bon vieux temps. S'il te plaît… »

De quoi as-tu peur? avais-je envie de lui demander, mais je me bornai à sourire.

« Bon, retrouve-moi là-bas, alors.

– Je ne sais pas…

– C'est un échange de bons procédés. Je me penche là-dessus, dis-je en soulevant le dossier. Tu m'accompagnes.

– C'est toi qui veux chercher des noises à Christoph. »

Je reposai le dossier sur la table et mis les mains sur mes hanches.

« Tu ne veux pas que je m'en occupe, alors? »

Elle cilla.

« Allons, Billy, tu ne vas pas recommencer. »

Elle agita la main au-dessus du dossier.

« Bon, écoute, prends-le. Mais je suis sûre que tu pourrais trouver des centaines de gens pour t'accompagner à la soirée.

– Non, Billy. J'ai pensé que ce serait sympa de sortir de nouveau tous ensemble, c'est tout. »

J'avais vraiment l'impression de lui forcer la main.

« Bon, d'accord. Je viendrai. »

C'était quoi ? Une capitulation. J'avais vraiment envie de la secouer parfois, de lui rappeler qu'elle était vivante, de la sortir de l'ornière dans laquelle elle s'était fourrée. Mais c'était impossible. La décision lui appartenait en définitive. La voyant étouffer un nouveau bâillement, j'emportai le plateau à moitié plein dans la cuisine, lui souhaitai bonne nuit et je rentrai chez moi en emportant le dossier contenant des preuves irréfutables contre le père de ma filleule.

12

Cendrillon !

J'arrivai seule à la soirée de Channel 4. Je me flatte d'être capable de faire ce genre de choses. Ça m'enhardit de pénétrer sans escorte dans une pièce remplie de gens que je ne connais pas. Ce surplus d'assurance me permet d'atteindre le bar. Après, c'est une affaire d'alcool.

Channel 4 avait réquisitionné un méga restaurant à Mayfair. Les gogues high-tech donnaient l'impression de sortir tout droit d'un décor de *Cocoon*. Quant au bar VIP, si on en était exclu, on pouvait au moins l'admirer d'en haut. Les toilettes se trouvaient en fait juste au-dessus de la zone VIP si bien que l'on déféquait en quelque sorte sur les têtes de ces personnalités de marque séparées de nous autres, simples mortels, par un cordon rouge en torsades. En attendant un verre, je ne pus m'empêcher de me demander si l'architecte l'avait fait exprès.

C'était la foire d'empoigne au bar, comme d'habitude. Les gens de la télé connaissaient la marche à suivre – il s'agissait de s'enfiler autant de verres que possible, sans s'écarter du choix proposé, avant que les boissons deviennent payantes. Le cocktail à la vodka et aux airelles était gratuit ; pour une vodka-tonic, il vous en coûtait 7 livres. J'optai pour une bière gratis et portai la bouteille à ma bouche quand un coude surgi de nulle part cogna le goulot contre mes dents.

« Ouille !

– Oh, mon Dieu ! Est-ce que ça va ? Je suis désolé. »

Je sentais le goût du sang.

« Oh, merde ! Vous avez perdu une dent. »

Je plaquai ma main sur ma bouche. Avec une bouche édentée, j'avais encore moins de chance de dénicher un partenaire pour pondre un enfant.

« Ça ne vous fait pas rire, je suppose. »

Je secouai la tête et m'assurai que j'avais encore toute ma denture avant de me retourner vers mon agresseur.

« Cendrillon ! » s'exclama-t-il.

Monsieur Poivre et Sel !

« Ouille, répétai-je, bien que la douleur fût passée bizarrement.

– Dommage que ce ne soit pas une soirée de vampires. Vous seriez parfaite ! »

Je fronçai les sourcils.

« Pas drôle non plus, à ce que je vois ? »

Je secouai de nouveau la tête, sans réussir à réprimer un sourire.

« J'ai bien fait de choisir de représenter les comiques plutôt que de m'y frotter moi-même.

– Vous n'aviez pas vraiment le choix, à mon avis.

– Vous avez raison. Même si j'ai toujours pensé que je serais capable de surprendre mon public une fois sur scène. »

Il haussa les épaules.

« Ça ne s'est jamais fait malheureusement. Il va falloir que j'amasse une énorme fortune à la place.

– Est-ce envisageable ?

– Avez-vous entendu parler d'Ali G., le créateur de Borat ? »

J'étais impressionnée.

« Vous représentez Ali G. ?

– Non. Mais ça se pourrait. Et tout est là, comme je n'arrête pas de le répéter à ma mère. »

Je souris à nouveau.

« Puis-je vous offrir un verre ?

– Les boissons sont gratuites.

– Je ne parle pas de maintenant. »

Cool. Je commençais à trouver que la soirée prenait bonne tournure. C'était nettement plus sympa que de rester sur mon canapé à la maison à me demander comment faire pour me défiler.

Je lui tendis la main.

« Tessa King, au cas où vous auriez oublié.

– James Kent, répondit-il en me prenant la main. Au cas où vous ne l'auriez jamais su. »

Ben ça alors ! Je ne serai même pas obligée de changer d'initiales. Quelle idée saugrenue ! Je débloquais complètement !

« Vous êtes sûre que ça va ? Vous froncez les sourcils. Ça me rend nerveux. Tout ce que l'on vous a dit à mon sujet est faux. D'accord, elle avait quinze ans. Mais j'en avais onze, alors ça ne compte pas.

– De quoi parlez-vous ?

– De ma dernière expérience sexuelle. À quoi pensiez-vous ? »

Il y eut quelques secondes de battement dans ma tête. Une pause comique. Comme dans les scripts. Quelqu'un fait une blague, et puis… un temps d'arrêt.

« À ma prochaine expérience sexuelle. »

Je me détournai avant de boire une gorgée de bière. Je n'arrivais pas à croire que j'avais dit ça. Je ne manquais pas d'air !

Nous nous engageâmes dans la foule. James avait l'air de connaître tout le monde, ce qui le rendait curieusement encore plus sexy. Je n'avais pratiquement rien bu, donc, je n'avais pas la berlue. Il me présenta à la plupart des gens auxquels il adressait la parole, ce qui me plut. Je ne supporte pas d'être la cinquième roue du carrosse. S'il s'en abstenait, il s'excusait toujours ensuite en me précisant qu'il ne se souvenait pas du nom de la personne. Puis il me présenta quelqu'un qu'il n'avait pas besoin de me présenter : la mère de Helen. Qu'est-ce qu'elle fichait là ? Je me le demandais bien. J'oubliais toujours qu'elle était rédactrice en chef d'un journal et qu'elle pouvait par conséquent se passer d'invitation. Elle était superbe, comme de bien entendu.

« Tessa, comment vas-tu ? Toujours célibataire ?

– En fait, je suis lesbienne en ce moment. Je couche avec une juge de la Chambre des lords. Qui est mariée. Mais ne le dites à personne. »

Marguerite sourit, découvrant ses dents couronnées à la perfection.

« Je suis si heureuse que tu l'aies finalement admis, ma chérie. Mais honnêtement, tu devrais le dire, personne ne serait surpris, je peux te l'assurer. »

Bigre ! Je lui avais tendu la perche. Avant que j'aie le temps de répondre – même si la riposte idéale ne me viendrait probablement pas à l'esprit avant vingt-quatre heures –, elle effleura le bras de James.

« James, je voulais vous appeler justement.

– Que puis-je pour vous ? » demanda-t-il, tout sourires.

Je me retins de lui planter mon talon aiguille dans le pied.

« J'espérais que vous vous laisseriez tenter par notre panel de journalistes. »

Des ongles rouge foncé coupés court que je connaissais trop bien jaillirent des longues manchettes de son chemisier blanc en soie.

« Réunions mensuelles au Groucho Club. C'est moi qui régale. On a invité des gens fabuleux. »

Elle en énuméra quelques-uns. Je n'en connaissais pas un seul, mais James semblait impressionné.

« Ça nous ferait tellement plaisir que vous vous joigniez à nous. Nous tenons absolument à vous avoir. »

Marguerite avait fière allure ce soir-là avec son pantalon de cuir noir et des bottes à se damner, mais les vêtements de luxe peuvent paraître étonnamment laids sur la mauvaise personne. Je remarquai que sa main s'attarda quelques secondes de trop sur le bras de James. Comme si la concurrence des gamines de vingt ans ne me suffisait pas. S'il fallait que je rivalise avec les quinquagénaires en plus, j'étais foutue. Cette pensée en déclencha une autre, plus terrible. Marguerite n'étant pas de celles qui cherchaient à se fixer et à faire des petits, du point de vue de l'homme qui ne voulait pas s'engager, elle était parfaite. J'éprouvai l'irrésistible envie d'arracher James de ses griffes, mais je me rendais bien compte que ça ne se faisait pas (je manque de discernement, mais tout de même).

« Nous pourrions déjeuner ensemble, lança-t-elle, ou prendre un verre en fin de journée. »

Je levai les yeux au ciel.

« J'ai vu vos petits-fils l'autre jour, intervins-je. Ils ne vont pas tarder à parler. Vous préférez quoi : grand-mère, mammy, grand-maman ?

– Je n'en ai pas la moindre idée. Je n'y ai jamais pensé, répondit-elle. À propos, Tessa, j'ai un service à te demander. »

Je plissai les yeux. Que mijotait-elle ?

« Cela t'ennuierait-il d'avoir l'œil sur Helen ? J'ai l'impression qu'elle est un peu perdue ici. En dehors des amis, ils ont invité la crème de la crème. C'est important pour Neil.

– Vous n'avez aucun souci à vous faire, voyons ! Les gens sont prêts à remuer ciel et terre pour lui parler sans qu'elle ait besoin d'ouvrir la bouche.

– Précisément. Ils s'attendent probablement à ce qu'elle ait quelque chose d'un peu plus consistant à dire, répliqua Marguerite. Tu pourrais la soutenir un peu. Je vous en conjure, James, pensez à ma proposition et appelez-moi la semaine prochaine », acheva-t-elle avant de se sauver.

Sa méchanceté tenait à la subtilité de ses avanies. On peut répondre à une insulte par une insulte ; lorsqu'elle est voilée, la chose est moins aisée. Nous fîmes quelques pas de plus dans la cohue.

« Vous avez l'air d'avoir des rapports particuliers avec Marguerite, remarqua James en me regardant, les sourcils froncés. Vous n'êtes pas sans savoir qu'elle a la réputation d'écraser tous ceux qui se mettent en travers de son chemin.

– Elle n'oserait pas. J'en sais trop.

– Comment est-ce possible ? »

Je haussai les épaules.

« C'est la mère de Helen.

– Oh, je vois ! »

Il garda le silence un moment.

« Ça me gêne un peu de vous poser la question, mais qui est Helen ? J'ai l'impression de passer à côté d'un détail essentiel.

– C'est la femme de Neil, répondis-je, perplexe.

– Neil est marié ? » répliqua-t-il au quart de tour.

Il essaya de dissimuler sa réaction, je m'efforçai d'ignorer l'inflexion de sa voix. Je comprenais parfaitement le sens de sa question. Cela signifiait que Neil n'avait pas le comportement d'un homme marié, qu'il se gardait de dire qu'il était marié. Il ne portait pas d'alliance du reste, sous prétexte que ça lui donnait l'air d'une « tapette » !

« Ils ont des jumeaux. Je suis leur marraine, d'ailleurs.

– Seigneur ! Encore des filleuls. »

J'imaginai Monsieur Kent faisant une croix dans la colonne des points négatifs.

J'ai failli en avoir cinq.

« J'en ai quatre », dis-je.

C'est drôle comme les choses changent. Jadis, avoir une petite bande de filleuls eût été flatteur. On en déduisait qu'on avait de bons amis ; qu'ils vous avaient choisi spécifiquement pour prendre soin des êtres qui comptaient le plus dans leur vie ; que vous aviez de l'ascendant. J'avais plutôt l'impression d'avoir un écriteau pendu autour du cou. Lépreuse. Paria. Stérile. Objet de compassion au demeurant susceptible d'être utile à l'avenir quand le petit aura besoin d'un job.

« Mais oui, dit James. Bien sûr. Suis-je bête ! »

Il s'efforçait de couvrir son bluff. J'étais certaine de ne pas lui avoir parlé de mes filleuls quand nous nous étions donnés en spectacle le soir où Caspar s'était soûlé à mort. J'étais un peu gênée pour lui. Ce n'était pas de sa faute si Neil était aussi irrespectueux envers sa femme.

« Venez, je vais vous la présenter. Elle est charmante. C'est une de mes plus vieilles amies, en fait. »

Je ne voulais pas y penser. Pas ce soir.

« Encore juste une petite chose. Après, je ne vous embête plus avec ça.

– Quoi ? demandai-je, d'un ton un tantinet agressif qui ne se justifiait pas.

– Est-ce Cherie Booth ?

– Comment ça ?

– La juge avec qui vous couchez. C'est Cherie Booth ? »

Je lui décochai un clin d'œil.

Helen était dans l'espace réservé aux VIP. La semaine qu'elle avait passée à la campagne avait produit son effet : elle était superbe. Toute svelte et gracile dans une petite robe noire à fines bretelles de chez Dolce & Gabbana qui ne révélait pas le moindre bourrelet, et encore moins ces chairs flasques qu'elle prétendait avoir depuis la naissance des jumeaux. Il était difficile de croire qu'elle avait donné naissance à deux bébés de trois kilos cinq mois plus tôt. Une semaine aurait-elle suffi pour se remettre d'une petite intervention plastique ? Non, Helen était faite comme ça, voilà tout. Nos regards se croisèrent. Elle s'approcha aussitôt du cordon de sécurité. Elle avait l'air tellement soulagée de me voir que je ne pus m'empêcher de penser que la beauté était décidément à double tranchant. À force de vouloir se montrer sous son meilleur jour, elle en devenait pour ainsi dire inaccessible. Elle m'étreignit longuement. Pour ne pas dire lourdement.

« Dieu merci, tu es là. Entre.

– Désolée, il y a une liste, fit une femme émaciée armée d'une planche à clip.

– Je vais aller chercher Neil, suggéra Helen.

– Ce n'est pas la peine.

– J'en ai pour une minute. »

Elle revint quelques instants plus tard, les joues en feu, la mine déconfite. À l'évidence, la conversation avec Neil ne s'était pas déroulée comme elle l'espérait. J'avais bien vu qu'il l'avait fait poireauter – il était trop occupé à faire son cirque. Après l'avoir écoutée distraitement, il avait jeté un coup d'œil dans ma direction et lui avait glissé quelques mots à l'oreille avant de se retourner vers son public complaisant. Je n'étais pas quelqu'un d'assez important manifestement. J'abrégeai les souffrances de Helen.

« Je ne peux pas venir. J'ai promis à Billy de l'attendre près de l'entrée. Elle ne devrait pas tarder. On viendra te retrouver plus tard.

– Mais…

– Pas de problème. Tu es en représentation ce soir alors que nous, on est là pour faire la fête. Ce n'est pas juste. Tu es fabuleusement belle au fait, alors retourne dans ce lieu sacré et mets-leur-en plein la vue. Mais avant que je parte, laisse-moi te présenter James Kent. »

Pourquoi avais-je pris ce ton pompeux ? *Voici James Kent, le père de mes futurs enfants.*

« Il connaît ta mère, ajoutai-je pour jeter un voile sur mes hormones.

– Je vous plains, dit Helen.

– Comment se comportent tous ces singes en parade là-dedans ? demanda James.

– Ils se disputent la vedette.

– C'est pour ça qu'on les a enfermés derrière un cordon. Les gens de Channel 4 ne sont pas bêtes. Ils savent qu'il vaut mieux voir les acteurs que les entendre. Ce sont tous des lunatiques de première dans la vraie vie, ces salopards ! »

J'espérais qu'il n'était pas allé trop loin. Helen montait instantanément sur ses grands chevaux quand elle avait le sentiment qu'on s'en prenait à son époux. Mais pas ce soir. Ce soir-là, elle avait besoin de munitions.

« Vous n'avez pas tort, dit-elle en lui souriant.

– Ravi d'avoir fait votre connaissance. Neil a de la chance. »

Nous étions sur le point de partir quand j'entendis la voix de l'homme chanceux en personne.

« James, James, tu es sur la liste, mon vieux. Viens, je vais aller te chercher une coupe. »

Il nous dévisagea Helen et moi en fronçant les sourcils.

« Je n'arrive pas à croire que vous ayez encore des choses à vous dire, toutes les deux ? Désolée de te barrer le chemin, Tessa. Si ça dépendait de moi… »

Il reporta son attention sur James.

« Tu n'aurais pas dû faire la queue, mon vieux.

– Je ne faisais pas la queue.

– Allez viens, viens.

– C'est gentil, mais Tessa et moi devons aller chercher… – un tout petit battement – Billy. J'ai eu beaucoup de plaisir à parler avec ta charmante épouse. »

Mon imagination me jouait-elle des tours, ou James avait-il bel et bien mis un accent particulier sur cet ultime mot ?

« Tessa est avec toi ? s'enquit Neil, incapable de dissimuler son étonnement.

– En fait, c'est moi qui suis avec elle. À toute. J'espère que la série marchera. »

Sur ce, il me prit par l'épaule, nous faisant pivoter tel un couple dans un coucou suisse. Nous nous sauvâmes en gloussant. Je n'allais pas dire que le mari de mon amie était un branleur, il n'allait pas le dire non plus, mais je savais que nous le pensions tous les deux. Je regrettais juste de ne pas avoir emmené Helen avec nous.

James fut pris en embuscade deux fois de suite après ça. La troisième fois, comme je venais d'apercevoir Nick et Francesca près de l'entrée, je filai à leur rencontre. J'étais à trente centimètres d'eux quand je m'aperçus que Ben et Sasha étaient juste derrière. J'en trébuchai presque et cela me mit dans un état de confusion tel que j'entrepris de tourner en rond autour d'eux. Plutôt que de prendre le risque d'embrasser Ben, je coupai court aux baisers en restant maladroitement en retrait. Ils étaient d'humeur guillerette tous les quatre. Je crus comprendre qu'ils s'étaient rencontrés par hasard dans un pub voisin où ils s'étaient engouffrés chacun de leur côté pour prendre un petit remontant. Puis deux, puis trois. Je leur souris en m'efforçant d'éviter le regard de Ben, ce qui m'incita à le dévisager. Du coup, j'avais l'impression de le fixer carrément. Miséricorde !

James me rejoignit. Je le présentai à mes amis, mais c'était nettement moins amusant cette fois-ci. Mal à l'aise, je proposai d'aller en découdre au bar. Mon cœur battait à tout rompre. J'avais espéré que ça me passerait. J'avais pensé qu'en m'abstenant de me cramponner quelques semaines à la photo, je réglerais le problème. Une main fraîche s'insinua sur mes épaules. Je fis volte-face. C'était Sasha.

« Je me suis dit que tu aurais peut-être besoin d'un coup de main.

– Merci.

– C'est qui, ce beau mec ?

– Je viens de le rencontrer au bar.

– J'ai rencontré Ben dans un bar. »

Je sais. Tu l'as même dragué.

« Arrête. Je gamberge déjà assez comme ça. J'essaie de ne pas penser à la couleur de notre future salle de bains. »

Nous éclatâmes de rire. Le plus triste, c'est que c'était en partie vrai. Tout au moins jusqu'à l'arrivée de Ben et de Sasha.

« Il a l'air sympa en tout cas. »

La plupart de mes amis mouraient d'impatience de me voir en couple et en cloque, mais pas Sasha en principe. Elle m'attribuait davantage de crédit que je n'en méritais en pensant que j'avais délibérément choisi la situation dans laquelle j'étais.

« Futé, drôle, il s'exprime bien, il a une belle gueule.

– Il doit y avoir un hic.

– Il est peut-être marié, suggéra Sasha.

– Pourquoi dis-tu ça ? répliquai-je, sur la défensive.

– Il est très soigné. Oh, Tessa, ne prends pas cet air horrifié. Je plaisantais. Je connais tes principes. Pas d'hommes mariés. »

Pourquoi ? On se le demande ! Alors qu'ils sont tous là à me faire des avances depuis que j'ai trente ans. D'ailleurs mon éthique irréprochable commençait à me faire l'effet de sables mouvants. Je résolus de changer de sujet.

« Il m'a parlé de sa mère.
– Ah, fit Sasha. Ça doit être ça, le problème. »

Nous retournâmes ensemble porter les boissons aux assoiffés. J'essayai de me rappeler la manière dont je me comportais avec eux en temps normal. Helen n'était pas là pour encaisser mes sautes d'humeur, et je pouvais difficilement m'absorber dans une conversation profonde avec quelqu'un en tournant le dos à Ben dans la mesure où on était serrés comme des sardines autour d'une table minuscule, sans compter que l'ambiance ne se prêtait pas vraiment aux conversations profondes. Les femmes admiraient les fesses des jeunes serveurs tandis que leurs époux s'efforçaient de repérer les soutiens-gorge rembourrés. Je les soupçonnais d'avoir forcé la dose au pub. Francesca était particulièrement remontée. Ça me faisait vraiment plaisir de la voir en jean moulant avec des bottes noires à talons hauts et un polo noir à fines côtes – le chic bobo par excellence. Nick la mangeait des yeux, ouvrant à peine le bec. Sasha était très belle, comme toujours, et Ben me souriait sans effort, me parlait sans effort, se foutait de ma gueule sans effort. Cet épisode dramatique se déroulait-il exclusivement dans ma tête ? Je bus encore un peu de bière avant de passer à la vodka. Quelqu'un m'attrapa les joues et les pinça légèrement. C'était Ben.

« Souris, petit cœur. »

Je le dévisageai.

« Qu'est-ce qui se passe ? »

Il m'avait posé la question à mi-voix, mais tout le monde se tourna vers nous pour entendre la réponse.

« Rien.
– Tu as l'air soucieuse. »

Je suis une imbécile, une fieffée imbécile.

« Je me demandais où était passée Billy. Elle m'a promis de venir ce soir.
– Elle viendra, m'assura-t-il en se retournant vers les autres.
– À mon avis, Tessa se demande surtout où est passé son beau James Kent, intervint Nick.

– Pas du tout.

– Je vous ai rarement vue aussi calme à une soirée, Miss King. L'aurais-tu dans la peau ?

– Je viens de le rencontrer.

– Au bar, précisa Sasha.

– Sasha a rencontré Ben dans un bar », lança Francesca en ricanant.

JE SAIS.

« Elle le sait. Je viens de lui dire.

– *Serait-ce lui, oh oui, oh oui* », chantonna Nick en claquant des doigts.

Nick est un homme adorable, mais il ne boit jamais, de sorte que l'alcool lui monte vite à la tête.

« Oh, Tessa ! Buvons un autre verre pour fêter ça », renchérit Francesca.

À tue-tête.

« Il n'y a rien à fêter, me récriai-je.

– Eh bien, buvons un verre quand même.

– Mais qu'est-ce qui t'arrive ? demandai-je d'un ton moqueur.

– Je suis une maman en congé. Laisse-moi vivre. Oh, mon Dieu, il regarde par ici, me semble-t-il ! »

Sasha se pencha vers nous avec des airs de conspiratrice.

« Il vérifie que tu es encore là, dit-elle. On va faire un test. »

Dire qu'elle est censée être la voix de la raison au sein de la bande !

Je secouai la tête, exaspérée. Ils étaient ivres. Plus que je ne l'étais moi-même. Une fois n'est pas coutume.

« Quel genre de test ? s'enquit Nick d'un ton enthousiaste.

– Tessa doit se lever et aller quelque part. On verra s'il réagit.

– Il faut qu'il la voie partir, souligna Nick, sinon ça ne marchera pas.

– Ouais, lève-toi et quand Francesca te fait un signe, fais semblant d'aller aux toilettes.

– D'aller aux toilettes ? » répétai-je, interloquée.

Je pensais qu'ils comprendraient à mon ton que je n'avais pas la moindre intention de me plier à leur petit jeu.

« Attendez ! C'est quoi le signal ? » demanda Francesca en oscillant légèrement.

Étais-je bête à ce point-là quand j'avais un coup dans le nez ? Pas possible. Je n'avais pas cette impression en tout cas. J'ai toujours pensé que je tenais bien l'alcool et que j'avais beaucoup d'humour.

« Un clin d'œil, proposa Nick.

– Trop évident, dit Sasha.

– Tu as raison, reconnut Nick, un peu penaud.

– Je dirais "vas-y", mais discrètement », hurla Francesca.

Tout le monde hocha la tête.

« Bon, lève-toi, Tessa, mais reste là jusqu'à ce que Fran dise…

– C'est hors de question…

– Allez, ça va être intéressant, assura Sasha.

– C'est pas intéressant, c'est con.

– Allons, Tessa, sacrifie-toi pour dérider ces vieux couples que nous sommes. »

Cela venait de Nick, et je savais qu'il ne l'avait pas dit méchamment pour la bonne raison qu'il était la gentillesse même, mais pour qui me prenait-il, à la fin – une otarie de cirque ? J'avais la sensation d'avoir un ballon rouge en équilibre sur le nez, et une irrésistible envie de battre des nageoires dans l'espoir qu'on me jette une tête de maquereau. Je me levai. Je n'étais pas le clou du spectacle, que je sache.

« Bravo, ma petite, lança Nick.

– Je m'en vais. Vous êtes parfaitement ridicules, et j'ai besoin de plusieurs verres d'un truc mortel avant de vous trouver un tant soit peu drô…

– VAS-Y », hurla Francesca, et ils se retournèrent tous comme un seul homme dans la direction de James Kent qui approchait de notre table, à mon grand étonnement.

Sentant que je piquais un fard, je me tournai vers Francesca.

« Très subtil, sifflai-je.

– Désolée.

– Plan B ?

– Fais semblant de t'éloigner du vacarme pour téléphoner, suggéra Sasha, ayant à l'évidence localisé quelques-unes de ses fameuses cellules cérébrales.

– Je tiens à ce que vous sachiez que je vous déteste tous », lançai-je à la cantonade en sortant mon portable de mon sac.

J'y jetai un coup d'œil. Trois appels manqués. Tous de Billy. Dieu merci, une bonne raison de rester plantée là comme une cruche. Je composai frénétiquement son numéro. En voyant Francesca écarquiller tout grands les yeux, je compris que James était derrière moi. Je me retournai.

« C'est l'heure où votre carrosse se change en citrouille ? demanda-t-il.

– Je ne vais nulle part. J'ai juste besoin de passer un coup de fil.

– Vous serez plus tranquille dans l'entrée », me dit-il en me prenant le bras.

Je sentis quatre paires d'yeux braquées sur nous tandis que nous nous éloignions de la table. Je jetai un coup d'œil par-dessus mon épaule. Ils souriaient béatement. Enfin, Nick, Fran et Sasha souriaient. Pas Ben. Après avoir brandi le pouce, ce qui m'agaça au plus haut point, ils se blottirent à nouveau les uns contre les autres, pareils à des sorcières, pour se congratuler. Ben continuait à me suivre des yeux et j'étais incapable de détourner le regard. Tandis que James m'entraînait hors de la salle, ces yeux restèrent fixés sur les miens, et vice versa.

La porte à deux battants se referma sur ce regard bleu intense, avalant du même coup le ramdam dans une sorte d'éructation distinguée. Dans l'entrée, on se serait cru dans un sanctuaire après le maelström de la salle. Mes oreilles bourdonnèrent le temps de s'accommoder à la chute de décibels, mes poumons accueillirent avec bonheur l'air sans fumée. Cette paix fut de courte durée. En haut des marches, c'était à nouveau la foire d'empoigne ! Une foule compacte bloquait le trottoir et la rue, chacun tendant le cou en tous sens dans l'espoir d'apercevoir une bonne âme susceptible de les faire entrer.

« Eh merde, m'exclamai-je. Elle n'arrivera jamais à entrer.

– Je peux peut-être vous aider, me dit James. Débrouillez-vous pour savoir si elle fait la queue. »

Je téléphonai à Billy.

« Je suis désolée, dit-elle aussitôt.

– Pourquoi ?

– J'étais en retard. La file d'attente fait pratiquement le tour de l'immeuble. Je vais rentrer…

– T'as pas intérêt. Approche-toi de l'entrée.

– Le problème, c'est…

– Viens à la porte. Je suis là.

– Ça ne marchera pas. Il y a un gars de la télé derrière moi. Il y a trop de monde dedans, il paraît.

– Ils disent toujours ça. Bon, viens à la porte. Ne raccroche pas. »

Je levai les yeux vers James.

« Êtes-vous sûr de pouvoir faire quelque chose ? Je peux aller chercher Neil. J'en ai rien à faire de ce qu'il dira.

– Faites-moi confiance, répondit-il. Il n'y a pas de problème. Elle est toute seule, n'est-ce pas ? »

Je collai le téléphone contre mon oreille.

« Tu es bien toute seule ?

– Eh bien, c'est que…

– Tu es venue accompagnée ? »

J'étais ravie, en dépit des complications que cela causait.

« Je ne pensais pas que ça poserait un problème…

– Ça n'a pas d'importance. Ne t'inquiète pas. »

Je brandis deux doigts sous le nez de James en faisant la grimace. Deux jolis doigts.

« Je te vois », s'exclama Billy.

Je la désignai à James, bien résolue à le laisser faire tout seul. Au cas où ça ne marcherait pas. Je ne voulais pas l'embarrasser en plus de Helen. J'assistai à la scène de loin, essayant de déterminer lequel des hommes qui se pressaient contre Billy l'accompagnait. Sentant que le cordon de sécurité se soulevait, la foule monta au créneau. Billy fut projetée en avant, je vis la main de James se tendre vers la sienne, elle franchit la barrière humaine de videurs baraqués et émergea, triomphante, dans le vestibule. James Kent était un magicien. Tandis que Billy se perdait dans un groupe de gens attendant de déposer leurs manteaux, il se tourna vers moi.

« Comment avez-vous fait ?

– Un des videurs est un aspirant comique.

– Il est bon ?

– Non. Mais il a rendez-vous dans mon bureau lundi matin.

– Je vous serai à jamais reconnaissante.

– Je ne vous le laisserai pas oublier. »

Billy nous rejoignit. Elle souriait d'un air contrit.

« Désolée d'être en retard.

– Ça n'a pas d'importance. Qui as-tu amené ? »

Elle était sur le point de répondre quand mon nom fit écho contre les murs en pierre. Une apparition en velours vert surgit de derrière Billy sans se soucier des regards appuyés et des silences consternés que sa voix haut perchée avait provoqués chez les autres invités qui savouraient un instant de tranquillité loin du chahut.

– MARRAINNE TEEEESS !

Le sprint de Cora entre les assortiments de jambes qui nous séparaient aurait fait pâlir d'envie Johnny Wilkinson. Après avoir involontairement jeté un petit coup d'œil de reproche à Billy, je m'accroupis et ouvris les bras comme toujours en me préparant au choc. Elle portait la longue jupe verte de danseuse et la petite veste en velours vert assortie que je lui avais offertes pour Noël. On aurait dit une fée.

« Quelle surprise de te voir là, mon chou ! m'exclamai-je en humant son odeur sucrée.

– Tu viens toujours à mes fêtes », me répondit-elle du tac au tac.

C'était vrai. Je n'en avais pas manqué une seule, mais il y avait eu une époque dans sa jeune vie où on n'était jamais sûrs qu'elle aurait un autre anniversaire de sorte que cela paraissait un sacrilège d'en manquer un.

« Maman s'est trompée de jour. Elle a dit à Magda que c'était demain. Magda avait des billets pour un concert ce soir ; elle ne pouvait pas le rater. Mais ne lui dis pas que je te l'ai dit parce qu'elle pense que vous la croyez tous incontinente, alors que c'est juste une erreur. »

Je pinçai les lèvres pour réprimer un fou rire. C'était du Cora tout craché – un mélange de sagesse et d'impropriétés de langage à parts égales.

Billy apparut derrière Cora, ses longs cheveux, shampouinés cette fois-ci, flottant en deux tresses foncées dans son dos. Quand elle est stressée, Billy, on voit la nervosité la gagner à la vitesse de la lumière. Quand elle est détendue, on a l'impression qu'elle pourrait s'envoler. Ce soir-là, c'était la vitesse de la lumière.

« Je suis vraiment, vraiment désolée d'être en retard. Magda a un rhume, mais j'avais tellement envie de vous voir tous. Cora a suggéré que je lui mette sa jolie robe et qu'on vienne toutes les deux. »

Je savais que sa dernière phrase était vraie.

Avec le recul, je songeai que j'avais dû la houspiller un peu trop si elle s'imaginait qu'il était préférable d'amener une gamine de sept ans à une fête organisée par les médias dans une salle enfumée et remplie de gens shootés à la coke plutôt que de se décommander. Je gratifiai Cora, puis Billy d'un grand sourire.

« Vous avez bien fait. Et vous êtes toutes les deux ravissantes. »

Cora rayonnait.

James s'approcha de nous.

« Vous avez probablement besoin d'un verre après tout ça. Je vais au bar. Puis-je vous rapporter quelque chose ? »

Il s'adressait à Billy. Comme elle semblait perplexe, je fis les présentations. Billy n'a pas l'habitude de parler à des gens qu'elle ne connaît pas. Elle se croit invisible, à mon avis.

« Une coupe de champagne, ça vous dirait ? dis-je en sortant ma carte de crédit de mon sac. Pour vous remercier de cette cascade miraculeuse. »

« Rangez-moi ça, répondit James d'un ton si ferme que j'obtempérai.

– Et toi, Cora, que puis-je t'apporter ? » demanda-t-il.

Cora sourit de plus belle.

« Un jus d'ananas, s'il vous plaît.

– Cora, ma chérie, ils n'ont peut-être pas… »

James m'interrompit.

« C'est un cinq étoiles. S'ils n'ont pas de jus d'ananas, ils ne les méritent pas.

– Il y a une fille dans ma classe à qui on donne des étoiles qu'elle ne mérite pas, rétorqua Cora d'un ton grave. Ce sont des choses qui arrivent.

– Tu as raison, répondit James. Beaucoup trop souvent. »

Cora hocha la tête en fronçant les sourcils.

« Du jus de pomme, alors. Ils devraient en avoir, du jus de pomme.

– C'est la foire d'empoigne là-dedans, je te préviens, indiquai-je à Billy.

– On ne restera pas longtemps.

– Je suppose que ça a été un cauchemar de venir en ville.

– On s'est bien amusées à se préparer toutes les deux, répondit-elle, éludant ma question relative au trajet en métro avec Cora dans la cohue du samedi soir. On a dansé dans la chambre en petites culottes en chantant le dernier tube d'Abba.

– C'est le meilleur moment, acquiesçai-je en lui prenant le bras tout en m'emparant de la petite main de Cora.

– Tu te souviens des heures qu'on passait à se préparer rien que pour éviter de faire tache quand on sortait ?

– On buvait du vin dans des tasses.

– Au goulot aussi, quand on n'avait pas fait la vaisselle.

– Ça fait un bail.

– Ne dis pas ça ! J'ai l'impression que c'était hier.

– C'est probablement vrai en ce qui te concerne. »

Je lui enfonçai mon doigt dans les côtes. Nous approchions de la porte à deux battants.

« Prêtes ? »

Elles hochèrent la tête à l'unisson. Dès que nous eûmes poussé la porte, nous nous heurtâmes au mur du son. Je jouai des coudes pour nous frayer un chemin jusqu'à la table. Tout le monde était ravi de voir Cora ; elle passa aussitôt de bras en bras comme le trophée qu'elle est pour finir sur les genoux de Ben. C'est son préféré. C'est normal, elle le connaît mieux que les autres. On joue souvent au papa et à la maman quand Billy a besoin d'un break et que Sasha est en voyage.

« Où est la foire ? demanda Cora.

– Comment ?

– La foire d'empoigne ? »

Tout le monde éclata de rire. Sauf moi. Je fixai Cora en train de tripoter l'oreille de Ben. Je me demandais combien de temps cela faisait que j'empruntais l'enfant de quelqu'un d'autre pour jouer avec le mari de quelqu'un d'autre en prétendant que c'était normal.

« Où sont Helen et Neil ? » demanda Francesca.

James Kent arriva avec deux bouteilles de champagne et sept verres. Je me levai un bond.

« Je vais la chercher pour qu'elle vienne boire un verre avec nous. »

Je retournai bille en tête au bar VIP et m'approchai de la maigrichonne. Elle détourna le regard, aussi lui précisai-je mes intentions.

« Je ne veux pas entrer. J'espérais juste que mon amie Helen Zhao pourrait sortir un moment et se joindre à nous pour boire un verre.

– Elle n'est pas là-dedans. »

Je fronçai les sourcils.

« Je sais ce que je dis, insista-t-elle. Ils se sont disputés.

– Disputés ? »

Je ne comprenais plus.

« Elle avait trop bu. Vous la trouverez probablement dans les toilettes.

– La femme de Neil Williams. Vous êtes sûre ?

– Sa femme, oui. Un peu gênant pour lui, j'avoue. »

J'étais horrifiée par cette familiarité déplacée, affolée par ce qui en était peut-être la cause, mais surtout, j'étais inquiète pour Helen.

« Elle vient d'avoir des jumeaux », dis-je sans trop savoir pourquoi.

La cerbère haussa les épaules. Un geste qui n'engageait sans doute à rien, mais j'avais l'impression que ça voulait dire « C'est encore pire que je croyais ! », ou bien « Pas étonnant dans ce cas ! ». J'éprouvai soudain un élan de compassion pour Helen comme jamais auparavant. Moi aussi j'aurais picolé à sa place dans cet antre insidieux. C'était une manière de se protéger de l'anorexique qui se tenait devant moi et des autres loufoques de son espèce. L'une des choses qui me répugnent le plus dans ce monde, c'est la désintégration de la solidarité féminine.

Je la laissai derrière son cordon et montai aux toilettes. Il y en avait huit. Unisexes, sans témoin pour indiquer « occupé » ni aucun moyen de faire la queue. Impossible de savoir dans lequel Helen pouvait se trouver. J'entrepris d'en faire le tour en tendant le cou au moindre mouvement. J'en fis un repérage comme s'il s'agissait de navires de guerre en les éliminant mentalement chaque fois que je voyais hommes et femmes en émerger, le plus souvent deux par deux.

Au bout de dix minutes, j'en localisai deux qui n'avaient pas montré signe de vie. Je me souvenais d'avoir passé tout un mariage enfermée dans une sanisette, totalement dans les vapes. Je savais par conséquent que c'était possible. Je m'approchai de la première porte. Frappai doucement. Pas de réponse. Je tendis l'oreille et j'étais sur le point d'appeler Helen quand j'entendis un bruit qui ressemblait fort à un haut-le-cœur.

« Helen ? Est-ce que ça va ? » demandai-je d'une voix assez forte pour que quelques personnes à proximité me dévisagent.

Mon appel coupa court aux vomissements. D'après mon expérience, ça ne s'arrête pas sur commande.

« Excusez-moi », dis-je à la porte en plastique blanc.

Je m'écartai au moment où les bruits peu ragoûtants recommençaient. Je m'éloignai et allai rôder hors de la vue des gens dont j'avais attiré l'attention jusqu'à ce qu'ils veuillent bien s'en aller. Cinq minutes plus tard, la porte qui m'intéressait s'ouvrit et un couple en sortit, gagna l'escalier et se sépara sans échanger un mot. Je me trompe peut-être, mais je trouve ce monde de plus en plus cruel.

Je m'approchai des autres toilettes restées fermées depuis un bout de temps. Dieu merci, c'était celles qui étaient les plus éloignées de l'escalier, et la porte faisait face au mur. Je frappai plusieurs fois. Pas de réponse. J'y collai mon oreille. Je n'entendais ni vomissements, ni geignements, mais je percevais bel et bien quelque chose. De mécanique. Un son mécanique, une vibration, comme si quelque chose ne fonctionnait pas à l'intérieur. Je cherchai des yeux un écriteau indiquant « hors service », mais il n'y en avait pas. Puis un son humain me parvint. Un sanglot, ou plutôt un jappement, moins humain qu'animal, mais incontestablement féminin.

« Helen ? dis-je d'un ton plus pressant. C'est moi, Tessa. Laisse-moi entrer. »

Pas de réponse.

« Bon, repris-je d'une voix forte. Je vais demander à quelqu'un de m'ouvrir.

– Non ! me répondit-on aussitôt

– Alors laisse-moi entrer. Il n'y a personne, personne ne peut… »

La porte s'entrouvrit.

« … te voir. »

Je la poussai un peu plus, jetai un dernier coup d'œil à la dérobée derrière moi pour m'assurer que personne ne me regardait et me glissai dans les toilettes.

Assise sur le trône, Helen me regardait d'un œil morne. Son maquillage noir avait coulé. De la morve pendait de sa narine gauche. Sa lèvre inférieure était fendue comme celle d'un boxeur après un combat. Ses épaules nues étaient voûtées. Sa robe roulée à la taille révélait son torse nu. Un cône en plastique transparent tirait sans ménagement sur chacun de ses petits seins. C'était un bruit de succion que j'avais entendu de derrière la porte. Les deux cônes se terminaient par des tuyaux transparents reliés à un troisième, près du nombril, tel un stéthoscope. Ce troisième tuyau aboutissait à une bouteille en plastique qu'elle serrait dans sa main à en avoir les jointures blanches. Elle n'avait pas l'air consciente du tiraillement intermittent sur ses seins. Je lui pris l'appareil des mains, trouvai le bouton de commande et éteignis. L'un des cônes se détacha avec un bruit sec. Le sein pendait, vide, sur sa cage thoracique. Son mamelon était violet et tout enflé. J'ôtai délicatement le second cône. Ce fut alors que je remarquai les minuscules taches de sang sur l'aréole. Je jetai un coup d'œil au flacon que je tenais à la main. Quelques perles de sang descendaient le long du tube vers les gouttelettes d'un gris aqueux au fond du récipient.

Helen me laissa faire quand je remontai sa robe et glissai ses bras minces dans les bretelles. Elle ne fit même pas mine de m'aider tandis que je me démenais pour replacer ces bretelles sur ses épaules osseuses, mais elle ne me quitta pas des yeux. Je pris sa tête et la serrai un moment contre mon ventre en silence, attendant qu'elle sorte de sa transe.

« Je vais abîmer ta jolie robe, dit-elle finalement.

– Rien à foutre, répondis-je. Que s'est-il passé ?

– J'avais juste envie de m'amuser, comme avant.

– Tu as beaucoup bu ?

– Je n'ai rien bu, affirma-t-elle.

– Personne ne t'en voudra d'avoir bu un verre, Helen. Ça n'a pas d'importance.

– Je ne peux pas boire. J'allaite encore.

– Alors pourquoi te caches-tu ici avec ça ? » demandai-je en désignant le bidule reposant inerte dans le lavabo.

Helen considéra le tire-lait en plissant les yeux, puis elle reporta son attention sur moi.

« Tessa ?
– Oui ?
– Tu crois qu'il m'aime ? »
J'aurais dû m'y attendre venant d'une professionnelle de l'angle mort. Je n'avais pas prévu le coup néanmoins. Je paniquai.
« Allons, Helen. Je te raccompagne chez toi.
– Je ne veux pas qu'on me voie.
– Ne t'inquiète pas. J'ai un plan. »
J'envoyai discrètement un SOS à Billy sous la forme d'un texto sans cesser de serrer Helen contre moi. Puis j'écartai ses cheveux de son visage. Avec du papier toilette mouillé et un bon fond de teint, on arrive à tout. Moi qui ai toujours eu des boutons, je suis la reine du maquillage. Helen avait la peau plus mate que moi, de sorte qu'elle était un peu pâlotte quand j'eus fini, mais au moins elle n'avait plus l'air d'une folle. On frappa à la porte. Helen bondit.
« Ne dis rien à Neil, murmura-t-elle.
– À propos de quoi ? »
Elle ne répondit pas. Je tournai le verrou. Billy avait nos manteaux. Elle me tendit le mien par la porte entrebâillée. Tandis que j'aidai Helen à l'enfiler, elle me regarda d'un air anxieux.
« J'essaie d'être une bonne mère et une bonne épouse. Pourquoi est-ce si dur ? Pourquoi est-ce que je n'y arrive pas ? Pourquoi est-ce si dur ? »
Je sentais l'hystérie la gagner. L'hystérie qui l'avait poussée à s'enfermer dans une cabine en plastique et à ruiner son maquillage à force de pleurer, l'hystérie qui l'avait épuisée, anéantie. Je l'aidai à se redresser.
« Tout ce que tu as à faire, c'est sortir d'ici. On s'occupera du reste quand on sera rentrées. »
Qu'est-ce qui m'autorisait à faire des déclarations aussi grandiloquentes ? Que je puisse me croire capable de tirer tout le monde d'affaire, y compris moi-même, par la seule force de la volonté en disait long.

La soirée était passée à la vitesse supérieure quand nous sortîmes en catimini des toilettes. Je m'emparai du tire-lait au passage et enlaçai Helen. Personne ne broncha en voyant deux femmes émerger des gogues et tomber dans les bras d'une troisième avant de descendre l'escalier en titubant. Tenant Helen chacune par un bras, nous l'escortâmes dehors comme une célébrité. Francesca attendait à la porte avec Cora. Cora se contenta de glisser sa main dans celle de sa mère et nous nous acheminâmes toutes les quatre vers la sortie.

« Si tu allais dire au revoir à James Kent ? » me chuchota Francesca à l'oreille.

Je fronçai les sourcils. Pas maintenant. J'avais d'autres soucis en tête.

13

Supercheries

Il était minuit moins le quart quand j'installai finalement Helen dans un taxi. Comme Billy habitait dans la direction opposée, je lui donnai assez d'argent pour qu'elle en prenne un autre avec Cora.

Quelques minutes après le départ, Helen se rappela qu'elle n'avait pas ses clés. Rose nous laisserait entrer à coup sûr, mais Helen insista pour qu'on fasse demi-tour afin que j'aille chercher son sac au bar VIP. Je trouvais ça idiot, mais elle était trop fragile pour que je la contredise. Je priai donc le chauffeur de taxi de rebrousser chemin. Si nous n'étions pas revenues, je n'aurais pas vu Billy assise à l'arrêt de bus avec Cora déjà endormie, blottie sur ses genoux comme un gros chat. Elle ne nous vit pas passer, Dieu merci !

Je trouvai le sac sans peine, mais il me fallut battre en retraite sur la piste de danse pour éviter de tomber sur Neil. J'aperçus Ben et Sasha en train de se déhancher d'une manière drôlement sexy pour un vieux couple. Je restai plantée là parmi les danseurs déchaînés à les regarder faire des pirouettes, se balancer, se bécoter et rire, rire. À un moment donné, Sasha me regarda droit dans les yeux, puis Ben la renversa en arrière. Il fallait que je file de là.

Lorsque j'eus finalement réussi à m'extirper de la salle bondée, il y avait 5 livres de plus au compteur, et Billy et Cora avaient embarqué dans le bus de nuit. Je pris Helen dans mes bras et la tins serrée contre moi tandis que le chauffeur se frayait un chemin dans le dédale encombré des rues de Londres. La pompe d'allaitement était posée sur ses genoux ; elle faisait courir le tube en plastique vide entre ses doigts comme un chapelet.

Après avoir mis Helen au lit tout habillée, je résolus d'aller jeter un coup d'œil aux jumeaux. Au moment où j'atteignais le dernier étage, Rose surgit de l'ombre sur le palier en me fichant une trouille telle que je faillis tomber dans l'escalier. Elle me dévisagea d'un œil soupçonneux, ce qui me parut normal vu que je déambulais dans la maison en pleine nuit sans lumière.

« La vache, Rose, vous m'avez fait une peur bleue ! C'est moi, Tessa. J'ai ramené Helen, chuchotai-je.

– Que s'est-il passé ?

– Je crois qu'elle a un peu bu. Elle n'a pas l'habitude, manifestement. Elle est dans un piteux état.

– Elle a beaucoup bu, à votre avis ?

– Je n'en sais rien. Elle nie. »

Rose hocha la tête, ce qui me donna la sensation qu'elle me toisait des pieds à la tête. Je me rendais bien compte que c'était le milieu de la nuit et que les jumeaux l'avaient probablement déjà réveillée, mais je ne la trouvais pas très compréhensive. J'avais vu une femme bouleversée dans ces toilettes. Helen avait peut-être pété les plombs et bu un verre de trop. Elle se sentait coupable vis-à-vis des jumeaux et redoutait que Neil fût au courant, mais il se pouvait aussi que ce soit plus grave que ça.

« Ça va, les garçons ? Ils ont faim ? demandai-je.

– Ils dorment. Il ne faut pas qu'elle les dérange.

– Tout à fait d'accord. Laissons-la dormir aussi longtemps que possible. Si les jumeaux se réveillent, il faudra que vous leur donniez du lait maternisé. Vous en avez ? »

Avais-je la berlue, ou Rose me regardait-elle d'un drôle d'air ? Était-elle une adepte forcenée de l'allaitement, elle aussi ? Depuis quand le lait maternisé était-il décrié à ce point ? Rose me tourna le dos et battit en retraite dans sa chambre. Je ne savais pas très bien où se trouvait celle des jumeaux. Elle était tout en haut de la maison, et je n'avais jamais éprouvé le besoin de cautionner le décor de rêve de cette chambre d'enfants de chez Dragons of Walton Street, avec ses petits lits en bois faits main d'un prix faramineux, au point de braver les cinq étages. Comme on nous présentait toujours les bébés tout propres et talqués dans des couffins Moses assortis, je n'en voyais pas l'utilité. Helen disait que les allers-retours à la nursery la maintenaient en forme. Rien qu'à regarder ses fils, j'étais épuisée. Caspar avait dormi dans la salle de bains sur un tapis de change les six premiers mois de sa vie parce que Nick et Fran vivaient dans un studio. Cora, elle, était à l'hôpital, mais lorsqu'elle avait finalement pu intégrer sa chambre, je connaissais cette pièce comme ma poche. Je trouvais tout du premier coup. Les chaussons, les lingettes, les couches. Je regagnai l'escalier, un peu honteuse à l'idée que mes filleuls dormaient derrière une des quatre portes qui se trouvaient derrière moi sans que je sache laquelle, ni même s'ils dormaient dans la même pièce.

Je fondis sur le bar de Neil et me servis un whisky dans un verre en cristal taillé tellement grand que j'arrivais à peine à le tenir d'une main. Je guignai sous le couvercle du seau à glace, m'attendant à le trouver vide, mais il contenait un monceau de glaçons. Voilà à quoi cela servait d'avoir du personnel à demeure – on avait des glaçons à tout moment et, si Marguerite était dans le vrai, une connaissance superficielle de sa progéniture. Après avoir rafraîchi mon verre, je m'affalai dans un des trois énormes divans couleur crème. *Attends que vienne le moment des coloriages, des glaces qui dégoulinent, des soldats en pâte à sel, des Play-Doh !* pensai-je, mais je chassais aussitôt cette pensée de mon esprit. Ces images évoquaient un foyer heureux et ce qui émanait de cette maison ne ressemblait ni de près ni de loin au bonheur. Je repliai mes jambes sous moi. Avais-je vraiment été à ce point obnubilée par ce qui m'arrivait au travail pour ne pas prêter attention à Helen, ou s'agissait-il de tout autre chose ? Quelque chose d'un goût moins agréable, dont je commençais néanmoins à éprouver les saveurs peu appétissantes. J'étais jalouse. Voilà pourquoi je n'avais pas écouté les lamentations de Helen au sujet de ses hémorroïdes, de ses essoufflements, de ses vergetures, de ses aigreurs d'estomac. Faute d'un modèle maternel digne de ce nom, elle s'inquiétait de ne pas être une bonne mère. J'avais écarté ces craintes du revers de la main. Quand Neil la toisait du regard en lui disant qu'elle avait l'air d'un Bibendum, je riais parce que c'était faux. La veille de son accouchement, elle était toujours aussi jolie. Mais elle devait le prendre au mot. J'avais dressé une barrière invisible entre elle et moi. Je l'avais ignorée. Pourquoi ? Parce qu'elle m'avait abandonnée. Ma camarade de jeux insouciante et frivole avec laquelle j'avais fait les quatre cents coups m'avait laissée tomber. Je le lui avais fait payer ! C'était pire que la jalousie pure parce que je lui enviais une chose dont je ne voulais même pas pour moi.

Je détestais Neil. Helen avait souffert d'un manque d'amour toute son enfance, et l'argent que son père lui avait laissé ne suffirait jamais à compenser. Je savais qu'elle n'était pas très bien dans sa peau, que sa beauté était un leurre et que des gens censés n'avoir aucun ascendant sur elle étaient susceptibles de lui infliger de terribles blessures. En réalité, la jalousie que j'éprouvais envers elle cachait de la colère. Je pensais lui en vouloir de ne pas s'estimer à sa juste valeur, alors qu'en fait, c'était à moi que j'en voulais parce que quelque part au fond de moi, l'idée de me déprécier me séduisait. Le problème, c'est que je n'en étais même pas capable apparemment. Je posai mon verre vide sur la table basse et m'extirpai du canapé. Il était deux heures du matin. Je montai l'escalier à tâtons et trouvai une chambre d'amis. Je me déshabillai, me glissai dans un lit luxueux et mou et m'endormis presque aussitôt.

Je n'aurais pas su dire si c'était l'odeur de tabac ou les battements persistants filtrant à travers le plancher et se répercutant dans ma cage thoracique qui me tirèrent du sommeil. J'ouvris les yeux à contrecœur et regardai autour de moi. L'aube soulignait le pourtour des épais rideaux. Je me dressai sur mon séant, allumai la lampe de chevet et vérifiai l'heure en plissant les yeux. Je m'enveloppai du peignoir en coton gaufré pendu dans la salle de bains adjacente avant de sortir dans le couloir. J'entendis un bruit au-dessus de moi. Penchée au-dessus de la rampe, Rose regardait en bas de l'escalier d'un air mauvais. En me voyant, elle secoua la tête et se redressa aussitôt.

Je commençai à descendre. Deux filles étaient en grande conversation au pied des marches, une cigarette à la main.

« Excusez-moi », fis-je en me glissant entre les deux.

Elles continuèrent à causer comme si de rien n'était.

« Vous devriez aller chercher un cendrier », suggérai-je à l'une d'entre elles, désignant le long arc de cendre qui pendait dangereusement au bout de sa tige. Je leur aurais demandé un rein, elles auraient réagi pareil. Je suivis les vibrations de la basse jusque dans le salon où j'avais bu un whisky en pleine crise de nostalgie quelques heures plus tôt. Cinq créatures se serraient autour de la table basse en verre. Il y avait tout un tas de bouteilles ouvertes sur la table ; les cendriers débordaient de gros mégots dont certains n'étaient même pas éteints. Ils devaient être là depuis un petit bout de temps. J'aperçus Neil près de la stéréo high-tech, télécommande en main, en train de danser furieusement sur place face au mur, en dodelinant de la tête.

« Ça t'ennuierait de baisser un peu ? lui criai-je. Tu vas réveiller les petits.

– La vache ! Vous m'avez fichu une de ces trouilles ! s'exclama-t-il en se retournant. Oh, mon Dieu, je croyais que c'était la nounou. Joins-toi à nous, prends un verre, assieds-toi. Tu t'es bien amusée à la soirée ? »

J'étais en robe de chambre, mais il n'avait pas l'air de s'en rendre compte.

« Est-ce que tu pourrais baisser le son, s'il te plaît ? Helen est crevée et je ne voudrais pas qu'elle se réveille.

– Depuis quand es-tu devenue aussi casse-couilles, Sasha ? » protesta-t-il.

Sa mâchoire n'arrêtait pas de bouger. On aurait dit une vache en train de ruminer.

« Tessa, corrigeai-je.

– Merde ! Excuse-moi. Je vous confonds toujours toutes les deux. Vous vous ressemblez bizarrement, tu ne trouves pas ? T'as jamais pensé à ça ? »

Il ne savait plus ce qu'il disait. Il était logorrhéique. Il disait n'importe quoi.

« Viens donc prendre un petit remontant. On rigole plus avec toi qu'avec Helen. J'ai toujours trouvé que tu avais du peps. T'as un côté loser, mais en fait, je t'admire. Tu es tellement indépendante. J'aimerais bien que ma femme soit comme toi. »

Je voulais juste qu'il la ferme. Je repoussai son bras collant de sueur qui pesait sur mes épaules.

« Elle a vraiment besoin de dormir. Il est six heures du matin. Tu ne penses pas qu'il serait temps que tes copains rentrent chez eux ? »

Je me tournai vers les gens assis autour de la table basse. Ils avaient l'air sinistres. La cocaïne n'est pas bonne pour le teint. Ils me rendirent mon regard de leurs grosses pupilles dilatées.

« On vient à peine d'arriver », dit Neil.

Les deux filles de l'escalier apparurent.

« Y reste de la coke ? » demanda l'une d'elles.

Neil sortit une pochette de son veston et la balança sur la table. Deux mecs se jetèrent dessus. Inutile d'insister. Personne n'allait m'écouter. J'allai discrètement baisser la musique et me retirai en fermant les portes derrière moi. En remontant l'escalier, je me demandais si c'était la première fois que ça se produisait. Je savais qu'il arrivait à Neil de découcher ; je ne m'étais pas rendu compte qu'il faisait aussi la bringue chez lui. Je me remis au lit. Une demi-heure plus tard, j'entendis à nouveau la musique. Elle fit écho par intermittence dans ma conscience jusqu'à huit heures. Je finis par me lever, je pris un bain, je renfilai ma robe et, après avoir entrouvert sans bruit la porte de Helen pour m'assurer qu'elle dormait toujours, je montai à la recherche de la chambre des enfants.

Je tombai dessus du premier coup, Dieu merci. La pièce ressemblait en tous points à ce que j'avais imaginé : un monument à l'enfance privilégiée. Il ne manquait rien. Des lits peints à la main dotés de baldaquins qui auraient mieux convenu à des filles. Des tapis à l'effigie des personnages de Beatrix Potter. Des machines qui diffusaient du Mozart en fond sonore. D'autres qui projetaient des lumières sur le plafond. D'autres encore pour indiquer la température et le taux d'humidité ambiants. Il y avait un fauteuil pour allaiter, tapissé de vichy bleu, et un tabouret assorti. Tout le reste était en double. Transats, balancelles, tables à langer, tapis de jeux, pots de chambre. D'autres personnages de Beatrix Potter peints au pochoir couraient au-dessus de la plinthe, accompagnés des paroles de Miss Tiggy Winkle. Un artiste en mal de succès avait décoré le plafond d'un ciel bleu agrémenté de nuages blancs cotonneux dont certains abritaient des putti aux fesses rebondies qui vous souriaient de là-haut. Le mélange Renaissance et Potter n'était pas forcément heureux, mais ce n'était pas ma progéniture qui y perdrait son latin, ma foi !

Il y avait deux placards encastrés. L'un d'eux contenait une collection de créations de couturier à faire pleurer d'envie toute femme, bien que la plus gracile eût été infoutue de se glisser dans ces ensembles miniatures. Dans l'autre placard, je découvris une kitchenette équipée d'un micro-ondes, d'une bouilloire électrique, d'un réfrigérateur-congélateur en plus de tous les accessoires que j'avais pu voir au rayon puériculture de chez John Levis, ainsi que d'autres que je n'avais pas vus. Helen avait mis tous les atouts de son côté. En ouvrant le frigidaire, je tombai sur des rangées de poches de colostomie miniatures – une armée stationnaire de lait tiré, prête à l'emploi. Je me souvins alors du monstre à deux têtes rongeant le décolleté décati que j'avais vu hier soir. Je regardai autour de moi dans la pièce claire et aérée, sidérée par tout le fatras qu'on pouvait amasser quand on avait les moyens et l'envie de le faire, et la chambre de Caspar bébé me revint en mémoire. Un tapis de change dans la salle de bains. Et celle de Cora : le service de respiration artificielle de l'hôpital St. Mary. Pourtant, je n'avais jamais vu leurs mères aussi désemparées et débraillées que Helen la veille au soir. Je sortis en refermant la porte derrière moi. La nursery contenait tout ce qu'une jeune maman pouvait désirer. Sauf une chose. Où étaient les bébés ?

En ouvrant une autre porte, je tombai sur la chambre que l'assistante maternelle avait occupée au départ. Il restait encore une pièce, après la salle de bains au décor d'inspiration marine. Je frappai. La voix de Rose me parvint. Elle me jeta un regard plein de méfiance par l'entrebâillement. Elle me toisa des pieds à la tête et hennit avec une réprobation manifeste. Je me sentis vexée jusqu'à ce que je me souvienne des poules encocaïnées en bas. J'avais remis ma robe de soirée, et Rose nous avait vues, Helen et moi, après certaines nuits blanches. Mais ça, c'était le passé. J'espérais avoir meilleure mine que ces deux pétasses !

« Je n'étais pas en bas avec Neil, Rose. J'essayais de dormir », lui expliquai-je pour l'amadouer.

Elle ne se dégela pas pour autant et continua à me faire la tronche.

« Est-ce que ça va ?

– À votre avis ? »

J'étais fâchée moi aussi, et son hostilité à mon égard me dépassait. C'était une femme douce qui avait toujours voué à Helen un amour inconditionnel. Était-ce en train de changer ? Le mari de Helen était peut-être une condition de trop pour elle.

« Les jumeaux sont avec vous ? demandai-je.

– Non.

– Où sont-ils alors ?

– Avec leur père, répliqua-t-elle d'un ton furibard.

– Leur père !

– Il voulait jouer avec eux.

– Ils sont avec Neil ?

– Je viens de vous le dire. Il voulait jouer avec eux.

– Mais il est... »

Bourré de coke.

« ... Il n'a pas dormi de la nuit.

– C'est leur père. Je ne suis qu'une pauvre Philippine que l'on paie pour faire ce qu'on lui dit. »

J'identifiai aussitôt la source de cette remarque ignoble.

« Oh, Rose ! Je suis désolée. »

Je n'allais pas chercher des excuses à Neil. C'eut été peine perdue. J'aurais pu rester là toute la journée à compatir aux tourments de Rose. J'aurais volontiers passé des heures à casser du sucre sur le dos de Neil, à parler de son racisme, de sa misogynie, de son côté puéril, de sa connerie, mais j'étais inquiète pour mes filleuls. Je la plantai donc là. J'avais les coudées franches, contrairement à elle, et n'aurais aucun scrupule à dire à Neil ce que je pensais exactement de son attitude.

J'espère ne jamais revoir ce que je vis ce matin-là. Neil se dandinait en tenant un des jumeaux au-dessus de sa tête. L'autre bébé était couché sur le canapé entre deux filles qui lui faisaient guili-guili à tour de rôle avant de tirer de longues taffes de leur cigarette en évoquant leurs désirs de procréer. J'en vis une écraser son mégot avant de caresser le visage de l'enfant avec la même main. La pièce empestait la fumée, alors quelle importance ? Les garçons en étaient déjà à un paquet. Il n'empêche que la proximité de ces doigts tachés de nicotine avec la petite bouche du bébé me remplit de haine. Je résolus de m'occuper de lui en premier.

« Qu'est-ce que vous foutez ? » hurlai-je en m'emparant de l'enfant.

Puis je me tournai vers Neil.

« Ces deux andouilles ne sont peut-être pas au courant, mais tu es leur père. Ça pue là-dedans. Y a de la coke sur la table. Tu es dingue ou quoi ?

– Je t'avais bien dit qu'il ne fallait pas aller les chercher », marmonna un gus vautré dans un fauteuil.

Que j'ignorai. J'emmenai le bébé dans le couloir et le posai par terre sur la moquette. Quand je retournai dans la pièce, Neil était en train de se foutre de ma gueule. Je l'entendis me traiter de « mal baisée », ce qui ne me fit ni chaud ni froid dans la mesure où je ne m'intéressais plus à lui. Je voulais juste lui reprendre mon filleul. Je m'approchai des rideaux, les ouvris en grand, et éprouvai une certaine jouissance à les voir faire la grimace comme des huîtres arrosées de jus de citron sous l'effet de la clarté qui inondait la pièce. L'épaisse fumée grise tourbillonnait autour de nous comme des volutes de brouillard en Cornouailles. Je tournai la poignée de la fenêtre et l'ouvris à deux battants. Puis je retournai chercher l'autre bébé. Fort heureusement, Neil était trop fait pour m'opposer une véritable résistance bien qu'il essayât tout de même.

« Tu ne les mérites pas, tu ne mérites pas Helen.

– Va te faire mettre ! »

Il fit un pas chancelant dans ma direction.

« Rends-moi Tommy, conasse.

– Si tu me touches, j'appelle la police. Je te jure, Neil. J'appelle la police.

– Laisse tomber, mon vieux, fit le gaillard dans le fauteuil. Elle a raison. Ils ne devraient pas être là. Viens plutôt boire un verre. »

Je sortis de la pièce, chopai Bobby au passage et commençai à monter l'escalier en me tordant les chevilles sur mes talons aiguilles. J'étais déjà tout essoufflée en arrivant au premier. Ces garçons pesaient un bon poids et ne faisaient pas grand-chose pour vous faciliter la tâche. J'avais mal aux bras. Après avoir envoyé balader mes chaussures, je parvins à gagner le cinquième. Les grenouillères assorties des garçons sentaient le tabac et je me pris à haïr leur père avec plus de ferveur que je ne l'aurais jamais cru possible. Deux paires d'yeux marron me rendaient mon regard. Je n'arrêtais pas de leur marmonner des excuses. J'embrassais leur front bombé et chaud sans cesser de répéter « désolée ». Pour finir, je les ramenai à bon port dans leur nursery immaculée et fermai la porte derrière moi.

« Tout va bien, les garçons, on va vous retirer ces fringues puantes et vous emmener à l'air pur. Marraine Tess prend les choses en main. »

Je déposai Bobby sur Peter Rabbit et Tommy sur Jemima Puddle-Duck et retournai frapper chez Rose. Elle avait mis son manteau entre-temps.

« J'ai besoin de votre aide », lui dis-je d'un ton pressant.

Elle secoua la tête.

« Vous ne comprenez pas. Helen est éreintée et Neil est avec ces bons à rien et moi…

– Je suis désolée.

– S'il vous plaît, je suis incapable…

– C'est mon jour de congé.

– Encore ! »

Rose se renfrogna.

« Excusez-moi. Je ne voulais pas dire ça. Je sais que vous travaillez non-stop. Mais je vous en prie, restez. Je suis sûre que Helen vous payera. Je vous donnerai ce que vous voulez.

« L'argent, siffla-t-elle d'un air écœuré.

– Pardonnez-moi si je vous ai offensée. »

Je ne savais plus ce que je disais.

« Je veux absolument que Helen puisse dormir, c'est tout.

– Je suis revenue à cause des garçons. Mais je ne peux pas rester plus longtemps. »

Elle prit une valise que je n'avais pas encore remarquée et poussa la porte.

« Où allez-vous ? »

Elle ne répondit pas.

« Je vous en conjure, ne partez pas. Pas maintenant. Helen a besoin d'aide.

– Ça ne fait aucun doute, mais je ne peux rien pour elle.

– Elle ne sait plus où elle en est, ajoutai-je d'un ton suppliant.

– Je sais. Je ne peux pas l'aider si elle continue comme ça.

– Ce n'est pas de sa faute. C'est à cause de Neil !

– Tessa, vous pouvez invoquer tous les prétextes que vous voudrez. Je refuse de rester là à la regarder se démolir comme elle le fait. »

Je comprenais ce qu'elle voulait dire. Moi aussi, ça me faisait horreur. Je ne supportais pas de voir la manière dont Neil la traitait, mais si Rose fichait le camp, ça n'allait pas arranger les choses. En passant devant leur chambre, elle aperçut les garçons couchés sur leurs tapis. L'espace d'un instant, elle parut sur le point de se raviser, mais elle secoua de nouveau la tête et se redressa. Quand elle se retourna vers moi, je crus entrevoir des larmes dans ses yeux. Je la regardai descendre l'escalier et quelques instants plus tard, j'entendis la lourde porte d'entrée se refermer avec fracas.

Je retournai dans la nursery, déshabillai les garçons, jetai un coup d'œil dans leurs couches pour m'assurer qu'il n'y avait pas de caca et, soulagée, j'allai prendre de nouveaux habits non assortis. Je mis à Tommy un truc avec un motif de train. Bobby eut droit au ballon. T comme train. B comme ballon. Je pouvais au moins les appeler par leur nom maintenant.

Il fallait que je retire cette robe ridicule. Je me glissai dans la chambre de Helen où je dénichai un survêt et des tennis qui avaient l'air d'être à ma taille, mais qui étaient bien évidemment trop petits. N'osant pas y retourner, je me boudinai dans la tenue en velours rose en priant le ciel pour ne pas tomber sur quelqu'un que je connaissais. Il faut être belle comme un cœur pour porter du velours rose. Je descendis les jumeaux au soussol – ce qui n'était pas une mince affaire –, sachant que le landau y était rangé. Je fis trois voyages supplémentaires pour aller chercher ce que j'avais oublié dans leur chambre. J'avais pensé au lait congelé, mais pas aux biberons. Ensuite, j'étais allée prendre des vêtements plus chauds. Après quoi, Bobby avait dégobillé ; il avait fallu que je remonte le changer. Fort heureusement, tout était en double. Je n'eus aucun mal à trouver une autre grenouillère « ballon ». Ce coup-là, au moins, je pensai à embarquer des couches. J'étais déjà rétamée en quittant la maison, et cela faisait quarante minutes que Tommy attendait dans le landau. Il était fâché, ça ne faisait aucun doute. Mais pas question de remonter encore une fois, alors je tâchai de dénicher quelque chose pour l'amuser. Il s'empressa de porter à sa bouche le couvercle de pot de confiture et s'endormit aussi sec. Le seul point positif dans tout ça, c'est qu'entre-temps, Neil avait disparu avec toute sa bande.

Je laissai un mot à Helen en lui disant de m'appeler quand elle se réveillerait, que j'avais emmené les jumeaux et que tout allait bien. Puis je m'élançai dans la rue avec ma petite équipe en quête de quelque chose pour me requinquer. Je jetai un coup d'œil à ma montre. Dix heures et demie. Trop tôt pour boire un coup. Il allait falloir que je me contente d'une bonne dose de caféine. À Notting Hill Gate, il y a plein de charmants petits cafés où il fait bon traîner le matin, mais impossible d'y entrer avec le landau, sans parler de naviguer entre les tables. Le landau était peut-être high-tech, mais il n'en restait pas moins colossal et trop tape-à-l'œil, franchement, pour attirer la compassion. En restant plantée devant un de ces cafés d'où s'échappaient d'alléchantes odeurs de pain chaud, me demandant si j'avais une chance d'entrer, je constatai que les gens qui se trouvaient de l'autre côté de la vitre me dévisageaient avec une évidente hostilité. Entre le manque de sommeil et ma tenue monstrueuse, j'avais tout de la nouvelle maman sur les rotules.

Je décampai et mis le cap sur l'unique établissement où j'étais sûre de pouvoir me délester de ma charge et décompresser un peu. J'évite Starbucks comme la peste, en principe. Il n'y a pas mieux qu'une visite dans un de ces établissements pour me provoquer des titillements dans les ovaires. Avant même que vous ayez atteint l'inintelligible *barista*, on vous exhibe généralement une glande mammaire sous le nez - voire plusieurs. Le temps que votre tasse de lait arrive – une vingtaine de minutes environ –, vous êtes à peu près sûr d'avoir droit à une conversation en règle entre femmes sur le séchage au sèche-cheveux des parties intimes, et vous connaissez par cœur la liste des pommades contre les crevasses de l'aréole. Mais il y a des doubles portes, et des mamans compréhensives pour vous les tenir ouvertes. Personne ne se moqua de moi. Au contraire, on me gratifia de regards apitoyés et d'œillades entendues qui voulaient dire : « *In vitro*, n'est-ce pas, ma chère ? » Je commandai un triple cappuccino et me laissai tomber dans un fauteuil en velours marron maculé de peaux mortes. Quelqu'un avait laissé un journal et, pendant quelques délicieux instants, je lus en buvant mon café tout en me disant : « Eh, ce n'est pas si mal. »

Bobby se réveilla le premier et se mit à couiner. Bon, pensai-je. Du lait. Pas de problème. Je demandai une grande tasse d'eau chaude et y fourrai un sac de lait congelé. Ce fut la première erreur que je commis. J'aurais dû en demander deux. Le lait mit un temps fou à décongeler. Bobby gigotait de plus en plus ; il s'était vite lassé de froisser des sachets de sucre brun entre ses petits doigts dodus. Personnellement, je trouvai que son frère et lui pourraient sans problème sauter un repas ou deux, mais cela ne leur arrivait à l'évidence jamais. Tommy se réveilla à son tour et passa sans transition à des hurlements quand il en eut assez de sucer le couvercle du pot de confiture. Je retournai au comptoir pour qu'on me donne encore de l'eau chaude. Une gentille fille me proposa de chauffer le lait au micro-ondes. J'aurais pu l'embrasser.

« Moi aussi j'ai des jumeaux », dit-elle, ce qui m'étonna vu qu'elle avait l'air d'avoir douze ans. Elle prit les sacs de lait et les biberons et, quelques minutes plus tard, qui me firent l'effet de plusieurs heures, elle revint, la mine déconfite. Je compris immédiatement que quelque chose n'allait pas.

« Je suis vraiment désolée, dit-elle, couvrant les braillements de Tommy qui s'en donnait à cœur joie. Il semble que le lait ait tourné. Il n'y avait pas de date sur le sachet. Ça fait longtemps qu'il a été tiré ?

– Ils ne sont pas à moi, répondis-je en haussant les épaules. Je m'occupe d'eux pour une amie. »

Elle avait l'air inquiète. Je balisais complètement.

« Qu'est-ce que je peux faire ?

– Allez chez Boots et achetez du lait maternisé tout prêt.

– Mais ils sont nourris au sein.
– Alors trouvez leur mère. »
Je jurai entre mes dents.
« Vous êtes sûre que je ne peux pas leur donner ça ? »
Je regardai les biberons pour la première fois. Elle avait raison. Le lait avait tourné.
« Ça a une drôle d'odeur, me répondit-elle. Allez-y. Je surveille les petits. »
J'étais prête à l'embrasser de nouveau. Il y avait tant de bonté dans le monde, pensai-je, me ruant hors du café, mon moral remontant en flèche.

Il y avait plusieurs marques, pour des âges différents. Pas le temps de déchiffrer les petits caractères sur les étiquettes, je n'avais aucune idée du poids des garçons, de toute façon. J'en achetai donc deux de chaque, ce qui me coûta un certain prix et retournai en quatrième vitesse au Starbucks. La gentille serveuse était en train de les bercer dans leur landau en chantant en espagnol.
« Merci mille fois. Vous vous seriez volontiers passée de ça, ma pauvre ! Ça vous fait des vacances de venir travailler, je suppose. »
Elle secoua la tête.
« Mes enfants sont au Chili avec ma mère.
– Waouh ! Ça doit être dur.
– Ils sont bien nourris, répondit-elle en souriant bravement. Quel âge ont ces garçons ?
– Cinq mois.
– Ils sont costauds. Ma collègue a nettoyé les biberons. Vous pouvez recommencer maintenant. »
J'aurais voulu qu'elle reste, mais huit personnes entrèrent et il lui fallut se remettre au boulot. J'ouvris le berlingot avec les dents sous le regard noir d'une femme. Je lui souris avant d'en verser le contenu dans les biberons, resserrai les tétines et les offris aux deux bouches affamées en oubliant de chauffer le lait.

Ils se mirent à sucer comme des déments dès que les tétines en caoutchouc effleurèrent leurs lèvres, et en dépit d'un déluge de bave, ils ne semblaient pas le moins du monde perturbés par ce changement si important dans leur jeune vie. Tandis qu'ils braquaient leurs yeux sur moi de leur landau, je songeai à la gamine fluette derrière le comptoir et à ses bébés, à des milliers de kilomètres de là, en me disant qu'on avait vraiment de la chance et qu'on avait tendance à l'oublier trop facilement. Je me sentis ragaillardie en voyant les jumeaux écluser leur ration. Je soulevai Tommy pour lui faire faire son rot et fus récompensée par une impressionnante éructation. Prenant Bobby dans mes bras à son tour, je me retrouvai couverte d'une épaisse nappe de bave laiteuse au moment même où il remplissait sa couche. Le bruit de cette heureuse libération rivalisa avec le moteur de la machine à café, et l'emporta. Les gens se retournèrent. Je leur souris d'un air gêné.

« Merci, mon vieux », murmurai-je à Bobby en le replaçant dans le landau à côté de son frère pour que nous puissions nous rendre aux toilettes tous en chœur. Impossible de passer la porte avec le landau. Je retournai donc à ma place, pris Bobby dans mes bras et priai la dame à la table voisine de surveiller Tommy. Il avait recommencé à suçoter goulûment le couvercle du pot de confiture. J'en conclus qu'il ne ferait pas d'histoire.

« J'en ai pour une minute », dis-je, assez sûre de moi à ce stade, en m'emparant de mon sac à malice. Ce fut un désastre. Dès que j'eus ôté la couche nauséabonde, Bobby fit de nouveau caca. Du caca jaune tendre, épais, visqueux. Immonde. J'essayai d'essuyer avec du papier toilette, mais il en avait sur les cuisses, et plus insidieusement, jusque sur son dos assez velu. Ses deux épaisseurs d'habits ne tardèrent pas à en être imprégnées. Je farfouillai dans mon sac, sachant pertinemment que je n'avais pas pris de change. Le papier de toilette recyclé se désagrégeait entre mes mains, et je ne réussis guère qu'à étaler les excréments. Cette matière putride était-elle normale ? L'avais-je empoisonné avec ce lait maternisé ?

Pour finir, je gaspillai une précieuse couche pour essuyer le plus gros en espérant que Tommy avait une meilleure constitution que son frère. J'avais enfin réussi à glisser l'ultime couche propre sous son popotin quand un arc de pipi parfait jaillit de son zizi. Fort heureusement, je venais de tourner la tête de sorte que l'essentiel atterrit dans mon oreille et me dégoulina dans le cou, plutôt que dans l'œil. Je parvins à saisir du papier toilette supplémentaire, mais on était tous les deux trempés. On frappa à la porte.

« Occupé, criai-je grossièrement.

– Votre gamin hurle.

– Oh, désolée. Pourriez-vous… »

Non. Impossible. Je ne connaissais même pas cette femme.

« J'en ai pour une seconde.

– C'est ce que vous m'avez dit il y a un quart d'heure. »

Un quart d'heure ! Grosse menteuse. Je jetai un coup d'œil à ma montre. Merde ! Elle était généreuse. Ça faisait plutôt vingt minutes. En déverrouillant la porte, j'entendis les braillements.

« Je suis navrée. J'ai eu quelques soucis. »

La femme guigna par-dessus mon épaule trempée de pipi. Un bébé totalement débraillé, au derrière crade, gisait au milieu d'une montagne de papier toilette trempé et de couches souillées. Il souriait malgré tout, le petit trésor !

« Je vois ça.

– Ça vous ennuierait de…

– Je suis vraiment désolée, je dois partir. »

J'étais coincée, n'osant abandonner Bobby sans surveillance sur la table à langer, d'autant plus que je ne m'étais pas donné la peine de l'harnacher, et ne pouvant laisser Tommy enquiquiner tout le monde avec ses braillements.

« Bon, écoutez, je vais rapprocher le landau.

– Merci beaucoup, dis-je, le cœur rempli de gratitude. Je suis vraiment touchée, merci. »

Tais-toi, vieille folle !

« Merci vraiment beaucoup », répétai-je.

En l'espace d'une heure et quarante-neuf minutes, les jumeaux avaient fait de moi une crétine patentée.

Une heure plus tard, j'étais de retour chez Helen. J'avais poireauté une bonne demi-heure devant sa porte avant qu'elle ne se décide à m'appeler, mais je m'abstins naturellement de lui préciser. Je crois qu'elle fut un peu surprise de découvrir que Bobby était nu sous sa combinaison, mais elle n'en laissa rien paraître. Je jetai les habits souillés dans la buanderie et refermai la porte sur tout ce tas d'immondices. Helen revint avec un Bobby tout propret. Je l'avais attendue pendant que Tommy jouait tranquillement sous un portique dans la salle « familiale ».

« Tommy a-t-il été malade ? me demanda-t-elle.

– Non, mais Bobby, oui.

– Bobby ? » s'exclama-t-elle en portant son attention sur le bébé sous le portique.

Quelque chose clochait. Ce bébé-là avait un train sur le ventre.

« Ce n'est pas Tommy ?

– Non. Aussi curieux que cela puisse paraître, je suis capable de faire la différence entre les deux. »

Toi peut-être, pensais-je, *mais pas ton mari.*

« Désolée. Comment fais-tu pour savoir ?

– Tommy a les yeux plus foncés.

– Et quand ils dorment ?

– Je prie pour que personne ne les ai changé de place. »

Je souris, persuadée qu'elle plaisantait.

« Dès qu'ils se réveillent, je sais ce qu'il en est. Tommy est tout le temps malade. Pas Bobby. C'est bizarre.

– Il se pourrait que tu te trompes et qu'ils soient malades chacun à leur tour.

– Tessa, je t'en prie, ne m'embrouille pas l'esprit plus qu'il ne l'est déjà. »

Je trouvais cette conversation plutôt anodine. Une manière comme une autre de rompre la glace après la soirée de la veille.

Un peu d'humour pour tout effacer. Mais brusquement, Helen éclata en sanglots.

Impossible de la calmer. Ou de tarir ses larmes. Rien à faire. J'ignorais qu'un être humain pouvait avoir autant de liquide dans le corps. Les bébés sont étranges. Le bruit perturba les jumeaux ; ils étaient tout agités. Je comprenais ce qu'ils ressentaient. C'est terrible de voir quelqu'un que l'on aime souffrir autant sans rien pouvoir faire. Redoutant qu'ils ne se mettent à pleurer aussi, je finis par les emmener à l'autre bout de la pièce. Je trouvai leurs balancelles et les installai devant *Baby Bach*. L'hypnose fut immédiate. En désespoir de cause, je mis un verre de cognac dans la main de Helen (en m'en servant un par la même occasion) et lui ordonnai de boire. Elle leva vers moi des yeux si pleins de chagrin que je ne pus soutenir son regard. C'était beaucoup trop tôt pour boire, mais au diable les bébés et leur jus de téton pur. Je ne savais pas quoi faire d'autre.

« Bois ça », insistai-je.

Elle éclusa docilement son verre, d'un trait. Puis elle le regarda fixement, aussi le lui enlevai-je des mains.

« Tu n'as aucune raison de t'en vouloir, Helen. C'est juste un verre, pour l'amour du ciel ! »

Je m'agenouillai devant elle et lui pris les mains.

« Il faut que tu me dises ce qui se passe. »

Elle secoua la tête.

« Je ne peux pas t'aider si tu ne me dis rien. Tu es déprimée, c'est clair, ça saute aux yeux. Tu as besoin d'aide.

– J'ai des tonnes d'aide. Je n'ai que ça : de l'aide, de l'aide, de l'aide. Mais je n'y arrive pas. Je ne sais pas ce que je dois faire, bordel !

– Je te comprends. Je me suis occupée des petits pendant deux heures et ils m'ont rétamée. »

Je voulais la dérider, mais c'était difficile. Je décidai de me rabattre sur une solution plus sérieuse.

« Il doit y avoir un livre, quelque chose pour t'aider à savoir ce qu'il faut faire...

– Des livres. Des livres. Il y en a des millions qui recommandent tous des trucs différents. Il y a même des bouquins sur le nombre de livres qui promettent de simplifier les choses, mais c'est de la foutaise. Ils n'aident en rien. Aucun ne peut m'expliquer pourquoi je me sens comme je me sens ! »

Elle soupira profondément.

« Je n'ai pas besoin de bouquins, fais-moi confiance. »

Bon, pas de livres alors.

« Neil dit que je suis pitoyable, que ce n'est pas normal qu'une femme de mon âge ait une nounou, et il a raison.

– Mais pas du tout ! Il faut que tu arrêtes de croire tout ce qu'il dit.

– Ne t'inquiète pas, je ne le crois plus. Plus maintenant. »

Neil était-il la cause de sa peine plutôt que les bébés, comme je l'avais pensé ?

« Quand il te rabaisse, je veux dire.

– J'avais compris.

– Et toi, qu'as-tu voulu dire ?

– Le monde est pétri de supercheries, Tessa. Tu comprends ? Ce n'est pas sorcier de comprendre ce que je dis, nom d'un chien ! Même ce type gentil que tu as rencontré à la soirée le sait, et je ne l'avais jamais rencontré auparavant. Je n'en ai plus rien à faire. Il m'a fait mal, mais pas à cause de ça.

– Comment ça, il t'a fait mal ? »

Ses yeux se remplirent de larmes à nouveau.

« Helen ?

– Tout est de sa faute. C'est lui qui m'a rendue comme ça. Je ne serais pas comme ça autrement…

– Qu'est-ce qu'il t'a fait ? Helen, qu'est-ce qu'il t'a fait ? Est-ce qu'il te frappe ?

– Il a sauté une fille dans un couloir à la Soho House quand les jumeaux avaient six semaines. »

Elle secoua la tête.

« Je l'ai mis au pied du mur. Tu sais ce qu'il m'a dit ? Il m'a dit : “C'est normal vu l'attention à laquelle j'ai droit à la maison.” »

Ce n'est jamais agréable quand vos pires craintes sont confirmées. Entre des rumeurs de scandale et voir ce scandale réduire votre amie en charpie, il y a un fossé.

« Il faut que tu partes.

– Pas question qu'il me chasse de chez moi.

– T'en as rien à foutre. Tu trouveras une autre maison…

– De la part de ma mère, j'arriverais à l'accepter. Venant de Neil, ça fait trop mal.

– Ta mère ?

– Elle ne m'a jamais dit qu'elle m'aimait, tu comprends ? Neil disait qu'il m'aimait, lui, et puis il a fait de moi cette loque. Avec Marguerite, je sais à quoi m'en tenir. Je ne m'attendais vraiment pas à ça de la part de Neil.

– Je vais t'emmener loin d'ici avant qu'il revienne. Dieu sait dans quel état il sera d'ailleurs !

– Rose ne va pas tarder à revenir.

– Non, Helen. Elle est partie.

– Elle reviendra. Elle ne me quittera jamais. Elle fait ça de temps en temps pour me montrer qui commande.

– Qu'est-ce que tu racontes ?

– Mais elle revient toujours.

– Il faut que tu voies quelqu'un, Helen. Un psychiatre, quelqu'un qui puisse t'aider. On doit pouvoir te prescrire quelque chose. La dépression postnatale, c'est très fréquent, même sans ton cochon de mari. »

Elle éclata de rire.

« Des remèdes. Des remèdes. Ça ne règle pas tout, les remèdes. Il faut que je sauve les jumeaux. Ils n'y sont pour rien, les pauvres ! Ils n'ont pas demandé à naître. J'aurais dû le savoir, j'aurais dû me douter que je serais comme elle. »

Elle me dévisagea tout à coup.

« On va me les enlever.

– Tu délires, là !

– Tu devrais les prendre. Tu es leur marraine.

– Arrête, Helen.

– Tu ne veux pas d'eux !

– Personne ne va t'enlever tes enfants. Il faut que tu te reprennes en main, c'est tout.

– Quoi que tu fasses, ne laisse pas ma mère prendre les garçons.

– Tu dis n'importe quoi.

– Promets-le-moi.

– Cette conversation n'a aucun sens.

– Promets-le-moi, Tessa. »

J'avais affaire à une femme au bord de la crise de nerfs. J'étais prête à lui promettre n'importe quoi.

« Tu l'as pensé, avoue ! Tu t'es dit : "Helen se débrouille comme un manche. Je m'en sortirais mieux qu'elle." Ne me mens pas. Tu l'as pensé, ne me dis pas le contraire. »

Je sentis le rouge de la honte me monter aux joues. Dans les pires moments où j'étais dévorée par le monstre de l'envie, il est vrai que cette pensée m'avait traversé l'esprit.

« C'était avant que je sache à quel point c'est dur. Franchement, Helen, je n'en avais aucune idée. Je voyais les bébés Pampers à la télé et je m'imaginais que ce n'était que sourires et bains moussants, eh oui, je le reconnais, ça me paraissait assez facile. Je ne me rendais pas compte qu'un bébé pouvait faire du mal.

– Ce n'est pas de leur faute. C'est de la mienne.

– Personne ne te soutient. J'ai été nulle. Ta mère n'est pas vraiment digne du prix de la "meilleure grand-mère", et la famille de Neil, où est-elle passée ? On ne les voit jamais à tes soirées.

– Neil ne les aime pas.

– Pourquoi ?

– Parce que c'est un connard. »

Pour être franche, l'entendre parler ainsi me semblait de bon augure.

« D'ailleurs, si tu vas un jour à Norwich, tu devrais leur rendre visite. Neil a honte d'eux, alors que ça devrait plutôt être le contraire. Si tu vas à Norwich un jour, va leur rendre visite. »

Elle l'avait déjà dit. En tout état de cause, il y avait peu de chances que j'aille là-bas.

« Ils habitent à côté de la cathédrale. C'est facile à trouver parce qu'il y a un saule dans le jardin. Le jardin descend en pente douce vers le fleuve. C'est le seul qui possède un saule.

– Il faut qu'on détermine ce que tu vas faire.

– Ce sont des gens charmants. Un foyer très heureux.

– D'accord. Norwich. La cathédrale. Un saule. J'ai compris.

– Un foyer heureux. Ils en ont de la chance. »

Ses yeux commençaient à se fermer.

« Réveille-toi.

– Je suis tellement fatiguée. »

Elle piqua du nez.

« Tellement fatiguée. »

Elle s'endormit assise, littéralement. La seule chose que je sais sur la dépression, c'est que ça vous rétame. J'aidai Helen à s'allonger sur le canapé, puis je regardai l'heure. J'aurais voulu rentrer chez moi, dormir un peu et remettre de l'ordre, mais elle avait plus besoin de sommeil que moi et il fallait que quelqu'un s'occupe des bébés maintenant que Rose était partie. Neil ne pouvait pas s'en charger, même s'il rentrait à la maison. Et j'espérais bien qu'il ne pointerait pas son nez de sitôt.

Ce dimanche après-midi, pendant que Helen gisait sur le canapé telle une épave, je jouais à la maman avec les jumeaux. Je trouvai ça génial, pendant une heure ou deux. Mes imitations d'animaux les faisaient gazouiller, et j'avais plaisir à éveiller leur attention. Ils me suivaient partout des yeux. Ils ronchonnèrent néanmoins quand je les abandonnai quelques instants le temps de me faire une tasse de thé et un toast, d'où j'en conclus, prématurément, que c'était du gâteau de prendre soin de gamins tant qu'on ne faisait rien d'autre. Pas même aller au petit coin. Je me fis trois tasses de thé dans l'après-midi sans réussir à en boire une seule. Les garçons dormaient dans mes bras quand Helen émergea enfin. Elle prépara du café et monta prendre une douche en emportant une tasse avec elle. Quand elle redescendit vingt minutes plus tard, elle avait l'air d'aller beaucoup mieux. Étonnant ce que la caféine et quelques touches de maquillage peuvent faire.

« Je te suis reconnaissante de m'avoir laissée vider mon sac.

– Sauf le respect que je te dois, répondis-je d'un ton posé, je suis d'avis qu'il faudra un peu plus qu'une conversation pour régler tes problèmes.

– Tu as raison. Il faut régler le cas Neil et je vais le faire. J'ai eu tort de laisser traîner les choses.

– Je connais un bon avocat spécialisé dans des divorces.

– Je n'ai pas les moyens de divorcer », riposta-elle.

Puis elle éclata de rire.

« Je plaisante. Ne t'inquiète pas, tu te souviens de mon ami juriste. C'est un excellent allié. Il sait y faire avec Marguerite, en plus.

– Que dirais-tu de voir un médecin ? »

Elle soutint mon regard.

« J'ai déjà un médecin. Il est très compréhensif.

– Bon. Alors parle-lui. »

Elle avait l'air affreusement triste. C'était insoutenable.

« Je le ferai, promit-elle.

– Tu devrais arrêter d'allaiter, je pense. Ça t'épuise, tu as beaucoup trop maigri. »

Rien d'étonnant à ce que Neil insiste pour qu'elle nourrisse les jumeaux au sein, pensai-je. Ça l'obligeait à rester enfermée derrière des grilles dorées pendant qu'il goûtait aux plaisirs d'une célébrité précoce.

« On va te remettre d'aplomb, Helen, ne te fais pas de soucis. Tu es une citoyenne de l'univers, souviens-toi. »

Elle me dévisagea.

« Ma poudre magique ne me fait plus autant d'effet, tu ne penses pas ? » dit-elle doucement.

Au point que tu es à peine reconnaissable.

« C'est normal. Le mariage, les enfants, ce n'est pas mon rayon, mais je suppose que c'est dur. »

Helen hocha la tête.

« Je croyais que ça serait plus facile que ça. Je m'imaginais qu'à deux, je me sentirais plus forte et non pas diminuée. »

Je la serrai dans mes bras parce que je ne savais pas du tout comment réagir. Elle avait fixé son choix sur Neil dans la panique, et le délai de restitution était largement dépassé.

« Je te remercie du fond du cœur, Tessa. Tu as toujours été une super amie et je sais que je ne suis pas facile.

– Personne n'est facile. Plus je vieillis, plus je me rends compte que les gens sont tous un peu barges.

– Tu n'es pas barge du tout.

– Détrompe-toi.

– Quoi que tu en dises, je ne serais jamais arrivée jusque-là sans toi. »

Je me sentis un peu coupable. J'avais été si méchante, si peu présente.

« Je suis désolée de ne pas m'être rendu compte que tu souffrais à ce point. Je crois bien que j'étais jalouse.

– Jalouse de Neil et moi ?

– Enfin, de Neil, peut-être pas.

– Je me suis complètement gourée », dit-elle.

Je supposais qu'elle parlait de Neil.

« Il n'est jamais trop tard…

– Ça va être dur. Il va me tanner, il fera tout pour récupérer les jumeaux. Il va me demander des sommes d'argent astronomiques, j'en suis sûre.

– Il a un problème avec la drogue, et un problème avec l'alcool. Quel tribunal confierait les jumeaux à un père pareil ?

– Aucun.

– Tu vois bien ! Tu n'as aucune raison de t'inquiéter. »

Je lui pris la main et la serrai dans la mienne.

« Tu as raison, dit-elle en souriant. Je veux qu'ils grandissent dans un foyer heureux, Tessa. Ce n'était pas mon cas, tu vois ce que ça a donné. Je ne veux pas qu'il leur arrive la même chose. Je ferai n'importe quoi pour éviter ça.

– OK. Je t'aiderai. Francesca a eu trois enfants, elle détient toutes les solutions. Je parie que toutes les jeunes mamans ont l'impression d'être dépassées par les événements. Je suis sûre que c'est normal. Il faut juste qu'on écarte Neil. »

J'essayai simplement de l'aider.

« Tu crois ?

– Oui. Je sais que la fille de China Beach est là, quelque part. Il faut qu'on la retrouve, c'est tout.

– Je suis pitoyable, murmura-t-elle.

– Pas du tout. Tu t'es ramassé un gadin, mais ça va aller maintenant. »

Elle se leva brusquement.

« Tu as raison. Merci. Tu dois avoir envie de rentrer chez toi, je suis tellement désolée de t'avoir obligée à rester et d'avoir gâché ta soirée.

– Pas de problèmes. Je n'avais pas de projet.

– Tu devrais y aller, je pense. Ce serait bien que je passe un peu de temps seule avec les garçons, et si Neil rentre, il vaut mieux que nous soyons seuls. Tu as passé toute la journée ici, tu dois être pressée de regagner tes pénates.

– Bien sûr, entendu. D'accord. Si tu es sûre.

– Il faut que je me débrouille toute seule. Mais je te remercie beaucoup pour tout.

– Je vais me changer, annonçai-je.

– Laisse tomber. Tu me rendras tout ça une autre fois, dit-elle. Tiens, voilà un sac pour ta robe et tes chaussures. »

Avais-je le sentiment qu'on m'expulsait, ni plus ni moins ? Indiscutablement. En revanche, je ne savais pas du tout pourquoi.

Je pris le bus 52 jusqu'à Victoria, puis je longeai l'Embankment pour rentrer chez moi. Je crois bien avoir rencontré tous les amoureux de Londres ce soir-là. Il faisait plutôt beau. Du coup, ils étaient tous sortis de leur nid d'amour. Rasant les murs dans ma tenue en velours rose, je regagnai le sanctuaire de mon appart, oubliant que je l'avais laissé en bordel. Les crises vestimentaires ont cet effet quand on est logé trop à l'étroit.

Mon courrier posé sur le bar me faisait de l'œil. J'avais plein d'e-mails non lus dans ma boîte de réception, et un DVD à rendre. Et puis flûte, pensai-je en me déshabillant. Je jetai un coup d'œil aux horaires de cinéma sur Internet, me parai de ma vieille veste d'aviateur et d'un chapeau épais, décapotai ma voiture et remontai King's Road, lunettes noires sur le nez. Je pouvais faire ce que je voulais. Je n'allais pas m'en priver!

Je passai les heures suivantes à sourire entre de délicieux sanglots provoqués par une grotesque comédie romantique dans laquelle la fille, bien que dame pipi de son état, récupérait le type alors qu'il était roi – bon, ce n'était pas tout à fait ça, mais pas loin. Après quoi je me posai quelque part dans la lumière déclinante du soir pour regarder passer le monde en feuilletant les journaux du dimanche, et bizarrement, à force de faire semblant d'apprécier ma propre compagnie, j'en vins à l'apprécier. La vigie-suicide du dimanche soir avait été suspendue grâce à un nouvel arrivant inadéquat dans la vie de Samira, ce qui m'allait très bien. J'avais assez à faire avec mes vieux amis pour le moment. Je n'avais pas le temps de m'en faire des nouveaux.

14

Une fin de conte de fées

Le lundi matin, la moquette autour de mon lit était encore jonchée des vêtements de l'avant-veille. Ma vie s'en allait à vau-l'eau. Plutôt que de passer la matinée à ranger et à me préparer pour mon premier entretien d'embauche, je sautai dans ma voiture après avoir enfilé à la hâte un jean, un tee-shirt blanc à manches longues et des Converse roses. J'avais décidé que la seule personne qui pouvait remettre Helen d'aplomb, c'était Francesca. La mère modèle. La femme qui connaissait toutes les réponses. C'était probablement de la folie, mais il fallait que je fasse quelque chose. La culpabilité peut avoir cet effet-là. Je fonçai à l'école de Poppy et Katie et arrivai juste à temps pour voir leurs deux sacs à dos surdimensionnés disparaître entre les battants de la porte.

« J'étais censée nettoyer l'abri de jardin aujourd'hui, me dit Francesca en me déposant un baiser sur la joue, mais je suis patraque depuis la soirée de samedi au point que je n'arrive à rien faire à part manger.

– Tu tenais la forme !

– C'est à cause de tous ces Martini que Ben est allé nous chercher. C'est mortel ! J'espère qu'on ne t'a pas trop agacée. »

Ben. J'avais réussi à ne pas trop penser à lui. Il faut dire que les déboires de mes amies m'occupaient l'esprit, mais rien qu'en entendant son nom, je me sentais bizarre.

« Ton silence en dit long.

– Vous y êtes allés un peu fort en cherchant à me caser avec un homme que je connaissais à peine

– Ça change de toutes les fois où tu te mêles de nos affaires. On t'a rendu la monnaie de ta pièce. »

Elle ponctua sa phrase d'un sourire crispé. J'étais désemparée, mais elle continua à sourire, aussi me jetai-je à l'eau.

« Eh bien, je m'apprête à mettre mon nez dans ce qui ne me regarde pas une fois de plus. »

Je pensais qu'elle allait rire, mais pas du tout.

« Je me doute bien que tu n'es pas venue ici pour le plaisir, pas à cette heure-ci. Il y a un Starbucks au coin de la rue.

– Pas Starbucks, s'il te plaît.

– Pourquoi pas ? On t'y a servi un mauvais café ?

– J'en ai gardé un mauvais souvenir. »

Je voulus lui prendre le bras, mais elle se déroba. Je ne m'en formalisai pas.

« Trouvons un autre endroit. Je t'expliquerai en cours de route. »

Je lui racontai ma piètre tentative de prise en charge des jumeaux la veille et lui confiai mes inquiétudes au sujet de l'état d'esprit de Helen. Fran avait remis ça trois fois – elle devait pouvoir m'éclairer sur la question.

« Alors tu es venue pour me parler de Helen ?

– Oui. J'espérais que tu accepterais d'avoir une petite conversation avec elle.

– Je pensais juste qu'elle avait trop bu l'autre soir.

– C'est ce que j'ai cru moi aussi au début, mais il y a de l'eau dans le gaz chez les William. Elle a l'air totalement larguée avec les jumeaux. Je me fais du souci pour elle.

– Ça n'a rien d'anormal. »

Je secouai la tête. Ce que j'avais vu ne me paraissait pas normal.

« Tu en es sûre ? Je la trouve vraiment déprimée. J'ai l'impression qu'elle ne va pas s'en sortir.

– Elle a de l'aide à ne plus savoir qu'en faire, non ? lança Francesca sur un ton de reproche.

– Plus maintenant. Elle pense qu'elle a tout faux.

– Elle a probablement raison. C'est le cas de la plupart des gens. J'ai commis de graves erreurs avec Caspar. Ma mère a essayé de m'aider, mais Nick et moi étions si fiers, si bornés. On était sur la défensive, je suppose. Nous nous étions mis dans ce pétrin et nous allions nous en sortir coûte que coûte, même si ça devait nous tuer. Ce qui a failli arriver.

– Je n'ai pas le souvenir que c'était si terrible.

– On ne te voyait pas souvent à l'époque. »

Elle n'avait pas tort, je le savais.

« Chaque fois que je t'avais au téléphone, tu disais que tout allait bien, que Caspar était adorable.

– C'était vrai. Je l'adorais. Il n'empêche qu'il nous rendait fous. À huit mois, il dormait toujours dans notre lit. Je n'ai pas fermé l'œil pendant huit mois de peur de l'écraser.

– Si tu n'avais pas envie de l'avoir dans ton lit, pourquoi ne le remettais-tu pas dans le sien ?

– Parce qu'il braillait à s'en rendre malade. »

Elle secoua la tête au souvenir de cette époque lointaine et pénible.

« C'était de ma faute. L'allaitement à la demande, c'était génial au début. Il mangeait, il dormait, et ainsi de suite. Le pied. Jusqu'au moment où ça a dégénéré, lentement mais sûrement. Dès qu'il ouvrait un œil, il réclamait le sein pour se rendormir. Le problème, c'est qu'il était tellement crevé qu'il ne mangeait jamais assez, alors il se réveillait sans cesse. La nuit, ça lui arrivait parfois tous les trois quarts d'heure. Pour finir, j'ai pensé que ce serait plus facile de le garder au lit avec nous. Une fois, en me réveillant, je me suis aperçue qu'il s'était mis à téter tout seul. »

Je ne savais plus où me mettre.

« J'étais totalement responsable. En définitive, maman est venue passer quelques jours à la maison. Elle le couchait dans son lit et quand il se mettait à hurler, elle m'empêchait d'aller le chercher. C'était la chose la plus atroce du monde. Je la détestais, je me haïssais de la laisser faire, j'en voulais à mort à Nick de ne pas prendre mon parti... »

Elle secoua la tête.

« C'était horrible. Et encore, je n'en avais qu'un, et j'étais nettement plus jeune.

– Ta maman est gentille en plus, ajoutai-je, pensant à Marguerite. Comment est-ce que ça s'est fini ?

– Maman a tenu bon. Nous avons passé trois nuits d'enfer. Après ça, il a dormi tranquillement dans sa chambre jusqu'au matin. Il protestait bien de temps à autre, mais il a vite appris à se calmer tout seul. Au bout du compte, j'ai compris que c'était probablement moi qui le maintenais réveillé. Au moindre bruit, je le caressais, je le prenais dans mes bras, je vérifiais que sa couche était propre. La fatigue me faisait perdre la tête. Nick n'en pouvait plus. Mais le plus naze d'entre nous, c'était Caspar, le pauvre petit. S'il avait pu parler, il m'aurait probablement dit d'aller me faire foutre ! C'est ce qu'il fait d'ailleurs maintenant.

– Pas du tout.

– Bien sûr que si. C'est un grand moment de l'existence, le jour où votre bébé vous dépasse d'une tête et se met à jurer comme un charretier. Faudrait mettre ça dans les livres sur les bébés, à mon avis.

– Je croyais que ça allait mieux.

– Oui et non. Au lieu de disparaître de la circulation, il s'enferme dans sa chambre, écoute de la musique abominable et fait brûler de l'encens. Une habitude que l'on te doit, je t'en remercie. »

Je gardai le silence.

« Oh, regarde, s'exclama-t-elle. Un café sympa.

– Il t'a vraiment dit d'aller te faire foutre ?

– Tu sais quoi, dit-elle en me tenant la porte, je n'ai vraiment pas envie d'en parler. »

Le café était servi dans un grand verre avec une anse en métal et une longue cuillère. Francesca mit plusieurs morceaux de sucre brun dans le sien et but goulûment la mousse laiteuse. Après quoi elle engloutit un petit pain aux raisins et à la cannelle.

Depuis mon retour, j'avais repris tous les kilos que j'avais perdus en Inde. Mon oisiveté avait un effet désastreux sur mon tour de taille. Les occasions de manger, et de boire, étaient beaucoup trop nombreuses. Les dix jours passés chez mes parents n'avaient pas arrangé les choses. Sans parler des déjeuners avec les copines. Des thés avec mes filleuls. Je sortais presque tous les soirs. Autrefois je rentrais du boulot sur les genoux, je me réchauffais un bol de soupe, je prenais un bain et je me mettais au pieu. Désormais, je trouvais le plus souvent quelqu'un pour boire un verre avec moi vers six heures. La soirée est longue après ça, on a tout le temps d'accumuler des calories. Je m'étais promis d'être sage, mais c'était avant que Francesca me parle des bâtons d'encens.

« Comment se fait-il que tu arrives à garder la ligne en mangeant n'importe quoi ? »

J'essayais inconsciemment de me mettre Francesca dans la poche.

« C'est parce que je n'ai pas le temps de m'asseoir entre sept heures du matin et neuf heures du soir.

– Mais les enfants sont à l'école.

– Ne t'avise pas de me faire ce coup-là, Tessa King ! me répondit-elle en me menaçant d'une fourchette.

– Que veux-tu dire ?

– Ne m'oblige pas à justifier ce que je fais de mes journées. J'ai déjà Nick pour ça, ça me suffit.

– Ce n'était pas mon intention, je t'assure. Je pensais juste que tu devais avoir un peu de temps pour toi pendant que les enfants étaient à l'école.

– Du temps pour changer les ampoules, remettre du papier aux toilettes, ramasser les serviettes de bain mouillées, faire la lessive, emmener notre voiture pourrie au garage, remplir le lave-vaisselle, le vider, faire la cuisine, les courses, tout ranger à temps avant de me remettre à faire la tambouille… Tu veux que je continue ?

– Non.

– Chiant, hein ?

– Oui.

– Attends que le sucre ait atteint mon système sanguin. Ça m'aidera à retrouver mes esprits. »

Je me brûlai la langue en buvant une gorgée de café, mais il aurait été malvenu de me plaindre. Je reposai mon verre et regardai Francesca s'attaquer au reste de sa pâtisserie.

« Voilà l'effet que me fait une soirée de bringue, déclara-t-elle.

– Je ne t'avais jamais vue dans un état pareil, même après avoir fait la fête toute la nuit, dis-je, tentant de la rassurer.

– C'est parce que, en général, tu es au boulot », me rétorqua-t-elle durement.

Je ne m'attendais pas à ce crochet du gauche.

« Pas le week-end quand je viens vous voir », ripostai-je.

Elle y allait un peu fort tout de même…

« Le week-end, quand il y a du monde à la maison, c'est sympa et j'oublie mes emmerdes. »

J'étais perplexe.

« De quoi parles-tu ?

– De rien en particulier, Tessa. »

Ces insinuations me faisaient pourtant l'effet de coups de poing dans les côtes. Elle commanda un autre cappuccino. À mon corps défendant, j'en commandai un aussi.

« Parle-moi de Helen, reprit-elle. Elle est trop maigre. Est-ce qu'elle mange ?

– Elle a toujours été mince.

– Pas à ce point-là. Il est vrai que ça arrive quand les femmes arrêtent d'allaiter, elles se ratatinent tout d'un coup.

– Elle allaite toujours. Elle m'a dit que ça lui faisait perdre du poids.

– Foutaises. Ça donne un appétit d'ogre au contraire. Un appétit irrésistible. Et on se retrouve avec une jolie petite couche de graisse aux pires endroits. Le ventre, les fesses, les cuisses prennent une apparence marbrée. On dirait de la gelée. C'est tout à fait charmant.

– Francesca, tu n'as jamais été aussi négative de ta vie. Qu'est-ce qui t'arrive ?

– Je te l'ai dit, je ne peux plus faire la noce.

– Tu n'as même pas quarante ans !

– Tu en es sûre ? J'ai l'impression que ça fait sacrément longtemps que je suis adulte. Je suis presque tentée de m'acheter un iPod, de m'enfermer dans ma chambre et de fumer de la dope en écoutant Carole King.

– De la dope ? » demandai-je nerveusement.

Francesca me dévisagea.

« Désolée. Comment dit-on de nos jours ? De la came, de la skank ou le dernier terme en date – tu ne le connais peut-être pas, de l'encens. »

J'évitais son regard. Son hostilité prenait soudain toute sa mesure.

« Oh ! fis-je, sans trop savoir quoi dire.

– Tu aurais dû me dire que Caspar fumait du cannabis.

– Il m'a dit qu'il avait arrêté.

– Et tu crois un gamin de seize ans ?

– Caspar, oui. »

Je fronçai les sourcils, consciente que ce n'était pas tout à fait exact.

« Enfin, je voulais le croire. Je pensais que c'était une passade.

– Eh bien, cette passade a fait qu'il a dû manquer l'école à cause d'une conjonctivite aiguë.

– Vraiment ?

– Non », répliqua Francesca en haussant le ton.

Je la vis reprendre le contrôle d'elle-même.

« Il ne va plus du tout à l'école. Il ment. Il s'est débrouillé pour se faire une ordonnance. Dieu sait comment il a mis la main sur du papier à en-tête d'un médecin. »

Caspar réparait mon ordinateur quand il faisait des siennes. C'est un génie de l'informatique, comme je l'ai dit.

« Je parie que c'était en cours de techno. Ton fils est capable de faire beaucoup de choses avec un ordinateur.

– La question n'est pas là.

– Oh, désolée.

– Tu aurais pu me prévenir.

– Je ne voulais pas trahir sa confiance.

– C'est *mon* fils, Tessa. »

Crochet du droit. Elle m'avait mise KO.

Francesca m'obligea à lui raconter ce qui s'était vraiment passé le soir de l'anniversaire de Caspar. Elle fut secouée d'apprendre que son fils ne s'était pas borné à fumer du cannabis. Elle me força à lui dire ce que je cherchais en réalité quand j'avais fouillé dans sa chambre et ce que j'avais trouvé, si tant est que j'eusse déniché quoi que ce soit. Je lui assurai que si ça avait été le cas, je le lui aurais dit, mais comme je venais de reconnaître que je lui avais menti, mon affirmation ne pesait pas lourd.

« Quand as-tu découvert que Caspar faisait l'école buissonnière ? demandai-je, changeant de tactique.

– Vendredi.

– Alors tu étais fâchée contre moi samedi soir.

– Non. J'ignorais que tu étais au courant. J'étais déterminée à faire table rase. J'ai réussi mon coup.

– J'ai remarqué.

– Ce n'est pas drôle, Tessa.

– Excuse-moi.

– Caspar et moi avons eu une petite altercation hier et il a parlé de toi. Il nous a affirmé que tu lui avais dit que c'était OK.

– Je n'ai jamais dit ça !

– J'ai bien peur que tu te le sois mis à dos en furetant dans ses affaires. Je n'ai pas cru à sa version des faits, et maintenant je sais ce qui s'est vraiment passé.

– Je suis désolée de ne pas t'avoir précisé ce que je cherchais, mais tu m'avais laissé entendre que les choses s'arrangeaient. Je voulais lui laisser le bénéfice du doute…

– Ce qui ne t'a pas empêché de mettre sa chambre à sac en quête de drogue.

– Fran, je veux bien assumer ma part de responsabilité dans cette histoire, mais je ne suis pas entièrement fautive.

– Tu aurais dû me parler de son anniversaire. Tu m'as laissé gober cette histoire à dormir debout à propos de Zac versant de l'alcool dans son verre à son insu alors que tu savais pertinemment qu'il s'essayait à la drogue.

– Je lui ai conseillé de tout te raconter, mais c'était à lui de faire le pas.

– Eh bien, il ne l'a pas fait. Et franchement, toi non plus. »

J'ai horreur qu'on me pousse dans mes derniers retranchements. Mon instinct m'incite à me défendre.

« Fran, c'est par pur hasard que je suis tombée sur lui ce soir-là et que je lui ai donné ma carte.

– Et assez d'argent pour se défoncer.

– Assez d'argent pour rentrer à la maison. Nous ne serions pas plus avancés si je ne l'avais pas fait. Allons, Francesca, Nick m'a dit que cela faisait des mois qu'il déconnait, qu'il vous rendait dingues, qu'il y avait des disputes et des claquements de portes. Quelque chose cloche depuis un bout de temps. Je ne m'étais pas rendu compte à quel point c'était sérieux, je l'avoue. Cela dit, toi non plus, et tu vis sous le même toit que lui. »

Elle avait l'air vidée. C'était tellement plus facile d'en vouloir à quelqu'un.

« Depuis combien de temps est-ce que ça dure, à ton avis ? demandai-je calmement.

– Je n'en sais rien.

– Où trouve-t-il l'argent ? »

Ça, je le savais, mais je ne voulais pas le dire.

« As-tu remarqué que des choses disparaissaient ? Des billets de cinq, par exemple ?

– Bon sang, Tessa, serais-tu en train d'insinuer que Caspar est un voleur ? »

Elle se passa les mains dans les cheveux.

« Pas mon gamin. Non. S'il y a une chose que j'ai essayé de faire avec mes enfants, c'est leur inculquer des valeurs morales.

– Et la bière ? »

Elle se prit la tête à deux mains et jura. Je me voyais mal lui dire que son fils m'avait piqué 50 livres dès l'instant où j'avais tourné le dos.

« C'était pour une fête.

– Il n'aurait pas vendu des choses ? »

Elle secoua la tête.

« Attends, il a vendu sa bicyclette à un copain. Elle était trop petite pour lui. Il était censé en acheter une autre, mais... »

Elle marqua un temps d'arrêt.

« Comment ai-je fait pour passer à côté d'un truc aussi flagrant.

– Il a dit que ses sœurs t'accaparaient.

– Est-ce de ma faute ?

– Ce n'est pas ce que je voulais dire. C'est son point de vue d'adolescent.

– Cela dit, il n'a pas tort. Déjà elles sont deux, et puis elles sont nettement plus jeunes.

– Tu n'y es pour rien. C'est Caspar qui est dans l'erreur. Tu es une mère modèle. On ne fait pas mieux que Nick et toi. »

Elle se borna à me regarder tristement.

« Et Nick, que dit-il de tout ça ?

– Il est prêt à le jeter à la rue.

– Je ne pense pas que ça arrangerait les choses.

– Moi non plus. Du coup, on se dispute tous les deux.

– Eh bien, voilà, ça marche. Caspar a l'attention qu'il voulait. En attendant, il se pourrait qu'il ait un vrai problème. »

Francesca se renfrogna.

« Tu crois que c'est possible ? Il est si jeune ! »

Il fallait que je lui dise ce que je savais.

« Il m'a chouré 50 livres.

– Comment ? Quand ça ?

– Le jour où je suis rentrée de voyage. »

Francesca se leva.

« Je suis désolée. Je ne voulais pas avoir à te le dire.

– Il faut que j'y aille, dit-elle en fourrageant dans son sac.

– Laisse tomber, dis-je. Je me charge de l'addition.

– Je peux te faire un chèque pour l'argent que Caspar t'a volé.

– Certainement pas. Il travaillera pour payer sa dette. Si tu veux me l'envoyer à la maison cette semaine, j'ai des millions de petits boulots à lui confier.

– Aucun ne sera assez ardu.

– La gouttière de mon balcon est bouchée.

– Ça va plus loin que ça. Beaucoup plus loin.

– Tu sais, Fran, je suis persuadée qu'il n'a pas pensé à mal en me volant, moi.

– Tu t'imagines avoir une relation si privilégiée que ça avec lui ? »

Je n'aimais pas le ton de sa voix.

« Eh bien, détrompe-toi. Ça fait des siècles qu'il nous vole.

– Mais tu disais…

– Je ne voulais pas l'admettre. Mais c'est vrai. Ça saute aux yeux, depuis des mois. Désolée, Tessa, il faut vraiment que j'y aille.

– D'accord. »

Comme elle se retournait, prête à partir, je commis l'erreur de la saisir par le bras.

« Ça t'ennuie si je dis à Helen de te passer un coup de fil pour que vous discutiez un peu ?

– À propos de quoi ?

– Au sujet des erreurs qu'elle est susceptible de faire avec ses fils.

– Dis-lui qu'elle n'a qu'à s'y habituer. »

Je fis la grimace.

« Hein ?

– Franchement, Tessa, il me semble assez évident à ce stade que je ne suis pas exactement l'interlocutrice idéale dans ce domaine. »

Je la regardai partir en me disant que j'aurais vraiment mieux fait de tourner ma langue sept fois dans ma bouche.

Je regagnai ma voiture quand mon portable vibra dans ma poche. Ne reconnaissant pas le numéro, je laissai la messagerie s'enclencher. Je n'étais pas si méfiante avant de m'être fait harceler par un obsédé. Pas étonnant que j'aie négligé l'aspect sentimental de ma vie. J'étais trop occupée à repousser un homme qui, après avoir passé la journée à m'envoyer des e-mails cinglés, rentrait chez lui le soir auprès de sa femme et de ses enfants. Y a de quoi vous faire passer l'envie. Tout en marchant, cependant, je songeai que c'était encore un mensonge. Comme de prétendre que votre fils n'est pas un voleur, alors que ça saute aux yeux. Je me disais que l'amour était à des lieux de mon esprit alors qu'en réalité, c'était le fond sonore de mon existence. Mon portable bipa. J'appelai la messagerie.

« Bonjour, Tessa. C'est James Kent. La première fois, vous avez filé, cette fois-ci, vous vous êtes volatilisée. Peut-être vous changez-vous en vampire velu à une certaine heure ? Je me suis dit que je courais peut-être moins de risque de jour. Avez-vous faim ? »

Il avait laissé un numéro. Je le griffonnai sur le dos de ma main, puis le regardai fixement. Si ce n'était pas maintenant, alors quand ? Qu'est-ce que j'attendais, bordel ? Que Ben quitte Sasha ? Non. Que Ben ne quitte pas Sasha ? Non. Je passais à côté de la vie. Si je voulais avoir ma part du patrimoine héréditaire de l'humanité, il fallait que je joue le jeu. Je composai le numéro.

« Vous confondez les contes de fées. Les vampires ne sont pas velus. Les loups-garous, si, mais je ne pense pas qu'ils sucent le sang, ils vous déchiquettent. Et n'en laissent pas une miette en général.

– Bonjour, Tessa King. »

J'aimais bien la manière dont il avait dit ça.

« Bonjour, James Kent.

– Alors, ça vous dit ?

– De me faire dévorer ? Pas vraiment, non !

– D'aller déjeuner, je veux dire, mais on peut poursuivre ces inepties si vous le souhaitez.

– Ça m'amuse assez.

– Moi aussi, mais ça ne me dit pas si vous acceptez mon invitation ? »

Je sentis un titillement. Un vrai. Il fallait que je réponde. Mais c'était impossible. Pas avec un sourire jusqu'aux oreilles.

– Je meurs de faim, bredouillai-je finalement.

– L'espace d'un instant, j'ai cru que vous aviez de nouveau disparu.

– Désolée. Je suis affamée, pour tout vous dire. Je n'ai presque rien mangé au petit déjeuner. »

Je jetai un coup d'œil à ma montre.

– Onze heures sept. C'est trop tôt pour déjeuner.

– Pas du tout. Où êtes-vous ?

– Devant les portes de l'école Hammond. »

Je sus aussitôt que j'aurais mieux fait de me taire.

« Encore des filleuls ?

– Non, mais j'avais des affaires de filleul à régler.

– Vous ne travaillez donc pas ?

– J'accepte les dons charitables. Où voulez-vous qu'on se retrouve ?

– Si on déjeunait chez Ivy ?

– Je ne suis pas habillée en conséquence.

– Tant mieux. Plus on est négligé, plus ils vous croient importants.

– Je ne vous crois pas.

– Vous avez raison. Si vous êtes avec moi, ils vous prendront pour un génie du comique en passe de devenir une vedette internationale.

– Ça veut dire qu'il faut que je sois drôle ?

– Les grands humoristes ne sont pas drôles.

– L'Ivy est-il ouvert de si bonne heure ?

– Non.

– Alors tout ça, c'était du bluff?

– Rien que du bluff. Je n'arriverai pas à avoir une table pour tout l'or du monde. »

Pour une raison quelconque, je ne le croyais vraiment pas. Je jetai un nouveau coup d'œil à ma montre. J'irais voir Helen plus tard.

« Bon alors, où peut-on déjeuner à onze heures neuf? »

Je suivis ses instructions à la lettre et, une demi-heure plus tard, je me garai dans une ruelle glauque donnant sur Edgware Road, juste au nord du pont Westway. Je remplis le parcmètre de pièces, traversai la rue et poussai la porte d'un restaurant birman qui passait presque inaperçu. Le patron m'accueillit avec une prévenance extrême et me conduisit à une table. Son restaurant étant à peine plus grand qu'une table de jeu, je trouvais que c'était gentil. James était déjà installé, un café noir devant lui à côté d'une bouteille d'eau minérale sans étiquette. Les cuisiniers s'activaient derrière un passe-plat ouvert près de lui. Une Birmane très âgée assise à côté d'un bananier en plastique dans le coin mâchonnait de la noix de bétel. Je le savais parce que sa bouche était maculée de rouge. J'avais vu des tas de femmes en faire autant au Vietnam. Je décidai que c'était bon signe.

James se leva et m'embrassa délicatement sur la joue. Nous nous assîmes. Le patron m'apporta une petite tasse d'un café noir, épais, versa un peu d'eau dans un verre désassorti, puis il me demanda si j'avais faim. Je lui répondis que j'avais une faim de loup. Il sourit et se retira dans la cuisine.

« Drôle d'endroit.

– C'est au diable vauvert, je sais, mais c'est le meilleur restaurant de Londres.

– Birman? m'étonnai-je, pas vraiment convaincue.

– Faites-moi confiance. On n'a même pas besoin de commander. Ils vous apportent les plats.

– Comment se fait-il que vous puissiez quitter votre travail sans prévenir?

– Parce que mon nom figure sur le papier à en-tête.

– Impressionnant.

– Pas vraiment. Il suffit de verser quelques livres à Prontaprint pour avoir un papier à lettres tout à fait convenable.

– Il faut un peu plus de temps pour se faire une clientèle.

– Certes, mais ça fait suffisamment longtemps que je suis dans le secteur.

– Combien de temps ?

– Vingt-quatre ans. »

J'en restai bouche bée. Il avait l'air d'avoir le même âge que moi.

« Vous aviez trois ans quand vous avez commencé à travailler ? »

Je jugeai bon d'être généreuse puisqu'en fait, ce que je voulais savoir, c'était son âge.

« Non, j'avais fini mes études. Je vais abréger vos souffrances. J'ai quarante-six ans. »

Waouh ! À quatre ans du demi-siècle. J'étais surprise. Il avait les cheveux grisonnants, mais il était tellement sexy. Bon, et alors ! La compagnie d'un homme plus âgé me donnait l'impression d'être une nymphette, ce qui n'était pas une gageure par les temps qui couraient.

« Et vous ?

– Soixante-quatre, mais j'ai conservé un joli teint grâce à la virginité. C'est trop tôt pour une bière, à votre avis ?

– Jolie transition.

– Ce que mon père appellerait une pirouette.

– Vous vous entendez bien avec votre père ?

– Très bien. Je suis arrivée tard dans sa vie et je suis sa seule fille, son unique enfant, en fait, alors naturellement, il me trouve parfaite.

– Et vous n'avez pas trouvé d'homme à sa hauteur ? »

Je me rappelai la sensation des lèvres de Ben sur les miennes. Mes joues s'enflammèrent. J'avais involontairement porté la main à ma bouche. James se méprit sur mon expression. À moins qu'il l'ait bien interprétée parce qu'il écarta ma main et la garda dans la sienne.

« Désolé. Je ne voulais pas être indiscret. Faisons un pacte, tout de suite. Interdiction de revenir sur nos vies amoureuses passées sous quelque forme que ce soit. »

Il serra la main qu'il tenait.

« À partir de maintenant, c'est un sujet tabou. »

Cela éveilla aussitôt mes soupçons. J'eus envie de lui demander ce qu'il avait à cacher. Mais il fallait que j'arrête de trouver des prétextes pour maintenir les gens à distance, d'autant qu'à nos âges, qui n'avait pas quelque chose à cacher ? Aussi, imaginant une fin de conte de fées, je lui pressai la main à mon tour.

« Entendu, dis-je en souriant.

– Dites-moi, pourquoi vous ne travaillez pas en ce moment ? »

J'obtempérai parce que mon ancien patron n'entrait pas dans la catégorie « vie amoureuse », sous quelque forme que ce soit. Pour une fois je relatai ce qui avait été en réalité une période extrêmement stressante en me gardant d'émailler mon récit de commentaires humoristiques. J'évoquai sans en rire mon harceleur montant la garde au pied d'un réverbère devant mon immeuble. Je m'abstins de prétendre que je m'étais réjouie que les photos de moi prises au téléobjectif depuis l'autre rive me flattent grâce à l'effet de grain. Je n'imitai pas non plus, en prenant une voix d'outre-tombe, les appels au milieu de la nuit d'une épouse folle de rage qui me traitait de pute. Je ne fis pas mine d'avoir hésité à renvoyer le sac à main Gucci, le foulard Hermès, l'invitation à passer un week-end à Venise, au Cipriani. James m'écouta avec une merveilleuse attention, et je sentis que je me libérais d'un poids énorme. Que ma culpabilité se dissipait. Mon ex-patron l'avait payé cher en sombrant dans la dépression. Moi, j'étais là en train de déjeuner avec un homme charmant, et tout allait pour le mieux. Je n'avais rien imaginé, rien exagéré, je ne l'avais certainement pas cherché, mais il m'avait fallu un long break pour reprendre mes esprits.

« Éprouvez-vous de l'amertume à l'idée que ce soit vous qui ayez dû partir ? »

Question intéressante.

« C'est vrai, vous avez travaillé combien de temps dans cette boîte ?

– Presque dix ans, j'étais incapable de me battre sur ce front en restant dans le contexte.

– Et maintenant ?

– Je ne peux rien faire, il est parti. De toute façon, j'ai signé un accord, ils ont payé le prix du silence et m'ont donné une lettre de recommandation que ma propre mère n'aurait pas écrite.

– Impressionnant !

– Éblouissant !

– Je suis certain que vous remettrez très vite le pied à l'étrier.

– Je l'espère. Cette oisiveté me laisse bien trop de temps pour penser.

– À éviter, dit James.

– À tout prix », reconnus-je.

Les plats se succédaient. Nous les partagions tous. Je compris vite que j'avais sous-estimé le bon déroulement de notre déjeuner. Je dus aller déplacer ma voiture et remplir un autre parcmètre de pièces. En revenant, je trouvai la table couverte de nouveaux mets. À l'évidence, notre hôte avait résolu de me faire découvrir toutes les saveurs de la cuisine birmane, même si James, lui, avait déjà mangé là de nombreuses fois. Quand je cessai enfin de parler de moi, je lui demandai pourquoi il avait choisi cet endroit.

« On est sûr de ne pas tomber sur des gens qu'on connaît, ici, me répondit-il. Dans ma branche, les déjeuners d'affaires ont lieu dans les meilleurs restaurants branchés dont on ne profite absolument pas et où l'on rencontre plein de monde qu'on est censé connaître, sans jamais se souvenir de leurs noms. »

Il prit un peu d'épinards avec sa fourchette et me la tendit. J'ouvris la bouche. Il l'avait déjà fait deux ou trois fois, et j'avais trouvé ce geste merveilleusement intime. Je passais vraiment un moment agréable.

« On ne peut pas faire ça à un déjeuner d'affaires. On ne peut pas dire : "Miam miam ! c'est délicieux, essayez" et fourrer sa fourchette dans la bouche d'un producteur de télé.

– Ma filleule…

– Cora ? »

J'étais impressionnée.

« Oui, Cora. Eh bien, elle était prématurée et elle est encore petite pour son âge.

– Quel âge a-t-elle, cinq ans ?

– Sept ans.

– Elle est tellement menue.

– Billy a toujours eu du mal à la faire manger. Elle ne s'intéresse pas le moins du monde à la nourriture. Les médecins disent qu'il ne faut pas s'inquiéter, mais sa mère s'inquiète quand même, bien sûr. Bref, Billy a compris qu'elle n'aurait jamais gain de cause le jour où elle lui a tendu une cuillerée de je ne sais quoi de nourrissant en disant : "Essaie, c'est délicieux" et que Cora, la seule enfant que je connaisse qui ne fasse jamais de scènes, a expédié la cuillère à l'autre bout de la pièce en hurlant : "Je DÉTESTE ce qui est délicieux !" »

Je m'obligeai à enfourner une autre bouchée pour laquelle je n'avais plus de place afin d'arrêter de parler de mes filleuls. Cela ne servait guère l'impression de minette sexy que j'étais censée produire, ce que je ne cessais d'oublier. J'étais beaucoup trop à l'aise avec James. Je me sentais moi-même, même si je ne sais pas trop ce que cela veut dire.

« Je vous envie. J'ai un filleul que je n'apprécie pas beaucoup. Il geint tout le temps et ses parents lui trouvent toujours des excuses. Il a un rhume, il est éreinté, il a besoin de se restaurer, alors qu'en fait, c'est juste un petit pleurnicheur toujours dans les jupes de sa mère. Naturellement, je surcompense horriblement et je dépense plus d'argent pour lui que pour qui que ce soit dans ma famille.

– Quel âge a-t-il ?

– Quinze ans. »

Je ris.

« Un point commun de plus entre nous. Moi aussi j'ai un filleul de quinze ans, mais c'est un voyou pickpocket et fumeur de joints.

– Super.

– Ah, les enfants, m'esclaffai-je. A-t-on idée ! »

James m'observa d'un air grave l'espace d'un instant.

Houpla ! Ne vous méprenez pas. Je ne suis pas une voleuse d'enfants. C'est que vous n'avez pas vu mon amie Francesca ce matin, ni Helen hier, ni Billy attendant le bus pour pouvoir empocher mes 20 livres et acheter à sa fille de la nourriture saine même s'il lui faudra épuiser des trésors d'imagination et de persuasion pour la lui faire avaler.

« Vous ne voulez pas d'enfants ?

– Je n'y ai pas vraiment réfléchi. »

Ce fut l'instant où je cessai d'être moi-même pour devenir la personne que j'étais supposée être.

« C'est un mensonge, souffla-t-il.

– Un gros, gros bobard, reconnus-je en hochant la tête.

– J'ai une idée, dit-il en se levant. Allons faire une balade et trouvons un endroit pour prendre un café avant de renoncer à une entreprise qui n'a même pas vu le jour.

– J'aime bien la manière dont vous avez dit ça, répondis-je en me levant à mon tour.

– J'ai trouvé que c'était bien tourné, effectivement. »

Il régla l'addition. La vieille femme mâchonnait toujours sa noix de bétel dans son coin quand nous partîmes.

Nous fîmes halte dans un petit italien pour boire un expresso et manger de la glace debout au comptoir en bavardant de choses moins profondes. Une heure passa ainsi, puis le bistrot se remplit de jeunes imposants, pour ne pas dire intimidants. Nous nous sauvâmes.

« Un raz-de-marée d'écoliers », m'exclamai-je en esquivant tour à tour un ballon de foot et un vélo.

James jeta un coup d'œil à sa montre et jura.

« Je dois partir. Je suis vraiment désolé. Voulez-vous prendre un taxi ? ajouta-t-il en en hélant un.

– Non, prenez-le. J'ai ma voiture. »

Le taxi s'arrêta à notre hauteur.

« C'est pour aller où ? demanda le chauffeur.

– Baker Street, répondit-il. Navré de filer si vite.

– C'était très, très sympa. Merci pour le déjeuner, le dessert, la bonne compagnie. Allez-y. Je ne voudrais pas que vous soyez en retard.

– Remettons ça un de ces jours », dit-il.

Sans m'embrasser, il monta dans le taxi qui s'engagea aussitôt dans la circulation et accéléra en toussant grossièrement de la fumée noire. J'étais un peu dépitée, j'avais espéré des adieux pleins d'effusions.

Je retournai à ma voiture. J'avais un million de choses à faire, et j'aurais dû me féliciter d'avoir quelques heures devant moi pour organiser ma vie, mais je n'avais aucune envie de rentrer, et puis de toute façon, il fallait que j'aille voir Helen. Je fis donc demi-tour. Au premier croisement, mon téléphone sonna. Je me mis au point mort.

« Allô ?

– Demain, ça vous paraît trop tôt ? »

Regonflage immédiat.

« Non.

– Bon. Que diriez-vous de dîner ensemble demain soir ?

– Ça me semble parfait.

– Je réserverai quelque part où on accepte les citrouilles. Je vous rappelle.

– À propos, comment avez-vous eu mon numéro ?

– C'est votre amie Sasha qui me l'a donné.

– Elle ne m'a pas dit que vous le lui aviez demandé.

– Je n'ai rien demandé. Elle me l'a glissé dans la main.

– Oh !

– Il faut dire que je vous cherchais depuis deux heures. Elle s'est probablement apitoyée sur mon sort. À moins qu'elle cherche désespérément à se débarrasser de vous et fourgue votre numéro à tous les types qui ont l'air délaissés.

– À moins que », répétai-je.

À moins que, à moins que, à moins que…

« Suis-je le seul à avoir appelé ?

– Oui.

– Tant mieux. Alors, à demain, Tessa King. »

Je sauvegardai ma satisfaction bien qu'elle eût été quelque peu entamée.

« Au revoir, James Kent. »

Je passai la première et m'engageai dans Edgware Road.

Il y avait une circulation épouvantable. Toutes les initiatives astucieuses que je prenais pour me frayer un chemin à travers les embouteillages étaient contrecarrées par des voitures remplies d'enfants, garées en double file. Je n'avais pas l'habitude de circuler en ville en plein milieu de l'après-midi. Sinon j'aurais su que c'était bouché partout à l'heure de la sortie des écoles. Un vrai cauchemar. Quarante-cinq minutes plus tard, bloquée quelque part aux abords de Paddington, j'appelai Helen. Elle ne répondit pas, ni sur son fixe ni sur son portable, alors je fis demi-tour pour rentrer chez moi.

15

Coup de théâtre

Billy voulait que je prouve que Christoph gagnait nettement plus d'argent qu'il n'était disposé à l'admettre devant le juge, mais elle m'avait demandé de ne rien entreprendre avant qu'elle soit prête. Le serait-elle jamais ? Je redoutais de me donner du mal pour rien. Mon ami avocat spécialiste des divorces passait ses journées à soutirer de l'argent à des gens qui, à un moment de leur vie, en présence de leur famille et de leurs amis, avaient juré amour, honneur et tout ce qui équivaut de nos jours à dire « je me soumets ». Je lui avais demandé où ces valeurs fondamentales étaient passées. Il m'avait répondu que ce que l'infidélité, le chagrin et la négligence n'avaient pas érodé était anéanti par les juristes. Il m'avait invitée à son mariage quelques années plus tôt. Je m'enquis donc de son couple. Je fus soulagée d'entendre que tout allait bien et le priai de me révéler son secret. « Je suis bien placé pour savoir qu'un divorce n'est pas une partie de plaisir, alors je fais en sorte que ça marche. Nous nous y employons tous les deux, me déclara-t-il avant d'ajouter : mes biens sont protégés, au cas où. » Il ne plaisantait pas le moins du monde à mon avis. Il me donna le numéro d'un détective privé en m'avertissant qu'il était cher mais que nous rentrerions dans nos frais si nous obtenions gain de cause. Billy n'accepterait jamais ça. Il allait falloir que je ruse. Christoph était futé ; il était vaniteux aussi et j'avais l'intention de l'avoir par ce biais. Sachant Cora seule à la maison avec la nounou, je lui passai un coup de fil. C'était peut-être fourbe de ma part, mais Cora détenait des informations précieuses à son insu.

« Salut, mon chou, comment vas-tu ?

– Je suis fatiguée, me répondit-elle.

– La journée a été longue ?

– Hein hein. »

Elle toussa pour faire bonne mesure.

« Tu as une vilaine toux.

– J'ai de la morve dans la poitrine.

– Ça s'entend. Tu es allée chez le docteur ? »

Silence. Elle devait secouer la tête.

« Ta maman n'est pas rentrée ? »

Nouveau silence. Nouveau hochement de tête sans doute. Billy aurait mieux fait de travailler chez un médecin plutôt que chez un dentiste. C'eut été nettement plus utile. Cora n'avait jamais mal aux dents vu qu'elle n'aimait pas manger, et encore moins des sucreries.

« J'ai juste une petite question à te poser. Tu te souviens de la carte postale représentant un bateau que Christoph t'a envoyée ?

– Oui.

– Tu l'as toujours ?

– Non. »

Flûte. Ma première piste aboutissait à un cul-de-sac.

« Maman l'a rangée dans le tiroir de sa table de nuit. »

Oh, Billy !

« Génial, m'exclamai-je, faussement joyeuse. J'en ai besoin. C'est bien que ta maman l'ait gardée. »

Cora n'était pas convaincue. Je jugeai inutile d'essayer de l'en persuader. J'étais sur le point de la prier d'aller la chercher quand elle fut prise d'une vilaine quinte de toux. Je dus attendre une minute que ça se calme.

« As-tu du sirop pour la toux ? lui demandai-je alors.

– Magda est partie chercher des citrons. »

Partie ?

« Qui est avec toi ?

– Elle revient dans une minute.

– Bon. On va bavarder jusqu'à ce qu'elle revienne.

– Je suis trop fatiguée pour bavarder, marraine Tess.

– OK. Prends le téléphone, va t'asseoir sur le canapé. Je vais te raconter une histoire. D'accord ? »

Je l'entendis traverser la pièce, grimper sur le sofa et se mettre à l'aise.

« Tu es prête ?

– Hein hein.

– Il était une fois… »

Cela dura non pas une minute, mais seize. Mon histoire n'avait ni queue ni tête, pas d'intrigue ni de chute, mais ça n'avait pas d'importance puisque Cora dormit presque tout le temps. Cela me rassurait d'entendre son souffle rauque en fond sonore à ce conte débile. Tant que je l'entendais respirer, j'étais sûre qu'elle n'était pas en train de brûler vive, de se faire enlever, de s'étouffer ou d'avaler du Cif, qu'il ne lui arrivait aucune de ces foultitudes de choses susceptibles de mettre la vie d'un enfant en danger dans une maison, surtout sans surveillance.

« Cora, je suis revenue ! cria une voix lointaine. Des bruits de pas. Un crépitement alors qu'on prenait le combiné des mains de Cora.

– Allô ? criai-je.

– Merde.

– Magda, c'est moi, Tessa.

– Bonjour, Tessa.

– Vous avez laissé Cora toute seule ?

– Il fallait que j'aille lui chercher quelque chose. Elle n'arrête pas de tousser. J'ai pensé qu'un jus de citron chaud avec du miel lui ferait du bien.

– Mais elle était toute seule !

– Billy la laisse parfois quand elle va juste au magasin au coin de la rue. J'ai fait aussi vite que j'ai pu. »

J'aimais bien Magda. C'était une fille honnête, elle prenait bien soin de Cora. Mais elle avait mis un sacré bout de temps.

« Qu'est-ce qu'elle a ?

– Ça doit être un microbe. »

Cora attrapait tout le temps des microbes. Billy disait que si elle ratait l'école chaque fois qu'elle chopait quelque chose, elle n'irait pour ainsi dire jamais en cours. Je trouvais cela inquiétant. Inquiétant qu'elle ne soit pas plus solide. Tant de personnalité dans un corps aussi fragile. Ça irait peut-être mieux si elle mangeait convenablement. Si elle était suivie par un médecin. Si elle sortait de Londres de temps en temps. Autant de choses possibles avec un peu plus d'argent.

Je parlai à Magda de la carte postale et attendis qu'elle aille me la chercher. Je me rappelais le jour où Cora l'avait reçue. Elle l'avait trouvée dans la boîte aux lettres le matin de ses sept ans. Nous étions tous sidérés – Christoph ne s'était jamais souvenu de l'anniversaire de sa fille. En définitive, il ne s'en souvenait toujours pas. C'était une coïncidence. Un petit mot rapide disant qu'il ne rentrerait pas pour les vacances de février, qu'il était toujours à Dubaï et que sa famille allait le rejoindre là-bas. Relativement anodin. Douloureux, mais anodin. La carte représentait un énorme yacht. Christoph n'envoyait pas des photos de n'importe quels yachts. Ce n'était pas son genre. Il jetait de la poudre aux yeux de Billy pour lui montrer ce qu'elle ratait, tournant le couteau dans la plaie tout en alimentant ses rêves. Le pire, c'est que ça marchait. Elle avait gardé la carte alors qu'elle était adressée à Cora.

Je voulais le nom du bateau. Armée de ce précieux renseignement, je téléphonai à Camper & Nicholsons, le meilleur armateur de ma connaissance, pour demander comment faire pour localiser un yacht battant pavillon des Émirats. Mon interlocuteur se montra très obligeant. J'étais tout excitée de voir que mon travail de limier commençait à porter ses fruits, aussi m'octroyai-je un verre de vin.

J'étais en train de déboucher la bouteille quand le téléphone sonna. C'était Francesca.

« Je te dérange ?

– Donne-moi une seconde. »

J'achevai d'ouvrir la bouteille, me servis un grand verre de vin, puis j'ôtai mes chaussures et m'allongeai sur le canapé.

« Tu peux y aller.

– Je m'excuse pour ce matin.

– C'est à moi de m'excuser, Fran. J'aurais dû tout te raconter.

– J'ai toujours adoré la relation que vous avez, Caspar et toi, tu le sais. Je ne m'en serais jamais sortie si tu ne t'étais pas occupée de lui si souvent quand il était petit. Je suis consciente qu'on ne peut pas avoir le beurre et l'argent du beurre. Il te fait confiance.

– *Faisait.*

– Je ne lui ai pas dit qu'on avait parlé. Il ne sait pas que je suis au courant pour le speed, la police, l'argent volé. Je lui ai donné l'occasion de me faire des aveux. Et puis je l'ai envoyé chez ses grands-parents en train jusqu'à ce que le proviseur de son école accepte de le reprendre. J'ai préparé son sac ; j'ai fouillé ses poches. S'il avait de la drogue sur lui, ça ne pouvait être que dans son trou de balle ! On verra bien ce qui se passera ensuite.

– Tu n'as pas à me protéger. Moi aussi j'ai réfléchi. Je suis ton amie avant tout, pas celle de ton fils. Tu passes en premier. Il a besoin d'être secoué. Fais allusion à moi s'il le faut, mais arrange-toi pour qu'il revienne à la raison.

– J'espère qu'on n'en arrivera pas là. »

Je pensais pour ma part qu'on y était déjà.

« Qu'est-ce qu'il t'a piqué ? »

Je sentis qu'elle faisait la grimace.

« Je ne suis sûre de rien, mais trop de choses ont disparu. De l'argent que j'étais certaine d'avoir mis de côté pour un voyage d'école, 20 livres ici ou là que je pensais avoir dans mon porte-monnaie. J'ai la nette impression que notre collection de CD a diminué. Quant à la sienne, elle s'est volatilisée. Mon mobile à carte. Je pensais que je me l'étais fait piquer.

– Oh, Fran, je suis désolée.
– Pourquoi est-ce qu'il me fait ça ?
– Je ne pense pas que ce soit contre toi.
– Moi, si. »
Elle poussa un profond soupir.
« Que faut-il que je fasse pour te convaincre que tu es une mère exceptionnelle pour ce garçon, que tu l'as toujours été ? Ce que tu as sacrifié pour lui, sans préjudice pour lui, me sidérera toujours.
– On croirait entendre un avocat.
– Je suis avocate. »
Elle soupira à nouveau. Ou était-ce un sanglot ? Un sanglot discret.
« Où est Nick ?
– Toujours à Saigon.
– Ça va, vous deux ? »
Je venais de m'entretenir avec un spécialiste des divorces qui croulait sous le boulot. Du coup, mon imagination fonctionnait à une vitesse surmultipliée. J'entendais la voix de Helen me récitant ce fichu poème : *Ne t'encombre pas l'esprit de sombres chimères*… Plus facile à dire qu'à faire.
« Oui, nous, ça va. On s'entend bien. J'aimerais qu'il me soutienne un peu plus dans cette histoire, mais Nick n'est pas ce genre d'homme. Il a beaucoup de qualités, mais il est dépassé en l'occurrence.
– Tu es très généreuse envers ton mari.
– Comme il l'est avec moi. Quand je m'énerve parce que les choses n'ont pas été remises à leur place, ou pour des trucs insignifiants qui me font enrager, il sait me calmer comme personne.
– Vous avez toujours formé une remarquable équipe. »
Ce commentaire la réduisit au silence.
« Ça n'a pas l'air d'aller. Tu veux que je vienne ? »
Je jetai un coup d'œil à mon verre. Je n'avais pas encore franchi la limite autorisée.
« Non. Je ne crois pas que je pourrais te dire ça en face.

– Me dire quoi ? »

J'attendis. C'est un stratagème de juriste. Je l'entendis prendre une profonde inspiration.

« Il y a eu un moment où ça n'allait pas très bien entre Nick et moi. »

Je ne m'attendais pas à ça.

« C'est normal, non ? Même les super-couples ne s'entendent pas toujours à la perfection.

– J'avais rencontré quelqu'un. »

Coup de théâtre. Je m'assis machinalement sur le canapé en gardant les pieds fermement ancrés au sol.

« Quand ça ?

– Caspar avait douze ans. »

Je me détendis. Beaucoup d'eau avait passé sous les ponts depuis, et Nick et Francesca étaient toujours ensemble.

« J'ai failli partir.

– Quitter Nick ?

– Ça paraît incroyable maintenant, mais Tessa, les sentiments que j'éprouvais pour cet homme me semblaient si forts. Je pensais sincèrement que je m'étais fourvoyée, que je n'avais jamais ressenti pour Nick ce que je ressentais pour lui. J'étais totalement obnubilée. Comme possédée.

– Mais vous avez toujours été tellement heureux ensemble, Nick et toi.

– Ce n'est pas donné à tout le monde d'être heureux. On s'est éloignés, je suppose. Quelqu'un a dit que le mariage, c'est comme un couloir jalonné de portes. Tu disparais derrière ta porte et lui derrière la sienne, mais au final, il faut revenir dans le couloir, faire le point et se prendre par la main parce que, derrière chaque porte, il y en a d'autres, et au-delà d'autres encore, et si on en franchit un trop grand nombre sans revenir dans le couloir, on risque de ne plus jamais retrouver le chemin. C'est à peu près ce qui s'est passé. Et ça n'a guère pris de temps en plus. »

Je n'avais pas vraiment écouté. J'étais sous le choc. Fran avait eu une liaison.

« Qui était-ce ?

– Peu importe. C'était absurde, de toute façon. Poppy ne parlait pas encore. Katie était une vraie peste à l'époque, Caspar approchait de la puberté et moi je ne savais plus où j'en étais. Je l'ai rencontré dans la salle d'attente d'un médecin. Cela faisait des mois que j'avais une toux dont je n'arrivais pas à me débarrasser.

– Je m'en souviens.

– J'étais totalement abattue. Nick partait sauver le monde, et moi, je n'étais rien. Personne. On a commencé à se voir pour prendre le café. J'étais juste contente de m'être fait un ami qui n'était pas une mère geignarde comme moi. Il était conférencier, j'ai toujours été attirée par la matière grise, tu le sais. Je buvais ses paroles. Ça n'aurait pas vraiment posé de problèmes si j'avais dit à Nick, dès le départ, que j'avais un nouvel ami, au demeurant divorcé et suprêmement intelligent, mais je n'en ai rien fait. À force de faire des cachotteries, je me suis fait prendre à mon propre piège. Il y avait enfin quelque chose de plus excitant dans ma vie que les couches, les livres pour enfants, les portes qu'on me claquait à la figure et les vestiges que je devais frotter dans les slips de Caspar. Pourquoi les garçons ne sont-ils pas foutus de se torcher convenablement le derrière ? Tout comme les hommes d'ailleurs.

– Désolée, dis-je, retrouvant finalement l'usage de la parole. Je ne saurais pas te répondre. »

Francesca sombra à nouveau dans le silence.

« Tu es sûre que tu n'as pas envie que je vienne ?

– Non. Reste au téléphone, c'est tout.

– D'accord.

– J'ai tellement honte, Tessa. C'est pour ça que je n'ai jamais pu t'en parler.

– Tu n'es pas obligée de me raconter quoi que ce soit, Fran. Ça fait longtemps. Il y a prescription.

– Il faut que je le dise à quelqu'un. »

Me dire quoi ? N'en avait-elle pas fini ?

« Je crois que je sais pourquoi Caspar est comme ça », repritelle en détachant ses mots.

Les ados ont-ils besoin d'une raison pour détester leurs parents ?

« Te souviens-tu de la fois où je t'ai demandé de garder Caspar tout un week-end ? Nick était en voyage et maman avait pris les filles. »

Caspar avait passé un certain nombre de week-ends chez moi.

« J'avais repris mes études...

– Ah oui, tu devais aller à un séminaire, un truc comme ça, je ne me rappelle même pas ce que tu... »

Je laissai ma phrase en suspens. Je m'apprêtais à dire « étudiais ». Elle n'allait tout de même pas me dire qu'il n'y avait pas de séminaire ce week-end-là.

« Il n'y avait pas cours.

– Tu as tout laissé tomber à mi-chemin. Je me souviens d'avoir pensé que ça ne te ressemblait pas d'être aussi papillon.

– Je veux dire qu'il n'y avait pas de séminaire ce week-end-là.

– Oh ! »

C'était un gros mensonge à faire avaler à sa famille et à ses amis.

– Je ne réfléchissais plus à l'époque. J'étais dans un sale pétrin.

– Ça a duré combien de temps ?

– Six semaines. Ça s'est terminé ce week-end-là.

– Pourquoi ?

– Je pensais que tu le savais.

– Moi ? Pourquoi le saurais-je ? »

Je me levai. Un petit verre de vin supplémentaire s'imposait.

« Tu as ramené Caspar à la maison ce samedi après-midi.

– Ah bon ?

– Tu es restée dans la voiture.

– Vraiment ?

– Caspar a dû ouvrir avec sa clé. »

Je n'aimais pas la tournure que la conversation était en train de prendre.

« Que s'est-il passé, Fran ?

– J'espérais que tu pourrais me le dire. »

Je remplis mon verre plus que je n'en avais eu l'intention.

« C'est la première fois que j'entends parler de cette histoire.

– Caspar ne t'a rien dit, alors ?

– Dit quoi ?

– Qu'il m'avait vue.

– Non.

– Tu n'as pas trouvé qu'il avait un comportement bizarre quand il est revenu à la voiture ?

– Non.

– En es-tu sûre, Tessa ? Réfléchis. C'est important. »

Elle semblait à bout de nerfs.

« Qu'a-t-il vu à ton avis, Francesca ?

– J'ai déconné, j'ai complètement déconné. J'étais supposée mettre un terme à tout ça. J'en avais vraiment l'intention. On s'était baladés pendant des heures dans le parc pour discuter, il était juste entré pour se sécher... »

Je n'osais plus parler.

« Je me sentais tellement seule. »

Elle pleurait maintenant.

« Je n'arrivais même plus à rester dans la même pièce qu'eux. Parfois, quand Katie traînassait dans la rue comme elle le faisait toujours, je la tirais sans ménagement par le bras, sachant pertinemment que ça lui faisait mal, ce qui ne l'empêchait pas de le faire. Je m'en voulais de m'être mise dans cette situation. Du coup, je m'en prenais à eux.

– Francesca, dis-moi ce que Caspar a vu.

– Je ne sais pas. J'ai juste entendu la porte claquer.

– Qu'aurait-il pu voir ?

– Oh, merde, je n'arrive même pas à le dire...

– Où étais-tu ? »

Je l'entendis prendre à nouveau une grande inspiration. Je dis une prière en silence. Plusieurs même. *Pas sur la table de la cuisine. Pas dans l'escalier. Pas par terre, ni sur le canapé, ni contre le mur*... Ça faisait trop de prières et je songeai que Dieu n'avait probablement pas très envie d'entendre tous ces détails plutôt sordides. L'adultère étant une de ses bêtes noires. En vérité, il ne fait pas bon surprendre sa mère en train de faire l'amour avec un autre homme, quels que soient la position et l'endroit.

« Le lit conjugal », dit-elle finalement.

C'était mieux qu'à quatre pattes sur la moquette du salon, je suppose. Je ne pouvais pas faire semblant de ne pas être choquée. Choquée ? Moi ? Je suis la personne la moins prude que je connais, après Samira. Je choisis soigneusement mes mots, et plus encore le ton de ma voix.

« Bon, réfléchissons à tout ça de manière rationnelle, dis-je d'un ton enjoué.

– Tu es horrifiée, n'est-ce pas ?

– Non. »

Oh que si !

« Déçue ?

– Non. »

Un peu.

« Tu avais sans doute tes raisons...

– J'avais l'impression que quelqu'un avait muré toutes mes issues de secours. Je suffoquais. J'étais piégée.

– Le moment était mal choisi pour allumer un feu dans ce cas. »

Francesca poussa un profond soupir. Je ne voulais pas avoir l'air d'une maîtresse d'école. Je voulais essayer d'être une bonne amie.

« Tu avais tes raisons et tu peux toutes me les expliquer si tu veux, mais c'est le passé, c'est fini, peu importe. Concentrons-nous plutôt sur Caspar. Il était le même quand il est sorti de la voiture et lorsqu'il est revenu quelques minutes plus tard.

– Tu en es sûre ? »

Je sondai ma mémoire. Ça s'était passé il y a longtemps, mais j'étais à peu près certaine que j'aurais remarqué quelque chose. Caspar n'avait pas pu assister à un tel spectacle et être aussi enjoué qu'il l'était en remontant dans la voiture.

« L'as-tu entendu entrer ?
– Non.
– Ben alors ?
– On faisait du bruit, il a très bien pu entendre quelque chose. »

J'avais le cœur au bord des lèvres. Ce genre de détail rendait les choses un peu trop réelles. Je préférai tourner autour du pot.

« Pourquoi étions-nous revenus ? demandai-je. Je ne me souviens pas.
– Pour chercher des bons pour le musée de la Guerre. »

Ah oui ! Ça me revenait. Après avoir mangé des hamburgers, nous étions allés voir tout un tas de machines à tuer qui fascinaient Caspar à l'époque.

« Tu as une sacrée mémoire, commentai-je.
– Ce n'est pas le genre de choses que l'on oublie. Il les avait laissés sur la table de la cuisine. Si seulement je les avais vus, mais que dalle ! Je n'ai rien vu du tout.
– S'ils étaient sur la table de la cuisine, il n'y avait aucune raison qu'il monte.
– Nos habits traînaient un peu partout.
– Tu es une vraie conne. »

Je ne me sentis pas mieux d'avoir dit ça, mais j'étais assez sûre que Francesca se sentit encore pire. Je regrettai aussitôt de l'avoir injuriée, mais ça m'avait échappé. Nous soupirâmes à l'unisson sans rien ajouter ni l'une ni l'autre pendant quelques minutes.

« Je ne t'aide pas, là, dis-je.
– Ça a le mérite d'être honnête.
– Pourquoi faire ça à la maison, Francesca ?
– Je ne voulais pas... Je ne l'aurais jamais fait dans notre lit en temps normal...
– Comme si ça arrangeait quelque chose.
– Je ne sais pas. Sur le moment, j'ai trouvé que c'était mieux. Nous étions à la maison, j'étais bouleversée, je ne voulais pas rompre. On parle d'un homme pour lequel j'ai risqué tout ce

que j'avais, rien que pour le voir une demi-heure. Il était chez moi. Nous étions seuls. Je voulais vraiment arrêter. J'étais déterminée, mais…

– Ne me dis pas qu'une chose en entraîne une autre.

– C'est une piètre excuse, n'est-ce pas ?

– Toujours. Même si j'y ai recours moi-même quand je couche avec des indésirables.

– Toi au moins, tu as le droit de coucher avec des indésirables, souligna-t-elle.

– C'est vrai. Mais ce n'est pas bon pour ma santé.

– Peut-être, mais c'est ton choix. Je n'allais pas seulement me faire du mal, j'allais briser ma famille.

– Et tu penses que c'est pour ça que Caspar ne veut pas t'écouter.

– Il me ment, il me traite de tous les noms, il n'a aucun respect pour moi. À tout prendre, je préférerais qu'il m'ignore.

– Ça n'est pas logique. Pourquoi aurait-il attendu quatre ans pour te punir ?

– Il ne s'est peut-être pas rendu compte tout de suite de ce qu'il avait vu.

– Il avait douze ans, pas deux.

– Il a peut-être refoulé. C'est pour ça qu'il a pu retourner dans la voiture comme si rien ne s'était passé.

– Il y a un truc qui ne colle pas. À l'époque, il me parlait sans arrêt de l'érection qu'il avait chaque fois que son prof de dessin, Miss Clare, entrait dans la classe. Il m'aurait parlé de toi. Ça l'a peut-être excité après tout.

– Tessa !

– Désolée. J'essayai juste de te dérider.

– Ce n'est pas le moment de faire de l'humour. C'est sérieux.

– Bien sûr que c'est sérieux, mais ce n'est pas la fin du monde. Nick et toi êtes toujours ensemble.

– Dieu merci !

– Il n'y a eu personne d'autre ?

– Évidemment que non. Même si je me rends compte maintenant que ça peut facilement arriver dès lors qu'on ne se fait pas prendre. C'est une pente savonneuse. Quand on est infidèle, on croit qu'on va être frappé par la foudre, que c'est la fin du monde. Ça fait un drôle d'effet quand on découvre que ça ne se passe pas du tout comme ça – qu'on peut regagner le foyer conjugal et servir des poissons panés comme si de rien n'était. Pourquoi ne pas recommencer alors ? En définitive, l'aspect secret de la chose est aussi jouissif que la liaison en elle-même. On parlait pendant des heures de notre vie future – une maison dans la lande, une ferme en Espagne –, et c'était merveilleux même si ce n'était qu'un rêve. Mais quand j'ai pensé que Caspar nous avait vus... »

Je sentais qu'elle avait du mal à respirer.

« C'est tout l'attrait du rêve : personne n'en souffre.

– Que s'est-il passé après le départ de Caspar ?

– J'ai réalisé que ce que je faisais pouvait avoir des conséquences terribles. Caspar m'a arrachée à mes fantasmes, littéralement. J'ai dit à mon ami de partir sur-le-champ. J'étais dans tous mes états. Je suis restée plantée à côté du téléphone, m'attendant à tout instant à ce que tu m'appelles pour me dire que Caspar avait joint son père, que tout était fini. Terminé. Mon ami m'a téléphoné toutes les heures, avec la régularité d'une horloge, pendant tout le restant de l'après-midi, presque toute la nuit et la journée du lendemain. J'ai laissé sonner. De guerre lasse, je suis allée jeter mon portable dans le fleuve. J'ai regretté mon geste aussitôt et j'ai failli sauter dans l'eau à mon tour, mais, à la fin, j'ai réussi à me traîner jusqu'à la maison. Je savais que j'aurais du mal à l'appeler du poste fixe. Au bout du compte, j'ai cessé d'avoir envie de lui. C'est ça qui était bizarre, d'ailleurs. J'étais persuadée qu'il était l'amour de ma vie. Dix jours plus tard, pourtant, ça m'avait passé.

– Le désir est une force puissante, dis-je. Et la solitude peut nous pousser à faire des choses stupides, irréparables. »

Ma place au pinacle de la moralité n'était pas vraiment assurée non plus.

« Et ça s'est arrangé avec Nick ?

– Curieusement, cette liaison a sauvé notre couple en quelque sorte. Je sais, je dis peut-être ça pour me sentir moins mal, mais Nick m'a remise d'aplomb en fait. Il pensait sans doute que j'étais malade. C'est l'impression que je donnais du reste. Ma toux est revenue. Il m'a envoyée au lit, il me louait des films ; il allait même chercher les filles à l'école. Il était aux petits soins pour moi pendant cette phase de deuil tant et si bien que j'en arrivais à attendre impatiemment son retour le soir pour rompre la monotonie de ma dépression. Nous nous sommes débrouillés pour retrouver le chemin du couloir, et un matin, en me réveillant, je me suis rendu compte que toute cette histoire n'avait aucune importance. Je n'avais jamais aimé cet homme. C'était Nick que j'aimais. Le plus effrayant dans tout ça, c'est que si Caspar et toi n'étiez pas revenus cet après-midi-là, je n'aurais peut-être jamais eu la volonté de tirer un trait sur tout ça. J'aurais brisé ma famille pour rien. Les choses se sont améliorées entre Nick et moi. En définitive, la seule victime dans cette affaire, c'était Caspar. Sans parler de l'horrible sentiment de culpabilité qui me hantait.

– C'était le matin, dis-je.

– Pardon ?

– Caspar et moi sommes revenus le matin.

– Non, c'était l'après-midi. On avait passé la matinée sous la pluie. On n'est pas rentrés avant… je ne sais pas quelle heure, mais la journée était déjà bien entamée.

– Ce n'était pas de très bonne heure, mais avant le déjeuner en tout cas.

– C'est impossible.

– Je t'assure. Je m'en souviens très bien. On est restés à discuter un moment dans la voiture après qu'il eut récupéré les billets pour déterminer si on irait d'abord au musée en déjeunant tard, ou s'il valait mieux déjeuner de bonne heure et aller au musée ensuite. En définitive, on a choisi les burgers d'abord, et les bombes après.

– Je n'ai pas vu ta voiture. J'ai juste entendu le moteur démarrer.

– Je suis certaine qu'on s'est attardés un moment. Il n'était pas du tout anxieux, je peux te l'affirmer. Tu as sans doute rêvé.

– Des pas dans l'escalier, un claquement de porte ? Ça m'étonnerait beaucoup.

– Tu as dit toi-même que tu n'avais pas vu les billets sur la table. On est venus et repartis pendant que vous roucouliez dans le parc. Je te promets, c'était le matin. Onze heures et demie, midi. Pas plus tard.

– À midi, on était dans le parc.

– Ce n'était pas Caspar dans ce cas. Il n'a rien vu. Il n'est pas meurtri à vie et il ne cherche pas à te punir. Je te le dis depuis le début, tu n'y es pour rien. Caspar est chiant et il faut qu'il se reprenne.

– Tu ne penses pas qu'il ait pu venir plus tard ?

– Non. Nous sommes restés ensemble jusqu'au soir.

– Alors qui a monté l'escalier ? Qui a claqué la porte ?

– La femme de ménage ?

– Tessa, la femme de ménage, c'est moi.

– Oh ! »

Je pris le temps de réfléchir un instant.

« Qui d'autre a les clés ?

– Personne.

– Il y avait forcément quelqu'un, à moins qu'il y ait eu un cambrioleur.

– Non. Un cambrioleur aurait pris la mesure de la situation et il se serait carapaté. Ou bien il aurait pris tout ce qu'il pouvait chaparder en bas, sachant que la maîtresse de maison avait d'autres chats à fouetter à l'étage et qu'elle n'entendrait probablement rien. »

Tout à coup, je compris. Et Francesca aussi.

« Nick ! »

Nous avions parlé en même temps. La seule autre personne à avoir la clé, c'était Nick.

Francesca fut inconsolable après ça. Pour finir, je sautai dans la voiture et me rendis chez elle où nous discutâmes jusqu'aux petites heures du matin afin de déterminer si un homme pouvait voir sa femme avec un autre homme et non seulement continuer à l'aimer, mais l'aimer apparemment encore plus. À plusieurs reprises, je dus la retenir de l'appeler. Si c'était effectivement Nick, et nous étions loin d'en être sûres, alors pour des raisons qu'il était seul à connaître, il avait décidé de faire l'impasse. Au lieu d'exploser, de foutre le camp, de la faire payer, il avait pris soin de sa femme et l'avait aidée à guérir un cœur brisé imaginaire, qui donnait pourtant l'impression de l'être vraiment sur le moment. Il avait su, depuis le début, que ce n'était pas une toux persistante qui terrassait Francesca, mais la fin d'une liaison, ce qui ne l'avait pas empêché de lui apporter des tasses de thé au lit, de lui faire couler son bain et de s'occuper des enfants pour qu'elle puisse souffler. Ma conclusion était la suivante : Nick était encore meilleur que je ne le pensais. Il aimait sa femme plus que je le croyais possible et elle se devait de le remercier de son silence par le silence. Maintenir la paix du foyer serait une belle rétribution, d'autant que ce n'était pas une gageure, comme je commençais à le comprendre.

Il se pouvait par ailleurs qu'un petit chapardeur se balade avec dans la tête une image de Francesca et de son mystérieux amant en train de s'envoyer en l'air, et que Nick soit un époux merveilleusement ignorant parmi d'autres. Personnellement, je commençai à espérer que la première hypothèse était la bonne. Malgré toutes ses bizarres complexités, je trouvai l'infidélité de Francesca et la magnanimité de Nick plus encourageantes qu'une banale partie de jambes en l'air passée incognito.

Bien évidemment, ni l'un ni l'autre scénario ne tenait compte de Caspar et des motifs qui le poussaient à bousiller sa jeune cervelle. J'avais trop bu pour reprendre le volant. Je me couchai donc dans le lit de Francesca, à la place du mari cocu.

Vingt-quatre secondes après que j'eus posé ma tête sur l'oreiller, deux créatures aussi alertes qu'agiles entrèrent dans la chambre et bondirent sur le lit.

« Nom de…

– Salut, les filles, s'exclama joyeusement Francesca, me coupant la parole.

– Quelle heure est-il, pour l'amour du ciel ? demandai-je en scrutant le cadran de ma montre.

– Félicitations, vous deux, ajouta inexplicablement Francesca.

– Félicitations ? Mais pour quoi ? Il fait encore nuit.

– Pour avoir attendu jusqu'à sept heures.

– Sept heures !

– On est réveillées depuis six heures. On a attendu, attendu…

– Poppy a failli venir plus tôt.

– C'est pas vrai.

– Si !

– C'EST PAS VRAI DU TOUT !

– Ne crie pas, Poppy.

– Et elle a renversé les corn flakes.

– Pas du tout !

– Ne raconte pas de bobards, Katie », intervint Francesca d'un ton patient.

Je reposai la tête sur l'oreiller en gémissant. Depuis quand avaient-elles des voix aussi perçantes ?

« Bienvenue dans mon monde, chuchota Francesca en s'extirpant de la couette pour remettre les habits qu'elle avait enlevés quelques heures plus tôt.

– Bon, dites-moi tout le monde, quel est le programme aujourd'hui ?

– ON A COURS DE DANSE, hurla Poppy.

– Bon, tenues de danse dans le placard-séchoir.

– Et gym, ajouta Katie.

– Emprunte un des tee-shirts de Poppy. Je n'ai pas eu le temps de laver les tiens.

– Nonnonon ! beugla Poppy.

– Ils sont trop petits. J'ai l'air d'un garçon dedans, geignit Katie.

– Mais non.

– Mais si !

– Il faut que j'amène quelque chose pour le cours de travaux pratiques. Un plat que j'ai cuisiné », annonça Poppy.

Cuisiné ? Elle n'a que cinq ans. Francesca jura entre ses dents, mais se ressaisit rapidement.

« Bon, on va faire un quatre-quarts. »

Les deux gamines se mirent à bondir sur place en beuglant :

« UN QUATRE-QUARTS ! UN QUATRE-QUARTS ! UN QUATRE-QUARTS ! »

Je songeai qu'elles seraient extrêmement utiles à Guantanamo Bay. J'essayai de sourire.

« Ne t'inquiète pas, dit Francesca. C'est délicieux avec un café noir agrémenté d'une bonne rasade de cognac.

J'avais un peu l'impression d'émerger après une nuit de débauche copieusement arrosée. Ambiance *Quand Harry rencontre Sally*. Je me blottis sous les couvertures en me demandant combien de temps j'allais supporter ça avant de réussir à filer sans offusquer personne.

16

La princesse et le petit pois

En rentrant chez moi, je fus prise d'un élan d'amour et de gratitude pour mon havre de paix. Je refermai la porte derrière moi. Ça commençait à faire beaucoup tout ça, même pour moi : Claudia et Al sacrifiant leur santé pour avoir un enfant, Francesca m'avouant qu'elle avait eu une liaison, Helen prisonnière d'un mariage dévastateur et la petite Cora, allongée sur un canapé, malade, seule à la maison parce que sa mère n'arrivait pas à se sortir de l'ornière dans laquelle elle s'était fourrée. Comprenez-moi bien. Je pense être d'une compagnie tout à fait indiquée en période de crise, mais ne dit-on pas : « Qui trop embrasse mal étreint. » Quelle avait été la formule de Francesca ? L'attrait du rêve, c'est que personne n'en souffre. Elle avait raison. Quand Helen parlait de quitter Neil, c'était presque une distraction pour moi parce que je n'aimais pas ce dernier, mais cela bouleverserait ma vie si Fran et Nick se séparaient – ils faisaient partie de ma famille. Ce serait comme si mes parents divorçaient. Ils étaient le roc auquel je me cramponnais. Je dépendais de leur solidarité. Plus encore maintenant que mes parents étaient moins actifs. Même si je m'évertuais à occulter l'âge de mon père et l'état de santé de maman, un jour viendrait où… Je chassai cette pensée de mon esprit. Elle me faisait horreur.

J'allai dans la cuisine et entrepris de me préparer un vrai cappuccino. J'ai de merveilleuses tasses à café, grandes comme des bols à soupe, achetées lors d'un des innombrables week-ends que j'ai passés à Paris avec Helen. Chaque fois que son père venait en Europe pour affaires, nous avions la jouissance d'une suite dans un hôtel. Un jour, la bande de Sylvester Stallone nous avait embarquées aux Bains Douches; on était rentrées au Ritz en limousine. Mais ça, c'est une autre histoire... Le problème avec mes tasses à café françaises, c'est que le contenu refroidit trop vite. J'ai dû acquérir un micro-ondes. L'avantage du micro-ondes, c'est que ça fait de la mousse pour coiffer le cappuccino. Je suis devenue une vraie pro. Je saupoudrai la mousse de cacao et emmenai ma tasse sur le balcon. J'appelle ça un balcon, mais c'est plutôt une corniche. Assez large tout de même pour y loger deux pseudo-chaises de bistro françaises de chez Homebase et une table bancale.

Je m'installai pour prendre le soleil. Tous ces événements faisaient-ils partie de la routine ou ma disponibilité récente m'avait-elle ouvert les yeux? Auparavant, j'étais tellement accaparée par le boulot qu'il m'arrivait de ne pas voir Fran, Helen ou Billy pendant des mois. On s'appelait régulièrement et je passais les voir de temps en temps le week-end, quand je n'avais pas trop la gueule de bois, mais sans doute moins souvent que je ne le pensais. À la réflexion, ces derniers temps, j'avais passé jusqu'à deux ou trois mois sans les voir. J'étais toujours charrette. C'était plus facile de sortir avec des collègues de travail – ils étaient sur place, leur vie ressemblait plus à la mienne et ils n'avaient pas besoin de trouver des baby-sitters à la dernière minute. Se pouvait-il que les problèmes de mes amis m'aient échappé tout ce temps alors qu'ils étaient sous mon nez? L'envie d'appeler Ben me démangeait. Nos conversations me manquaient. Je souffrais chaque jour de l'absence de contact entre nous. C'était le seul signe qui prouvait que je n'avais pas tout inventé. Ben. Ben. Ben. Comment allais-je me guérir de lui une fois pour toutes? Se pouvait-il que je me sois leurrée, comme Francesca? Ou était-ce bien réel? Je contemplai le fleuve. Même si on sentait que c'était bien réel, comment en être sûr ?

Plus tard, après avoir finalement rangé mon appartement, je passai en revue mon courrier et vérifiai mes e-mails. Il y en avait un de Claudia. J'avoue que je l'ouvris à contrecœur. Il y a des limites aux désastres qu'on est capable d'encaisser dans une journée.

Ma chère Tessa,

Singapour est un endroit incroyable. Il y a une piscine sur le toit de notre hôtel, au quarante-septième étage. Plutôt cool. Je tiens à ce que tu saches que je me sens nettement mieux. En fait, mon moral s'est amélioré dès que l'avion a décollé, Al m'a tenu la main jusqu'à ce que le signal des ceintures de sécurité s'éteigne et j'ai pensé : Quelle chance j'ai ! Une chance incroyable ! Ça change, reconnais-le ! On s'amuse bien. On a même pris une cuite. (Ça faisait un bout de temps que ça ne m'était pas arrivé !) On a découvert un bar génial, et je dois t'avouer que je me suis mise à raffoler des margaritas. *On the rocks*. Avec du sel. C'est surtout l'idée qui me plaît, en fait. Bref, on est allés danser aussi. Je vais à la gym de l'hôtel tous les jours. On se croirait dans un film de science-fiction. Je me fais faire des massages dans ma chambre et les séances d'acupuncture sont fabuleuses. Je me sens tellement plus forte. J'ai pris de grandes résolutions. Je ne veux plus qu'Al et moi ayons à endurer ce qu'on a enduré. Pas seulement à cause de la terrible déception qu'on ressent quand ça ne marche pas. J'ai commencé à penser à ce qui se passerait si ça marchait. Mes chances de porter un enfant à terme s'amoindrissent à cause de mon âge, mon utérus a subi tellement de traitements agressifs qu'ils voudront m'agrafer pour m'empêcher d'avoir une autre fausse couche. En bref, j'en ai assez d'être un cobaye, et je me suis rendu compte que j'avais presque oublié l'effet que ça faisait d'être un être humain. Je me trompe peut-être, mais il me semble que j'étais plus marrante que ça jadis ?

Je sais que tu t'es fait beaucoup de souci pour moi. Je ne veux plus que tu t'inquiètes. J'ai les larmes aux yeux, ce qui ne m'est pas arrivé depuis des jours, mais seulement parce que je te suis reconnaissante d'avoir été une amie si merveilleuse et parce que je suis heureuse que tout cela soit derrière moi. Imagine la scène, s'il te plaît : je suis entourée d'hommes d'affaires japonais scrupuleux et tirés à quatre épingles (ne le sont-ils pas tous ?) qui tapent furieusement sur leur clavier dans le centre d'affaires de l'hôtel. Je suis remontée de la piscine dans le cafetan ample que tu m'as donné pour t'envoyer cet e-mail. La climatisation marche à fond, alors je larmoie et mes mamelons captent des signaux satellite. D'ailleurs, les gens commencent à prendre la fuite… Il vaudrait mieux que j'y aille avant que quelqu'un appelle la sécurité. Oh, mon Dieu, j'ai fait une marque de Bikini mouillé sur le siège.

Al a de quoi se prendre pour un golden boy en ce moment. La chaîne hôtelière lui a demandé si cela lui dirait de faire la tournée des sites où ils projettent de construire en Extrême-Orient. Il est notamment question de bâtir un hôtel au sommet d'un arbre dans la jungle au Vietnam. C'est accessible uniquement à dos d'éléphant !!! On va sans doute y rester quelque temps, peut-être même retrouver China Beach. C'est très excitant, mais ça veut dire qu'on rentrera plus tard que prévu. Ce n'est pas une mauvaise chose en dehors du fait que vous me manquez tous.

Je t'aime très fort, tu me manques vraiment. Si tu as envie qu'on se retrouve au Vietnam, comme au bon vieux temps, saute dans un avion. Je te tiens au courant pour les dates. En attendant, prends soin de toi, trouve-toi un boulot avant de devenir folle et de perdre ton assurance (ça ne prend pas longtemps, crois-moi, je le sais) et ne fais pas trop de bêtises. Ne fais pas semblant de ne pas comprendre. Gros bisous à tout le monde. Claud.

P-S : On a fait l'amour pour le plaisir l'autre soir pour la première fois depuis des années. C'était génial !!!

Bon, tout n'allait pas si mal. Si Claudia pouvait oublier toutes ces années passées à faire pipi sur des bâtonnets avant de convoquer son mari au lit, tout était possible, non ? Fini les FIV. Al devait se réjouir de cette décision et je suis sûre que Claudia continuerait à se montrer aussi brave qu'elle l'avait été depuis que cette sinistre histoire avait commencé. Quand les gens lui demanderaient quand elle allait avoir des enfants, ce qui lui arrivait souvent, pourrait-elle désormais les regarder dans les yeux et leur dire : « Nous ne pouvons pas en avoir », à la place de la réponse bateau qu'elle ressortait chaque fois : « Nous essayons, mais nous n'avons pas eu de chance jusqu'à présent » ? Les moins réfléchis répondraient : « Vous devez vous en donner à cœur joie », ou : « Ça fait longtemps que vous essayez ? » Les plus sensibles réagiraient en lui souhaitant « Bonne chance » ou en murmurant : « Je vous plains… » Les âmes les plus délicates se garderaient tout bonnement de poser la question. La lueur d'espoir que chaque traitement lui apportait allait-elle lui manquer ? De quoi ses rêvasseries seraient-elles peuplées faute d'un enfant imaginaire ? Était-elle vraiment capable d'abandonner la partie ? Je relus son message. Peut-être. Peut-être pas, mais il fallait admettre qu'elle faisait tout pour.

James appela plus tard dans l'après-midi pour dire qu'il avait réservé une table. Il m'indiqua l'heure et l'adresse, après quoi il proposa de venir me prendre. Comme le restaurant se trouvait à côté d'un bar que je connaissais, je lui suggérai qu'on s'y retrouve. Inspirée par l'e-mail de Claudia, j'avais une envie de margaritas. Cet échange d'informations n'avait pas demandé plus d'une minute. Je fus donc agréablement surprise de constater en raccrochant que cela faisait quarante-cinq minutes que j'étais au téléphone. De quoi avions-nous parlé pendant tout ce temps-là ? Je ne m'en rappelais déjà plus. J'écrivis un message à Claudia, répondis à quelques e-mails barbants, et je m'aperçus qu'un autre chasseur de têtes souhaitait me voir. Après avoir pris rendez-vous avec lui, j'arrosai mes plantes, je pris une longue douche et je me fis les ongles. Je branchai mon iPod sur baffle, réglai sur « mix de morceaux » et fis des cabrioles dans le salon au rythme d'Eminem avant de chanter *Les Pêcheurs de perles* de Bizet à tue-tête avec les trois ténors pendant que mon vernis séchait. Je me sentais légère. Pleine d'entrain ? Il me fallut un moment pour trouver le mot juste. Insouciante. Je me sentais insouciante. Ce qui était incongru compte tenu des événements des derniers jours.

J'étais sur le point de m'asseoir pour me sécher les cheveux quand le téléphone sonna.

« Allô ?

– Salut, Tess. »

Ben. Je déglutis. Flûte, mince alors, saperlipopette, bordel, hourra !

« Salut.

– Tu réponds sur ton fixe maintenant ? »

J'avais recommencé depuis peu. Ça prouvait que j'allais mieux. J'avais changé de numéro après mes ennuis, mais je ne répondais pas quand même. J'avais changé de numéro de portable aussi. Je ne donnais plus que mon adresse e-mail maintenant. Si mon ex-patron tentait de me contacter, je devais prévenir la police sur-le-champ, mais ce serait déjà trop tard. Police ou pas police. Je ne voulais plus qu'il franchisse mes lignes de défense. Plus jamais.

« Tu t'es volatilisée l'autre soir. C'était nettement moins drôle après ton départ. »

Je l'avais vu se frotter contre sa femme sur la piste de danse. Je savais qu'il mentait.

« J'ai dû raccompagner Helen chez elle.

– Oui, Francesca a dit qu'elle était fin cuite. Je ne pensais pas qu'elle buvait.

– Elle ne boit pas. C'était ça le problème. »

Ça, et son connard de mari sniffeur de coke. En temps normal, j'aurais tout raconté à Ben, ce qui aurait été horriblement indiscret de ma part, mais en ce temps-là, je pensais que nous n'avions aucun secret l'un pour l'autre. Nous n'avons rien que des secrets l'un pour l'autre en définitive.

« Je me demandais juste si tu avais eu des nouvelles de Claudia.

– J'ai reçu un e-mail aujourd'hui en fait.

– Ils vont bien ?

– Mieux que ça ! Claudia a l'air en pleine forme.

– Dieu merci.

– Pourquoi ?

– Je viens de recevoir un message bizarre d'Al.
– Qu'est-ce qu'il disait ?
– Tout va bien ici. Et toi, ça va ?
– C'est tout ?
– Oui. »

C'est toute la différence entre les hommes et les femmes. Je reçois un e-mail de cinquante lignes de Claudia, Ben a droit à huit mots d'Al pour dire essentiellement la même chose, d'une manière nettement moins éloquente. Je suis contente de ne pas être un garçon. Ils sont bizarres, les garçons.

« Eh bien, Claudia s'est montrée un peu plus prolixe, mais oui, je crois que ça se passe très bien pour eux. Rien que dans son e-mail, on a l'impression d'avoir affaire à une nouvelle Claudia.
– Ils ont l'intention de revenir ?
– Pas tout de suite. Et ils renoncent aux FIV.
– Quel soulagement ! »

Soulagement ? Comme pour quelqu'un qui aurait finalement succombé au terme d'une longue maladie. On ne pouvait pas vraiment parler de soulagement. Une horrible tragédie, plutôt. Parfois, mieux vaut ne pas vivre que de vivre cette vie-là. Dans le cas de Claudia, pas de vie était préférable à une vie à n'importe quel prix.

Si seulement j'étais une marraine de conte de fées, pensai-je à cet instant. Si seulement je pouvais agiter une baguette magique et donner un bébé à Claudia, apaiser les inquiétudes et la culpabilité de Francesca, sauver Helen et rendre sa force à Billy. J'étais incapable de faire disparaître les maux de mes amies par magie. En revanche, j'avais le pouvoir de rompre le charme qui m'ensorcelait.

« Comment vas-tu, Tess ? J'ai l'impression que ça fait des siècles que je ne t'ai pas vue. »

Je me demande bien pourquoi.

« J'étais occupée.
– Que dirais-tu de sortir ce soir ? Si on allait boire une pinte ou deux ?

– En fait, j'ai... »

Dis-le. Allez, dis-le. Pourquoi ne veux-tu pas le dire ? De quoi as-tu peur ? Que cela l'éloigne de moi ? Il est marié ! Brandis ta baguette magique, Tessa. Maintenant, avant qu'il ne soit trop tard.

« J'ai rendez-vous avec cette bande de dépravés, tu sais, mes copains journalistes. Ils t'adorent, viens, je t'en prie. »

Avait-il senti que je n'avais pas trop envie de me retrouver seule avec lui ? Je supposais qu'il voulait que tout rentre dans l'ordre. Le problème, c'était que l'ordre m'avait tuée.

« J'ai un rancard. »

Silence.

« Ben ?

– Désolée, j'ai perdu le fil une seconde. Un rancard ? Super. Avec quelqu'un que je connais ? »

Je me sentais super mal à l'aise, ce qui ne m'empêcha pas de foncer. Je tenais à ce que nous soyons amis comme nous étions supposés l'être.

« Tu l'as rencontré l'autre soir.

– Pas ce vieux schnock ?

– Il n'est pas vieux.

– Il a les cheveux gris.

– Poivre et sel. C'est très sexy. »

C'était plus facile de défendre James que je ne le pensais.

« Lui, sexy ?

– Écoute, ce n'est pas toi qui es censé le trouver sexy.

– Ce n'est pas ton type, Tess. »

Il fallait que ça cesse. Ben devait comprendre que j'étais sérieuse.

« C'est quoi, mon type ? »

Je lui avais jeté le gant.

« Plus jeune, répondit Ben, esquivant.

– Les hommes plus jeunes ont peur des femmes de mon âge.

– Tu ne fais pas peur.

– Non, je suis fabuleuse. Mais ils n'ont pas l'air de s'en rendre compte.

– Je te reconnais bien là, ma petite fille. »

Je ne suis pas ta petite fille, Ben.

« C'est ta femme qui lui a donné mon numéro, précisai-je, lui jetant un deuxième gant. Elle ne t'en a pas parlé ?

– Ça ne lui ressemble pas de faire une chose pareille.

– Elle pense peut-être que c'est mon type. »

Ou tout du moins que quelqu'un d'autre que son mari devrait l'être. Elle n'avait pas tort. Il fallait que je suive l'exemple de Claudia. Il était temps de tourner la page. J'avais beau jeu de faire la leçon à Helen en lui disant de sortir de l'ombre de Neil, ainsi qu'à Billy pour qu'elle en fasse autant avec Christoph. Il était grand temps que j'applique moi-même ces beaux conseils.

« Je l'aime bien. On a déjeuné ensemble. C'est super facile de discuter avec lui. Et lui aussi m'aime bien, ça se sent.

– Bien sûr qu'il t'aime bien, Tessa. Les femmes comme toi, ça ne court pas les rues.

– Eh bien, je te remercie. Je te raconterai comment ça s'est passé.

– Comment s'appelle-t-il déjà ?

– James Kent.

– James Kent, répéta-t-il. Je suis sûr de l'avoir déjà rencontré.

– Tu l'as vu l'autre soir, voyons.

– Non, avant cela, peut-être au boulot… je finirai par m'en souvenir. »

Je ne voulais pas que Ben connaisse James Kent. Je crois bien que je le voulais pour moi toute seule, celui-là.

« Écoute, il faut que j'y aille. Tu mets mon rancard en péril.

– Moi ?

– Oui. Pendant qu'on parle, mes cheveux sont en train de frisotter.

– Quand aura-t-il le droit de savoir qu'en fait, il sort avec Chewbacca ?

– Ha, ha. Raccroche, tu veux.

– Si tu t'ennuies, appelle-moi. On sera à l'Eagle.

– Huit journalistes ivres et toi, non merci. »

Ça me paraissait plutôt sympa, en fait.

Je m'en étais plutôt bien sortie, en fait. C'était mieux. Claudia aurait été fière de moi. James Kent y était-il pour quelque chose ? Je méditai cela tout en mettant de l'ordre dans ma tignasse devant la glace. Plutôt que d'essayer cinquante tenues, j'enfilai mon bon jean, un haut Matthew Williamson et mes bottes de cow-boy préférées. Elles passaient régulièrement de mode, mais ça m'était égal, et comme les hommes remarquent rarement ce qui se passe en dessous des nichons, je ne voyais pas l'intérêt de souffrir en trottinant sur des talons aiguilles. Il avait déjà eu droit à un vaste échantillonnage de mes talents. Il m'avait vue ivre et échevelée dans un night-club. Sur mon trente et un à la soirée de Channel 4. Sans un brin de maquillage et en tenue décontractée au déjeuner. Et cela ne l'avait pas empêché de m'inviter à dîner. Alors peut-être ? Était-ce possible ? Se pourrait-il ? James Kent s'intéressait-il vraiment à ma personne ? Je ne cesserai jamais de m'étonner. À moins que, à moins que... Je chassai cette pensée de mon esprit, c'était un type gentil, ça se voyait, mais la pensée revint à la charge : à moins qu'il me fasse marcher jusqu'à ce qu'il m'ait vue sous mon ultime facette. En d'autres termes, à poil. Non. Pas question de me laisser hanter par des pensées négatives. De m'autotorpiller. De traîner avec moi mes mauvaises expériences passées. Nouvelle personnalité. Nouvelle expérience. Rien qu'en pensant à son comportement avec Cora, je me sentais enhardie. J'étais déterminée à y croire cette fois-ci. Je jetai un ultime regard à mon reflet dans la glace avant de partir. J'avais peut-être fait fausse route avec les hommes jusqu'à présent, mais j'étais assez sûre de ne pas me tromper avec celui-là. Je réitérai néanmoins la résolution que j'avais prise à l'automne : James Kent ne me verrait pas nue. Enfin, en tout cas, pas ce soir. Je me connaissais décidément très mal.

Il était au comptoir. Pas à une table. Au comptoir. Lui avais-je précisé que j'aimais bien boire un verre au comptoir, ou était-ce une heureuse coïncidence ? Il se leva et tira un tabouret. Nous nous engageâmes rapidement dans une conversation badine, ce qui n'arrivait normalement pas avant que j'aie bu au moins la moitié de mon deuxième cocktail. Or, il se passa une bonne vingtaine de minutes avant que j'en commande un. Une margarita, *on the rocks*, avec du sel. Je levai mon verre et priai James de boire à la santé de ma bonne amie Claudia. Il ne haussa même pas un sourcil, ce cher homme. Nous parlâmes de rien d'époustouflant, et ce que nous disions n'était pas si drôle que ça, mais j'étais fascinée par tout ce qu'il disait, il était pendu à mes lèvres et nous rîmes beaucoup.

Ben n'aurait pas pu être plus loin de mon esprit lorsque nous franchîmes la courte distance qui nous séparait du restaurant, si ce n'est que je pensais justement qu'il était loin de mon esprit. Je ne me souviens pas de ce que nous avons mangé, hormis que c'était délicieux, extrêmement copieux, ce qui ne nous empêcha pas de partager deux desserts et de boire un vieil armagnac. Ce fut probablement à ce stade que mes résolutions commencèrent à mollir. Je m'entendis parler des serveurs qui débarrassaient les tables autour de nous, d'un dernier verre, et du Blakes Hotel. Le Blakes Hotel ! La seule chose que je savais de cet établissement, c'était qu'on n'y allait pas pour boire un verre. Ce n'était pas que j'étais ivre ou que je n'étais plus capable de réfléchir. Je ne voulais pas que la soirée se termine parce que je n'avais pas envie de rentrer seule à la maison et de mettre un terme à cette agréable sensation. Cela faisait trop longtemps que je n'avais pas éprouvé ça.

Le Blakes est un petit hôtel très chic à South Kensington. La façade est en briques noires, l'éclairage intérieur est tamisé. Il y a un petit bar au sous-sol où il fait si sombre qu'on discerne à peine les visages des autres clients. C'est aussi bien puisqu'il y a beaucoup d'hommes mûrs accompagnés de nymphettes en train de siroter du champagne. L'ambiance est à la tension sexuelle et aux arrière-pensées louches. Pas besoin de vous faire un dessin. Nous commandâmes des scotch-sodas et continuâmes à causer. À la seconde commande, le barman nous informa que c'était la dernière tournée. Nous prenant pour des clients de l'hôtel, il précisa que nous pouvions commander ce que nous voulions dans notre chambre. Notre chambre. *Notre chambre.* Je ressassai ces mots dans ma tête. C'était tentant. Je regardai James, James me regarda. Nous échangeâmes des sourires coquins et nous mîmes à ricaner.

« Qu'en penses-tu ? demanda-t-il.

– Je trouve que c'est une super idée.

– Moi aussi, reconnut-il en souriant de plus belle.

– Pas d'hésitation alors. »

Whoa ! Il savait y faire.

Tout cela était assez niais et je suis sûre que le personnel de nuit avait vu ça un million de fois. Les gens remontent du bar un peu plus éméchés qu'ils l'étaient en descendant, ils s'approchent de la réception, un peu en retrait, et demandent une chambre. Naturellement, il n'en reste qu'une seule : une suite atrocement chère. Plutôt futé, somme toute ! Comme une de mes tantes a dit un jour à propos de ce genre d'établissements : « À ce prix-là, je resterais allongée toute la nuit à fixer le plafond avec des allumettes pour garder les yeux ouverts. » Eh bien, on ne peut pas vraiment dire que j'aie fixé le plafond. Je n'étais pas toujours allongée non plus, mais réveillée, ça, aucun doute. Je crois pouvoir dire sans risque qu'en termes fiscaux, j'en eus pour mon argent. Ou plutôt James, puisque c'est lui qui payait. Mais à ce stade, alors qu'il tendait une carte de crédit, nous prenions ostensiblement une chambre juste pour boire un autre verre. Ben voyons ! On nous conduisit dans un couloir étroit qui menait à une cour pavée immaculée agrémentée d'ifs, puis jusqu'à une grande porte blanche.

Si j'ignorais jusque-là que j'allais me retrouver toute nue, en dépit de toutes les promesses que je m'étais faites, à cet instant cela ne faisait plus aucun doute dans mon esprit. C'était la plus belle chambre que j'avais jamais vue. Les contes de fées ne sont pas très sexy d'ordinaire – ceux que je lis à Cora penchent plutôt vers l'édifiant –, mais c'était un mélange parfait de rêve pur et de pensées impures. Un amalgame entre *La Princesse et le petit pois* et *Neuf semaines et demie*, entre *Alice au pays des merveilles* et *Emmanuelle*, le tout blanc comme neige. Le lit était gigantesque. Les plafonds très hauts. Même les planchers étaient blancs.

« La chambre blanche, annonça le portier.

– Je suggère du champagne », dit James.

Et le tour était joué. Ce fut une scène de séduction très conventionnelle. Le champagne arriva, nous le débouchâmes, nous fîmes couler un bain, l'arrosâmes généreusement de bain moussant au pamplemousse de chez Anouska Hempel, puis nous nous glissâmes tous les deux dans la baignoire. Nous remplîmes à nouveau nos verres et rajoutâmes plusieurs fois de l'eau chaude dans la baignoire. C'était un vrai bonheur. Les choses se compliquèrent quand il fallut se sécher.

D'ordinaire, c'est toujours un peu embarrassant de faire l'amour avec quelqu'un pour la première fois. À moins, bien sûr, que ce fieffé alcool ait rempli son office en vous libérant de toutes vos inhibitions, auquel cas la gêne est réservée au matin. Je ne me sentais pas du tout gênée avec James. Comme je m'étais déjà déshabillée pour me glisser dans le bain avant que nous nous soyons embrassés, se retrouver nus ne posait plus de problème. Nous nous étions d'abord embrassés assis, genoux contre genoux, dans la baignoire. La place manquait pour que ce baiser mène où que ce soit, pas même à un long baiser langoureux. De sorte que jusqu'à ce que l'eau refroidisse, et que ma peau se plisse, nous nous contentâmes de bavarder en nous broutant les lèvres de temps en temps. Après cela, il y eut de charmantes roulades, beaucoup de temps passé allongés à se regarder dans les yeux, plein de causettes suivies de nouvelles roulades. Les choses ne prirent une tournure sérieuse qu'à partir de cinq heures du matin environ, auquel stade, nous étions tous les deux très détendus. Ou éreintés ; ça fait à peu près le même effet. L'aube commençait à poindre quand nous sombrâmes finalement dans un sommeil profond, peuplé de rêves.

17

Le tour est joué

Je fus réveillée par un baiser. James me souriait, ce que je trouvai sympa. Mais il était habillé. Moins sympa. Je me dressai sur un coude.

« Bonjour, beauté. »

Je fis la grimace. Bonjour – oui. Beauté, j'en doutais fort.

« Il faut que j'y aille. J'ai une réunion importante.

– D'accord, répondis-je en m'asseyant. Je vais me lever.

– Non. Dors. C'est ce que je ferais à ta place. Commande un petit déjeuner quand tu te réveilleras. »

Ce n'était pas une mauvaise idée. C'eut été un sacrilège de quitter cet endroit avant qu'il ne soit temps.

« Écoute, je viens d'avoir une idée complètement folle, me lança-t-il.

– J'aime bien tes idées folles.

– J'ai un rendez-vous ce matin, puis un déjeuner. Si j'arrive à me libérer cet après-midi, je devrais être disponible vers quatre heures. »

J'attendis.

« Que dirais-tu de rester terrée jusque-là et de succomber totalement à la décadence en passant encore une nuit ici ? »

Un grand sourire s'épanouit sur mes lèvres avant que j'aie le temps de me contrôler.

« Ça veut dire oui ?

– Et comment !

– Super. À tout à l'heure. »

Il m'embrassa avec fougue, puis gémit.

« Seigneur ! Ce que je donnerais pour rester. »

Ça m'allait très bien qu'il s'en aille. Il fallait que je me brosse les dents. J'avais un besoin pressant et pour tout dire, il fallait absolument que je pète. J'avais beau me sentir merveilleusement à l'aise avec cet homme, il y avait des limites.

Ce second sommeil fut prodigieux. Tout comme le deuxième bain, même s'il ne fut pas tout à fait aussi agréable que le premier. J'étais toute courbaturée comme si j'étais allée à la gym. Ça fait très Harlequin, je sais, mais j'avais les lèvres meurtries. James m'envoya un texto disant : « Impossible de me concentrer ! » Je le relus plusieurs fois. Quatre mots. *Tu es pathétique, ma pauvre vieille !*

Je résolus d'en profiter un max, et bien déterminée à payer les « extras » moi-même, je fis monter une masseuse et m'octroyai une séance d'une heure et demie. Je mangeai de la langouste accompagnée d'un délicieux vin blanc, puis je me fis faire un soin du visage. J'allai jusqu'à envoyer le concierge de l'hôtel me chercher des revues de luxe que je ne lis jamais d'ordinaire et confiai mes vêtements froissés qui empestaient la fumée à la blanchisserie express aux tarifs prohibitifs. Tout était affreusement cher. Mon thé à la menthe accompagné d'un petit biscuit coûtait 5 livres. Quelle importance ! Jamais je ne me laissais aller à ce genre d'extravagance. Jamais. Je m'inventai tout un monde dans cette chambre blanche, j'en arrivai à appeler les membres du personnel par leur prénom. Je comptai les heures jusqu'à quatre heures. Ce ne fut pas difficile. Je regrettai presque de ne pas avoir plus de temps.

Puis mon portable sonna. Pourquoi, oh, pourquoi ai-je répondu ? Je pensais être guérie. Je pensais que James Kent avait accompli ce miracle. Je répondis donc à l'appel d'un de mes plus vieux amis au monde.

« Salut, Ben, comment vas-tu ?
– Bien. Tu as l'air de bonne humeur, dis-moi.
– Je le suis. Que puis-je pour toi ?
– Comment s'est passé ton rancard ?
– C'était très sympa, merci. »

Ben marqua un temps d'arrêt. Cela me troubla. Pourquoi gardait-il le silence ? Pour me signaler qu'il désapprouvait ?

« Tu n'as pas couché avec lui, si ? »

Serait-il jaloux ?

« Non, mentis-je.
– Dieu merci. »

Il était jaloux !

« Que se passe-t-il, Ben ? » demandai-je en m'efforçant de dissimuler ma gaieté.

Fiche-moi la paix à la fin !

« Je me suis rappelé où je l'avais déjà vu. Si je n'arrivais pas à m'en souvenir, c'est qu'en fait, ce n'est pas vraiment lui que j'avais rencontré, c'était sa femme.
– Comment ?
– C'était à un déjeuner à la City. C'est une femme très bien, d'ailleurs. Nous étions en pleine discussion quand il est arrivé. Ils sont partis aussi sec.
– Ça ne veut rien dire. T'a-t-elle précisé qu'ils étaient mariés ? C'était quand, d'ailleurs ?
– Il n'y a pas suffisamment longtemps pour qu'ils aient eu le temps de divorcer depuis. »

Je commençais à paniquer.

« Mais t'a-t-elle dit qu'ils étaient mariés ?
– Non, mais elle s'appelait Barbara Kent et lui, c'est James Kent, n'est-ce pas ?
– Des frère et sœur », suggérai-je.

Il ne pouvait pas être marié. Impossible. Personne ne jouait aussi bien la comédie. Si ?

« Avec deux gamines à Francis Holland qu'ils devaient aller chercher rapidement parce qu'ils étaient en retard ?
– Quoi ?
– L'école de Baker Street. »

Je faisais l'idiote, mais je savais pertinemment où Ben voulait en venir. Je me repassai la cassette du déjeuner. Quelle heure était-il quand il avait sauté dans le taxi ? J'avais évoqué le raz-de-marée d'écoliers qui avait envahi les trottoirs. Baker Street. Il était allé chercher ses filles.

« Je m'en souviens parfaitement, reprit Ben. On a même parlé de l'école en question parce que les nièces de Sasha y vont aussi.

– Vraiment ?

– Tu le sais très bien. »

Mon cœur battait beaucoup trop vite. La langouste ne passait pas. Je faisais peut-être une allergie.

« J'ai honte de ne pas l'avoir reconnu l'autre nuit, mais on était tellement bourrés. Ils sont mariés et ils ont deux petites filles, Lainy et Martha. Désolé, mon cœur, je voulais juste te prévenir avant que tu ne fasses une bêtise.

– Comme embrasser un homme marié ? C'est déjà fait !

– Oh, Tess...

– Je ne te parle pas de lui ! »

Je jurai à pleins poumons, raccrochai et éclatai en sanglots. Je pris ma tête à deux mains. Je ne supporterais plus ça très longtemps. Quand est-ce que ça allait s'arrêter ? C'était déjà compliqué quand le sexe opposé jouait franc jeu, mais là, ça dépassait les bornes. *Faisons un pacte tout de suite. Interdiction de ressasser nos vies amoureuses passées...* Le petit restaurant birman *parce qu'on est sûr de ne jamais tomber sur quelqu'un qu'on connaît...* Même le Blakes Hotel, on aurait pu croire que c'était mon idée, que je faisais toutes les suggestions, mais il m'avait roulée dans la farine. Du début jusqu'à la fin. Je doutais fort qu'il revienne à quatre heures. Et même s'il revenait, ce serait la dernière nuit. À moins qu'il se décide à me parler de sa femme et de ses filles quand je serais trop faible pour résister ? Espérait-il faire de moi l'« autre femme » et mentir à tout le monde ? Pourquoi les hommes faisaient-ils des choses pareilles ? Ça les avançait à quoi ? Je n'arrivais plus à réfléchir. J'étais sens dessus dessous. Marié avec deux gamines. Marié et père de deux enfants. Je n'arrêtais pas de me le répéter. J'étais folle de rage. Je fis alors une chose que je regretterai toute ma vie. Je commandai une bouteille de vin à 200 livres, regardai calmement le sommelier l'ouvrir devant moi avec panache, puis je remis mes vêtements magnifiquement repassés, volai un peignoir et quittai l'hôtel en emportant la bouteille et un verre sans vraiment savoir si c'était à James, à Ben ou à moi-même que j'en voulais.

À quatre heures dix, mon téléphone sonna. James laissa un message.

« Tu reviens, j'espère ? »

Puis un autre.

« Réponds, Tessa, c'est très bizarre. »

Puis un autre encore.

« Si c'est une plaisanterie, je la trouve de mauvais goût. »

Et puis :

« Je m'en vais. J'ai vu la note. Que se passe-t-il, nom de Dieu ? »

Je finis par éteindre mon portable. Il ne méritait pas de réponse.

Je déambulai parmi les belles demeures de Kensington jusqu'à ce que j'arrive à Holland Park. Je dénichai délibérément un banc là où ça faisait le plus mal. Face à un terrain de jeux. Les mamans et les nounous aux abords des balançoires et du bac à sable me jetaient des coups d'œil méfiants. Je les comprenais. Quand elles me dévisageaient, je leur rendais leur regard. Elles détournaient toujours les yeux en premier.

Telle une vieille ivrogne en robe de couturier et peignoir, je restai assise là à siffler ma bouteille de vin vengeresse. Je me comportais comme une folle, je le savais, mais ça m'était égal. Tandis que l'alcool me réchauffait les tripes, je songeai qu'au-delà de tout l'argent gaspillé, tout cela m'avait coûté ma santé mentale. James Kent était marié et père de deux enfants. Je m'étais fait blouser. Même s'il y avait une vague possibilité qu'il se soit séparé de sa femme récemment, Ben avait raison, il ne pouvait pas être divorcé. Je pouvais presque, presque, comprendre pourquoi il n'avait pas jugé bon d'évoquer l'existence de son ex-femme. J'aurais pu y voir un excédent de bagage, surtout si c'était récent, mais c'était vraiment trop récent. Une réconciliation était toujours envisageable. Je m'étais mise dans de beaux draps ! Je savais déjà qu'il y avait belle lurette que je n'avais pas rencontré un homme qui me plaisait autant. Mais il avait omis de mentionner deux enfants de son sang, et ça, ça ne pardonnait pas. Ça faisait tache. C'était méchant. Irrespectueux. C'était monstrueux de la part d'un père. C'était le genre de chose que Christoph ou Neil ferait et, de mon point de vue, ils appartenaient à la pire espèce d'homme qui soit.

De grandes feuilles plates tombaient par intermittence des platanes autour de moi. Il commençait à faire sombre. Était-ce déjà l'automne ? Halloween approchait. Puis ce serait la fête de Guy Fawkes. Les feux d'artifice. Les pétards. Et puis, oh, mon Dieu, c'était trop horrible... Mon anniversaire et, dans la foulée, Noël et le Nouvel An – ce parcours du combattant à trois obstacles qui s'imposait à moi chaque année et m'obligeait à admettre qu'une autre année était passée et que rien n'avait changé.

Quand il y eut davantage de vin dans mon corps que dans la bouteille, mes pensées rageuses et geignardes s'orientèrent vers l'inévitable. Je n'étais pas guérie. C'était pire qu'avant. C'était Ben que je voulais. Je me rabattais toujours sur lui quand tout le reste foirait. Il ne me ferait jamais un coup pareil, lui. En dépit de toutes les difficultés – y compris le fait qu'il était déjà marié à quelqu'un d'autre –, il m'aimait. Même s'il n'était pas amoureux de moi, ce qui tombait sous le sens, puisqu'il avait épousé quelqu'un d'autre. Cela voulait dire qu'il ne me ferait pas de mal, qu'il ne me mentirait pas, qu'il ne me tromperait pas, et ne s'arrangerait pas pour me perdre quelque part, qu'il n'entamerait pas ma dignité plus qu'elle ne l'était déjà, pas plus qu'il ne m'empêcherait d'aimer quelqu'un d'autre. J'écartai le verre de mes lèvres. Rectificatif : il m'en empêchait bel et bien !

Les gens me toisaient du regard. Je m'en fichais. Je me mis à grelotter. Je pris ça pour un autre signe de vieillesse. Quand j'étais plus jeune, je me baladais dans Londres sans rien sur le dos pour ainsi dire, et je ne me souviens pas d'avoir eu froid. Désormais, je parlais sans cesse du temps qu'il faisait, comme une vieille. J'étais une vieille. Une pauvre vieille femme seule. Comment en étais-je arrivée là ?

Je regardai les enfants se disputer le toboggan. Je regardai des femmes aux visages inexpressifs pousser les balançoires comme des robots. Je regardai des gamins se casser la figure, éclater en sanglots, puis courir vers leur maman ou leur nounou. J'assistai à tout un tas de mouchages de nez. J'entendis les inévitables chapelets de « pourquoi ? » Je vis les mères bâiller, soupirer et réagir encore et toujours aux mêmes simagrées. Chaque minute ou presque, quelqu'un poussait des hurlements. À tout moment, une crise éclatait sous mes yeux. Je vis un gosse talocher sa mère. Je vis une femme dissimuler les larmes provoquées par sa progéniture. Mais je gardais ma compassion exclusivement pour moi parce que j'aurais donné cher pour être l'une d'elles. Je claquais des dents tandis que j'observais ces scènes, jusqu'au moment je ne sentis même plus le froid. La bouteille était vide, l'obscurité enveloppait le parc et tous les enfants étaient rentrés chez eux se réchauffer dans un bon bain moussant avant d'écouter une histoire, bien bordés dans leur lit.

Je me levai avant qu'on me prie, poliment, mais fermement, de m'en aller. En rentrant chez moi, j'essayai de prendre un bain moussant. De lire. De me blottir dans mon lit et de dormir. Rien n'y faisait. Pour finir, je pris un somnifère. Avec de la vodka. Je n'avais pas l'impression d'en faire trop, je voulais juste que mon cerveau s'arrête et j'avais la flemme d'aller chercher de l'eau.

En me réveillant le lendemain matin, j'avalai un autre comprimé. En toute honnêteté, j'ignorais qu'ils étaient aussi forts.

Ce fut l'interphone qui me tira finalement d'un sommeil profond et sans rêve. J'étais totalement désorientée. Il faisait nuit. La sonnerie continua. Je tapai sur mon réveil et me rendormis. Si j'avais été un peu moins dans les vapes, je me serais souvenu que mon réveil bipe, il ne sonne pas.

Quelqu'un me secouait. C'était très agaçant. Je tentai de me retourner. Un homme me parlait à l'oreille d'une voix forte. N'avais-je pas mis la pancarte « Ne pas déranger » ?

« Mam'zelle King. Mam'zelle King, réveillez-vous.

– Laissez-moi tranquille », protestai-je, bien que Roman m'expliquât par la suite que je m'étais bornée à marmonner.

Il avait vu le flacon et le verre vides près de mon lit. Une petite reniflette lui avait confirmé que ce n'était pas de l'eau. Il avait paniqué et s'était mis à me secouer. Ce fut ce qui me réveilla en définitive. Il voulait appeler un médecin ; je lui répondis que c'était ridicule. Enfin, je tentai de le lui dire, mais, Seigneur, j'avais la tête lourde, lourde. Je n'avais qu'une seule envie : refermer les yeux. C'était très gênant, enfin, ça l'eût été si je n'avais pas été à côté de mes pompes. Je me forçai à m'asseoir parce que Roman était sur le point d'appeler les urgences, et je n'avais vraiment pas envie qu'il le fasse. Je lui expliquai à nouveau, lentement, que j'avais juste pris un somnifère parce que je n'arrivais pas à dormir.

« Pas somnifère », dit Roman en brandissant le flacon vide.

C'est drôle, j'aurais juré que je n'en avais pris que deux.

« Tranquillisant pour cheval.

– Quoi ? »

Je me jetai sur le flacon.

« Comment le savez-vous ?

– J'ai lu. Où avez-vous trouvé ça ? »

Je le regardai en fronçant les sourcils. Pour qui se prenait-il ? Mon père ? Peut-être aurais-je dû garder mes distances vis-à-vis de lui. La vérité, c'était qu'un collègue de travail – un sacré fêtard lui-même, maintenant que j'y pensais – m'avait donné ces pilules il y avait longtemps. J'étais terrifiée à l'idée que mon ex-patron allait faire irruption chez moi. Je sursautais au moindre bruit et je n'avais pas fermé l'œil depuis des semaines. J'étais totalement HS. Il avait voulu me rendre service, mais en définitive, je n'avais jamais osé les prendre parce que j'avais trop peur que mon ex-patron n'entre chez moi par effraction et me tue dans mon sommeil. Durant toute cette période éprouvante de ma vie, je n'avais jamais eu recours à des somnifères, et voilà que maintenant… Je considérai à nouveau le flacon vide. Les choses allaient-elles de mal en pis ? Roman m'apporta une tasse de café. Je la lui pris des mains sans lui demander pourquoi il me la donnait. J'étais complètement au ralenti.

« Quelle heure est-il ?

– Onze heures et demie. »

Je me laissai retomber sur l'oreiller.

« Pourquoi est-ce que vous me réveillez ? J'ai encore besoin de dormir.

– Vous dormez depuis mercredi soir. Vous êtes rentrée ivre. »

Je me souvenais vaguement d'avoir vu Roman derrière le comptoir quand j'avais fini par débouler chez moi. Je m'étais gardée d'échanger des civilités avec lui comme je le faisais d'ordinaire. Je présume que je devais avoir une drôle de touche en peignoir avec ma bouteille de vin vide à la main. Cela dit, il m'avait déjà vue dans de drôles d'états. Je le foudroyai du regard.

« Et alors ?

– On est vendredi.

– Hum… »

Je sentis que mes yeux se fermaient. Drôlement efficaces, ces pilules.

« Vous m'avez entendu ? »

Roman me prit la tasse des mains avant que je la renverse.

« C'est vendredi matin. Pas jeudi. »

Je me frottai les yeux.

« Comment ?

– Ça fait trente-six heures que vous êtes là. Il y a une dame qui essaie de vous joindre.

– Quelqu'un me cherche ?

– J'ai essayé de frapper, l'interphone, on a sonné, sonné, j'étais inquiet…

– Qui ça ? »

Se pouvait-il que ce soit James venu me dire que Ben s'était trompé, qu'il n'avait ni femme ni enfants ? Ou qu'il avait tout ça, mais qu'il ne pouvait pas vivre sans moi, qu'il les quittait. Ou était-ce B…

« Billy. Vous devez l'appeler, c'est urgent. »

Je gémis.

« Je la rappellerai plus tard…

– Elle est à l'hôpital. »

Billy à l'hôpital ? Ma cervelle se remit en marche. Billy à l'hôpital ? Accélération des neurones. Billy n'allait pas à l'hôpital. Et toc ! J'étais réveillée. Les sels les plus efficaces jamais inventés. À moins que…

« Cora », m'exclamai-je en me levant d'un bond. Mes jambes cédèrent sous moi. Je m'écroulai. Qu'avais-je pris, pour l'amour du ciel ? Roman m'aida à m'asseoir sur une chaise et m'apporta des vêtements. J'écoutais mes messages en buvant son café.

8 h 30. « Tessa, es-tu là ? Ton portable est éteint. Décroche. »

8 h 45. « J'ai un énorme service à te demander. Cora ne va pas bien et Magda ne peut pas s'en occuper. Elle a des examens toute la semaine. S'il te plaît, pourrais-tu venir… tu dois être sous la douche. Appelle-moi quand tu en sors. »

J'allumai mon portable, il se mit aussitôt à biper. J'avais six appels manqués. Cinq de Billy. Un de Ben.

8 h 50. « Pas de souci, le Calpol fait de l'effet. Elle dit qu'elle se sent mieux. Elle va aller à l'école. Appelle-moi quand même au boulot. »

11 h 28. « Tessa, légère panique. Cora est à l'infirmerie. Elle a une grosse fièvre. Pourrais-tu jouer les marraines de conte de fées ? Je suis seule au boulot, Sue est en vacances. Désolée de te demander ça. Si tu ne peux pas, c'est pas grave. Je me débrouillerai. Ton portable est-il hors d'usage ? »

15 h 02. « Je suis à l'hôpital Chelsea & Westminster. Cora ne va pas bien du tout. Appelle-moi s'il te plaît. »

15 h 44. « Où es-tu passée ? »

17 h 02. « Tu peux venir? Dès que tu as ce message, viens… »

19 h 59. « Ils lui ont fait une ponction lombaire et on l'emmène en soins intensifs. Tessa, ils pensent qu'elle a une méningite. Oh, mon Dieu, où es-tu ? Ils disent que je dois me préparer au pire… »

20 h 03. Tonalité. *Au pire… ?*

20 h 22. Tonalité. *Au pire… ?*

Je ne sus jamais combien de fois Billy avait encore essayé de me joindre en vain, parce qu'à moitié vêtue, je me levai brusquement de ma chaise et courus en titubant jusqu'à la porte, laissant Roman totalement ahuri au milieu de ma chambre.

Il me suivit dans le couloir.

« Vous devriez y aller mollo, mam'zelle King.

– Vous ne comprenez donc pas ? hurlai-je. Elles ont besoin de moi ! »

Je le vis secouer la tête alors que les portes de l'ascenseur se refermaient sur moi. À l'angle de Vauxhall Bridge Road, je hélai un taxi. Dès que je fus assise sur la banquette arrière, l'anxiété, la léthargie, l'incrédulité eurent raison de moi. Avais-je vraiment dormi toute une journée ? Je tapai sur la vitre qui me séparait du chauffeur.

« Vous pouvez mettre plus fort, s'il vous plaît ? »

À en croire la BBC, c'était vrai. On était vendredi. Les nouvelles de la mi-journée. Un scandale avait éclaté au sein du gouvernement suite aux « révélations d'hier… », selon le présentateur. J'avais dormi pendant un scandale. J'avais perdu une journée de ma vie. Je n'avais pas été là quand Billy et Cora avaient besoin de moi. Je ne savais pas grand-chose sur la méningite si ce n'est que des enfants en mouraient à moins qu'on intervienne à temps. *Pourrais-tu jouer aux marraines de conte de fées ?* Non. Trop occupée à me vautrer dans ma misère. Mal à l'aise, je m'agitai sur ma banquette au souvenir des heures que j'avais passées à picoler sur un banc devant des enfants. J'eus un mouvement de dégoût à la pensée d'avoir débarqué dans mon immeuble en titubant avec un peignoir volé sur le dos. C'était un comportement de ouf! Je me rappelais avoir pris le premier comprimé parce que je cherchais désespérément à arrêter de penser à Ben, à James, à Sebastian, à mon ex-patron et à toutes les autres pseudo-relations que j'avais eues. À l'évidence, je ne m'étais pas rendu compte à quel point j'étais ivre, ou je n'aurais jamais, au grand jamais, pris des remèdes avec... L'Embankment défilait sous mes yeux. J'avais gardé le goût amer des pilules au fond de la gorge et je me souvenais encore de la brûlure de la vodka quand je les avais avalées. Je tentai une nouvelle fois d'appeler Billy. Son portable était toujours éteint. Les yeux rivés sur le ciel bleu, sans nuages, j'imaginais le pire.

Je payai la course et, toujours chancelante, je m'extirpai du taxi. Je me sentais ridiculement faible tandis que je franchissais en courant cahin-caha les imposantes portes tambour de l'hôpital. L'homme posté derrière le bureau de la réception m'avait à peine jeté un coup d'œil qu'il pria la personne avec laquelle il parlait de l'excuser et me demanda ce qu'il pouvait faire pour moi. Il m'expliqua rapidement où se trouvait le service pédiatrique et m'informa qu'une fois là-haut, on m'orienterait vers les soins intensifs. Je traversai tout l'hôpital à fond de train jusqu'aux bons ascenseurs et pressai le bouton. Tapant nerveusement du pied, je levai les yeux vers les chiffres illuminés pour suivre le trajet effroyablement lent de l'ascenseur qui descendait. J'aperçus un petit nuage qui passait au-dessus de l'atrium en verre de l'hôpital. J'hallucinai, ou ce nuage ressemblait-il à un...

Non, pensai-je en secouant la tête à l'adresse du ciel, tu ne la rappelleras pas à toi. Tu m'entends? Mon cœur battait si fort que je n'arrivais pas à reprendre mon souffle. Les portes de l'ascenseur finirent par s'ouvrir. Je scrutai l'intérieur vide de la cabine et me figeai. *Allez, bouge-toi*, me dis-je, mais mes pieds refusaient d'avancer. *Allez !* Je restai plantée là. Les portes commençaient à se refermer. Elles étaient à moitié closes quand je tendis enfin la main pour les arrêter. *Monte dans ce fichu ascenseur.* J'avais la tête pleine de pensées horribles : enterrements, cercueils, oraisons funèbres, condoléances… J'étais en train de péter les plombs. Pourquoi refusai-je de monter à l'étage où se trouvait Cora ? À cause de ce que j'allais devoir affronter ? *Le monde est pétri de supercheries*, mais aucune aussi dévastatrice que les sales tours qu'on se joue à soi-même. J'appuyai sur le bouton de l'étage.

Si Cora allait bien, j'oublierais Ben une fois pour toutes. Si Cora allait bien, je mettrais un point final à ces rêves insensés. Si Cora allait bien, j'irais bien. S'il vous plaît, mon Dieu, écoute-moi et prends soin de tous ceux que j'aime. Je sentis le système hydraulique se mettre en branle avec un sifflement, et je montai, un étage, deux, trois. Finalement, les portes de l'ascenseur s'ouvrirent. Une femme hagarde, débraillée, aux cheveux gris se tenait devant moi. En me voyant, elle éclata en sanglots. C'était Billy.

18
Fausse alerte

« Elle va s'en tirer », sanglota-t-elle.

Je parvins de justesse à empêcher mes genoux de se dérober sous moi.

« Qu'est-ce que tu dis ?

– Ça va aller. »

Je sortis de l'ascenseur, mon cœur battant encore à tout rompre dans ma poitrine.

« Tu en es sûre ?

– Je te promets. »

Elle me serra dans ses bras.

« Ce n'est pas la méningite, ça va aller, Tessa. Ce n'est pas la méningite. »

Je n'étais pas certaine d'avoir compris. Je n'étais même pas sûre que c'était Billy. Je reconnaissais sa voix, mais elle n'avait pas la même tête.

« Ton message disait…

– Je devenais folle. Elle était tellement mal. Seigneur, elle avait une fièvre de cheval et elle était complètement inerte. Elle avait l'air d'un cadavre, je te jure, je n'ai jamais eu aussi peur de ma vie. Et ils n'arrêtaient pas de lui faire des examens pour déterminer ce qu'elle avait. J'ai paniqué… »

Nous nous étreignîmes de nouveau.

« Ils lui ont fait une ponction lombaire, pour éliminer les pires diagnostics. J'ai juste entendu "méningite"... Ils étaient inquiets, Tessa, et moi, j'étais terrifiée. Pardonne-moi, je croyais t'avoir rappelée.

– Peu importe. Elle va bien maintenant ?

– Elle ne va pas bien, mais ce n'est pas une méningite. Je veux dire, c'est grave, mais pas à ce point.

– Qu'est-ce qu'elle a ?

– Une pneumonie à pneumocoques. C'est fréquent chez les enfants qui ont été ventilés à la naissance. C'est pour ça qu'elle ne réagissait pas, c'est sa poitrine, la pauvre chérie. Elle est très faible et ils disent qu'elle aura besoin de physiothérapie, mais merde, je m'en fous de la physio, allons-y pour la physio, pas de problème. »

Je mis mon bras sur son épaule et nous marchâmes sans trop savoir où nous allions. Je la sentis pousser un long soupir.

« Je n'ai jamais été aussi terrorisée de ma vie », dit-elle en s'appuyant contre moi.

Tu n'es pas la seule, pensai-je.

« Je suis tellement soulagée, tu n'as pas idée », ajouta-t-elle encore.

Je regardai mes pieds avancer l'un après l'autre. Soulagée ? J'étais manifestement trop sous le choc pour me sentir soulagée. Mon cœur s'était un peu calmé, mais j'avais encore la respiration coupée.

« Je suis désolée de ne pas t'avoir rappelée. »

Et moi donc ! J'ai fait un pacte avec Dieu. La ferme, Tessa !

« Où étais-tu passée ? Ça fait des jours que ton portable est éteint. J'ai appelé ton immeuble et j'ai laissé un message au gardien. »

Le moment était mal choisi pour lui raconter ce que j'avais fait ces dernières quarante-huit heures.

« J'ai eu un problème avec ma carte SIM, mentis-je.

– Je t'ai appelée sur le fixe...

– Je suis navrée que tu ne sois pas arrivée à me joindre. Raconte-moi ce qui s'est passé. Depuis le début.

– Je m'apprêtais à aller manger quelque chose. Je n'ai rien avalé depuis hier. As-tu le temps ?

– Bien sûr, mais… et Cora ?

– Elle dort. Ça va.

– Tu en es sûre ?

– Je t'assure, Tessa, elle va bien maintenant, ils maîtrisent la situation. »

Nous fîmes demi-tour pour regagner les ascenseurs.

« Je ne la laisserais pas si ce n'était pas le cas. Je mange vite un petit truc et j'y retourne. »

Nous appelâmes l'ascenseur et descendîmes. L'atrium était inondé de soleil. Nous traversâmes l'hôpital pour nous retrouver dehors sous un ciel d'un bleu stupéfiant. Je levai les yeux ; la volute de nuage avait disparu. Je secouai la tête discrètement. Que pensais-je avoir vu ? L'âme de Cora ? Un ange ? Son ange gardien ? Moi-même vêtue de noir, debout devant un lutrin, au-dessus d'un cercueil, face à une foule ? *Ne t'encombre pas l'esprit de sombres chimères…* Mais qu'est-ce qui m'arrivait à la fin ? J'avais dû soupirer plus fort que je ne le pensais.

« Ça va aller », dit Billy, me prenant le bras pour m'entraîner sur le passage clouté.

Je hochai la tête, n'osant pas parler.

Nous tombâmes sur le Bella Pasta. Il y avait foule à l'heure du déjeuner, mais Billy paraissait trouver un certain réconfort dans toute cette agitation. Nous n'étions pas les seules à avoir échappé à l'atmosphère pesante de l'hôpital pour manger quelque chose de convenable. Le restaurant était rempli d'éclopés. Il y avait un gamin avec un bras en écharpe. Une femme avec un plâtre. Un homme avec des béquilles. Chaque patient était accompagné d'au moins deux personnes. Des mères, des pères, des grands-mères, des amis. Billy m'avait, moi. Mieux vaut tard que jamais, je suppose. Elle me raconta sa matinée mouvementée lorsqu'elle avait emmené Cora à l'école à contrecœur, faute d'une alternative. Le coup de fil de l'école, la course à l'hôpital, Cora inconsciente, la fièvre qui ne cessait de monter, la ponction lombaire… Je l'écoutai attentivement. À tel point que j'en vins presque à oublier mes angoisses. Presque. Pas tout à fait. Le plat de pâtes que l'on posa devant moi parut se vider avant que j'aie soulevé ma fourchette. J'avais une faim de loup. Rien d'étonnant. La dernière chose que j'avais mangée, c'était de la langouste dans la chambre blanche de l'hôtel Blakes. Combien cela avait-il coûté ? Le prix variait selon le cours du marché au quotidien ; je n'étais pas restée assez longtemps pour jeter un coup d'œil à la note. Je pris une salade, ce qui ne me suffit pas, aussi commandai-je un dessert en plus. J'avais besoin de reprendre des forces. J'avais besoin d'une psychothérapie. J'avais fait un pacte avec Dieu, il avait tenu ses promesses. Je devais me tenir sur mes gardes à présent.

« … Ça t'ennuierait de faire ça pour moi ? »

Je dévisageai Billy.

« S'il te plaît ? insista-t-elle.

– Euh… tu sais très bien que je ferais n'importe quoi pour toi.

– Merci. »

Elle me tendit un bout de papier avec des numéros de téléphone. Il y avait un nom au-dessus.

« Oh, non, Billy…

– Tu viens de me dire que tu le ferais.

– Je n'avais pas compris que tu me demandais d'appeler Christoph tout de suite », répondis-je, bluffant.

Je n'osais pas lui dire que je n'avais pas écouté.

« Je croyais que tu parlais, enfin, tu sais, du tribunal, de l'argent. Pourquoi l'appellerais-je au sujet de Cora ?

– S'il te plaît, Tessa. Il a le droit de savoir.

– C'est discutable. Que crois-tu qu'il va faire ? Sauter dans le jet privé qu'il prétend ne pas utiliser ?

– Tu viens de me dire que tu ferais n'importe quoi pour moi. C'était quoi, une promesse en l'air ?

– Non. »

Oui.

« Non, c'était sincère. Je trouve juste que tu as tort de vouloir l'appeler.

– Il a le droit de savoir que sa fille est malade, insista-t-elle.

– Mais elle va s'en tirer, tu l'as dit toi-même.

– Elle a quand même besoin de lui. S'il te plaît, Tessa, m'implora-t-elle d'une voix chevrotante.

– Pourquoi tu ne l'appelles pas toi-même ?

– Il ne répond pas à mes appels.

– Il répondra si tu lui dis que Cora est malade. »

Elle secoua la tête.

« Dans ce cas, je doute fort qu'il m'écoute, moi, remarquai-je. Il n'a jamais pu m'encadrer.

– Mais il te croira. »

Je commençai à perdre patience. Ce n'était pas le moment de s'occuper de ça. Qu'il aille se faire foutre, ce Christoph et tous les mecs de son espèce !

« Si je lui dis que sa fille est tombée malade parce qu'il n'est qu'un sale pingre qui ment comme il respire, tu crois qu'il me croira ?

– Allons, Tessa, ce n'est pas de sa faute si elle a attrapé une pneumonie. Je t'en prie, appelle-le et explique-lui ce qui s'est passé.

– Ah, vraiment ? Ce n'est pas de sa faute peut-être si tu ne peux pas rester à la maison pour prendre soin de ta fille quand elle est malade. Ce n'est pas de sa faute si elle n'est pas mieux soignée. Si tu n'as pas les moyens de t'offrir une baby-sitter pour s'occuper d'elle quand tu es au travail ? Si tu n'allumes jamais le chauffage…

– Tessa, regarde-moi. Je n'ai pas dormi, je suis épuisée, ce n'est pas le moment de parler de tout ça.

– Tu as raison. Tu devrais rentrer chez toi te reposer. Quand tu auras les idées plus claires, on verra si tu tiens toujours à ce que j'appelle Christoph.

– Merci, c'est sympa, répliqua-t-elle d'un ton sec, mais il n'est pas question que je laisse Cora toute seule.

– Je resterai auprès d'elle. Tu devrais dormir un peu. Tu ne peux pas l'aider dans cet état. »

Billy me fusilla du regard avant de poser méticuleusement sa fourchette et sa cuillère sur son assiette.

« C'est vrai, Billy, franchement, quand accepteras-tu de regarder la vérité en face ?

– Tessa… », dit-elle sur un ton d'avertissement.

Mais je n'allais pas me laisser faire.

« Elle n'a pas besoin de lui, Billy. Elle a besoin de toi et non d'un personnage mythique que tu appelles son papa. Elle ne le connaît pas, elle ne pense pas à lui, je ne pense même pas qu'elle tienne à lui. C'est toi. Toi qui projettes tout ça dans la tête de la pauvre Cora. »

Billy commença à tripoter les assiettes vides, puis elle fit signe à la serveuse. Je voyais bien qu'elle retenait ses larmes.

« Pardonne-moi, Billy, mais j'ai suffisamment d'informations sur Christoph pour faire en sorte que tu aies plein d'argent. »

Elle tendit la main vers l'addition.

Je tentai de la prendre de vitesse.

« Laisse, c'est moi qui paie, dis-je.

– Non, merci, répliqua-t-elle. J'ai de quoi payer.

– Pour l'amour du ciel, laisse-moi régler ça.

– Non, cria-t-elle. Arrête de me refiler de l'argent. Je suis capable de m'offrir un déjeuner tout de même !

– Pourquoi est-ce que tu t'énerves comme ça ?

– Fiche-moi la paix, Tessa.

– J'essaie de t'aider.

– Pas du tout, riposta-t-elle en me regardant dans les yeux. Tu ne m'aides pas du tout. Tu fais comme tu fais toujours. Si quelqu'un se sert de Cora, c'est bien toi ! Je ne sais pas comment tu t'es débrouillée, mais tu as réussi à faire de cette histoire ton petit drame personnel avec toi au centre de tout en train de nous dire comment on doit gérer nos vies alors que tu n'es même pas foutue de gérer la tienne ! Alors, s'il te plaît, fous-moi la paix !

– Qu'est-ce que tu racontes ? Tu viens de me demander de téléphoner à Christoph.

– Je sais. J'ai fait une erreur. »

Je me sentis soudain en porte-à-faux.

« Tu ne veux plus que je l'appelle ? »

Billy scruta mon visage un moment.

« Tu ne te rends donc pas compte de ce que tu fais ?

– Que veux-tu dire ?

– Allons, Tessa. Je sais que je perds probablement mon temps à attendre l'impossible…

– Que Christoph découvre qu'il a un cœur ! »

Elle ignora ma remarque.

« Mais toi aussi tu fais du surplace.

– Moi ?

– Oui. Toi. Qui que tu sois.

– Tu es ridicule…

– Tu ne te gênes pas pour nous balancer tout ce que tu penses de nous, mais toi, on ne peut rien te dire. »

C'était probablement vrai. Je n'avais ni frère ni sœur. Je n'avais pas l'habitude qu'on me taquine. Ni de partager. Le partage n'est pas mon fort. Je suis généreuse. Je donne beaucoup, mais je garde pour moi ce qui m'appartient. J'avais un comportement assez bizarre à cet égard quand on y pense. Je n'avais peut-être pas envie de partager ma vie. C'était peut-être ça mon problème. Cet éclair de lucidité fut on ne peut plus bref.

« La Tessa King que je connais s'est égarée dans un univers parallèle où il se passe Dieu sait quoi et, en son absence, tu combles le vide. »

Je ris en secouant la tête.

« À mon avis, tu viens de te décrire toi-même à la perfection.

– Tu as raison. Christoph me colle à la peau, je donnerais cher pour qu'il en soit autrement, mais au moins c'était réel, ce que nous avons vécu, bien réel. Nous avons eu un enfant ensemble. As-tu la moindre idée de ce que cela représente ? J'aime tellement Cora que ça fait mal, ajouta-t-elle en se plantant un doigt dans le ventre. J'ai cru que les dernières quarante-huit heures allaient me tuer. Tu as envie de ça, tu es vraiment prête pour ça ?

– Je... »

Je tentai de pêcher une réponse dans l'océan de mots qui submergeait mon cerveau, mais mon filet demeura vide. Je rejetai le tout à la mer.

« On a vécu ensemble huit ans, Tessa...

– Par intermittence.

– Et puis merde, ça ne sert à rien de te parler... »

Je la regardai compter les billets pour régler l'addition. J'aurais voulu revenir sur ce que je venais de dire, m'excuser, mais les mots me restaient en travers de la gorge. Billy rangea son portefeuille dans son sac à main, prit son manteau sur le dossier de sa chaise et l'enfila. Ne pars pas, avais-je envie de supplier. On avait tout faux. Ça n'aurait pas dû se passer comme ça. J'étais le roc. Le pivot, le pilier, celle sur laquelle on pouvait compter. Elles avaient besoin de moi.

« Et Cora dans tout ça ? »

Billy ne daigna même pas me regarder.

« Quoi, Cora ?

– J'aimerais bien la voir.

– Tu sais quoi ? Non. Rentre chez toi. Retourne faire ce que tu étais en train de faire quand j'avais besoin de toi. »

Qui est-ce qui poussait le bouchon trop loin maintenant ?

« Je suis désolée de ne pas avoir été là quand tu avais besoin de moi. Il y a une raison, Billy, ajoutai-je d'un ton suggestif, mais je ne veux pas t'ennuyer avec ça. »

Ça me réconfortait de savoir que j'avais mes comprimés et ma vodka en guise de carte pour « sortir de prison ». Billy me dévisagea, puis elle poussa un profond soupir. Mais elle ne releva pas, alors j'enchaînai.

« Je me rends compte que ce n'est pas sympa de ne pas vouloir appeler Christoph, mais... »

Elle explosa.

« Bordel ! Tessa ! s'exclama-t-elle en secouant la tête. Tu n'écoutes pas, hein ? »

Elle s'empara de son sac.

« Il faut que j'y aille. Merci d'être venue.

– Billy ?

– Salut. »

Je la regardai sortir du restaurant, puis je me rassis. Je commandai un café en haussant les épaules à l'adresse de la serveuse en guise d'excuse. Billy était stressée. Elle était fatiguée. Elle était en plein déni. Pauvre Billy. Je jetai un coup d'œil aux numéros de téléphone qu'elle m'avait donnés. Bon, j'allais le faire. Pour elle. Je sortis mon portable et composai le numéro de Christoph.

Je savais où il était. J'avais passé le week-end à l'épier. Il était en train de construire un second yacht pour le cheik Ahmed à Dubaï, estimé à 13,5 millions de livres – stupéfiant ! –, dont une commission de vingt pour cent pour sa pomme, sans compter les pots-de-vin et les dessous-de-table que lui verseraient tous les fabricants de pièces détachées dans le secteur de l'industrie nautique, ni le premier bateau qu'il avait construit et qui avait coûté la bagatelle de 5 millions de livres sur lequel il s'était fait photographier, à côté de son riche client, pour le magazine *Ahlan !* – la version de *Hello !* à Dubaï. Il était ridicule et Billy l'était tout autant de le mettre sur un piédestal.

Il ne répondit pas, ou il évitait mon appel. Je composai donc l'autre numéro. À Londres.

« Allô ?

– Vous êtes bien Mme Tarrenot ?

– Oui, me répondit-on d'un ton circonspect.

– Ici Tessa King. Je suis la marraine de Cora.

– Oh, bonjour. Christoph n'est pas là pour le moment. Puis-je prendre un message ?

– Je suis à l'hôpital. Cora est malade.

– Encore ?

– Comment ça, encore ?

– Euh, c'est que… »

Je l'interrompis.

« Elle a une pneumonie. On a cru un moment que c'était une méningite. »

Aucune réaction.

« Allô ? Vous êtes encore là ?

– Elle va s'en tirer ?

– Oui... »

J'aurais voulu prendre un ton affirmé, mais cette femme n'était pas très aimable.

« Je suis désolée..., repris-je, la voix brisée par l'émotion. Christoph devrait évidemment... »

J'avais mal à la mâchoire à force d'essayer de retenir mes larmes et de parler quand même.

« On a eu très peur », parvins-je à ajouter.

Je ne pouvais pas lui dire que je pleurais parce que je venais de me disputer avec mon amie.

« Je comprends. Je suis désolée. Dites-moi ce que vous voulez que je fasse. »

Je me ressaisis.

« Pourriez-vous me donner un numéro où je peux le joindre ? »

Elle marqua à nouveau un temps d'arrêt.

« Croyez-moi, si ça ne tenait qu'à moi, je ne l'appellerais pas.

– C'est juste que... oh, et puis peu importe.

– Quoi ?

– Eh bien, ce n'est pas la première fois que Billy nous fait le coup.

– Quel coup ?

– Qu'elle nous dit, qu'elle dit à mon mari que Cora est malade.

– Elle est de santé fragile, ripostai-je, exaspérée.

– Pas autant que Billy nous incite, incite Christoph à le croire.

– Je ne vois pas de quoi vous voulez parler. Je suis à l'hôpital, Cora a une pneumonie et pendant un moment, on nous a laissé entendre que c'était très grave. Billy a pensé qu'il fallait qu'il le sache. »

Bon Dieu ! Pas étonnant que Billy n'ait pas eu envie de se charger de ce coup de fil.

« D'accord. Désolée. Il est à Dubaï. Il loge dans un hôtel appelé Burj Al Arab. Je n'ai pas le numéro. C'est toujours lui qui m'appelle. Mais je sais qu'il y est.

– Merci.

– Il ne rentrera pas. Elle a trop souvent crié au loup, ajouta la femme de Christoph avant que j'aie le temps de raccrocher. Pour être honnête, il ne reviendrait même pas pour ses propres filles. »

Je m'abstins de corriger son lapsus. De lui rappeler que Cora était aussi sa fille. Je ne lui demandais pas non plus ce qu'elle entendait par crier au loup.

Il te croira.

Les renseignements internationaux me mirent en relation avec le Burj Al Arab. Je ne sais pas grand-chose de ce célèbre hôtel de Dubaï, hormis ce que j'ai appris en feuilletant de vieux numéros de *Ahlan !* Je sais tout de même qu'il vous en coûte 1 000 livres d'y passer la nuit et que certaines personnes l'ont surnommé le « cafard » – parce que sous un certain angle, il ressemble à cette sale bestiole, quoique ce nom conviendrait sans doute mieux à une vaste portion de sa clientèle. On ne pouvait pas rêver mieux pour loger un cancrelat tel que Christoph.

« Burj Al Arab.

– Monsieur Tarrenot, s'il vous plaît. »

J'attendis qu'on me passe la communication.

« Allô ? fit une voix familière.

– Christoph, c'est Tessa. Je t'appelle juste pour te dire que Cora est à l'hôpital. Elle a une pneumonie. »

Pas de larmes cette fois-ci. Mon ton était ferme.

« Comment as-tu eu mon numéro ?

– Elle va mieux. C'est gentil de t'en préoccuper.

– Est-ce pour de vrai ?

– Évidemment que c'est pour de vrai.

– Est-elle stabilisée ?

– Oui », répondis-je, sachant pertinemment ce qu'il allait dire ensuite.

Bon sang, qu'est-ce que je donnerais pour traîner ce type au tribunal. Ça valait peut-être le coup d'envisager de changer de domaine.

« Je ne peux pas revenir.

– Je ne te demandais pas ça, Christoph. Je tenais simplement à t'informer que ta fille a été malade. Ta femme connaît les détails. Au revoir. »

Ce mec me faisait horreur.

Je n'aurais pas dû défier Billy. C'était moi qui avais commis une erreur. Pas elle. Je ne comprenais pas pourquoi elle voulait que ce soit moi qui appelle Christoph. J'avais compris maintenant. Je continuais à penser que ce n'était pas nécessaire, mais je me trompais peut-être. C'était le père de Cora – même s'il remplissait atrocement mal son rôle – et il avait des droits que je reconnaissais moi-même. Je n'aurais pas dû pousser Billy à bout alors qu'elle était épuisée. Elle se comportait peut-être bizarrement, mais c'était compréhensible. Je ne voulais pas qu'elle reste assise là à l'hôpital à se ronger les sangs à propos de notre dispute, en plus de tous les soucis qu'elle avait déjà. Je me dirigeai vers un café et commandai un *latte* à emporter. J'empochai quelques sachets de sucre roux et un bâtonnet en plastique pour remuer et retournai à l'hôpital avec mon offrande pour la paix. J'avais le sentiment d'agir en adulte. Je pressai sur l'interphone de la salle des enfants.

« Je viens voir Billy Tarrenot. Elle est avec sa fille, Cora.

– Puis-je avoir votre nom ? Oh, désolée, on vient de me dire, elle… »

Un temps d'arrêt, des sons étouffés.

« Elle n'est pas là.

– Oh ! Puis-je voir Cora ?

– Vous faites partie de la famille ? »

– Pardon ?

– Faites-vous partie de la famille ?.

J'attendis trop longtemps avant de répondre.

« Je suis sa marraine.

– Désolée, me répondit l'infirmière. Les visites sont réservées à la famille. C'est la règle en vigueur. »

Un déclic. J'étais seule dans le couloir. *Les visites sont réservées à la famille*... Si je n'avais pas le droit de voir Cora, qui serait autorisé à venir la voir alors ?

Je regagnai King's Road à pas lents et pris le 11 jusqu'à Victoria. En temps normal, j'aurais appelé Ben sur-le-champ, blablatant dans mon téléphone tout le long du trajet, lui rapportant ma dispute avec Billy. Pour ainsi dire mot pour mot. De cette manière, j'aurais évité de trop réfléchir. Je l'aurais laissé me consoler avant d'avoir le temps de définir les raisons de mon malaise. Tout en regardant les vitrines défiler sous mes yeux, je me demandais depuis combien de temps je me servais de lui comme béquille. Il m'aurait dit de ne pas m'inquiéter ; il m'aurait rassurée en me disant qu'on s'en prenait toujours aux gens qu'on aimait le plus. Que je faisais partie de la famille, bien sûr. Il m'aurait peut-être chambrée en me faisant remarquer que j'avais mal choisi mon moment et, magnanime, j'aurais encaissé ces taquineries. J'observais inconsciemment les couples qui passaient sur le trottoir. En réalité, il m'aurait menti et j'aurais choisi de croire ces mensonges bien intentionnés. Je fixai mon téléphone. Il me manquait tellement. Cette protection qu'il m'offrait me faisait terriblement défaut. Je rangeai mon téléphone et descendis du bus. Je ne pouvais pas l'appeler, c'était hors de question, j'avais fait un pacte avec Dieu, mais je me sentais perdue parce qu'il n'y avait personne d'autre sur la terre avec qui j'avais autant envie de parler. Je redoutais de faire une bêtise si je rentrais à la maison.

Je contournai la gare et plutôt que de traverser la route qui me séparait de la Tamise et de chez moi, je tournai à gauche et parcourus la courte distance qui me séparait de la Tate Gallery. Je grimpai les larges marches en pierre menant au musée et j'entrai. Dès qu'on a franchi les portes, l'atmosphère change.

Elle devient plus douce. L'animosité de la rue reste dehors, tous les visiteurs sont venus pour le même motif : se faire humbles devant l'art. Je m'avançai dans le silence déférent et pénétrai dans la salle Turner, puis je m'absorbai dans la contemplation des grandes toiles du maître. La pluie qu'il avait peinte m'éclaboussait le visage. J'entendais le chuintement des galets sur ses plages. J'étais grisée par la vitesse. Je percevais l'écho du silence. Je me perdis dans tout ça pendant quelques heures délicieuses. Ce n'était pas aussi bien que de causer avec Ben, mais pas loin. Et certainement beaucoup plus sain.

La nuit était tombée quand je sortis du musée. Je me sentais vraiment plus calme. Je m'étais extirpée de ma déprime toute seule. Les gens se hâtaient de rentrer chez eux. Des gens stressés, fatigués, ayant trimé des heures pour pourvoir à l'éducation de leurs enfants, se dépêchant de retourner chez eux avant l'heure du coucher dans l'espoir de compenser en une heure surchargée toute une journée d'attentions. Je flânai, profitant pour une fois d'avoir tout mon temps. C'était peut-être égoïste, mais quel mal y avait-il à ça ? La dispute mise à part, la journée avait été bonne, au fond. Cora n'avait pas la méningite. La chance nous avait souri. Qu'en était-il des autres ? Ceux dont les examens étaient mauvais. Que dire des mères de ces enfants ? De ceux qui ne rentreraient jamais de l'hôpital. La maternité était un vrai champ de mines, y compris quand on avait passé avec succès les stades de la conception et de la grossesse.

Je passai devant le pub à côté de chez moi. Sous le coup d'une impulsion, je m'y glissai par la porte d'angle. C'était un établissement vieillot. Pas d'écran géant pour le foot, ni jeux vidéo, rien qu'une petite télé derrière le bar, de bonnes bières aux noms étranges, de la Heineken à la pression et des sachets de chips à la crevette (un de mes péchés mignons). Je demandai une bière à Kenny, le propriétaire. Oui, je l'appelle par son prénom. La dernière fois que j'étais venue, c'était le jour où j'avais découvert que mon ancien patron avait été interné par sa femme. Ça avait été une sorte de point final plus qu'une célébration. Ce serait différent ce soir. Il n'était pas encore six heures, alors juste un demi, vite fait, pas plus, peut-être une bouteille à rapporter à la maison pour plus tard... Commande-toi un curry... Couche-toi de bonne heure. Cora allait se remettre. Billy et moi allions régler notre petit différend. Quant à Ben, eh bien, il faudra que ça aille ! Je comptais trop sur son amitié pour ne pas arranger les choses entre nous. J'avais promis à Dieu d'écarter ces folles pensées de mon esprit et de reprendre le bon chemin. Il avait pris soin de ceux que j'aimais. Ben et moi redeviendrions amis comme nous l'avions toujours été, et tout irait bien. J'avais fabriqué ce rêve de toutes pièces, je l'avais perpétué, j'étais la seule à pouvoir y mettre un terme. Billy avait raison en un sens : en imaginant un univers parallèle, j'avais rendu la vraie vie insatisfaisante en apparence. Mais honnêtement, qu'est-ce qui n'allait pas dans ma vie ? Je n'avais pas eu à renoncer à l'idée d'avoir des enfants, et être mère ne me paraissait pas si vital pour le moment. *Tout a une raison d'être dans ce monde*. Je prendrais exemple sur Helen. Je m'abandonnerais au sort pendant quelque temps pour voir où cela me mènerait. Au-delà du pub, cela s'entend.

19

Hallucinations

J'étais assise au bar, contente de me retrouver dans un environnement familier, en train d'échanger des civilités avec deux habitués, quand ce fut l'heure des nouvelles sur Channel 5. Le présentateur articulait des mots que je n'entendais pas. La télévision hypnotise bizarrement, même sans le son. Je bus avec délice une grande gorgée. Une dépêche de dernière minute défilait au bas de l'écran. « Mort d'un comique », annonçait-on. Je rebus un coup. La bière était délicieuse. Fraîche, désaltérante, ça me faisait un bien fou. Un visage apparut. Un visage que je connaissais.

« Kenny, dis-je en fronçant les sourcils comme le visage s'estompait, pourrais-tu mettre plus fort, s'il te plaît ? »

Le présentateur laissa place à un extrait de sitcom. Kenny prit la télécommande et appuya sur un bouton. Mon bock planait quelque part à proximité de ma bouche. J'avais Neil sous les yeux en train de clamer une réplique bouffonne ; j'entendis les rires en conserve, mais je ne comprenais pas du tout pourquoi ces conserves s'esclaffaient ! Je secouai rapidement la tête avant de reporter mon attention sur l'écran. Le présentateur était de retour, parlant d'une voix grave avec un fort accent écossais, me reluquant de derrière le verre de l'écran. *Me reluquant.*

« C'était Neil Williams, dans *Valeur ajoutée*, la série à grand succès diffusée sur Channel 4. Il est mort ce matin dans un accident de voiture survenu aux abords de Bristol aux premières heures du jour. »

Je sursautai, comme si on m'avait brûlée. Mon bock me glissa des mains et tomba par terre. Il rebondit, la bière jaillit comme une fontaine de Las Vegas et resta suspendue en l'air une fraction de seconde avant de retomber, m'éclaboussant ainsi que le tabouret et l'horrible moquette.

« Merde ! Désolée », m'exclamai-je en me penchant trop vite, le cœur déjà au bord des lèvres.

– Ne t'inquiète pas. Je vais arranger ça. »

Je pris appui contre le bar. Je ne me sentais pas bien du tout.

« Je le connais, marmonnai-je, incrédule. Je le connais. Il faut que j'appelle Helen. »

Il y avait foule dans le pub, mais ça ne pouvait pas attendre. Je cherchai mon portable dans mon sac. Impossible de mettre la main dessus. Je fouillai mes poches. Neil était-il vraiment mort ? Je ne pouvais pas le croire. Je sentis quelque chose vibrer dans ma poche. La poche que je venais d'explorer. Je répondis aussitôt.

« Helen ?

– Tessa King ?

– Oui.

– En tant qu'amie proche des défunts, avez-vous des commentaires à faire à propos des allégations relatives à une conduite en état d'ivresse ?

– Qui êtes-vous ?

– Je vous appelle de l'*Express*... »

Je raccrochai, puis regardai fixement mon téléphone. Je levai les yeux vers Kenny.

« C'était qui, cet enfoiré ? Comment ont-ils eu mon numéro ?

Il haussa les épaules. J'appelai Helen sur son portable. Il était éteint. Elle était probablement harcelée par la presse. J'essayai chez elle. Le répondeur s'enclencha.

« Helen, ne t'inquiète pas. J'arrive. »

Elle était peut-être à Bristol. Sans doute était-elle allée identifier le corps. Conduite en état d'ivresse ? Au petit matin ? Ce n'était apparemment pas une supposition. Nom de Dieu, il s'était tué, le con ! Je m'emparai de la télécommande de Kenny et me mis à zapper entre les différentes chaînes d'info. Sky News. CNN. Il n'était pas question de Neil. Je levai à nouveau les yeux vers Kenny.

« Qui s'occupe des jumeaux ? »

En guise de réponse, il me tendit un autre verre. Une vodka-tonic.

« Merci », dis-je, pleine de reconnaissance.

Il fallait que je fasse quelque chose que je pensais ne jamais avoir à faire : appeler Marguerite à l'aide. Je n'eus aucun mal à obtenir le numéro du journal. On me passa son assistante.

– J'ai besoin de parler à Marguerite immédiatement, dis-je avant d'engloutir la vodka.

– Je suis désolée. Elle ne prend pas d'appel pour le moment.

– Je sais, la presse me tanne moi aussi. Dites-lui que c'est Tessa. Tessa King. J'ai juste besoin de savoir où est Helen. »

Pas de réponse.

« Je ne suis pas folle, je vous promets. Je suis une amie de Helen. La marraine des jumeaux. Je viens d'apprendre la nouvelle à propos de Neil. Aidez-moi, s'il vous plaît. »

Un autre silence prolongé.

« Veuillez patienter, s'il vous plaît. »

Je me mis à tambouriner contre le bar du bout des ongles mais Kenny me regardait d'un drôle d'air, alors j'entrepris d'arpenter une toute petite surface à la place. Allez ! Allez ! La ligne crépita. J'aurais dû rentrer à la maison.

« Je vais vous passer Marguerite. Je vous envoie son numéro en texto au cas où il y aurait un problème.

– Merci, merci mille fois. »

J'avais réussi à enfiler mon manteau.

« Tessa, c'est toi ?

– Marguerite, désolée de vous déranger. Je voudrais juste savoir où était Helen, ça ne répond pas chez elle… »

J'attendis. Marguerite ne disait rien.

« Marguerite ? Vous êtes là ?

– Oui…

– Qu'est-ce qui ne va pas ?

– Tessa… à propos de Helen…

– Est-elle avec vous ? »

Pas de réponse. À moins qu'on considère un soupir comme une réponse. Cette femme me rendait folle. Fallait-il que je la supplie ?

« Marguerite, quelqu'un devrait être auprès d'elle.

– Tessa…

– Oui !

– Seigneur, Tessa, Helen était dans la voiture.

– Quoi ? »

Non. Helen, à Bristol, aux premières heures du jour. Elle ne participait jamais aux virées aux frais de la princesse et n'aurait pas laissé les jumeaux.

« Est-ce que ça va ? »

Je me souviendrai de ce moment jusqu'à la fin de ma vie. Une femme en piteux état entra dans le pub et commanda un cidre et une bière brune. Elle portait de la fausse fourrure, des fausses perles. Kenny l'appelait elle aussi par son prénom.

« Je suis désolée, Tessa, dit Marguerite. Elle a été tuée sur le coup. »

Je reculai en titubant et me heurtai contre le tabouret de bar. Marguerite disait n'importe quoi.

« Neil est mort, dis-je.

– Je sais. Helen était avec lui. »

Je baissai les yeux. Les arabesques rouges et violettes du tapis dansaient autour de mes pieds.

« Est-ce que ça va, mademoiselle ?

– Il l'a tuée, le salopard !

– Non, Tessa. C'était un accident.

– Ce connard de junky l'a tuée.

– Tessa, non, arrête, s'il te plaît… »

Marguerite pleurait-elle ?

« Comment pouvez-vous prendre sa défense ?

– Je ne le défends pas. Oh, mon Dieu, Tessa, je ne sais pas comment c'est arrivé. C'est Helen qui conduisait. »

Helen était au volant.

D'où venait ce vacarme ?

« Comment ?

– Ils sont sortis de la route à 130 à l'heure et ont percuté un arbre. Elle est morte sur le coup. Neil a été éjecté, il est mort à l'hôpital des suites d'une grave hémorragie interne. »

Je levai les yeux vers Kenny. Il me semblait onduler lui aussi.

« C'est un terrible accident. »

Une douleur atroce me transperça la poitrine. J'avais été dupée. Dieu était un s… de menteur, un hypocrite…

« Attention ! » hurla une voix sortie de je ne sais où.

L'instant d'après, j'avais les yeux rivés sur les chaussures de Kenny.

Je restai sept minutes et demie sans connaissance. L'urgentiste en moto arriva au pub au bout de six. Si j'avais eu une crise cardiaque, il m'aurait sauvé la vie, mais il ne pouvait rien pour moi en l'occurrence. J'étais en proie à une crise de panique, ce qui fait apparemment le même effet, à peu de choses près. Une douleur atroce, mais rapide comme l'éclair. À cause d'une légère hypoglycémie, j'avais tourné de l'œil. Le médecin me recommanda d'éviter l'alcool pendant quelques jours. Je m'abstins de lui préciser que je passerais outre à ses conseils dès qu'il aurait tourné le dos. Helen était morte. Ma poitrine se serrait chaque fois que j'y pensais. On décida que je ne devais pas rentrer chez moi à pied. J'habitais en face, mais de l'autre côté d'une route très fréquentée où le radar flashait aussi régulièrement que les paparazzi. On craignait que je n'arrive pas à bon port. Kenny sortit pour me héler un taxi. Le médecin s'en alla, quelqu'un me tendit un cognac. Que je bus d'une traite. Helen était morte.

« Le taxi t'attend, dit Kenny.

– Je suis désolée, dis-je comme il me prenait le bras.

– Prends soin de toi, ma petite, dit-il. Ça ne peut pas continuer comme ça.

– Helen est morte », lui répondis-je.

Il se borna à hocher la tête et ferma la portière derrière moi. Après m'être délestée de 3 livres, je sortis du taxi. Roman m'ouvrit la porte d'entrée avant que je me mette en quête de mes clés. En levant les yeux vers lui, je lus l'inquiétude dans son regard. Je me sentais idiote. Une fieffée idiote.

« Je suis vraiment navrée de vous avoir causé tant de soucis, dis-je en m'approchant de son bureau.

– Ça va mieux maintenant ? » demanda-t-il.

Comment pouvais-je lui dire ? Comment demander davantage d'attention, de compassion ? Impossible. Moi aussi j'avais crié au loup d'innombrables fois auparavant.

« Oui, merci », répondis-je en me dirigeant vers l'ascenseur.

Les portes s'ouvrirent avec un cliquettement. Le son creux et solitaire de mon retour au bercail. J'avais besoin de Ben comme jamais. Le pacte était rompu.

Il faisait sombre dans mon appartement. Un chapelet de lumières brillait le long de Battersea Park de l'autre côté du fleuve. C'était la marée haute. Il y avait de la houle et les péniches s'entrechoquaient. L'eau claquait contre les piliers du pont. Les nuages étaient descendus du ciel pour absorber les tracas des Londoniens toujours en marche. Et Helen était morte. Quoi que Marguerite en dise, c'était son mari qui l'avait tuée. Cela ne faisait aucun doute dans mon esprit. Quand j'allumai la télé, l'appartement s'emplit d'une lumière bleu électrique vacillante. J'avais raté les informations de dix-huit heures. J'attendrais celles de Channel 4. Dans la pénombre, je localisai le fourre-tout qui contenait ma vie sous forme photographique ; j'en sortis une poignée de clichés. Quelque part là-dedans il y avait Helen telle que je l'avais connue. Vivante. Libre. Jeune. J'allai dans la cuisine prendre un verre. Sur le frigo, fixé par un aimant figurant un cow-boy, j'aperçus le petit mot qu'elle m'avait envoyé pour me remercier du cadeau que je lui avais offert au baptême des jumeaux. Je regardais intensément son écriture, mais c'était sa voix que j'entendais. Si claire, aussi claire que si elle avait été là, à côté de moi : *Quoi que tu fasses, ne laisse pas ma mère prendre mes garçons*. Je m'emparai de la lettre.

Ma chère Tessa,

Tu as charmé tout le monde, comme toujours. J'adore les flasques que tu as offertes aux garçons… *Quoi que tu fasses, ne laisse pas ma mère prendre mes garçons*… Et la citation du *Desiderata* que tu as fait graver dessus… ça m'a émue aux larmes. Pardonne-moi de ne pas t'avoir dit au revoir. J'avais atteint un seuil hormonal, je suppose. En tout cas, merci de ton soutien infaillible. *Quoi que tu fasses, ne laisse pas ma mère prendre mes garçons*… Je sais que les jumeaux seront en sécurité avec Claudia et toi comme marraines et tutrices. Je fais davantage confiance à votre jugement qu'au mien. Je sais que tu seras une super-marraine et que tu sauras toujours quoi faire, quelles que soient les circonstances. Je t'aime, comme toujours, et souviens-toi – tout a une raison d'être dans ce monde, même si tu penses le contraire.

Baisers

Helen.
P-S : *Quoi que tu fasses, ne laisse pas ma mère prendre mes garçons*…

Il n'y avait plus rien d'écrit sur la page après cela, mais on pouvait imaginer une suite. Je rappelai Marguerite. Le combiné plaqué contre mon oreille, j'écoutai les sonneries, la tête sur mes genoux.

« Tessa ? Est-ce que ça va ? Un homme m'a dit que tu t'étais évanouie.

– Ça va. Enfin, non, ça ne va pas du tout. »

Il y eut un silence pesant.

« Il n'y avait rien sur Helen aux nouvelles, dis-je, quand j'eus finalement recouvré l'usage de la parole.

– Pas encore. J'ai de l'influence, mais pas autant qu'il m'en faudrait.

– Je ne comprends pas.

– Je crains que Helen ait été ivre.

– Helen ? Elle ne… »

Enfin, si, une fois, à la soirée de Neil, mais…

« J'ai bien peur que si.

– Mais non.

– Tu n'as jamais eu droit aux coups de fil affolés, vociférants, au milieu de la nuit ? »

J'ouvris la bouche pour répondre, mais rien ne vint. Helen et sa mère avaient toujours eu des rapports destructeurs.

« Ils m'étaient réservés, je vois !

– Je ne l'ai jamais vue boire, insistai-je.

– Quoi qu'il en soit, ils étaient à une soirée. Elle a dû se faire violence pour y aller. J'ai estimé préférable de ne pas attirer l'attention sur elle. Elle n'a jamais aimé ça de toute façon.

– Non. »

En revanche, toi, tu adores !

Un autre silence s'ensuivit.

« Il n'y a pas eu d'autres victimes ? demandai-je.

– Dieu merci, non. La route était déserte d'après la police. Il n'y avait pas de trace de pneus ni aucune preuve qu'elle ait perdu le contrôle du véhicule. Ils pensent qu'elle s'est probablement endormie au volant et que la voiture est sortie de la route.

– Il n'a pas été question de conduite en état d'ébriété alors ?

– Non, mais ils ne connaissent pas ma… »

Marguerite s'éclaircit la voix…

« Ne connaissaient pas, euh… Qu'est-ce que tu veux, Tessa ? »

Parler à quelqu'un qui connaissait Helen jusqu'à ce que j'arrive à admettre dans mon cœur ce que l'on me martèle dans la tête. Tenir la promesse que j'ai faite à votre fille, même si, sur le moment, comme d'habitude, je n'avais pas mesuré l'ampleur de l'engagement que je prenais.

« Je voulais savoir où étaient les jumeaux.

– Ils sont avec moi.

– Où êtes-vous ?
– Chez eux. »
Promets-moi…
« J'arrive tout de suite. »
Promets-moi, Tessa.
« Je m'apprête à les emmener chez moi. »
Je me levai d'un bond.
« Ne bougez pas de là, Marguerite.
– Il y a toute une meute de journalistes devant la porte.
– Je vous en conjure, pour Helen, restez où vous êtes.
– Qu'est-ce que tu racontes ?
– J'arrive.
– Il y a eu suffisamment de drames pour aujourd'hui, Tessa, tu ne crois pas ?
– Je ne plaisante pas, Marguerite.
– J'emmène la nounou. Ils sont en bonnes mains. Je ne dis pas que je vais m'en occuper toute seule.
– Peu m'importe si vous avez une armée de nounous avec vous. Restez où vous êtes.
– Tessa, ce sont mes petits-fils. Je peux les emmener où bon me semble.
– Je suis leur tutrice. Ne bougez pas de là. »
La force de mes propos trahissait l'état dans lequel j'étais. Je raccrochai et m'effondrai à terre. Helen était morte. Neil était mort. Les jumeaux étaient à moi.

Je n'eus pas besoin d'appeler Ben ; il prit les devants. Ce fut le premier des innombrables appels qui jalonnèrent cette nuit-là et les jours suivants. Mais Ben fut le premier. Évidemment. La mort replace dans leur contexte les stupides baisers volés. Ainsi que les disputes. La mort remet tout dans son contexte.
« Où es-tu ? Tu veux que je vienne ? demanda-t-il sans s'annoncer ni même dire bonjour.
– Je suis dans un taxi. Je vais chez Helen. Marguerite est avec les garçons, et tout ce que je sais, c'est que ça n'aurait pas plu à Helen.

– Tu vas prendre les jumeaux avec toi ?

– Grand Dieu, non ! Non. Je veux juste m'assurer que quelqu'un représente Helen. »

Représente Helen. Je frissonnai.

« Est-ce que ça va ?

– Je n'arrive pas à le croire. Comment l'as-tu appris ?

– Un journaleux m'a appelé. Il savait que je les connaissais tous les deux.

– Moi aussi j'ai reçu un coup de fil d'un journaliste, dis-je, me souvenant tout à coup de l'appel.

– Ils flairent quelque chose, dit Ben.

– Il n'y a rien à flairer, si ?

– Non. Neil était ivre mort, mais je doute que Helen l'ait laissé conduire.

– Effectivement, répondis-je tristement. Mais elle n'aurait jamais dû prendre le volant à cette heure-là de la nuit. »

Je me rappelais du jour où elle s'était endormie sur le sofa au beau milieu d'une phrase. J'avais la nausée rien que d'y penser. Elle aurait dû être à la maison, sous sa couette, à planifier son divorce au lieu d'aller faire la fête avec lui. Ça n'avait aucun sens.

« Je ne comprends même pas ce qu'elle fichait là-bas. À Bristol ! »

Nous rabâchâmes les mêmes choses jusqu'à ce que le taxi s'arrête devant la maison de Helen. Marguerite avait raison ; la presse rôdait alentour.

« Écoute, Ben. Il faut que je raccroche.

– Bonne chance, ma chérie. Si tu as besoin de soutien, tu sais où me trouver. »

Je le remerciai, réglai la course et sortis du taxi. Je me frayai un chemin jusqu'à la porte d'entrée et sonnai. Je connaissais le code de sécurité, mais n'osai pas l'utiliser de peur que quelqu'un repère les numéros. Les flashes crépitaient, mais les paparazzi se désintéressèrent vite de moi quand ils se rendirent compte que je n'étais pas quelqu'un d'important. Je ne comprenais pas ce qu'ils faisaient là. Il ne devait pas se passer grand-chose dans la salle de rédaction.

Marguerite me laissa entrer, non sans m'avoir fait poireauter une ou deux minutes. Depuis que je connaissais Helen, je savais qu'à choisir entre la méchanceté et la gentillesse, Marguerite choisirait la première solution. C'était inscrit dans ses gènes ; elle n'en était probablement même pas consciente. Tandis que j'attendais sur le pas de la porte, je serrais et desserrais machinalement les poings tel un boxeur se préparant au combat. Je savais que j'allais devoir me battre. En revanche, j'ignorais qu'au cours de cette brève demi-heure, Marguerite avait déjà porté le premier coup.

Une femme hagarde m'ouvrit la porte et me conduisit dans le salon aux grands sofas crème. C'était là que Neil, totalement défoncé, avait brandi un des jumeaux au-dessus de sa tête en le secouant au rythme de la musique. Que je m'étais installée après avoir mis Helen au lit et que je m'étais servi un double whisky. Là que je m'étais immiscée une fois de plus dans le drame de quelqu'un d'autre en ne voyant que l'épisode que j'avais envie de voir. Helen avait-elle l'intention de quitter Neil ? Ou était-elle allée à Bristol dans l'espoir de recoller les morceaux ?

Marguerite était assise sur un des canapés, aussi immobile qu'une statue. Elle était tirée à quatre épingles comme à l'accoutumée, mais je ne pus m'empêcher de remarquer le verre de cognac vide posé devant elle et la veine qui battait rapidement à son cou. J'eus envie de m'approcher d'elle et de la prendre dans mes bras, mais ce n'était pas ce genre de femme et nous n'avions pas ce genre de relations. Je restai debout, mal à l'aise.

« Je suis navrée pour vous, Marguerite, dis-je.

– Merci. »

J'essayai de trouver quelque chose d'autre à dire, mais les mots me manquaient. Marguerite me considérait d'un air réprobateur. Je jetai un coup d'œil à mon reflet dans la grande glace au cadre doré au-dessus de la cheminée. Je m'étais habillée dans la panique, il y avait des lustres, me préparant au pire avant de me ruer à l'hôpital sans savoir si j'y arriverais à temps pour voir Cora vivante.

J'avais pensé que renouer des liens strictement amicaux avec Ben suffirait à couvrir ma part du marché que j'avais conclu, mais ce n'était à l'évidence pas le cas – pas selon les normes de Dieu, ni selon celles de Marguerite ou les miennes. Parce que j'étais là dans cette maison où Helen ne rentrerait plus jamais, à essayer d'admettre sa mort brutale.

« Je suis désolée, balbutiai-je en remontant avec embarras la manche de mon pull-over. Je me suis habillée à toute vitesse.

– Tu étais au pub, non ? »

Je fronçai les sourcils. Comment expliquer l'inexplicable ?

« Voulez-vous quelque chose ? De l'eau peut-être ou…

– Un autre cognac, s'il te plaît. »

Elle me tendit son verre. Ses ongles courts, rouge foncé, effleurèrent ma peau. Ses mains avaient tapé Helen avec une brosse à cheveux quand elle était petite. Je m'emparai du verre. Pas étonnant que Helen ne veuille pas que ses enfants soient élevés par cette femme.

« Sers-toi », dit-elle.

Ce que je fis. Je lui rapportai le verre rempli. Elle le prit sans me remercier. Les civilités n'étaient pas de mise dans un moment pareil.

« Comment l'avez-vous appris ? m'enquis-je après un autre silence prolongé.

– J'ai reçu un coup de fil du commissariat de Bristol en pleine nuit. Je n'ai pas répondu tout de suite, mais Helen ne laisse jamais sonner plus de deux fois, alors j'ai fini par décrocher. »

Elle faisait tourner le cognac dans le verre en cristal bulbeux.

« J'aurais mieux fait de m'abstenir.

– Vous a-t-on demandé d'aller… »

Je laissai ma phrase en suspens.

« J'irai demain. La presse n'a pas le droit de divulguer d'information tant que la personne n'a pas été identifiée officiellement, m'expliqua-t-elle non sans satisfaction.

– Alors ce n'était peut-être pas elle ! m'exclamai-je, pleine d'espoir.

– C'était elle. »

Je n'écoutais plus. Neil ramassait facilement des filles. Il se pouvait très bien que ce soit une de ses pouffiasses. Peut-être Helen l'avait-elle quitté. Peut-être s'était-elle installée au Mandarin Oriental.

« Je suis désolée, Tessa. Ça ne te servira à rien de prendre tes désirs pour des réalités cette fois-ci. C'est Helen qui conduisait, cela ne fait aucun doute.

– Le moment est mal choisi pour vous dire ça, mais Neil sort souvent avec d'autres femmes. Elle songeait d'ailleurs à le quitter pour cette raison.

– Elle ne l'aurait certainement jamais quitté pour quelques coups de canif dans le contrat. On dirait vraiment que je ne lui ai jamais rien appris.

– Je ne comprends pas, dis-je, perplexe.

– Pourrais-tu avoir la gentillesse de cesser d'arpenter la pièce ? »

Je ne m'en étais même pas aperçu. Je m'immobilisai.

« Bref, reprit-elle, je sais que c'était elle parce qu'elle m'a appelée juste avant de monter dans la voiture. »

Il y avait encore une possibilité que Marguerite se soit trompée.

« Que vous a-t-elle dit ? »

Marguerite me regarda, puis secoua vaguement la tête.

« Rien.

– Elle vous a appelé à deux heures du matin et elle ne vous a rien dit ?

– Oui, répondit finalement Marguerite après un nouveau temps d'arrêt.

– Était-elle ivre ?

– Tessa, je t'en prie ! Je ne suis pas d'humeur à subir une inquisition.

– Désolée, je pensais juste…

– Je sais. C'est du Tessa tout craché. Tu as toujours été quelqu'un de positif en fin de compte. J'espérais que ça déteindrait sur ma fille. Ça n'a pas été le cas, semble-t-il. »

Elle leva à nouveau les yeux vers moi.

« Elle n'était pas très heureuse, hein ? »

Je secouai la tête. Marguerite éclusa son verre avant de le poser sur la table basse près d'une pile de *Hello !*

« Les jumeaux s'en sortiront mieux. J'y pourvoirai. »

Ah... Voilà qu'on passait aux choses sérieuses. Le cessez-le-feu, si tant est qu'on puisse s'exprimer ainsi, était fini. Je m'armai de courage pour la bataille.

« Où sont-ils ? » demandai-je en m'asseyant en face d'elle.

Elle me toisa du regard.

« En haut. Où veux-tu qu'ils soient ! Ils dorment.

– Vous pensez qu'ils savent ?

– Ne sois pas ridicule, Tessa. Ce sont des bébés. »

Je soupirai. Elle avait raison. Comment auraient-ils pu savoir ?

« Les pauvres petits. Grandir sans maman pour prendre soin d'eux...

– La nounou a l'air tout à fait compétente. Elle est spécialisée dans les jumeaux et elle a tenu à ne rien changer à leurs habitudes. »

Elle faisait la sourde oreille. À quoi bon insister. J'étais déterminée à essayer de m'arranger à l'amiable avec elle. Le problème, c'est que nous ne nous arrangions pas très bien toutes les deux de manière générale.

« Rose a téléphoné », reprit-elle.

Je relevai les yeux. Enfin, quelqu'un avec qui je pouvais sincèrement compatir. Rose aimait Helen ; elle s'était occupée d'elle depuis qu'elle était toute petite. Elle viendrait, elle allait revenir.

« Je lui ai dit qu'on n'avait plus besoin de ses services puisqu'il est à peu près certain qu'elle n'acceptera jamais de venir vivre chez moi. Elle m'a prise en grippe le jour où je suis allée m'installer à Hong Kong : elle n'a pas cessé de me haïr depuis. Elle pourrissait mon mari, comme Helen d'ailleurs. Je regrette beaucoup, mais les contrats de servitude, ce n'est pas mon genre. »

J'ouvris la bouche pour protester, mais Marguerite m'interrompit d'un geste.

« S'il te plaît, garde tes pensées pour toi et tâche de te souvenir que ma fille est morte la nuit dernière. »

Je ne pensais qu'à ça !

« Marguerite, à propos des jumeaux...

– Oui, Tessa. »

Il était évident qu'elle avait attendu que je trouve le courage d'aborder le sujet. Mes tergiversations, mon semblant de conversation courtoise lui avaient donné l'occasion de mesurer l'ampleur de ma peur.

« Helen m'a laissé la responsabilité de décider ce qu'il convenait de faire dans le cas où Neil et elle décéderaient. Je n'aurais jamais pensé avoir cette discussion avec vous, jamais de la vie... »

Je ne pus continuer. Je m'interrompis, à court de souffle.

« Je n'arrive pas à y croire...

– Tu veux les jumeaux, lança Marguerite, abrégeant mes souffrances tout en les amplifiant. On vient de me voler ma fille et tu veux me voler les jumeaux en plus ? »

Voler ? Voler ? Je ne volais rien du tout.

« Non, Tessa. La famille, c'est la famille. »

Depuis quand la famille compte-t-elle autant pour vous ? pensai-je. Elle pouvait tromper tous les autres, mais pas moi. Fini l'arrangement à l'amiable. Je me levai. Même si elle en faisait autant, j'aurais l'avantage de ma taille.

« Vous oubliez à qui vous parlez, me semble-t-il. Vos rapports avec Helen ont toujours été tendus. Alors arrêtez avec votre "famille" !

– Sinon quoi ? Tu feras quoi ? »

Ça, je l'ignorais.

« Allons, Marguerite, on ne va pas tomber si bas ! Nous aimions Helen toutes les deux. Nous aimons toutes les deux les garçons. Soyons solidaires.

– Tu n'auras pas mes petits-fils, Tessa. Un point, c'est tout. »

J'ouvris la bouche, mais elle enchaîna :

« Enfin, regarde-toi, tu n'es pas vraiment un parent modèle, hein ? fit-elle en me considérant avec une évidente réprobation. Ma fille est morte depuis moins de vingt-quatre heures et tu cherches déjà à t'approprier la garde de ses enfants.

– Je ne veux pas leur garde. Je voudrais que nous n'en soyons pas là.

– Tu veux m'empêcher de les avoir surtout! »

Quoique tu fasses, ne laisse pas ma mère prendre mes garçons.

« C'est compliqué. Nous devons nous montrer raisonnables. Helen avait des souhaits, des souhaits que j'ai l'intention de respecter.

– J'ai appelé son avocat. En te nommant marraine des jumeaux, Helen cherchait simplement à t'attacher à elle. Ce n'était ni plus ni moins qu'un caprice. Ça ne veut pas dire grand-chose. En tout état de cause, cela ne fait pas force de loi. Le tribunal décide de tout au cas par cas dans ce genre d'affaire. En définitive, c'est aux administrateurs des biens de Helen de déterminer où les garçons doivent vivre, et je leur ai déjà parlé. Je suis le parent le plus proche, que cela te plaise ou non. Mauvaise pioche! La famille instantanée te file sous le nez!

– Qu'est-ce que vous racontez? Helen est morte dans un accident de voiture. Je viens juste de l'apprendre. »

Je me passai les mains dans les cheveux.

« Je n'ai toujours pas réalisé.

– Tu peux te mentir autant que tu veux, Tessa, mais je ne marche pas!

– Me mentir à propos de quoi, exactement?

– Tu veux les enfants pour toi. Les souhaits de Helen n'ont rien à voir là-dedans.

– Comment?

– Tu veux les jumeaux. C'est la solution rêvée pour toi, non? Tu n'arrives pas à te dégoter un homme, mais tu penses pouvoir avoir des bébés, qui sont loin d'être dans le besoin de surcroît. »

Je ne voulais pas rester dans la même pièce qu'elle, mais j'étais momentanément dans l'incapacité de me tenir debout. Elle venait de me porter le coup fatal. J'atterris sur un immense coussin et sentis que je m'enfonçai au ralenti dans le canapé. J'aperçus au passage la photo de mariage de Neil et de Helen au cadre en argent que Neil avait utilisée pour se faire des rails de cocaïne. Ma belle amie que j'avais vue se balancer dans un hamac sur une plage vietnamienne était morte. L'homme à côté d'elle sur la photo l'avait tuée, quoiqu'en dise le rapport de police. Même si elle s'était endormie au volant. C'était de sa faute à lui si elle était si fatiguée. Quelle que soit l'issue de l'enquête, il était responsable de sa mort. Il avait tué mon amie, mais bien avant qu'elle l'ait rencontré, la femme assise en face de moi l'avait saignée à blanc. J'avais envie de pleurer, mais je me retenais. Pour Helen. Je savais mieux que quiconque ce qu'elle aurait souhaité. Elle ne voulait pas que sa mère se charge des enfants. En dépit des menaces que Marguerite proférerait contre moi, je me battrais jusqu'au bout. Je mettrais tout en œuvre pour que les dernières volontés de Helen soient respectées.

Je décollai péniblement le menton de ma poitrine.

« En dehors du baptême, quand êtes-vous venue voir les garçons pour la dernière fois ?

– C'est hors de propos.

– À quand remonte votre dernière invitation ici ?

– Tessa…

– Vous habitez tout près. Vous passiez sûrement de temps en temps.

– Je te rappelle que je travaille.

– Et les week-ends… vous occupiez-vous des petits pour permettre à Helen de souffler un peu ?

– Helen avait sa propre nounou à domicile, et une autre pour les jumeaux. Elle n'avait pas vraiment besoin de mon aide, à mon avis.

– D'accord. Vous arrivait-il de venir à l'improviste ? À quand remonte votre dernier déjeuner en tête à tête avec votre fille ? Et ne venez pas me parler de sa dernière permission de sortie quand elle était au pensionnat ! »

Marguerite se bornait à me rendre mon regard.

« Où voulait-elle être enterrée ?

– Où elle s'est mariée, je présume.

– Faux. Elle voulait être incinérée. Elle voulait que l'on disperse ses cendres sur une plage au Vietnam. China Beach, pour être précis. Ça lui rappelait ses racines. Quelle était son œuvre littéraire préférée ? »

Marguerite releva légèrement le menton.

« *Desiderata*, enchaînai-je. Où les jumeaux ont-ils été conçus ? »

Regarder Marguerite s'agiter, mal à l'aise sur le sofa, me procurait une certaine satisfaction.

« Quelle chanson écoutait-elle à plein volume chaque fois que vous inventiez un nouveau moyen de la blesser ? »

Marguerite se leva. Son tailleur Nicole Farhi pendait sur sa frêle silhouette.

« Oui, oui, je suis sûre qu'elle t'a fait toutes ces confidences. Dans le dessein de t'impressionner, à n'en point douter. Mais je vais te dire une chose : c'est pour cela que tu tenais à elle, n'est-ce pas, Tessa ? Parce qu'elle se reposait sur toi. Ça doit être rassurant de compter tellement aux yeux des autres. »

Elle fit pivoter le fermoir de son grand sac Mulberry en le faisant claquer et me dévisagea.

« Ça ne te laisse pas grand-chose en revanche, quand ils ne sont plus là, hein ? »

Je laissai échapper un petit rire sarcastique tout en effaçant automatiquement ses mots de mon esprit.

« Si me dénigrer peut vous apporter du réconfort en ces moments difficiles, répondis-je, écartant grands les bras en guise d'offrande, alors tant mieux ! »

Je me redressai. Je m'estimais aussi capable qu'elle de jouer à ce petit jeu.

« Mais soyons clairs : ce n'est pas moi qui ai démoli votre fille. Le mal était fait bien avant notre rencontre. »

Marguerite se pencha vers moi.

« Et tu aimes tellement prendre les gens sous ton aile ! »

J'ouvris la bouche pour riposter, mais Marguerite leva à nouveau sa main manucurée.

« Je vais laisser passer ça, compte tenu du fait que tu es peut-être un peu sous le choc. Mais écoute-moi bien, Tessa King, tu ne l'emporteras pas cette fois-ci. Tu t'imagines que je serai la seule qu'ils examineront au microscope, hein ? Tu te crois qualifiée pour faire office de parent peut-être ? Alors que tu n'es même pas capable de conserver un emploi sans provoquer un scandale quelconque ? Combien d'autres couples as-tu détruits, je me demande ? On ne devrait pas avoir trop de mal à le savoir. Que penseront les juges de tous ces hommes qui vont et viennent la nuit ? De l'alcool. Des fêtes. Je doute qu'ils soient impressionnés. »

Elle me toisa d'un air dédaigneux.

« Tu n'es même pas capable de prendre soin de toi. »

L'envie me prit de la frapper, mais cela ne ferait que servir ses intérêts. Elle pouvait dire ce qu'elle voulait. Mais au bout du compte, il n'était pas question de moi, mais de Helen. Elle n'avait jamais pu se défendre quand elle était en vie. J'allais faire mon possible pour qu'elle soit défendue maintenant.

« Je m'en vais, m'annonça Marguerite. Je te laisse réfléchir à ce que je t'ai dit, et quand tu auras repris tes esprits, appelle-moi. À défaut, mon avocat prendra contact avec toi et avec la famille de Neil.

– La famille de Neil ?

– Oui, Tessa.

– Que souhaitent-ils ?

– Je n'en ai pas la moindre idée. Je n'étais même pas sûre que ses parents étaient de ce monde jusqu'à ce que la police m'en informe. Même s'ils ne comptaient guère aux yeux de Neil, je ferai en sorte que leurs désirs soient pris en considération. Il a un frère aussi. Entrepreneur à Norfolk, d'après ce que j'ai compris.

– Et les volontés de votre fille, qu'est-ce que vous en faites ? Vous pourriez au moins me demander ce qu'il en est !

– Tu as toujours été loyale envers Helen, Tessa, et c'est une chose que j'apprécie, quoi que tu en penses. Mais tu dois bien te rendre compte qu'elle te disait une chose, à moi une autre, et sans doute tout autre chose encore à son mari. Je ne vois pas comment tu pourrais savoir quels étaient ses souhaits.

– Et pourquoi ça ? demandai-je d'un ton belliqueux.

– Parce qu'elle n'a jamais su elle-même ce qu'elle voulait. Je ne suis peut-être pas une mère parfaite, mais j'ai tout de même essayé de lui inculquer la notion d'objectifs, même si elle était plutôt réfractaire. J'aurais été satisfaite qu'elle soit femme au foyer si cela avait pu la rendre heureuse. Seulement elle n'était pas heureuse. Elle prenait un malin plaisir à m'accuser de tout, mais on ne peut pas passer trente-cinq ans à vadrouiller et demander ensuite qu'on vous prenne au sérieux. »

J'étais au bout du rouleau. Du coup, je n'étais pas suffisamment sur mes gardes.

« Je crois qu'elle voulait juste être aimée. Par vous, si vous voulez que je vous dise la vérité.

– La vérité, Tessa ? Tu serais la seule à détenir la vérité, c'est ça, Tessa ? Tessa King, l'oracle personnifié ?

– Il n'était pas nécessaire d'être un génie pour le comprendre.

– Oh, Tessa ! Quand vas-tu te décider à comprendre qu'il n'y a pas de réponses simples dans la vie. Je l'aimais, elle le savait, mais elle me rendait folle. »

Sa voix se brisa légèrement, mais elle se ressaisit très vite.

« Elle ne faisait rien de ses talents. Avais-je tort d'attendre davantage d'elle ? Cela fait-il de moi un monstre ? Je suis certaine que tes parents demandent tout autant de toi, probablement davantage.

– Mes parents ne sont pas divorcés. »

Marguerite me considéra en secouant la tête.

« Cela ne mérite pas vraiment une réponse, mais certes, j'ai commis une erreur en épousant le père de Helen. Nous appartenions à deux cultures différentes. Aurait-il été préférable que je reste et que je végète le reste de mes jours ? Cela aurait-il fait de moi une meilleure mère, de me borner à exploiter une fraction de mes aptitudes ? »

Je m'abstins de répondre de peur qu'elle devienne trop humaine.

« Ne cherche pas de réponses simples. Il n'y en a pas. »

Elle se leva et vint se planter devant moi.

« Les administrateurs ont bloqué tous les fonds pour s'assurer qu'il ne se passe rien de fâcheux. Puisque tu as l'air de vouloir que les jumeaux restent ici, il va falloir que tu restes toi aussi.

Garde la nounou si tu veux, mais il t'en coûtera 100 livres par jour. Ça te donnera peut-être envie de réfléchir. Tu sais où me trouver. »

Elle alla chercher son chapeau et son manteau sur la rampe. J'entendis ses talons cliqueter sur le sol en marbre.

« Ça vous fait quelque chose que votre fille soit morte ? » criai-je sans bouger du canapé.

Les bruits de pas s'interrompirent. Une fraction de seconde. Puis la porte claqua. C'était sa réponse. Les flashes des appareils photo étincelèrent à travers les rideaux en mousseline. La mère éplorée. Pauvre Helen, être née de cette harpie alors que tant d'autres femmes auraient si bien pris soin d'elle. Je montai l'escalier et entrai dans la chambre des jumeaux sur la pointe des pieds. Je m'allongeai par terre entre leurs petits lits et fixai la galaxie lumineuse au plafond en prêtant l'oreille à leur respiration nasillarde.

Tu n'auras qu'à leur trouver un foyer heureux, avait dit Helen.

Il en serait donc ainsi. Il fallait que je trouve un foyer heureux pour mes filleuls. Une bagatelle ! À qui voulais-je faire croire ça ? Si j'avais appris quelque chose ces dernières semaines, c'est qu'il était rarissime de tomber sur un foyer heureux. La vie de l'autre côté de la clôture n'était pas aussi rose que je me l'étais imaginé.

Je me réveillai au milieu de la nuit avec un torticolis. Il me fallut un moment pour comprendre où j'étais. Les étoiles lumineuses avaient pâli ; j'étais dans le noir. Aucun son ne me parvenait. Je tâtai le tapis sur lequel j'étais allongé et trouvai Peter le lapin. Je me mis sur mon séant. J'étais dans la nursery. Comment se faisait-il que je n'entende rien ? Je rampai en direction de la barre de lumière indistincte sous la porte et me relevai péniblement. Je dénichai l'interrupteur et tournai lentement le variateur de lumière. Les deux bébés gisaient, bras et jambes écartés, sur leurs édredons, perdus au milieu de leurs lits. Je n'avais jamais vu des bébés aussi immobiles. Je me rapprochai à pas de loup et posai la main sur la poitrine de Tommy.

Je ne sentais rien à travers le vichy bleu molletonné. J'appuyai un peu plus fort. Il tressaillit. Je sursautai. Ses bras, ses jambes se dressèrent tout d'un coup. Il grogna, puis ses membres se rabaissèrent petit à petit, et il recommença à dormir paisiblement. Il était 4 h 02 d'après ma montre. J'avais raison, ce n'étaient pas les jumeaux qui empêchaient Helen de dormir la nuit.

Je sortis de la chambre à tâtons, laissant la porte entrouverte, et descendis dans la chambre d'amis où j'avais dormi le samedi soir. Impossible de me rendormir. Je n'arrêtais pas d'entendre les petits crier, alors je montais leur jeter un coup d'œil pour les trouver tous les deux profondément endormis. Mes oreilles me jouaient des tours. Fran m'avait raconté qu'il lui arrivait encore parfois d'entendre un bébé pleurer dans la maison. Deux nuits passées à dormir sous le même toit que les jumeaux et j'avais déjà des hallucinations auditives. Pour finir, la nounou sortit de sa chambre et ferma la porte de la nursery en me disant d'arrêter de m'inquiéter. La pauvre femme avait l'air terrifiée. On l'aurait été à moins.

Bien évidemment, c'étaient mes pensées qui m'empêchaient de dormir. Une foule de souvenirs m'assaillaient à tout instant. Des souvenirs de Helen, insouciante et heureuse. Des frasques qu'elle me faisait faire. Saugrenues parfois, pour ne pas dire risquées. Un certain mois de mai, nous étions allées à Oxford en stop pour prendre part sans invitation au bal de l'Oxford University. On s'était retrouvées en train de faire des bonds sur le château gonflable avec le groupe Jamiroquai, dont personne n'avait jamais entendu parler à l'époque. Elle m'avait emmenée une semaine à Cuba alors que j'étais fauchée et que je venais de me faire larguer. C'était elle qui m'avait dit que je faisais sciemment les mauvais choix sur le plan sentimental. Je ne l'avais pas crue mais elle avait raison, depuis le début. Elle n'avait jamais oublié les confidences que je lui avais faites un jour où on descendait le Mékong. Elle avait été la seule à essayer de m'extirper de mon « petit cercle confortable », comme elle disait. Nick et

Fran, Ben et Sasha, Claudia et Al. Je l'accompagnais toujours – Cuba, Las Vegas, les séjours à la montagne, les randonnées, les stages de yoga, elle organisait tout, mais je retournais immanquablement auprès de ma petite bande d'amis. De Ben. Un beau jour, elle avait rencontré Neil et, petit à petit, la Helen que je connaissais avait changé. Et depuis ce temps-là, je craignais qu'elle ne se rabaisse, qu'elle finisse par devenir invisible, alors que c'était moi qui végétait.

Les jumeaux se réveillèrent à sept heures. Quel soulagement ! Je devenais folle à rester là à attendre. Je m'habillai et montai à la nursery. Je me penchai au-dessus de chaque lit et leur souris. J'eus droit à deux rictus édentés en retour. Mon imagination me jouait peut-être des tours, mais je les trouvais de plus en plus mignons. J'étais en train de changer Bobby quand la nounou entra.

« Laissez-moi faire, dit-elle.

– Pas de souci. J'ai presque fini. »

Je lui expliquai qui j'étais et m'excusai d'avoir déambulé dans la maison tel un fantôme.

« Si vous êtes la tutrice des jumeaux, ça veut dire que je travaille pour vous ou pour leur grand-mère ?

– Les choses sont un peu floues pour le moment, répondis-je, mais vous serez payée quoi qu'il en soit. »

Elle reporta son attention sur les bébés, satisfaite de savoir qu'on s'occuperait de son cas.

« Les pauvres petits », murmura-t-elle.

Je retenais mes larmes. Je ne voulais pas que les garçons voient des visages tristes. Je ne voulais pas qu'ils soient désorientés, ou meurtris. Je voulais qu'ils pensent que tout allait bien. Le problème, c'est que Helen les allaitait, et ça n'allait pas être simple.

« J'ai besoin de votre aide pour les nourrir.

– Bien sûr. »

Elle se dirigea vers le placard et en sortit deux berlingots de lait tout prêt.

« On ne ferait pas mieux d'utiliser le lait maternel ? Ça serait moins déroutant pour eux, non ?

– Quel lait maternel ? »

Je désignai le placard.

« Il y a un congélateur là derrière, rempli à ras bord. »

Elle semblait perplexe.

Je comprenais sa confusion.

« C'est très intelligemment conçu, dis-je dans l'espoir de la rassurer.

– Je sais qu'il y a un frigo derrière, mais il n'y a pas de lait maternel dedans. »

Il y en avait, j'en étais sûre. Elle n'avait pas regardé au bon endroit. Je l'avais vu moi-même. Je m'en étais servi. Enfin, non, parce qu'il avait tourné, mais ça, c'était de ma faute. Je m'y étais mal pris pour le réchauffer.

« Occupez-vous de Bobby, dis-je. Je vais en chercher. »

La nounou acheva de changer Bobby pendant que j'ouvrais le frigo. Il était vide, en dehors de quelques bacs à glaçons. Je refermai la porte. C'était bizarre. Je le rouvris, pour être sûre. Puis je jetai un coup d'œil dans le réfrigérateur. Il était vide aussi. Où était passé tout le lait ? Il y en avait des rangées entières, à ne plus savoir qu'en faire. On aurait pu nourrir les garçons pendant un mois avec ça. Je ne comprenais pas.

« Mme Williams m'a dit de prendre ce lait-là, expliqua la nounou en me désignant les berlingots avant d'en verser habilement le contenu dans deux biberons. Ça coûte assez cher, mais il y a certains avantages. Les garçons n'ont pas l'habitude de boire du lait chaud, ce qui facilite beaucoup les choses quand on est pressé.

– Le lait maternel est chaud, non ?

– Bien sûr.

– Ils ont dû faire à la différence alors ?

– Quelle différence ?

– Entre le lait maternel et ça », insistai-je en désignant les berlingots.

Son expression en disait long. Étais-je vraiment en train de perdre la boule ?

« Helen les allaitait bien ?
– Non. »
Ça n'avait aucun sens, même si je lui avais conseillé d'arrêter.
« Je crois que Mme Williams avait arrêté il y a quelque temps, mais je ne sais pas exactement. J'avais l'intention de lui parler à son retour. J'ai l'impression que cette marque de lait ne convient pas à Tommy. Il en boit plus, mais il est malade après, ce qui explique qu'il pèse moins que son frère. Je pense qu'il lui faudrait un lait maternisé plus riche pour les bébés qui ont davantage d'appétit ; cela devrait le contenter plus longtemps. Si ça ne marche pas, on pourra toujours essayer le lait de brebis.
– Depuis combien de temps travaillez-vous ici ?
– Depuis lundi soir. Il m'a fallu quelques jours pour trouver ce qui clochait avec Tommy.
– Rien de spécial autrement ? »
Elle ne répondit pas.
« Vous pouvez me le dire. Qu'est-ce que ça peut faire maintenant ? Neil n'était pas commode, je sais. J'étais ici moi-même lundi matin. Il y a eu une scène.
– Je ne pense pas que le problème venait de M. Williams. »
Oh.
« Je ne suis pas vraiment au courant des détails, bien sûr, mais personnellement je ne me suis aperçue de rien.
– À propos de quoi ?
– Eh bien… euh, on ne m'avait pas prévenue que Mme Williams avait un petit problème.
– Arrêtez avec vos "Madame Williams". Elle se faisait appeler Helen Zhao, d'accord ? »
La nounou hocha la tête.
« Et pour votre information, c'était M. Williams qui avait un problème et non pas Helen, je peux vous l'assurer. »
Elle leva les deux mains.
« Je n'ai pas eu le temps de les connaître malheureusement. Je préfère ne rien dire. »
J'étais perplexe, mais comme cela faisait peu de temps qu'elle travaillait là, je résolus de couper court à la conver-

sation. J'entrepris de nourrir mon filleul orphelin et pour la première fois, je trouvai qu'il y avait quelque chose de Helen dans son regard. Je mis Tommy contre mon épaule pour lui faire faire son rot, ce qui me valut une cascade de dégueulis dans le dos. Je le rendis à la nounou, nettement plus compétente que moi.

« Allez chercher le nouveau lait », dis-je d'un ton sec avant de quitter la pièce. C'était peut-être ma première décision de parent.

Je me rendis dans la chambre de Helen et passai les lieux en revue : la coiffeuse immaculée, les coussins en soie sur l'immense dessus de lit. J'ouvris le placard qui contenait une kyrielle de vêtements de couturiers – les tenues, accessoires, sacs et chaussures « indispensables », au grand complet. Je les effleurai du bout des doigts. Je cherchais son odeur, quelque chose à quoi me cramponner, mais tout était impeccable et rangé dans des housses. Pas le moindre vestige d'elle. Je pensais à mon amie. Elle était dans une housse elle aussi. La Helen que je connaissais était partie. Pour toujours.

« Que se passe-t-il, Helen ? » demandai-je, le regard fixé sur son impressionnante garde-robe.

Curieusement, ce furent ses vêtements qui me fournirent un premier élément de réponse. J'étais maculée de vomi. Cela faisait bizarre de lui emprunter des habits, mais il fallait bien que je me mette quelque chose sur le dos pendant que je passais les miens à la machine. Helen était plus petite que moi, mais certaines de ses tenues que j'avais d'ailleurs convoitées m'allaient. Son ample collection de pantalons Maharishi, par exemple. J'en dénichai un et l'enfilai. Puis je vis le pull qu'elle portait le jour où j'étais passée la voir. Cela ne faisait que quelques semaines, mais j'avais l'impression que des années s'étaient écoulées depuis. Le pull était plié sur l'étagère du haut. J'entendis à nouveau sa voix. *C'est comme s'il était à toi.* Voilà un fragment de Helen que je pouvais conserver. Comme je m'en emparai, un sac à Zip transparent me tomba sur la tête. Je le ramassai. Il provenait de la clinique Portland. Un numéro vert médical figurait dessus ainsi que le nom de Helen et son numéro de chambre à la clinique. Je jetai un coup d'œil à l'intérieur. Il contenait des boîtes tout aplaties de remèdes qui m'avaient l'air costauds : Prozac, Voltarène, Xanax, Valium, Dépamide, Atarax. Elles étaient vides. Helen avait eu une césarienne compliquée ; la cicatrice s'était infectée. Je me souvenais d'être allée la voir à l'hôpital. Elle paniquait à l'idée de prendre des médicaments et d'allaiter en même temps, mais les infirmières de la maternité l'avaient rassurée en affirmant que ça ne poserait pas de problème ; certaines lui avaient même recommandé de les avaler avec un bon petit verre de vin. J'examinai les boîtes à la hâte. Elle devait en prendre depuis un moment à en juger par le nombre. Je jetai le sac dans la corbeille, j'enfilai le pull et je descendis.

Je jetai un coup d'œil à ma montre. 7 h 53. Beaucoup trop tôt pour appeler quelqu'un qui n'avait pas d'enfants. Je composai le numéro de Francesca.

« Allô ? »

C'était Nick.

« Tu es rentré. C'est moi, Tessa.

– Oh, mon Dieu, Tessa, est-ce que ça va ?

– Pas vraiment. Es-tu au courant…

– Pour Neil, oui.

– Oh, Nick, il y a pire, bien pire…

– Nous savons. Ben a appelé tout le monde. Il a dit que tu étais allée chercher les jumeaux. C'est vrai ? »

J'imagine que le téléphone arabe avait dû fonctionner à plein régime entre mes amis. Pensaient-ils, comme Marguerite, que je cherchais à récupérer une famille toute faite ?

« Ce n'est pas exactement ça. Helen ne voulait pas que sa mère se charge d'élever les garçons. Je ne sais pas ce qui va se passer.

– C'est une grosse responsabilité.

– Je n'ai même pas parlé à l'avocat. J'essaie juste de faire ce que Helen m'a demandé de faire. »

Neil marqua un temps d'arrêt.

« Tu es toujours là ? demandai-je.

– Oui, bien sûr. C'est juste, oh, je ne sais pas, fais attention, Tessa.

– Je sais comment y faire avec Marguerite, répliquai-je avec une audace que je n'éprouvais pas le moins du monde.

– Écoute, fais juste attention de ne pas t'engager au point de ne plus pouvoir reculer. »

Je n'aimais pas du tout la tournure que la conversation était en train de prendre.

« Fran est-elle là ?

– Elle est en train de réveiller tout le monde. Caspar est rentré. »

Je n'avais pas assez d'énergie pour penser à Caspar pour le moment.

« Il semble qu'il y ait une légère amélioration, précisa Nick.

– Il a toujours adoré tes parents, me forçai-je à répondre.

– C'est vrai. Peut-être cela lui a-t-il servi à quelque chose de voir les choses à travers le regard de gens qu'il respecte. »

Fallait-il en conclure que Caspar n'avait pas de respect pour moi ? Cette conversation ne me plaisait décidément pas, mais alors pas du tout.

« Enfin, bref…

– Désolé, ce n'est pas vraiment le moment de parler de ça. Pouvons-nous faire quelque chose pour toi ? »

Me lâcher la grappe ?

« Non, merci. Et ne te donne pas la peine d'aller chercher Fran. Je la joindrai plus tard.

– J'en ai pour une minute.

– À vrai dire, les jumeaux ont besoin…

– Je comprends. Je lui dirai de t'appeler plus tard. »

Je raccrochai et regardai fixement devant moi dans la cuisine vide. Les jumeaux n'avaient besoin de rien, la nounou contrôlait parfaitement la situation. Je n'étais pas venue chez

Helen pour jeter mon dévolu sur ses enfants. Vraiment pas. Qui aurait envie de se retrouver du jour au lendemain avec ce genre de responsabilité sur le dos ? Ça n'améliorerait guère mes chances de dénicher un géniteur et de toute façon, je n'avais pas la place. Je faisais ça pour Helen. Mes amis devaient bien le comprendre !

J'arpentai la maison, l'esprit tourmenté, jusqu'au moment où je trouvai le courage d'appeler l'avocat de Helen. C'était agréable de s'entretenir avec quelqu'un qui avait eu de l'affection pour elle et qui était comme moi en état de choc. Nous aurions pu parler pendant des heures, mais j'avais besoin d'un certain nombre d'informations essentielles. Aussi passa-t-il en revue les termes de la tutelle avec moi. Il s'occupait des affaires de Helen depuis le décès de son père et il avait procuration sur tout. Je me rendis compte assez vite qu'il n'appréciait guère Marguerite. Si la guerre éclatait vraiment, j'étais à peu près certaine que cet homme serait mon allié. Allié ? Ce mot réveilla un souvenir. Le souvenir d'une conversation récente : *Tu te souviens de mon avocat, c'est un bon allié. Il sait y faire avec Marguerite en plus*. Je frissonnai.

« Pour le moment, les jumeaux sont sous votre responsabilité, me dit-il, résumant la situation. Les administrateurs ont le contrôle de l'argent. Toutes les décisions, quelles qu'elles soient, devraient se faire par consentement mutuel. La justice ne devrait pas avoir à intervenir. Songez-vous à faire appel à la justice ? »

Je m'assis au bureau de Helen et regardai fixement par la porte-fenêtre.

« Je ne sais pas trop pour le moment, répondis-je en toute sincérité. Helen voulait que je leur trouve un foyer heureux. Je n'ai pas ça sous la main.

– Écoutez, ils ont un toit d'office, alors ça n'a pas vraiment d'importance. »

À mon avis, Helen ne pensait pas en termes d'immobilier quand elle avait dit ça, mais je pris note de sa remarque. Mon portable se mit à vibrer sur le sous-main en cuir. J'y jetai un rapide coup d'œil. C'était Billy. Je jurai entre mes dents.

« Cela vous ennuierait-il d'attendre une petite seconde ? demandai-je à l'avocat.

– Pas du tout. »

Tenant le téléphone d'une main, je pris le portable de l'autre.

« Salut, Billy. Est-ce que ça va ?

– Ça va. Je voulais juste te dire... Oh, mon Dieu, je suis tellement désolée pour Helen et...

– Je sais, je sais. »

Je sentis que ma voix se brisait. Ça me faisait mal à la gorge.

« J'aimerais vraiment qu'on parle, mais... tu ne peux pas savoir comme je m'en veux.

– Chut ! Ça n'a pas d'importance.

– Je suis déjà en ligne, alors est-ce que je peux...

– Bien sûr, rappelle quand tu veux. Et Tessa, tu sais, je...

– Je sais. Moi aussi. Je suis contente que tu aies appelé.

– Ne t'inquiète pas pour nous. Toi et moi, je veux dire. Pas de soucis. Appelle-moi plus tard. »

Je raccrochai et reposai mon portable sur le bureau. Au prix d'un effort monumental, je reportai l'autre combiné à mon oreille.

« Je vous prie de m'excuser, dis-je. Où en étions-nous ?

– À Marguerite. »

Je soupirai.

« Je n'en sais pas plus que ce que Helen m'a dit, à savoir que s'il lui arrivait quelque chose un jour, elle ne voulait pas que ce soit sa mère qui élève ses enfants. »

Je songeai à ce que Marguerite m'avait dit. À propos des différentes facettes de sa fille. Alléguant qu'elle agissait d'une certaine manière avec moi et d'une autre avec elle. Qu'elle essayait juste de m'impressionner. Était-ce vrai ou Marguerite cherchait-elle à me manipuler ?

« Je l'ai crue sur le moment, mais, oh, je ne sais pas, ses mots dépassaient peut-être sa pensée.

– C'est possible, mais c'est également ce qu'elle m'a laissé entendre lors de notre dernier entretien.

– Vraiment ?

– C'était on ne peut plus clair. »

Je me sentis soulagée l'espace d'un instant. Puis une autre idée me vint à l'esprit.

« Quand était-ce ?

– Il y a quelques mois, lorsqu'elle est venue pour modifier son testament...

– Pour quoi faire ?

– Rien d'important. Les jumeaux venaient de naître. Elle devait en tenir compte dans son testament. Pendant que nous y étions, elle a effectué quelques petits changements. Je propose que nous nous retrouvions tous après l'enterrement. Nous déciderons alors de ce qu'il convient de faire.

– L'enterrement, m'exclamai-je, atterrée. Je n'avais pas pensé à ça.

– J'ai bien peur que cela relève de la compétence de Marguerite. D'après ce que j'ai compris, elle souhaite que la cérémonie ait lieu à St John's, suivie d'une réception chez elle.

– Helen voulait être incinérée, soulignai-je.

– En êtes-vous sûre ? »

Je voudrais que mes cendres soient dispersées sur China Beach. Que lui avais-je répondu ? Que cette plage ressemblerait probablement à la Costa Brava d'ici à ce qu'elle et moi passions l'arme à gauche. Elle avait ajouté que n'importe quelle plage ferait l'affaire.

« Je l'ai déjà précisé à Marguerite.

– Eh bien, vous feriez bien de le lui rappeler. Elle a déjà prévu ce qu'elle ferait quand la police rendra le corps. Vous avez un peu de temps devant vous à cause de l'enquête judiciaire.

– L'enquête judiciaire ?

– C'est la routine.

– Ils ne vont pas l'au... »

Je ne pus finir ma phrase.

« Ils doivent faire une analyse de sang, pour écarter l'hypothèse d'une conduite en état d'ivresse. C'est pour les assurances. Rien d'inquiétant.

– Elle ne buvait pas, protestai-je. C'était lui, l'alcoolo. Neil.

– Je sais, mais il faut confirmer que la mort était accidentelle.

– Évidemment que c'était un accident ! Vous croyez qu'une femme précipite sciemment sa voiture contre un arbre à 130 à l'heure avec son mari à côté d'elle ? »

À peine avais-je prononcé cette phrase que la voix de Helen résonna à mes oreilles. Puis d'autres mots me vinrent à l'esprit encore et encore, des mots soigneusement choisis par elle.

Quoique tu fasses, ne laisse pas ma mère prendre mes garçons…

Tu n'auras qu'à leur trouver un foyer heureux…

J'ai déjà un médecin. Il est très compréhensif…

Je n'ai pas les moyens de divorcer…

Il faut régler le cas Neil et je vais m'en occuper…

Je vais m'en occuper…

Je vais m'en occuper…

Je me ruai à l'étage pour aller récupérer le sac de remèdes dans la poubelle. Je les examinai un par un à la recherche de dates. Ils avaient été prescrits des tas de fois. Longtemps après que la cicatrice se fut refermée et que la douleur s'en fut allée, Helen avait fait un cocktail de ce qui me semblait une quantité astronomique de médicaments. Je m'assis sur le lit, et mon regard se posa sur le placard ouvert. Le pull trônait au milieu de l'étagère. C'est comme s'il était à toi. *C'est comme s'il était à toi ?* Avait-elle laissé ces emballages exprès pour que je les trouve ? Pourquoi ? Je reportai les yeux sur les boîtes vides. Cela avait-il un rapport avec le fait que tout a une raison d'être dans ce monde ?

20

À la folie !

On est toujours étonné par ce qui fait tilt dans notre esprit au bout du compte. Ce fut une banale poubelle à couches en plastique jaune, en l'occurrence. La nounou avait emmené les jumeaux faire une promenade, et j'étais restée seule dans la grande maison de Helen sans rien à faire hormis penser à ce qui était en train d'arriver à son corps meurtri à cent cinquante kilomètres de là. J'étais réduite au silence. En stand-by. J'étais en mode sommeil. Je me sentais très loin de tout. Aussi étais-je montée à la nursery pour tâcher de trouver quelque chose à faire. Ce fut à cet instant que je vis la poubelle jaune. Je savais qu'elle était pleine parce que je m'étais débattue avec un peu plus tôt. La nounou avait essayé de m'apprendre à m'en servir. Il fallait tourner quelque chose et pousser autre chose et la poubelle était censée avaler la couche en entier avec son contenu fétide. Ça ne pouvait pas être si difficile de la vider… Quand j'ôtai le couvercle en plastique, l'odeur me prit à la gorge. Ça devait fonctionner comme un compresseur manuel, alors comment se fait-il que les couches humides, souillées débordaient ? J'essayai de tourner le bidule, mais ne réussis qu'à déloger le sac. Je finis par tirer dessus. Il tint bon une seconde, puis se déchira. Je reculai en chancelant, semant un chapelet de couches crades, puantes par terre, et j'éclatai en sanglots non pas à cause de cette pagaille nauséabonde, mais parce que j'avais vu les deux mini-bouteilles de vodka vides enfouies dedans.

Tandis que je les faisais tourner dans ma main, un souvenir très vif me revint en mémoire. À quelques jours de mon seizième anniversaire, nous étions partis exceptionnellement en vacances, mes parents et moi. Dans l'avion, l'hôtesse m'avait proposé un apéritif. Je m'étais risquée à commander une vodka-tonic et mon père n'avait pas tiqué. Je me sentais tellement adulte. L'hôtesse m'avait tendu une ravissante bouteille de Smirnoff miniature et une petite canette. En définitive, ne pouvant me résoudre à abîmer un objet si parfait, je n'avais bu que le tonic. La petite bouteille est toujours chez mes parents parmi un assortiment de souvenirs hétéroclites que je conserve dans une boîte. Je ne m'étais jamais sentie suffisamment désespérée pour lui ôter sa minicapsule en aluminium rouge. J'avais fait semblant d'être une grande fille et je continuais à le faire.

J'enjambai les couches et ouvris les portes du placard en grand. Tout était soigneusement plié et rangé. Bavoirs, grenouillères, gigoteuses, brassières. Je passai la main sur les tas et en dessous pour essayer de trouver un objet dur parmi toute cette douceur qui sentait divinement bon. À un moment, je sentis quelque chose et retirai aussitôt la main. Il me fallut quelques instants pour trouver le courage de vérifier. J'étais là, dans une chambre d'enfants, en train de me poser des questions dont je ne voulais pas connaître la réponse. N'était-ce pas l'histoire de ma vie ? Je sortis une boîte en plastique transparente contenant deux tétines. Je doutais d'avoir autant de chance la seconde fois. Je savais ce que ces deux bouteilles de vodka vides voulaient dire. Cela signifiait qu'il y en avait d'autres. J'en trouvai bien entendu plusieurs dissimulées dans une boîte renfermant une serviette de bain pour bébé toute neuve. Je me mis alors à tirer sur les habits bien rangés sans me préoccuper de savoir où ils atterrissaient. Parmi tout ce bazar pour bébés, un tas d'autres petites bouteilles étaient cachées. Je les jetai sur les personnages de Beatrix Potter jusqu'au moment où je me retrouvai cernée de couches immondes et de secrets tout aussi immondes.

J'étais toujours en pleurs, assise au milieu des sinistres vestiges de la vie secrète de Helen quand la porte de la nursery s'ouvrit.

« Sortez d'ici ! » hurlai-je en bondissant vers la porte que je claquai au nez de la nounou. Je ne voulais pas que cette information se répande comme une traînée de poudre au sein de sa communauté de cancanières. Je protégerais Helen maintenant puisque j'avais si misérablement manqué de le faire de son vivant.

« S'il vous plaît, laissez-moi seule. Emmenez les jumeaux en bas...

– Tessa, fit une voix féminine. C'est Rose. Je suis revenue. »

J'étais adossée contre la porte, déterminée à me barricader dans la pièce avec les preuves du délit.

« Rose ? »

Je me retournai et tendis la main vers la poignée. Elle était là en manteau et chapeau, sa valise à la main.

« Rose », gémis-je.

Elle lâcha la valise et ouvrit les bras. Je m'abattis contre sa poitrine et nous pleurâmes ensemble. Nos larmes paraissaient intarissables.

Je cessai brusquement de pleurer parce qu'une partie de moi refusait d'admettre ce qui était en train de se passer. C'était trop absurde. Surréaliste. Les autres mouraient dans des accidents de voiture. Les enfants des autres tombaient malades, sombraient dans la drogue, poussaient leurs parents à se séparer. Les autres essuyaient des revers amoureux et gaspillaient leur vie, perpétuellement attirés par la flamme comme des papillons. Pas moi. J'étais avocate. Je portais des souliers plats du lundi au vendredi. Mon placard renfermait des tailleurs foncés. Je pensais maîtriser la situation. Être à même de déterminer mon avenir. Faux, Tessa. L'avenir jouait avec nous ; il nous appartenait de prendre plaisir à la partie. Seulement tout le monde n'aimait pas jouer et certains n'avaient même pas de cartes en main. Je montrai à Rose la petite bouteille parfaite que je serrais dans ma paume. Elle était si mignonne et semblait tellement inoffensive. Bois-moi, disait-elle. Elle l'aurait dit si elle avait été pleine.

Rose n'avait pas l'air surprise. Je me penchai pour ramasser les autres.

« Vous étiez au courant ? »

Rose me jeta un bref coup d'œil avant de mettre les bouteilles vides dans un sac à couches propre exhalant un parfum écœurant.

« Je m'en doutais, mais elle l'a toujours nié.

– Et les médicaments ?

– C'était pour la douleur au début. Après la césarienne. Mais elle est vite devenue dépendante.

– Mais elle allaitait les garçons ? »

C'était l'élément qui avait refréné mon cœur soupçonneux. Helen était obnubilée par l'allaitement. Elle avait nourri les jumeaux cinq mois. Je ne pouvais pas croire qu'elle avalait toutes ces pilules tout en donnant le sein à ses fils. Mais l'histoire de la vodka venait juste de faire surface.

« Elle ne les allaitait pas, dit Rose.

– Mais je l'ai vue… »

Je l'avais vue, non ? Je réfléchis une minute. En fait, non. Je l'avais vue *essayer*. J'avais vu les bébés s'agiter. Elle en avait parlé. Elle avait évoqué la nécessité d'être au calme parce qu'ils étaient facilement distraits. J'avais juste pensé qu'elle se comportait un peu bizarrement comme tant d'autres nouvelles mamans.

Je m'essuyai le nez du revers de ma manche.

« Et tout ce lait dans le congélateur ?

– Elle remplissait les sacs de lait maternisé. »

C'était de la folie pure !

« Quand ils sortaient en famille, elle en prenait quelques-uns avec elle en faisant croire qu'elle avait tiré le lait à l'avance. Elle disait qu'elle n'aimait pas allaiter en public. Neil n'y tenait pas non plus d'ailleurs. Il trouvait ça vulgaire. »

Mes désastreuses tentatives avec le lait tourné chez Starbucks me revinrent à l'esprit ainsi que la satisfaction avec laquelle les garçons avaient englouti le lait maternisé froid. Je me rappelai aussi le soir où elle s'était cramponnée à ce sinistre engin qui lui tirait sur les seins à les faire saigner. Pourquoi faire une chose pareille alors qu'elle savait pertinemment qu'elle n'avait pas de lait. Je posai la question à Rose.

« Elle faisait beaucoup de choses étranges quand elle avait pris trop de cachets. »

Je n'étais pas sûre de saisir ce que Rose était en train de me dire.

« Elle a fait semblant d'allaiter du début à la fin ? »

Rose hocha tristement la tête.

« Elle savait que vous étiez au courant ?

– Oui.

– Et vous ne lui avez jamais dit que c'était de la folie ?

– Elle avait peur de Neil. Je la comprenais. »

Je songeai à la conversation insensée que j'avais eue avec Helen ce dimanche.

« Est-ce qu'il la frappait ?

– Si c'était le cas, je ne m'en suis jamais aperçue. Pas de blessures apparentes. »

Les choses se compliquaient d'heure en heure.

« Mais c'était une brute, reprit Rose. Je ne l'ai jamais aimé, que Dieu ait son âme !

– Moi non plus, Rose. Moi non plus.

– Je suppose que Marguerite aura les enfants. »

Je lui pris le bras.

« Pas si je peux m'y opposer.

– Mais, Tessa, c'est leur grand-mère.

– Je sais. Vous vous souvenez de la manière dont elle traitait Helen quand elle était petite ? »

Rose baissa les yeux. J'ignore quelle série de diapositives défila dans sa tête, mais elle avait l'air peinée.

« Helen ne voulait pas qu'elle ait les garçons, affirmai-je.

– Je comprends, dit Rose, mais elle est tellement... »

Elle cherchait un mot qui ne dépassât pas les limites de la bienséance.

« … forte.

– Laissez-moi m'occuper de ça. En revanche, j'aimerais que vous m'aidiez avec les garçons.

– Bien sûr. Où sont-ils ?

– En promenade avec une nounou de remplacement, mais je la renverrai si vous restez. Ils ne la connaissent pas vraiment, ils ne me connaissent pas non plus… »

Ce n'était pas une question d'argent, je le savais.

« Acceptez-vous de rester ?

– J'aurais dû rester avec Helen. »

Elle semblait profondément affectée.

« Il y a des tas de choses que j'aurais dû faire. »

Elle me regarda finalement dans les yeux.

« Je resterai avec les garçons.

– Merci, Rose. Et je vous en supplie, ne culpabilisez pas. Vous ne pouviez pas savoir que cela allait arriver. »

Elle s'assit dans le fauteuil en vichy bleu. Pendant qu'elle se balançait doucement d'avant en arrière, je songeai à son âge et à tous les sacrifices qu'elle avait faits pour prendre soin d'un enfant qui n'était pas le sien. Elle regardait fixement par la fenêtre.

« J'ignorais ce qui allait arriver, mais je me doutais de quelque chose. »

Elle se tourna et posa sur moi un regard inflexible. Soupçonnait-elle la même chose que moi ? Pensait-elle, comme moi, que Helen avait monté de toutes pièces cette issue fatale ?

« Quelque chose comme un accident de voiture ?

– Non, pas ça. »

J'étais donc la seule à l'avoir imaginé.

« C'est vrai que j'avais peur qu'elle se fasse du mal. »

Je scrutai son visage, essayant de comprendre.

« Mais vous ne pensiez pas qu'elle ferait du mal à Neil… »

Rose ne répondit pas tout de suite. Elle secoua la tête.

« Je ne voyais pas comment.

– Et maintenant, vous voyez ? »

Rose me tendit la bouteille miniature.

« Je crois que nous voyons toutes les deux, non ? »

Oui, mais la clarté me blessait les yeux.

« Personne ne doit savoir, dis-je à Rose d'un ton ferme.

– Personne ne le saura. »

Perdues dans nos pensées, nous nettoyâmes le reste du fouillis. La nounou appela d'en bas pour me faire savoir qu'elle était de retour. Je l'aimais bien. Je trouvais qu'elle savait s'y prendre avec les garçons. Tout était clair, sans complications. En d'autres circonstances, je l'aurais embauchée à long terme, mais à présent, je voulais qu'elle s'en aille, et vite. Pas parce que Rose était de retour. Ni parce que ses services coûtaient un prix astronomique. Mais parce que je redoutais qu'il y eût d'autres secrets dissimulés dans la maison, et que je tenais à ce que personne ne les découvre, à l'exception de Rose et moi.

Deux jours passèrent. J'avais l'intention de rentrer chez moi me changer, mais j'étais comme à l'hôtel, j'avais tout ce qu'il fallait sous la main. Je restai donc avec Rose en attendant des nouvelles. Je me doutais de ce que dirait le rapport de l'enquête judiciaire : Helen était sous l'emprise de l'alcool et de drogues lorsqu'elle avait pris le volant. J'étais tombée sur un flash d'information sur Sky News. Helen et Neil étaient allés à une soirée à Bristol. Il y avait des images de Neil, manifestement éméché, quittant la réception. Des rumeurs circulaient à propos d'une querelle conjugale. Helen avait l'air posé, bizarrement, mais je savais ce qu'il en était. Son système sanguin faisait l'objet d'une savante jonglerie chimique. Le présentateur avait évoqué les jumeaux en précisant qu'ils n'avaient que six mois. Il avait parlé d'un tragique accident.

J'avais entendu une autre allégation relative à une conduite en état d'ivresse depuis ce premier coup de fil du journaleux et ma conversation avec Marguerite à ce sujet. On saurait à quoi s'en tenir dès que le rapport d'enquête serait rendu public. Il ne faudrait guère de temps avant que la presse en ait vent. Marguerite avait raison, elle n'avait pas suffisamment d'entregent pour empêcher ça. Helen n'était pas célèbre, mais elle était trop belle pour qu'on l'ignore. Pouvait-on imaginer meilleure leçon pour toutes ces mères de famille qui souffraient depuis longtemps en silence ? Si une femme riche et heureuse en ménage, maman de deux enfants, pouvait craquer, alors peut-être ne s'en sortaient-elles pas si mal au fond !

Le troisième matin, alors que j'essayais d'avaler quelque chose, mon portable sonna. C'était Ben. Il me demanda si j'avais envie qu'il vienne comme il me l'avait demandé chaque jour depuis la mort de Helen. Je répondis par l'affirmative cette fois-ci. C'était à lui que j'avais pensé le plus, après Helen. Il fallait prendre la vie à bras-le-corps. Les choses devaient changer. Et si je ne les changeais pas maintenant, je ne le ferais peut-être jamais et la perte de Helen ne m'aurait rien appris. J'avais eu un avertissement avec Cora, mais ça ne m'avait pas suffi. Il avait fallu un décès pour me tirer de ma torpeur. J'allais faire mon possible pour ne pas trahir sa mémoire en gaspillant le temps qu'il me restait à vivre. La fille du hamac ne mourrait pas, je l'emmènerais avec moi partout où j'irais, quoi que je fasse. J'avais envoyé un e-mail à Claudia et Al, mais ils étaient quelque part dans la jungle à dos d'éléphant, redécouvrant la vie simple – se redécouvrant l'un l'autre. Pour eux aussi, il avait fallu une mort : j'aurais dû m'en rendre compte plus tôt. Quelle imbécile j'avais été de m'imaginer que je manquais d'amour dans la vie. Ma vie en regorgeait, avec tous les risques que cela comportait. La souffrance que j'éprouvais depuis la mort de Helen prouvait une chose : j'étais en vie, bien en vie.

Une demi-heure plus tard, Ben sonnait à la porte. Les jumeaux étaient prêts. Il m'aida à descendre les marches avec le fichu landau de plus en plus lourd, puis il me serra très fort dans ses bras.

« Tout le monde est sous le choc, me dit-il.

– C'est difficile à croire, hein ?

– Absolument... »

Nous nous regardâmes longuement. Je fus la première à détourner les yeux.

« J'ai pensé qu'on pourrait les emmener au parc, si ça ne t'ennuie pas. Ça me ferait du bien de prendre un peu l'air.

– Comme tu voudras. J'ai réussi à me libérer quelques heures. J'ai dit que j'étais sur la piste d'un nouveau client. Je peux revenir après le boulot aussi si tu veux. Sasha comprendra.

– Merci, Ben. »

Il m'enlaça et me déposa un baiser sur la tête.

« As-tu réussi à joindre Claudia et Al ?

– Pas encore. J'angoisse à l'idée qu'ils ne seront pas là pour l'enterrement.

– Moi, je serai là. Ne t'inquiète pas.

– Je n'arrive pas à croire qu'elle est morte, dis-je, plus à moi-même qu'à Ben.

– Je sais. »

Il me caressa les cheveux.

« Je m'attends à tout moment à ce qu'elle entre dans la pièce.

– C'est un tel choc. Un moment on fait tous la fête ensemble, l'instant d'après… »

Il soupira.

« Ils avaient les jumeaux, la carrière de Neil commençait à décoller. C'est une tragédie épouvantable. »

Neil avait sa carrière. Et tous les à-côtés de son métier. Je ne pouvais me résoudre à déplorer sa mort. Je posai la tête sur la poitrine de Ben. J'avais envie de lui parler de la véritable tragédie que cet « accident » avait mise au jour, mais c'était impossible.

« Je n'arrive pas à m'expliquer ce qui s'est passé, dit-il. C'est toujours comme ça dans ces cas-là. »

Je me l'expliquai trop bien, au contraire.

« Quand j'ai appris la nouvelle, je pensais que les jumeaux étaient avec eux. Tu m'avais dit qu'elle ne les quittait jamais. »

J'y avais pensé moi aussi.

« Je lui avais suggéré de sortir de sa bulle. »

Ben m'écarta de lui et plongea son regard dans le mien.

« Je te l'interdis, Tessa. Ce n'est la faute de personne. »

Il me connaissait décidément trop bien.

« C'était un accident. Un terrible accident.

– Je ne sais pas, Ben.

– Bien sûr que si. Arrête, Tessa. Viens, allons faire cette balade. »

Il me lâcha pour pousser le landau sur le trottoir. Son contact physique me manqua aussitôt. Nous nous dirigeâmes vers Holland Park Avenue, puis grimpâmes la colline pour pénétrer dans Holland Park derrière son banal mur en pierre blanche. À peine le portail franchi, nous nous retrouvâmes dans un labyrinthe de verdure peuplé d'écureuils audacieux et de gros pigeons. Un autre monde. C'était le genre d'environnement dont j'avais besoin. Il était temps !

« Ben, tu sais ce qui s'est passé entre nous l'autre jour..., j'ai besoin de t'en parler. »

Il s'arrêta.

« Continue à marcher, lançai-je, sinon je n'arriverai peut-être pas à te dire ce que j'ai à te dire.

– Qu'est-ce que tu as à me dire ?

– Continue à marcher ! » insistai-je.

Nous nous remîmes en mouvement, au ralenti.

« J'ai essayé de me persuader que nous avions une excuse...

– C'est vrai, m'interrompit-il. Nos plus vieux amis avaient encore perdu un bébé. L'espace d'un instant, nous nous sommes sentis aussi concernés qu'eux. Il était tard, nous étions bouleversés...

– Tout le problème est là, Ben. Ça n'avait rien à voir avec Claudia et Al. Pas pour moi en tout cas.

– Comment ça ?

– Il était question de nous. »

Je posai la main sur mon cœur pour le rassurer, le prier de ne pas paniquer. Je demandai en silence à ma poitrine de continuer à se soulever et à s'affaisser normalement pour que je puisse finir de dire ce que j'avais à dire.

« Je t'adore, Ben, OK ? »

Je haussai les épaules. Le plus grand aveu de ma vie n'avait rien d'un aveu en fait.

« Je t'ai toujours adoré.

– Moi aussi, je t'adore.

– Je sais, mais moi je t'adore *trop*. »

Ben s'arrêta de nouveau et me regarda d'un drôle d'air.

« Qu'essaies-tu de me dire, exactement ? »

Qu'essayai-je de lui dire ? Trois petits mots, que je n'arrivais pas à prononcer.

« J'essaie de te dire que je tiens à notre amitié plus qu'à toute autre. Le problème, c'est que tu es marié, ce qui est génial. Pour toi. Moi ça ne m'arrange pas trop. Je compare tout le monde à toi et personne ne t'arrive à la cheville. Comment pourrait-il en être autrement ? Nous sommes liés depuis si longtemps et ce n'est pas moi qui m'occupe de laver tes slips.

– Pardon ?

– Peu importe. Je me comprends. Le truc, ajoutai-je dans la foulée, c'est qu'il faut que j'établisse des fondations ailleurs, sur un autre terrain, que je trouve quelqu'un. Enfin peut-être pas, je ne trouverai peut-être jamais personne. Mais je ne peux pas continuer comme ça. Ce n'est pas possible. »

Je donnai un coup de pied dans des feuilles mortes. Bon, voilà. C'était dit.

Ben me prit la main.

« Es-tu en train de me dire ce que je crois que tu es en train de me dire ?

– Si tu penses avoir compris que je veux déménager, non. »

Je pris une grande inspiration.

« Mais si tu entends par là que j'ai imaginé une vie avec toi dans un autre rôle, la réponse est oui.

– Mais pas dans le rôle du prêtre ou de l'électricien, ni comme chauffeur de bus…

– Pas vraiment, non. »

Je n'avais rien contre le fait de prendre les choses à la légère, mais seulement si c'était moi qui le faisais, dans des limites raisonnables.

Un long silence s'ensuivit.

« Je n'en avais aucune idée. »

J'avais de la peine à le croire, mais les hommes ne sont pas faits comme nous, alors tout est possible.

« Je ne l'ai pas su moi-même pendant longtemps. Ou je faisais semblant, je ne me souviens plus très bien. Ça a duré pendant des années au cours desquelles je me suis amusée le plus clair du temps.

– Sacrément amusée, souligna Ben. Tu as toujours été forte pour ça.

– Ne t'inquiète pas, ça reviendra, dis-je en esquissant un sourire. Mais à un moment donné ou à un autre, j'en ai eu assez de tout faire toute seule. J'en ai eu assez d'être forte, de payer toutes les factures, de faire tous les projets, de travailler, de vivre à Londres, de sortir avec des mecs sans que cela ne me mène où que ce soit. J'en ai eu assez de tout. Je suppose qu'à ce stade, tu es devenu l'alternative rêvée. »

Je le regardai et j'eus le souffle coupé. Au diable ce regard ! Il fallait que j'aille jusqu'au bout.

« Ce qui était de la folie. Pour la bonne raison que tu n'es *pas* une alternative.

– Est-ce la raison pour laquelle tu as pris ces remèdes ?

– Comment es-tu au courant ?

– J'ai mes sources. »

Je fronçai les sourcils.

Il haussa les épaules.

« Tu m'as raccroché au nez l'autre jour, après quoi tu as disparu de la circulation. Je me suis fait du souci. Pour finir, je suis passé chez toi. Tu n'étais pas là, mais Roman m'a tout raconté.

– Il a eu tort.

– Il était inquiet lui aussi.

– J'ignorais que ces cachets étaient aussi forts.

– Peut-être, mais je me ferais de la bile même si tu prenais de l'aspirine pour bébé avec de la vodka.

– Je t'avoue que je n'ai pas fait gaffe.

– Tu me le promets ?

– Je te le promets.

– C'est juste qu'il se trouve que tous les gens que je connais qui ont pris des médicaments en surdose les ont avalés avec de la vodka. »

Je songeais à ces inoffensives bouteilles miniatures jonchant les personnages de Beatrix Potter, au sac plein de cachets. La maternité n'avait pas apporté à Helen la paix dont elle rêvait. Ce n'était pas la panacée. En réalité, la venue des jumeaux n'avait fait qu'ajouter à ses insécurités jusqu'à lui faire perdre le contrôle d'elle-même. J'aurais tellement voulu que sa mort soit un accident parce que alors j'aurais pu cesser de l'imaginer entrant dans la chambre de ses enfants pour les embrasser une dernière fois, sachant qu'elle ne les reverrait plus jamais. Je refusais de penser que mon amie avait sombré au point de s'imaginer que la solution consistait à se tuer et à supprimer son mari.

« Je reconnais que j'ai vécu une période difficile ces derniers temps, Ben, mais ça ne vaut pas la peine de te préoccuper de cette histoire, je t'assure. »

Il paraissait encore plus inquiet maintenant.

« Une période difficile. Comment ça ?

– J'ai perdu tellement de temps à vous observer tous par-dessus la barrière en me demandant comment faire pour passer de l'autre côté que j'en ai oublié de profiter de la vie. La vie est plutôt agréable de mon côté aussi ; elle présente toutes sortes d'avantages.

– C'est ce que je me tue à te dire. C'est nous qui sommes jaloux de toi, tu ne le comprends pas ? »

Je secouai la tête. Je n'en croyais pas un mot, bien sûr. C'était encore un de ces pieux mensonges dont il avait le secret pour me réconforter. Des mensonges que j'aurais choisi de gober quelques jours plus tôt. Mais un raz-de-marée avait eu lieu. La mort de Helen avait modifié la donne. Je ne pouvais plus prétendre, ni faire croire à qui que ce soit, que ma vision de la vie n'avait pas changé brutalement, irrémédiablement.

« Je vois les choses d'un tout autre œil maintenant et c'est grâce à Helen. Je regrette juste de ne pas l'avoir compris plus tôt. »

Je levai les yeux vers Ben.

« Je pense sincèrement que je la porte en moi, un fragment d'elle. »

Un fragment d'une bonne taille puisque nous n'étions pas nombreux à entretenir sa mémoire.

« Elle avait tellement de potentiel, Ben. »

Je sentis les larmes me monter aux yeux. Était-il possible qu'elles ne se soient pas encore taries ?

« Je ne veux pas être comme ça…

– Tu n'es pas comme ça… »

Je me frottai le visage avec les deux mains.

« L'un des chasseurs de têtes que j'ai contactés m'a demandé si je serais intéressée par un poste à l'étranger.

– Que lui as-tu répondu ?

– Ça n'a plus d'importance maintenant. Le rendez-vous était cette semaine, je l'ai raté.

– Tu aurais dû y aller, Tessa.

– Impossible. Je ne peux pas laisser les jumeaux tant que je ne serai pas fixée sur leur sort.

– Ce n'est pas la seule responsabilité qui t'incombe.

– Jusqu'à nouvel ordre, si », insistai-je.

Nous marchâmes quelques instants en silence.

« Tu as repris rendez-vous, j'espère, hein ? Tu connais le marché du travail. Plus on reste longtemps sur la touche, plus c'est difficile de s'y intégrer de nouveau. »

Je pris note de sa remarque, mais me bornai à hocher la tête en tripotant la couverture des jumeaux qui dormaient à poings fermés.

« Alors, que lui as-tu répondu quand il t'a proposé un poste à l'étranger ? »

J'avais dit non, bien sûr. Mais je n'étais plus si sûre de moi. Je regardai Ben. J'étais libre d'aller vivre à l'autre bout du monde si cela me chantait. Je reportai mon attention sur les jumeaux. Enfin, peut-être pas.

« Je lui ai dit que je réfléchirais. J'approche de la quarantaine. Cela fait pratiquement vingt ans que je fais la même chose. Vingt ans, Ben ! Où est passé tout ce temps-là ?

– Je ne sais pas, Tessa, mais je peux te dire une chose, ça n'aurait pas été aussi marrant sans toi. »

Marrant. Il en avait de bonnes !

« C'est gentil, dis-je, mais j'ai l'impression que tu n'as pas vraiment compris ce que j'ai essayé de te dire.

– J'ai très bien compris.

– Tu n'as rien compris du tout.

– Je t'assure que si, Tessa.

– Pas du tout, je ne suis pas là juste pour que tu te marres, Ben !

– Mais je ne m'amuse avec personne d'autre.

– Qu'est-ce que tu racontes ! Tu t'amuses avec *Sasha* », répliquai-je en insistant sur son nom.

Si je n'arrivais pas à me faire comprendre cette fois-ci, nous serions de retour à la case départ et Dieu penserait peut-être que je me défilais de nouveau.

« La seule qui s'amuse avec personne, c'est moi, pour la bonne raison que je n'ai personne.

– On passe de bons moments ensemble, Sasha et moi, mais on ne peut pas dire qu'on se marre. On parle de ce qu'on va manger pour le dîner. Du poulet ou un steak ? Faut-il accepter cette promotion ou aller s'installer en Allemagne ? Les grandes décisions de la vie, ça n'a rien de drôle. Alors que toi, tu t'amuses avec tout le monde. Tout le monde t'adore. Tous les gens que tu rencontres t'adorent. Je ne connais personne qui s'amuse autant que toi.

– Peu importe qui s'amuse plus que qui. C'est grotesque. Je dis simplement…

– Oui ?

– Je dis juste…

– Oui ?

– Ce que j'essaie de dire…

– Quoi ?

– … c'est que je donnerais cher pour qu'on soit restés dans ce passage. »

Dans le langage de Ben et de Tessa, on ne pouvait pas faire plus clair.

« Oh! »
Oh! Oh!

J'ignore ce que j'attendais de cette fracassante révélation, mais certainement pas un « Oh! », suivi d'un départ précipité dans les bois. Il eut la politesse de jeter un coup d'œil à sa montre d'abord, puis de prendre un air affolé et de prétexter un rendez-vous oublié. Avant de me serrer dans ses bras en me disant que j'étais ce qu'il avait de plus précieux au monde. Ce fut en gros la manière dont les choses se passèrent : « Oh! » Suivi d'un départ précipité. J'avais imaginé tant de variantes au fil des ans. Comment était-ce possible que je n'aie pas songé à celle-là? Les possibilités n'étaient pas infinies. J'avais sûrement envisagé toutes les éventualités. Mais non. Je m'assis sur un banc inconfortable dans le jardin zen et regardai les poissons rouges m'envoyer des baisers. Je me concentrai sur eux une minute ou deux jusqu'à ce que je sorte de mon hébétude.

La vérité sautait aux yeux, bien sûr.

« Oh » était la seule conclusion à tout ça. Que pouvait-il bien dire? *Désolé?* Cela aurait été trop condescendant. *Moi aussi, et si on se mariait?* Impossible, parce que c'était un homme remarquable, marié à une femme remarquable qu'il adorait. Ce « Oh » était bien la seule réponse possible. Le problème, c'est que je n'avais pas voulu regarder la vérité en face. J'avais fait semblant. Ce petit jeu durait depuis si longtemps que j'avais perdu le sens des réalités. Je regretterai toujours qu'il ait fallu que Helen meure pour que je me rende compte que je vivais comme une somnambule. Quand les jumeaux commencèrent à s'agiter, je me levai et poussai le landau dans la direction de la maison. L'heure du repas approchait à grands pas. J'accélérai l'allure.

En arrivant à la maison – je veux dire chez Helen –, je reconnus la Volvo marron défoncée garée devant la porte. Elle détonnait parmi les Cayenne et les Range Rover. Il n'y avait personne au monde que j'avais plus envie de voir, à part Helen, bien sûr.

« Fran !

– La femme de ménage a dit que tu serais de retour à deux heures et demie. Tu es pile à l'heure.

– C'est fou comme on se fait vite à la routine », répondis-je en souriant aux jumeaux.

Francesca sortit de la voiture et se pencha sur le landau.

« On oublie qu'ils peuvent être aussi petits.

– Comment oses-tu dire ça ? Ils sont énormes, ces garçons ! »

Francesca me regarda, puis elle m'étreignit.

« Ça va ? »

Mon amie était morte, Cora avait une pneumonie ; elle était à l'hôpital. Billy et moi nous étions disputées et je venais de mettre un terme à une relation imaginaire de vingt ans. J'agitai le tranchant de ma main. Couci-couça. Et j'attendis d'avoir recouvré l'usage de la parole.

« Comment va Caspar ?

– Pour le moment, ça va. Il voulait venir te voir, en fait, pour s'assurer que tu tenais le coup.

– Dis-lui que je tiens le coup. À peu près... j'ai parlé avec Nick l'autre jour. J'ai l'impression que ça fait un siècle. Je venais juste d'apprendre la nouvelle. »

J'essayais de chasser ce souvenir de mon esprit.

« Comment va-t-il ? Tu ne...

– ... lui as rien dit ? »

Elle secoua la tête.

« Mais il balise un peu à cause de tous les petits mots tendres que je lui laisse partout. »

Je parvins à esquisser un sourire.

« Et les filles ? »

Nous retournâmes à sa voiture pour mettre le ticket de parcmètre sur le tableau de bord.

« Katie voulait que je lui achète une culotte avec des cerises devant, dont une grignotée... Elle refuse toujours de m'adresser la parole. »

Elle secoua la tête.

« Si j'avais su dans quoi je me fourrais… »

Elle secoua de nouveau la tête.

« À peine tu franchis un obstacle qu'un autre se profile à l'horizon. »

Elle s'efforçait de me remonter le moral et l'espace d'un instant, ça avait marché, mais pour je ne sais quelle raison, cette ultime anecdote me perturba. Peut-être l'avait-elle fait exprès. Nous retournâmes vers la maison à pas lents.

« As-tu des nouvelles de Cora ? demandai-je.

– Pauvre Billy. Je viens de passer à l'hôpital pour apporter un quatre-quarts un peu plus présentable.

– J'ai été nulle.

– Pardon ?

– On s'est disputées, elle et moi. Elle ne t'en a pas parlé ?

– Non, elle m'a juste raconté le cauchemar qu'elle a vécu avec Cora. »

Je regardai fixement dans le landau. Deux frimousses lunaires me rendirent mon regard. Ces deux-là m'avaient aidée à remettre les pendules à l'heure. Fini l'époque des tempêtes dans un verre d'eau. Fini le temps où je faisais une montagne d'une taupinière. Étonnant comme tant de choses avaient perdu de leur importance.

« Je suis allée les voir à l'hôpital et, comme une idiote, je me suis mise en rogne à propos de Christoph.

– Le moment était probablement mal choisi.

– Tu crois ? » fis-je, sarcastique.

J'entrepris de monter le landau sur les marches.

« Tu veux que je t'aide ?

– Je commence à savoir m'y prendre avec ce monstre.

– Comment ça s'est fini avec Billy ? »

Je lui donnai la version abrégée sans l'habituel révisionnisme à la Tessa King. Je débouclai les bébés, tendis Tommy à Francesca et lui emboîtai le pas avec Bobby dans les bras.

« Elle ne m'en a même pas parlé. Elle se fait du souci pour toi, comme nous tous. Elle est au courant pour Helen et Neil, évidemment. Alors, je t'en supplie, oublie cette stupide querelle. »

Elle baissa les yeux sur Tommy.

« On voit les choses d'un autre œil après une tragédie pareille. »

Ça ne faisait aucun doute.

Nous arrimâmes les jumeaux dans leurs petits transats assortis, prêts pour le décollage. Dieu merci, je n'étais plus déroutée par les harnais dignes de la NASA qu'il fallait leur mettre et leur ôter vingt fois par jour. Étape suivante : préparer les biberons. Sept cuillerées dans deux cent dix millilitres d'eau minérale. Répétez l'opération. Secouez rapidement et le tour est joué. Repas pour deux.

« Comment vont-ils, ces petits ? demanda Francesca qui jouait avec eux pendant que je m'activais derrière l'imposant îlot central de la cuisine en acier inoxydable.

– Ils sont de plus en plus agités à vrai dire. Je crois qu'ils sentent que Helen ne reviendra pas. Ça me brise le cœur rien que d'y penser. Cela dit, Tommy va beaucoup mieux maintenant qu'il est au lait de brebis. Il n'est plus malade, mais il a besoin de beaucoup d'attention. Il veut tout le temps qu'on le cajole. Quant à Bobby, il n'arrête pas de regarder autour de lui comme s'il avait perdu quelque chose. Tu sais, comme quand tu entres dans une pièce pour chercher un truc et que tu as oublié ce que c'était, alors tu regardes autour de toi pour tâcher de t'en souvenir ? C'est tout à fait l'effet qu'il donne. Et puis c'est bizarre, il y a des moments où il ressemble terriblement à Helen. Helen avec un teint plus clair. Ils sont très mignons. Il n'y a rien de plus doux que ces joues rebondies. »

Francesca me regarda bizarrement.

« Qu'est-ce qu'il y a ?

– Écoute-toi. »

Je me sentais bête. Ça devait se voir.

« C'est bien joli tout ça, mais tu devrais peut-être te méfier.

– De quoi ?

– De ne pas trop t'attacher.

– Aux jumeaux ? Ça n'arrivera pas. Entre nous, dis-je en baissant la voix, je ne les ai jamais beaucoup aimés. »

Avant.

Je tendis un biberon à Francesca, et nous nous installâmes sur le canapé avec chacune un bébé dans les bras.

« Rose se charge de leur donner à manger la plupart du temps, mais je ne veux pas qu'elle se fatigue trop. Elle doit avoir une bonne cinquantaine d'années maintenant.

– Où est-elle ?

– On s'est organisées toutes les deux. Elle s'occupe d'eux le matin et moi l'après-midi. Elle revient m'aider à l'heure du bain. Ça fonctionne plutôt bien. »

Je jetai un coup d'œil à ma montre, je ne savais jamais quelle heure il était. J'avais l'impression d'avoir perdu la notion du temps et de l'espace. Parfois, les heures me faisaient l'effet de quelques minutes quand j'étais avec les jumeaux, à d'autres moments, elles se traînaient à n'en plus finir.

« On forme une bonne équipe, toutes les deux !

– Tessa... »

Je regardai Bobby. Ses grands yeux étaient rivés sur moi. Je lui souris tandis qu'il buvait goulûment.

« J'aime bien être ici, Fran. Les garçons m'occupent l'esprit. Il s'est passé un truc épouvantable, mais à onze heures tapantes, ils ont besoin de manger. On est obligé de continuer, on n'a pas le choix. Ça soulage, au fond. Je t'avoue que je redoute le moment où ils dorment. Ça me laisse trop de temps pour penser. Sauf qu'il faut faire la lessive, stériliser les biberons, changer les draps. Je me dis que si je m'obstine à faire les choses machinalement, la réalité finira peut-être par reprendre le dessus. »

Les jumeaux gigotaient, ils n'aimaient pas qu'on les pose, ils avaient besoin de savoir que je n'étais pas loin. Moi. Pas Rose. Moi. Ils me souriaient chaque fois que je regardais dans leur direction. Je ne me lassais pas de ces grands sourires édentés et humides qu'ils me décochaient, alors je regardais constamment dans leur direction. Ils accaparaient tout mon temps. Francesca avait raison, bien sûr, j'avais craqué, complètement craqué. Trois jours avaient suffi. Sasha aussi avait eu raison. Le rôle de parent ne commençait pas forcément à la naissance.

« Je crois que Tommy est en train de faire ses dents, dis-je pour parler de quelque chose. Deux en bas au milieu.

– Tessa, que vont-ils devenir ? Où vont-ils aller ? »

Un foyer heureux.

« Je n'en sais rien. Helen voulait que ce soit moi qui décide.

– Il faut que tu prennes cette décision. Ils ne peuvent pas rester dans les limbes comme ça. »

Pourquoi pas ? Personnellement, j'aimais assez être dans les limbes. Les choses étaient plus tolérables ainsi.

« On ne peut rien décider avant l'enterrement.

– Jeudi, c'est ça ? Le 28.

– Je ne sais pas. C'est Marguerite qui s'en occupe.

– Je sais. J'ai lu l'annonce dans le journal. Ne t'inquiète pas, on sera là.

– Quelle annonce ?

– Dans le *Times*. D'hier. Ils seront enterrés tous les deux au cimetière de St John's. »

Je jurai, puis m'excusai auprès des jumeaux qui me dévisageaient d'un air perplexe.

« On n'a même pas récupéré le corps pour le moment, marmonnai-je.

– C'est ce que j'ai lu. J'en suis à peu près sûre. »

Elle plaqua Tommy contre son épaule pour lui faire faire son rot.

« En fait, il préfère qu'on l'assoie sur nos genoux et qu'on le penche en avant », dis-je.

Francesca me sourit.

« Marguerite veut les garçons, évidemment ; elle les a déjà revendiqués. Quelle que soit ma décision, il va y avoir de la bagarre. Elle ne les aura pas, cette sorcière. Elle n'a même pas eu la courtoisie de me tenir au courant pour l'enterrement, que Helen ne voulait pas, au fait. Et être enterrée avec lui… »

Je gémis. Le visage de Bobby se plissa d'inquiétude.

« Désolée, mon cœur, chut ! Pas toi…

– Tu sais ce que je pense ? »

Que je ferais une mère parfaite ? Je levai vers Francesca un regard plein d'espoir.

« Tu devrais songer à Claudia et à Al. Claudia est leur marraine elle aussi, non ? Ça fait des années qu'ils essaient d'avoir un enfant. Ils ont tout ce qu'il faut. Ils vivent dans une charmante maison et Claudia serait une mère formidable. Quant à Al, il est irréprochable. Ils veulent des enfants, et ces bébés ont besoin de parents. Ils feraient une famille si heureuse. »

Tu n'auras qu'à leur trouver un foyer heureux.

Elle avait dit foyer, pas famille.

« J'ai l'impression que Claudia est passée à autre chose. »

Je n'en étais pas convaincue et Francesca n'y croyait pas non plus, à en juger d'après son expression. Quelques semaines dans un spa à Singapour, aussi agréables que soient les massages, ne pesaient pas lourd à côté de neuf années passées à se coltiner des FIV.

« Penses-y tout de même. Si tu dois avoir une empoignade avec la mère de Helen, il va falloir que tu lui fournisses une alternative réaliste. »

Ce qui voulait dire que je n'en étais pas une ?

Ce qui voulait dire « Oh ! ».

J'avais de nouveau les larmes aux yeux.

« Pardonne-moi, murmura Francesca. Je ne suis pas venue ici pour t'accabler davantage. »

Elle n'y était pour rien. C'était la goutte d'eau qui avait fait déborder le vase.

« Tu t'en sors à l'évidence comme un chef, ajouta-t-elle en me prenant la main, mais as-tu vraiment envie de faire ça tout le temps, ma chérie ? »

Je haussai les épaules.

« Es-tu sûre que c'est ce qui convient aux jumeaux ? »

Je fus sur le point de rétorquer que je n'avais jamais pensé à les prendre, mais ç'aurait été un mensonge. Pourquoi ne les prendrais-je pas en charge ? Ça ferait une famille hors norme, mais je savais désormais que ces familles-là ne fonctionnaient pas forcément moins bien que les autres, sinon mieux. Je ne trouvais rien à dire.

« Après tout ce qu'ils ont subi, reprit Francesca, ils vont avoir sérieusement besoin de stabilité. C'est une décision très importante, Tessa, et tu vas m'en vouloir de te dire ça, mais tu manques parfois de constance. »

Mais j'avais changé, ne voyait-elle pas que j'avais changé ?

« Et puis tu dois déjà remettre un peu d'ordre dans ta vie. Il faudrait peut-être que tu retournes au charbon un de ces quatre. »

Je soupirai. Cette perspective ne me semblait pas très alléchante pour le moment. Je commençais à m'habituer aux journées remplies par autre chose. J'embrassai la joue rebondie de Bobby, il gloussa.

« Personne ne sait ce qui va se passer, » dis-je.

Ça au moins, c'était vrai.

Francesca ne resta pas très longtemps après cela. Son départ fut un soulagement. J'avais senti son regard d'aigle braqué sur moi chaque fois que je faisais quelque chose pour les garçons. Rose n'était pas aussi critique. J'interrompis mon nettoyage de biberons et m'adossai à l'évier. Qu'étais-je en train de faire, pour l'amour du ciel ? Il fallait que je m'en aille d'ici. J'avais besoin de réfléchir, loin de toutes ces diversions.

Dès le retour de Rose, je lui annonçai que je devais rentrer chez moi. Elle m'assura qu'elle pouvait se débrouiller toute seule pour coucher les garçons. Elle l'avait fait tous les week-ends depuis leur naissance ; ils seraient entre de bonnes mains. Il y avait quatre jours que j'étais chez Helen ; j'étais restée cloîtrée pendant tout ce temps-là. Il fallait que je rentre chez moi, que je me ressaisisse, que j'envisage les choses sous d'autres angles. J'avais besoin de temps pour réfléchir à ce que Francesca m'avait dit ; si je voulais opposer à Marguerite une défense efficace, je devais trouver une alternative plausible. J'aimerais ces enfants jusqu'à ma mort, mais cela suffirait-il au regard de la loi ? Si mes amis ne m'estimaient pas à la hauteur, comment convaincre les juges ? Ou qui que ce soit ?

Un autre souvenir me revint à l'esprit. C'était ma propre voix cette fois-ci. *Il a un problème avec la drogue, et un problème avec l'alcool. Quel tribunal confierait les jumeaux à un père pareil ?* Eh bien, je n'avais pas à proprement parler un problème de drogue ou d'alcool, mais je n'étais pas un modèle de vertu non plus. Quant à Helen... mes propos avaient dû lui faire l'effet d'un coup de poignard alors que j'avais simplement voulu la rassurer.

Je glissai ma clé dans ma serrure pour la première fois depuis des siècles, fermai la porte derrière moi et me laissai tomber sur le canapé, les yeux rivés au plafond. Mes propos soi-disant réconfortants l'avaient-ils poussée à bout ? Étais-je responsable de tout ? *Quel tribunal confierait les jumeaux à un père pareil ?* Aucun, répondis-je. Je ne pouvais m'imaginer à quel point elle avait dû se sentir seule et désespérée à ce moment-là. Tout était de ma faute... Je l'avais bel et bien poussée à bout. Il fallait que je fasse très attention où je mettais les pieds maintenant.

Quelques heures plus tard, j'appelai l'avocat.

« Tessa King », annonçai-je à la standardiste.

J'attendis qu'elle transmette mon appel.

« Bonjour, Tessa, dit l'avocat de Helen, j'étais sur le point de partir. »

Où était passée la journée ? Je m'étais levée à l'aube.

« On m'a dit qu'une annonce a paru dans le journal à propos de l'enterrement. Vous êtes au courant ?

– Oui.

– Je ne comprends pas. Et l'autopsie ?

– Tout a été fait hier. Je crois que Marguerite leur a mis la pression pour qu'ils accélèrent le mouvement, mais c'était un examen de routine.

– Et qu'ont-ils trouvé ?

– Rien.

– Rien ?

– Non. Vous vous attendiez à ce qu'ils trouvent quelque chose ?

– Ça n'a pas de sens, m'exclamai-je, éludant sa question.

– Je vous l'accorde. Ils disent qu'elle s'est endormie au volant, mais on n'en sera jamais sûr. Neil était ivre, tout le monde le savait, alors c'est Helen qui a dû conduire. La route était longue, personne à qui parler, ça arrive tout le temps malheureusement. L'assurance payera.

– L'assurance ? Quelle assurance ?

– L'assurance-vie de Helen. Les garçons n'auront aucun souci d'argent.

– Ils n'en auraient pas eu de toute façon.

– Helen avait des fonds, certes, mais tout est bloqué dans des affaires à Hong Kong. Elle avait du capital. Pas de liquidités. »

Je n'avais pas trop envie de connaître les détails.

« Alors elle n'avait pas bu ni…

– C'était un accident, Tessa. Inutile de chercher plus loin. Au moins, les jumeaux seront en sécurité. Neil n'avait pas un sou. S'il y avait eu un problème de conduite en état d'ivresse, la compagnie d'assurances n'aurait rien versé. »

J'étais sidérée. J'étais pourtant sûre… Les médicaments, les minibouteilles… Avait-elle arrêté ? Était-elle à jeun ? S'était-elle vraiment endormie au volant ou s'était-elle jetée contre un arbre dans un moment de folie ? Pire encore, se maîtrisait-elle suffisamment pour foncer sciemment dans un arbre ? Il fallait que ça cesse. J'étais en train de perdre la tête. Je ne saurais probablement jamais la vérité et c'était sans doute mieux ainsi.

« Et l'enterrement ?

– Je suis navrée, Marguerite a eu gain de cause, comme on pouvait s'y attendre. »

Oui, c'était du Marguerite tout craché.

« Avez-vous pris une décision au sujet des jumeaux ?

– Je ne vais pas tarder à être fixée.

– Eh bien, maintenant que vous savez à quelle vitesse Marguerite est capable d'agir, vous feriez bien vous dépêcher.

– Elle a le beau rôle. Ça fait des jours que je passe mon temps à changer des couches. J'ai les mains squameuses à force de faire la vaisselle… »

Pourquoi est-ce que je lui parlais de mes mains ? Cette foutue Marguerite était encore plus retorse que je ne le pensais.

Elle avait dû se réjouir que je garde les jumeaux, sachant pertinemment que je n'aurais pas une minute pour moi.

« Connaissant Marguerite, elle bougera aussitôt après l'enterrement, insista l'avocat.

– Le 28. C'est quand ? »

Je ne savais même pas quel mois on était. Je jetai un coup d'œil par la fenêtre, en direction de Battersea Park. Les feuilles prenaient des teintes brun doré. On approchait de la fin octobre. En l'espace de deux petits mois, ma vie avait été secouée comme une boule remplie de neige, et les flocons étaient loin de s'être posés. Pas étonnant que j'ignore jusqu'à la date d'aujourd'hui.

« Dans trois jours », me répondit l'avocat.

Trois jours. J'avais trois jours pour trouver un foyer heureux.

Cela ne servirait à rien, je le savais, mais j'envoyai un autre e-mail dans la galaxie avec l'espoir qu'Al et Claudia capteraient mes signaux de détresse. J'étais incapable de mener ce combat sans troupes, or, mes troupes étaient en train de vadrouiller quelque part à dos d'éléphant et de prendre enfin du bon temps. Avais-je le droit de les contraindre à rallier la base ? Non. Mais j'avais besoin d'eux. Ils étaient les seuls à pouvoir me soutenir. Il n'était que six heures du soir, mais la conversation avec l'avocat m'avait achevée. Je m'allongeai sur mon lit et m'endormis aussi sec.

Je me réveillai en sursaut, couverte de sueur, en plein cauchemar. J'étais tout habillée et je ne savais plus où j'étais. On avait sonné à ma porte. J'avais un bras tout engourdi. Ma montre avait laissé son empreinte sur ma joue. Il faisait nuit. La sonnette retentit à nouveau, suivie de coups à la porte. Je ne voyais pas pourquoi on frappait chez moi à deux heures du matin. Vraiment pas. Je me mis sur mon séant et posai les pieds par terre. On tambourinait à nouveau. Des coups puissants, insistants. Les appels au milieu de la nuit, c'est déjà déplaisant, mais les messages délivrés directement, c'est encore pire. Je ne connaissais qu'une seule personne qui se trouvait dans une situation susceptible de requérir un tel message. L'état de Cora s'était aggravé ! Je n'arrivais pas à me lever de mon lit. Je n'en pouvais plus. J'ôtai mon bandeau pour les yeux.

Toc, toc, toc. Drinnnnng !

« J'arrive, chuchotai-je. J'arrive. »

Toc, toc, toc. Drinnnnng !

Je me levai et gagnai le salon.

Toc, toc, toc. Drinnnnng !

Pas Cora. Mon Dieu, s'il vous plaît, tout ce que vous voulez, mais pas Cora !

J'arrivai à la porte et l'ouvris.

C'était Ben.

« Ben ?

– J'ai quelque chose à te dire. »

Bon, ils avaient envoyé Ben pour amortir le choc. Ça tombait sous le sens. Je me préparai à l'impact.

« Tu regrettes peut-être d'être sortie de ce passage, mais moi je n'en suis jamais sorti, lâcha-t-il d'une traite.

– Comment ?

– Je croyais que j'en étais sorti. Mais pas du tout. J'attends là depuis des années. Je ne le savais même pas. »

Il n'était pas question de Cora, mais de…

« De nous, dit Ben, allant jusqu'au bout de ma pensée. Je suis venu te parler de nous. De toi et de moi. Tess, ma chérie, merveilleuse Tess, ridicule Tess, tu ne comprends donc pas ? C'est toi que j'aime. Toi. »

Je le dévisageai, bouche bée.

« Tu ne dis rien ? »

J'ouvris grande la porte.

Non. Si.

« Tu ferais mieux de rentrer. »

Nous restâmes plantés l'un devant l'autre dans mon appartement éclairé seulement par les lampadaires qui bordaient la Tamise. Une étrange lueur terreuse l'auréolait ; le dessin des gouttes de pluie sur la vitre donnait l'impression qu'elle était couverte d'ampoules. Je n'avais jamais vu un homme aussi beau.

« Je ne comprends pas, balbutiai-je.

– C'est pourtant clair. On s'est comportés comme des imbéciles.

– Tu m'as répondu : "Oh."

– Évidemment que j'ai dit "Oh". J'étais sous le choc. J'ignorais complètement ce que tu ressentais. Et ce que je ressentais moi-même. Je vis avec ça depuis trop longtemps.

– Avec quoi ?

– Avec l'amour que j'ai pour toi...

– Je n'y crois pas ! », m'exclamai-je, en enfouissant mon visage dans mes mains.

Il fit un pas vers moi.

« Crois-moi. L'accident de Helen m'a ouvert les yeux à moi aussi. Je t'aime, Tessa. »

Il me prit la main et m'entraîna vers le canapé. Mon rêve était en train de devenir réalité et j'étais morte de peur.

« Et Sasha dans tout ça ?

– Je lui dirai. Je suis tombé amoureux de toi quand j'avais quinze ans. Mais on était amis et je n'ai jamais pensé que ça pourrait durer.

– Moi non plus. Je pensais qu'on se séparerait et que toute la bande en ferait les frais. Je trouvais que ça ne valait pas le coup.

– Mais ça a bel et bien duré, hein ? Tu me fais toujours rire, je n'arrive jamais à t'en vouloir, tu es encore plus belle que tu l'étais alors, tu me comprends mieux que personne. Tu es ma meilleure amie, je ne me lasse jamais de ta compagnie. Quand il m'arrive des trucs bizarres, tu es la première personne au courant, quand il se passe des choses tristes, je t'appelle, quand il se passe des choses drôles, je t'appelle. Je les raconte à Sasha en rentrant à la maison si j'y pense, mais je commence toujours par t'appeler.

– Moi aussi. Ça a été vraiment dur de ne pas pouvoir te parler ces dernières semaines.

– Je ne te le fais pas dire. J'étais d'une humeur massacrante et je ne savais même pas pourquoi. C'est parce qu'on ne se parlait plus. Je m'en suis rendu compte quand on était dans le parc. J'ai pris tout à coup la mesure du rôle essentiel que tu joues dans ma vie. Comprends-moi bien, j'ai été heureux avec Sasha et je l'aime, ça ne fait aucun doute, mais c'est avec toi que je me sens vraiment bien. »

Sasha. Sasha. Ce n'était pas bon pour Sasha tout ça.

Je fis la grimace.

« Elle sait que tu es ici ?

– Elle est en Allemagne, mais je le lui aurais dit. J'ai failli l'appeler, mais ce n'est pas le genre de chose que l'on explique à sa femme au téléphone au milieu de la nuit. On devrait peut-être lui parler tous les deux.

– Oh, mon Dieu ! Sûrement pas.

– Elle mériterait d'être avec quelqu'un qui l'aime tout entière. Et non pas partiellement, comme je le fais.

– Tu m'aimes vraiment ? Tu es sérieux ? »

Il me gratifia d'un sourire jusqu'aux oreilles.

« Absolument. Et je veux que tout le monde le sache.

– Elle va nous détester.

– C'est tout nouveau pour moi. Je peux la regarder en face et lui dire que je ne l'ai pas trompée et que je ne l'aurais jamais fait. Ça m'a traversé l'esprit, comme tu le sais, mais je ne suis jamais passé à l'acte. Je comprends pourquoi il m'arrivait de regarder ailleurs maintenant. Je n'aimais pas suffisamment Sasha, mais je ne m'en rendais pas compte. Elle mérite décidément mieux que ça et elle trouvera. »

Il fit claquer ses doigts.

« Probablement. C'est une femme remarquable.

– Je suis sûre que ça ira pour elle.

– Vraiment ?

– Vraiment.

– Moi, je ne pourrais jamais la regarder dans le blanc des yeux en lui disant que pour moi aussi, c'est tout nouveau. J'étais heureuse pour vous deux, mais j'ai toujours été jalouse.

– Je l'aurais sans doute été moi aussi. J'ai tout de suite pris James Kent en grippe, marié ou non. Mais tu n'as pas rencontré l'âme sœur et je n'ai jamais été contraint de vivre vraiment sans toi. Tu as toujours été là. Les petites aventures, je m'en fichais, parce que je savais qu'elles ne mèneraient nulle part. Tu me le faisais clairement comprendre d'ailleurs. J'ai toujours considéré que tu m'appartenais de toute façon, pas consciemment, tu comprends, mais… »

Il prit mon visage dans ses mains.

« Je t'aime, c'est tout, dit-il en riant. Je sais que le moment est mal choisi pour être follement heureux, avec Cora malade et Helen… »

Il ne put achever sa phrase. Moi non plus.

« Mais je le suis. »

Il s'esclaffa à nouveau. Je me mis à rire aussi.

« C'est grotesque. Il fallait que je vienne te le dire. J'étais au lit, incapable de dormir, en train de me répéter : je l'aime. Je l'aime. J'aime Tessa King. »

Il m'attira contre lui et m'embrassa doucement sur les lèvres, puis il s'écarta légèrement de moi.

« Et c'est vrai. »

Je souris.

« Sais-tu depuis combien de temps je rêve de ça ?

– Dis-moi.

– J'ai d'abord cru que tu me suivrais au Vietnam.

– J'avais la jambe dans le plâtre, petite sotte, mais j'y ai pensé.

– Pourquoi n'as-tu rien dit quand on est rentrés ?

– Tu avais un comportement étrange avec moi, dit-il.

– C'est toi qui étais étrange !

– Je croyais que j'avais tout imaginé.

– Et moi la même chose. »

Il me déposa un baiser sur le front.

Je fronçai les sourcils.

« Tu m'as laissée partir à l'université sans même…

– Tu trépignais d'impatience et tu n'arrêtais pas de dire que tu allais t'amuser comme une petite folle…

– J'essayais de te faire comprendre que je ne t'en voulais pas de ne pas m'aimer vraiment, que je m'en remettrais.

– Mon Dieu, ce que les femmes peuvent être bizarres – pourquoi ne m'as-tu pas dit la vérité tout simplement ?

– Pourquoi ne m'as-tu rien demandé ?

– Comment peux-tu dire ça ! C'est toi qui es sortie du passage, et pas moi. Ensuite, je ne t'ai revue qu'à l'hôpital et tu as fait comme si de rien n'était.

– Tu étais avec Mary.

– Je pouvais difficilement la chasser de la chambre et de toute façon, tu ne me donnais aucune raison de le faire. En plus, je t'avoue que je n'étais pas mécontent que quelqu'un me tienne compagnie. Tu avais foutu le camp au Vietnam, tu te souviens ?

– Tu m'as tellement manqué là-bas. La pauvre Helen devait en avoir par-dessus la tête de mes jérémiades.

– Helen ?

– Oui. Elle était la seule à le savoir, la seule à avoir jamais su.

– Ce qu'on a pu être bêtes ! s'exclama-t-il en me prenant la main. Plus tôt nous aurons rectifié la situation, mieux ce sera.

– Qu'allons-nous faire ? »

Nous ! Nous ? Je n'avais jamais été un « nous ».

« Nous marier et avoir une ribambelle d'enfants, c'est évident.

– Je pensais que tu ne voulais pas d'enfants.

– Mais toi si. Alors allons-y. Ça m'est égal. Ça sera sympa. On va s'amuser comme des fous ensemble.

– Il ne se passera rien entre nous tant que Sasha ne sera pas au courant.

– Rien. Ça fait vingt ans que j'attends de te mettre dans mon lit. Je peux attendre un jour de plus.

– Un jour ?

– Sasha rentre demain. »

Je crus entendre un petit bruit sec. Était-ce mon imagination qui me jouait des tours ou notre bulle venait-elle bel et bien d'éclater ?

« Demain ? La vache !

– Qu'attendons-nous ? Helen et Neil ont péri dans un accident de voiture. Alors qu'est-ce qu'on attend, bordel ? »

Neil et Helen. Bobby et Tommy. Ben et Tessa. Ben et Tessa, plus Bobby et Tommy, égale « heureux », « famille ».

21

Révélations

Nous nous réveillâmes plus tard ce matin-là sur mon lit, couchés en chien de fusil, tout habillés. Ça faisait des jours que je n'avais pas aussi bien dormi. Mon dos était blotti contre le grand torse chaud de Ben, j'avais les jambes calées le long des siennes. En ouvrant les yeux, je contemplai un monde tout neuf. Ben m'aimait. Il voulait m'épouser. Il voulait avoir des enfants avec moi. Il voulait le dire à Sasha. Aujourd'hui. Je me raidis.

« Qu'y a-t-il, beauté ? »

Je me retournai vers lui.

« À propos de Sasha ?

– Hmm ?

– S'il te plaît, ne lui parle pas aujourd'hui. »

Ben se redressa sur un coude.

« Pourquoi pas ?

– Tu vas peut-être trouver ça égoïste, mais il faut que je règle le problème des jumeaux, il y a cette histoire d'enterrement dont Helen ne voulait même pas. Elle voulait qu'on disperse ses cendres sur une plage. Cora est toujours à l'hôpital…

– Je comprends, dit-il en me caressant les cheveux. Ça fait trop de choses pour qu'on lâche notre bombe en plus.

– C'est à peu près ça.

– Tes amis veulent que tu sois heureuse.

– Je sais, mais il y a une différence entre être heureuse et danser sur la tombe de quelqu'un.

– Ne te débine pas, Tessa King. Question de se débiner, tu es la reine !

– Je ne vais pas me débiner, certainement pas ! Je ne veux offenser personne plus que nécessaire, c'est tout.

– Je ne pense pas qu'on offensera qui que ce soit.

– Tu ne te rends pas compte à quel point les gens adorent Sasha. Si elle le prend mal, eux aussi le prendront mal, c'est certain.

– Je ne pense pas qu'elle le prendra mal.

– Bien sûr que si, Ben. Elle t'aime.

– Mais elle est tellement indépendante. Franchement, il m'est arrivé maintes fois d'avoir l'impression d'être de trop.

– Espérons que tu as raison. En attendant, je t'en supplie, pas un mot avant l'enterrement.

– Je te le promets, mais ça va être dur. J'ai l'impression d'être un ado.

– Tu as l'air d'un ado.

– Toi aussi.

– Menteur.

– C'est vrai. Tu es divine. »

Il effleura ma joue du revers de la main.

« Moi ? C'est toi qui as des cils interminables. Les garçons ne sont pas censés avoir des cils pareils. C'est injuste. »

Et ainsi de suite pendant une heure suave à souhait. Genou contre genou. Nez à nez. Doigts entrelacés. Flatteries, cajoleries, taquineries, tendresse. Comment nous sommes-nous débrouillés pour ne pas nous arracher nos vêtements, je ne le saurai jamais. Mais nous y sommes arrivés. Je peux être fière de ça au moins.

Ben avait raison, c'était pour ainsi dire impossible de pas bondir de joie à chaque pas. Nous nous octroyâmes le plaisir de nous tenir par la main jusqu'à ce que les portes de l'ascenseur s'ouvrent, puis, comme dans le cas de tout couple illicite, nos doigts se détachèrent et nous nous comportâmes comme d'habitude. Nous marchâmes jusqu'à Sloane Square sans cesser de parler de notre avenir imaginaire – où nous irions vivre, quand nous nous marierions, quelle serait la réaction de mes parents, de sa folle de mère, ce que Claudia et Al diraient, de sorte que nous fûmes rendus en une nanoseconde. Je laissai passer trois bus qui remontaient King's Road parce que je n'avais pas envie de le quitter. Je finis par en prendre un, il monta aussi. C'était pitoyable. Je jubilais. À mi-chemin, son portable sonna. C'était Sasha. J'avais l'impression d'avoir avalé le bus en entier !

« Salut, Sasha.

– Bonjour, écoute, je suis vraiment désolée, mais ils veulent que je prenne l'avion pour Düsseldorf ce soir. Je sais que je t'ai promis de limiter...

– Pas de souci.

– Merci, chéri. Écoute, appelle Tessa. Elle doit avoir besoin qu'on lui remonte le moral. »

Je fis la grimace. Ben haussa les épaules.

« D'accord, mon chou. »

Mon chou... J'aurais préféré qu'il évite.

« À demain. »

Ben rempocha son téléphone et me regarda.

« J'ai mal au cœur, dis-je.

– C'est une étape difficile à franchir, mais une fois qu'elle saura, ce sera facile. »

Difficile, le mot était faible. C'était de la trahison pure.

« Voyons les choses du bon côté. Au moins je peux revenir te voir ce soir.

– Pas ce soir. Je dois retourner chez Helen.

– Vraiment ? »

Non, pas vraiment, mais je doutais qu'on puisse résister encore longtemps l'un à l'autre. On n'arrêtait pas de se toucher. Jambe, visage, joue, main... Ce n'était pas suffisant. Je ne voulais pas que « l'étape difficile à franchir » se change en félonie.

« On s'appelle », lançai-je alors que je m'apprêtais à descendre du bus.

Il me saisit le bras.

« Ne t'en va pas. Tu ne pourrais pas aller à l'hôpital un peu plus tard ? »

Je regardai sa grande main enserrant mon avant-bras. C'était du plus bel effet, mais je sentis le cal juste en dessous de son alliance effleurer ma douce peau.

« Il faut vraiment que j'y aille. Je n'ai pas eu une minute à consacrer à Billy depuis notre dispute. Et puis j'ai besoin de voir Cora.

– Mais tu m'as dit que tout était arrangé entre Billy et toi. »

C'était vrai. Nous n'avions pas réussi à nous joindre depuis notre brève conversation, mais nous avions échangé des messages gentils et encourageants. Je lui devais des excuses tout de même. Nous savions l'une et l'autre que la mort de Helen avait mis notre différend de côté, mais je tenais à ce qu'elle sache que je n'avais pas le sentiment de m'en être tirée à bon compte.

« N'insiste pas, Ben, dis-je d'un ton plus ferme. Je dois y aller. »

J'appuyai sur le bouton pour descendre et j'entendis le signal se répercuter près de l'oreille du conducteur.

« Je peux venir avec toi ? »

Et faire de Billy et de Cora des complices ?

« Non, fis-je en l'embrassant sur le bout du nez avant de sauter du bus.

– Hé, où est-ce que je vais, moi ? me cria-t-il.

– Au boulot ?

– Merde, le boulot… j'avais complètement oublié. »

Les portes se refermèrent. Les rêves éveillés vous foudroient quelquefois. J'aurais pourtant dû le savoir.

De King's Road, je gagnai Fulham Road, oscillant entre une joie débordante et un abattement total. Je tâchai de me ressaisir en approchant de l'hôpital. Je devais réfréner mon humeur guillerette. Au moment de sonner à l'entrée du service, j'avais préparé mon petit laïus, mais je n'eus même pas à donner mon nom. On m'ouvrit la porte. La réceptionniste me sourit et m'indiqua la direction à prendre. Je fus si soulagée en voyant Cora assise dans son lit et non pas entourée de tuyaux en soins intensifs comme je l'avais imaginé que, l'espace d'une seconde, j'en oubliai la mort de Helen. Je me précipitai à son chevet. Billy se leva et, après m'avoir laissée étouffer sa fille sous mes baisers, elle m'ouvrit grands les bras.

« Je n'arrive pas à croire que tu es là. Fran m'a dit que tu t'occupais des jumeaux. C'est vrai ? Tu les as amenés avec toi ? Est-ce que ça va ?

– Je suis juste venue te demander pardon, marmonnai-je contre son épaule. Je tenais à te le dire en face. »

Elle me regarda, puis se tourna vers Cora.

« Ça t'ennuierait si Tessa et moi, on allait chercher quelque chose de bon à manger ?

– En d'autres termes, vous voulez parler de trucs que je n'ai pas le droit d'entendre, rétorqua Cora.

– Non, dit Billy. Enfin, bon, si, mais on va quand même aller chercher quelque chose de bon.

– Vous pouvez rester, je n'entends rien de toute façon.

– Comment ? demandai-je.

– Elle… c'est juste…

– … à cause de mes *plantations* », lança fièrement Cora.

Billy se tourna vers moi et prit un air inquiet.

« Elle veut parler de ses végétations. Elle a une légère déficience auditive.

– À cause de la pneumonie ?

– En fait, non. Ils s'en sont aperçus au cours des examens qu'ils lui ont faits. Cela explique qu'elle ait la tête dans les nuages, mais pas vraiment le problème d'ouïe. Pour tout te dire, j'ai toujours pensé qu'elle entendait ce qu'elle voulait bien entendre. »

Cora ouvrit la bouche pour protester.

« Un doughnut ? » demanda Billy à sa fille.

Cora hocha gaiement la tête.

« On sera de retour à cinq heures. »

À peine dans le couloir, Billy se tourna vers moi.

« Je ne lui ai rien dit pour Helen. »

Je serrai la mâchoire en hochant la tête. L'instant de grâce était passé. Cora allait bien, mais Helen était morte.

« Je regrette infiniment, Tessa.

– Tu n'as pas de regrets à avoir. C'était de ma faute, je ne sais pas à quoi je pensais. Je n'avais pas le droit de te mêler à ça. »

Billy leva les yeux vers moi.

« Je me rends compte que c'est frustrant de voir quelqu'un qu'on aime passer à côté de la vie comme ça.

– D'autant plus que la vie est précieuse, acquiesçai-je.

– Depuis que Ben m'a appelée pour me dire que Helen était dans la voiture aussi, j'ai beaucoup réfléchi à Christoph, à Cora et à moi, à ce que tu m'as dit.

– Moi aussi, et…

– Laisse-moi finir.

– Excuse-moi.

– Christoph ne la mérite pas, ni moi non plus d'ailleurs. Je me suis suffisamment ridiculisée. C'est fini. J'ai vraiment cru que j'allais la perdre, Tessa. Elle était tellement faible, elle avait les lèvres grises et tout le monde courait en tous sens en criant je ne sais quoi. Regarde. »

Elle désigna ses longs cheveux noirs. Elle n'avait pas besoin de me montrer. J'avais vu les nouvelles mèches blanches. Elle avait pris dix ans.

« Je vivrai avec ce souvenir jusqu'à la fin de mes jours. J'aurais dû comprendre plus tôt. Pourquoi a-t-il fallu en arriver là pour que je me rende compte de ce qui était important ? »

Je comprenais parfaitement ce qu'elle voulait dire. Je lui pris le bras et le serrai.

« Nous étions toutes les deux en roue libre à mon avis.

– En freinant à mort, tu veux dire. »

Je hochai une nouvelle fois la tête. Le moins que l'on puisse dire, c'est que j'avais lâché les freins dans l'intervalle.

Nous passâmes devant un autre service. Des enfants malades par rangées. Nous détournâmes les yeux.

« Je me serais fait hara-kiri si j'avais pensé que cela pouvait aider Cora, reprit Billy. Et la douleur aurait été à des lieues de ce que j'ai ressenti, de ce que je ressens encore, de ce que je redoute toujours. »

Il y avait un banc dans le couloir. Nous nous assîmes et Billy me prit la main. Les bruits de l'hôpital résonnaient autour de nous dans le silence qui suivit.

« Christoph ne l'aime pas, poursuivit Billy. S'il l'aimait, il serait là. Je reconnais que j'ai foiré de temps en temps ces dernières années, mais il ne s'est même pas donné la peine d'appeler... Je n'arrive pas à croire que Helen soit morte comme ça. On ne sait jamais ce qui nous attend. »

Soudain elle pressa ma main dans la sienne, puis la lâcha.

« J'ai pris une décision, ajouta-t-elle. Quand tout cela sera fini, tu as ma bénédiction pour obtenir de Christoph ce que nous méritons d'avoir. Pas plus. Pas moins non plus. »

Elle me jeta un coup d'œil en coulisse.

« J'en ai assez de m'écraser. La vie est trop précieuse. »

L'espace d'un instant, je fus écartelée entre l'envie de tout lui raconter et le désir de protéger Sasha. Ben m'aimait. Nous allions nous marier et avoir beaucoup d'enfants, et mes amis n'auraient plus jamais à se faire du souci pour moi. Moi aussi j'en avais assez de m'écraser.

J'avais dû sourire à mon insu.

« Qu'est-ce qu'il y a ?

– C'est juste que je me réjouis que la maladie de Cora ait au moins eu une incidence positive. Tu seras payée en retour, j'en suis sûre. »

Elle haussa les épaules.

« Il ne s'agit pas de rencontrer quelqu'un d'autre, Tessa. Je suis très bien toute seule. Je m'estime heureuse d'avoir Cora ;

c'est une petite personne très spéciale. J'ai besoin de reprendre goût à la vie, pas aux hommes. Si je rencontre quelqu'un, pourquoi pas ! Mais, tu sais, les mecs apportent leur lot de complications et, pour être honnête, je ne suis pas certaine que ça en vaille la peine. J'ai toujours eu envie d'apprendre à jouer du piano. Je crois que je vais commencer par là. »

Elle me regarda à nouveau, plus attentivement.

« Et toi alors ? Est-ce que tu vas garder les jumeaux ? »

Elle n'y allait pas par quatre chemins !

« Euh…

– Ce n'est pas facile d'être une mère célibataire, mais tu ne le regretteras jamais. »

Hara-kiri ? En es-tu sûre ?

« Pour le moment je n'arrive pas à penser au-delà de l'enterrement.

– Écoute, on est tous avec toi, quoi que tu décides, d'accord ? Fran, Ben, moi. Tu as un super réseau d'amis. Profites-en. »

Un réseau que j'étais sur le point de démanteler.

« Merci, Billy.

– Tu es quelqu'un de bien, j'espère que tu t'en rends compte. »

Elle se tourna vers moi de manière à ce que je ne puisse pas regarder ailleurs.

« C'est pour ça que les gens s'assemblent autour de toi.

– Merci, répétai-je en m'efforçant de prendre un ton humble.

– J'ai honte de ce que je t'ai dit au restaurant parce que au fond de moi, je sais que sans toi, ces sept dernières années auraient été insupportables. »

Gênée, je m'agitais sur mon siège. Billy s'empara de mes deux mains.

« Je suis sérieuse. Tu avais parfaitement raison de m'engueuler. En vérité, tu as été plus un parent pour Cora que Christoph ne l'a jamais été et nous avons de la chance de t'avoir. Les jumeaux auront la même chance. »

Je m'attendais à éprouver un sentiment de triomphe, mais pas du tout. J'avais honte au contraire. Qui était cette grande amie, cette personne vers laquelle tout le monde venait ? Pas une briseuse de ménages ? Pas une voleuse de maris ? Les amitiés sont-elles inconditionnelles ? Je n'en suis pas sûre. Je crois qu'on les mérite, c'est la raison pour laquelle elles sont si précieuses. Je fixai mes pieds.

« Un jour tu apprendras à accepter les compliments, dit Billy, interprétant mal ma gêne. Mais pour le moment, si tu allais tenir compagnie à ta filleule pendant que je vais chercher les doughnuts.

– Ça me ferait plaisir », dis-je, trop contente de regagner ma zone de sécurité.

Cora était adossée à ses oreillers, un peu moins guillerette apparemment, et en la voyant, je m'immobilisai, mais elle se redressa aussitôt et souris.

« Comment te sens-tu ?

– Quoi ?

– Comment te sens-tu ? »

Cora éclata de rire.

« Je t'ai bien eue !

– Coquine.

– J'apprends le langage des signes.

– Vraiment ?

– Ça, c'est quoi, à ton avis ? »

Elle croisa les bras sur sa poitrine comme une danseuse russe, brandit le majeur et l'index en forme de cornes et agita les autres doigts vers le bas.

« Pas la moindre idée, dis-je.

– Crotte de bique ! »

J'éclatai de rire.

« C'est une infirmière qui m'a appris ça. »

Je m'assis sur son lit. Il y avait des fleurs partout dans la chambre, des petits livres, des ours en peluche. La nouvelle avait circulé. On l'avait couverte de cadeaux. Je m'emparai d'un ours Paddington.

« Pour Cora, de la part de Ben et Sasha. »

Je le reposai aussi sec.

« Tu veux du quatre-quarts ?

– Non, merci. Tu nous as fait peur, mon chou.

– Pardon.

– Ce n'est pas de ta faute, mon lapin, mais s'il te plaît, ne recommence pas.

– D'accord.

– Tu as vraiment des problèmes d'ouïe ?

– Si je bouche ma bonne oreille, j'ai l'impression d'être dans une piscine. Maintenant quand ma maîtresse dira "Cora TarrenoT – elle prononce toujours le *t* –, tu n'écoutes pas", j'aurai une bonne excuse. »

Cette gamine ne cessera jamais de m'impressionner.

« Je me fatigue vite. J'ai mal à la poitrine. Je croyais que j'étais complètement réveillée il y a une minute, mais maintenant j'ai sommeil.

– C'est normal, tu n'es pas encore tout à fait remise.

– Tu veux bien rester avec moi, marraine Tess ?

– Bien sûr. »

Elle me montra son cœur, puis me désigna.

« Encore le langage des signes ? »

Elle hocha la tête. Je l'imitai. Cœur, toi. Je brandis deux doigts. Cora sourit. Je remontai les minces draps d'hôpital autour d'elle.

« Tu as assez chaud ?

– Ça va.

– Je suis désolée de ne pas être venue te voir plus tôt.

– Ce n'est pas grave, me répondit-elle d'une voix ensommeillée. Helen était là. »

Je tressaillis.

« Comment ? »

Elle ne répondit pas.

« Cora ? »

Elle avait les yeux fermés. Elle dormait. Je lui déposai un petit bisou sur le front et sortis du service.

Quand je me retrouvai sur le trottoir, une ambulance approchait.

« Marguerite, c'est encore Tessa. Rappelez-moi, s'il vous plaît.

– BOUH ! »

Je bondis.

« Ben ! Qu'est-ce que tu fiches ici ?

– Je me suis fait porter pâle. Je ne supportais pas l'idée de ne pas te voir pendant trois jours. Si on passait l'après-midi ensemble ?

– Où étais-tu ?

– Je surveillais la sortie de l'hôpital depuis le Starbucks en face. J'ai failli te rater, je pensais que tu resterais plus de temps. »

Je paniquai.

« Cora dort.

– Viens déjeuner avec moi dans ce cas.

– Billy est quelque part dans le coin.

– Et alors ?

– Elle risque de nous voir.

– Je suis venu rendre visite à Cora. Il se trouve que tu étais là. Il n'y a pas de quoi en faire un plat. »

On avait joué au papa et à la maman avec Cora tous les deux depuis sept ans, mais le jeu avait mal tourné.

« Il faut qu'on fasse les choses bien, Ben.

– Je sais, mais bon sang – il me pressa le visage entre ses mains –, je ne supporte plus d'être loin de toi. »

Je collai ma main contre la sienne, puis déposai un baiser dans le creux de sa main. Il m'attira contre lui et me prit par le cou. Nous étions plaqués l'un contre l'autre, j'avais la tête contre sa gorge, il m'enlaçait. Nous étions en plein jour, dans Fulham Road, devant un hôpital londonien, pourtant il ne me vint même pas à l'esprit que quelqu'un pouvait nous voir. Il m'embrassa le front, je lui embrassai la joue. Qu'y avait-il à voir en fait ? Nous avions fait ça des millions de fois. Il m'embrassa de nouveau, j'en fis de même. Il me déposa des petits baisers partout sur la figure. Quand il reprit mon visage entre ses mains et m'embrassa sur la bouche, je crus que j'allais exploser ! Nous nous serrions de plus en plus fort l'un contre l'autre ; nos bouches restaient closes, mais le baiser s'intensifia, échappant presque à mon contrôle. Je respirai beaucoup trop fort quand il s'écarta de moi.

« C'est pour ça que je ne peux pas te voir, pantelai-je.

– Ça va me tuer.

– Trois jours, lui rappelai-je.

– Je ne pense pas que je tiendrai le coup.

– Dans trois jours, nous parlerons à Sasha.

– Ensuite tu seras toute à moi.

– Toute à toi. »

Il se détourna, puis me fit face à nouveau.

« Nom de Dieu ! Ça va être les trois jours les plus longs de ma vie. »

Pour lui, peut-être, mais je jure que pour moi, ils passèrent en un clin d'œil. Je retournai auprès des jumeaux. À peine étais-je arrivée que ce fut à nouveau l'heure du bain. Je résolus de rester chez Helen et passai trois heures au téléphone à me prendre la tête avec Marguerite à propos du service religieux qu'elle avait monopolisé. Certes, il fallait me croire sur parole quand je disais que Helen voulait être incinérée, de sorte que j'arrivais presque à lui pardonner de faire aussi peu cas de moi, mais je trouvais que c'était de la malveillance pure d'organiser une cérémonie qui ne reflétait en rien les volontés de sa fille. Et la famille de Neil ? Les avait-elle contactés ? Étaient-ils au courant ? Ils n'avaient certainement pas fait d'efforts pour voir les jumeaux. Savaient-ils que le mariage de Neil était tumultueux, que leur belle-fille était accro à la vodka et aux pilules contre la douleur ? Non. Comme la plupart des gens, ils pensaient probablement que Helen et Neil avaient tout pour être heureux.

Le lendemain, j'étais occupée avec les garçons. Tout comme le surlendemain. L'état de déni absolu dans lequel j'étais explique sans doute que ces trois jours passèrent sans que je ne m'en aperçoive pour ainsi dire. J'avais beau avoir d'interminables conversations à propos de l'enterrement de mon amie, je refusais toujours d'admettre sa disparition. Ainsi que les circonstances de sa mort. Et puis il y avait la perspective d'être bientôt séparée des jumeaux et la question de savoir si Claudia et Al étaient vraiment la solution pour eux. Là encore j'étais dans le déni le plus total.

Sasha avait appelé trois fois en laissant des messages. Elle disait qu'elle pensait à moi, demandait si elle pouvait faire quelque chose, elle me disait que si j'avais envie de hurler, de pleurer ou de me soûler la gueule avec quelqu'un, elle était là. Je me sentais de plus en plus mal à chaque message et m'affairais d'autant plus. J'avais la chance d'avoir de très bonnes amies que j'aimais sans équivoque, mais elles remplissaient des rôles différents dans ma vie. Avec Billy, je jouais à la maman. Avec Francesca, je geignais. Avec Helen, je prenais des risques. Mais Sasha, Sasha était ma conseillère, elle me communiquait sa force, c'était avec elle que je me sentais le plus en phase avec les choix que j'avais faits dans l'existence. Je l'admirais, et j'étais horrifiée à l'idée de perdre tout ça. Si j'étais ne serait-ce qu'en partie la personne que je prétendais être, ne choisirais-je pas la solidarité féminine plutôt que l'amour de ma vie ? Or, j'étais là, sur le point de perdre une grande amie. J'étais consternée à l'idée que mon histoire d'amour avec Ben allait me coûter Sasha. Et Dieu sait qui d'autre encore ? Je redoutais l'enterrement, je redoutais le lendemain, je redoutais tout, alors je courais dans tous les sens comme une écervelée pour ne pas avoir à penser. Et finalement, parce que le temps ne s'arrête jamais pour personne, le 28 arriva et je me retrouvai dans la situation totalement invraisemblable de devoir m'habiller pour l'enterrement de Helen.

Rose frappa à la porte de ma chambre.

« Entrez. »

J'étais devant la glace en pied en train d'observer une femme en noir dans la fleur de l'âge qui me dévisageait. J'avais beau détourner les yeux, chaque fois que je reportais mon attention sur elle, elle était là à me détailler. Je n'arrivais pas à l'identifier, mais elle avait l'air de me connaître. Je voulais trouver une alliée en elle, quelqu'un qui me soutiendrait durant les prochaines quarante-huit heures, qui confirmerait que j'agissais à bon escient, mais ce que je lisais dans ses yeux n'était autre que de la réprobation. Quand je me mis à pleurer, cela lui fit de la peine. Je le sus parce qu'elle essaya de me remonter le moral. Elle me fit des grimaces drôles, elle me tira la langue et retroussa son nez comme un petit cochon, mais c'était peine perdue, elle n'arrivait pas à me faire sourire. J'avais vu le regard qu'elle m'avait décoché, ce n'était pas la lumière qui me jouait des tours. Elle me jugeait sévèrement et j'avais le terrible sentiment que je savais pourquoi.

« Les jumeaux sont prêts », me dit Rose.

Rose et moi avions réfléchi à ce que nous ferions des jumeaux pendant l'enterrement et on en était arrivées à la conclusion qu'on les emmènerait. Je tenais à être présente et je me voyais mal demander à Rose de ne pas venir. Nous redoutions toutes les deux la cérémonie, mais il fallait bien que quelqu'un représente Helen dans tout ce cirque.

« Je ne peux pas y aller habillée comme ça », lançai-je à Rose en sortant précipitamment de la chambre d'amis pour gagner celle de Helen. J'ouvris le placard en grand et passai rapidement en revue ses tenues. Je dénichai un manteau Vivienne Westwood rose à col de fourrure et un superbe chapeau Philip Treacy. J'ôtai mes souliers noirs plats et enfilai une paire de vernis noirs à talons aiguilles avec lesquels j'atteignais facilement le mètre quatre-vingts. Personne ne pourrait me rater. Puis je m'approchai du tas d'albums de photos que j'avais emmenés dans mon lit chaque soir et en sortis toutes celles que je pus trouver de Helen souriante. Pour finir, je m'emparai d'une photo magnifiquement encadrée des jumeaux avec leur mère, à l'évidence détendus et à l'aise ensemble. Peu m'importait ce qui se passerait à St John's, ou ce que Marguerite avait prévu. J'aurais l'image de la fille que j'avais connue avec moi. Je penserais à elle et rien qu'à elle. Que Dieu m'en soit témoin ! Rose et moi prîmes chacune un bébé et nous sortîmes de la maison.

Un garçon vêtu d'un costume mal taillé était adossé à la grille face à l'église, en train de tirer sur une manche de chemise qui dépassait. Me voyant gravir la colline en poussant mes lourds fardeaux, il se redressa aussitôt. La mine grave, il traversa la route pour me rejoindre. Mon filleul. S'efforçant d'être aussi adulte que possible, me rendis-je compte.

« Bonjour, Tessa, lança-t-il en courant gauchement vers nous. Papa et maman sont déjà à l'intérieur. Je peux vous aider ?

– Volontiers », répondis-je, un peu essoufflée.

Il se glissa derrière l'énorme landau. Je lui présentai Rose. Il lui serra poliment la main avant de prendre la relève. Caspar jouait les adolescents modèles aujourd'hui. Je l'observai à la dérobée. Ce n'était plus un numéro auquel je croyais vraiment.

« Je ne m'attendais pas à ce que tu sois là, dis-je.

– Je suis venu piquer quelques biffetons dans le plateau pour la quête. »

J'en restai bouche bée.

« Je plaisante. Bon sang, détends-toi un peu !

– Ce n'est pas vraiment le jour pour plaisanter », répliquai-je.

Il haussa les épaules. Je pris cela pour une excuse.

« J'ai pensé que tu aurais besoin qu'on te remonte le moral. Tu dis toujours que c'est une des rares choses que je fais bien.

– L'une des *nombreuses* choses, Caspar. »

Il me considéra en plissant les yeux

Je hochai la tête d'un air encourageant.

« L'une des nombreuses choses », répétai-je.

Nous traversâmes la rue et nous arrêtâmes devant l'entrée de l'église. Les gens continuaient à arriver. Noirs, gris, bleu marine. Ils zieutaient mon manteau rose d'un air méfiant. Rose libéra Bobby de son harnais et me le tendit sans un mot. Je le posai sur ma hanche.

« Je voulais m'assurer que tu tenais le coup, dit Caspar, chatouillant le bébé sous le menton, ce qui lui valut aussitôt un sourire. Je sais que Helen était une de tes meilleures copines. Je sais aussi que tu n'aimes pas faire ces trucs-là toute seule. »

Il parlait en adulte, mais il n'arrivait pas vraiment à me regarder dans les yeux. C'était plus facile de faire des guili-guili à Bobby. Cela faisait trois jours que je me comportais à peu de chose près de la même manière. Je le regardai inspirer à fond et s'obliger à me regarder en face.

« Alors je suis là si tu as besoin d'un bras pour te soutenir, quoique j'ai l'impression que tu as déjà les bras chargés. »

Je lui saisis le coude avant qu'il réussisse à s'échapper.

« Il y a toujours de la place pour toi, mon ami.

– On est de nouveau amis, hein, Tessa ?

– Oui, Caspar, mais l'amitié impose certaines conditions, dis-je. On ne vole pas un ami, on ne ment pas…

– On ne fouille pas dans ses affaires.

– Tu as raison, et je regrette de l'avoir fait. Disons que nous sommes quittes. À partir de maintenant, je laisse toutes les emmerdes à tes parents. Ils t'aimeront quoi qu'il arrive. Moi, par contre, j'ai mes limites. »

Il hocha la tête.

« Mais je te serais gré d'être un peu plus sympa avec ta mère, hein, Caspar ? »

Il poussa un profond soupir.

« D'accord, d'accord, mais reconnais que ce sont deux charlots et qu'il y a des moments où c'est vraiment casse-pieds. »

Je me forçai à froncer les sourcils tout en réprimant un sourire.

« Allons-y, ce bébé commence à peser lourd. »

Rose vint se planter à côté de moi avec Tommy.

« On dirait les Sopranos, lança Caspar en regardant les jumeaux avec une évidente compassion.

– Pas du tout, me récriai-je en couvrant les oreilles de Bobby. Ils sont magnifiques. »

Caspar leva les yeux au ciel et m'entraîna vers l'église.

Elle était bondée. Je m'avançai, encadrée par Caspar et Rose. Nous portions nos fardeaux comme des armures. Tous les bancs que nous passions étaient pleins. Des gens en tenues sombres tendaient le cou pour nous jeter un coup d'œil. Au début, je leur rendais leur regard dans l'espoir de voir un visage ami, mais je ne reconnaissais personne. Aucun de mes proches en tout cas. Il y avait des journalistes, des comédiens, des présentateurs de télé – la clique de Marguerite, celle qu'elle adorait, que Neil espérait rallier, dans laquelle Helen ne s'était jamais sentie à l'aise. Ils étaient tous là parés de leurs plus beaux atours funéraires. Toute fière dans le manteau rose de Helen, je relevai le menton et poursuivis mon chemin. Caspar alla s'asseoir près de ses parents. Au moment de prendre ma place sur le banc « de la famille », je baissai les yeux sur Bobby. Les yeux écarquillés, le front plissé, il me regardait en faisant la moue.

« Chut, petit cœur, chuchotai-je. Tout ira bien, je te le promets. »

J'embrassai les petits plis de peau tout doux sous son menton. Il sourit aussitôt. Les enfants sont étonnants pour ça. Leurs émotions fluctuent, elles vont et viennent. Ils ne connaissent pas la rancœur. Ça vient plus tard.

J'ouvris la feuille de prière. Ma petite contribution y figurait après le second hymne : le *Desiderata* de Max Erhmann. C'était l'unique concession que Marguerite m'avait faite. Elle voulait que je lise du Shakespeare. J'adorais Helen pour une multitude de raisons, mais pas pour son amour de la littérature anglaise. Un passage d'un roman de Jilly Cooper m'aurait semblé plus approprié. Mais Marguerite s'ingéniait à réécrire l'histoire et mes idées n'étaient pas bienvenues. Si j'avais réussi à imposer le *Desiderata* à cette vieille peau de vache, c'était parce que Helen avait encadré ce poème et l'avait accroché près de sa coiffeuse. Marguerite s'était plainte en disant que c'était trop long. Je lui avais répondu que c'était ça, ou je prononcerais quelques mots de mon cru. Curieusement, elle avait accepté – la dernière chose qu'elle voulait, c'était qu'on remanie son scénario.

Quand la musique changea de tempo, je compris que le moment terrible était arrivé. Je me retournai. Quatre rangs derrière moi, de l'autre côté de l'allée centrale, j'aperçus Ben et Sasha. Sasha m'envoya un baiser; Ben me regardait fixement. J'essayai de sourire. Peine perdue. Je n'eus pas le temps de penser parce que les portes de l'église s'ouvrirent à nouveau, livrant passage à Marguerite. Un couple âgé se tenant par la main s'avançait à côté d'elle. Ils étaient petits, robustes, ensemble. Marguerite était grande, mince et seule. Les deux cercueils suivaient. Bobby ne pouvait pas voir ce que je voyais, mais je lui protégeai malgré tout les yeux tout en le berçant doucement. Ses paupières commencèrent à se fermer comme si quelque sixième sens lui disait de quitter les lieux. Tommy aussi était en train de s'endormir. J'entendis Marguerite prendre sa place devant nous ; ses talons claquaient comme toujours. Les parents de Neil ne firent pas un bruit, mais je vis sa mère se tourner vers les jumeaux. J'essayai de sourire. Impossible. La mère de Neil. Je n'avais pas pensé à une mère. Elle avait l'air ravagée.

Je levai à nouveau les yeux au moment où le cortège dépassait notre banc. Il aurait aussi bien pu ne pas y avoir de cercueil tant je voyais clairement mes amis dedans. Je ne m'en étais pas trop mal sortie jusque-là, mais à cet instant, je perdis tout contrôle. Je n'écoutai pas un mot de ce que disait le pasteur, même si je suis sûre que ses propos étaient on ne peut plus sensés. Il avait baptisé les jumeaux, alors il les connaissait au moins.

Nous nous levâmes pour chanter. Je pleurais. Discrètement. Douloureusement. Rose essaya de me consoler, mais il n'y avait rien à faire. Je ne voulais pas qu'on me console. Bobby dormait dans mes bras ; il ne broncha même pas quand une larme atterrit sur sa joue. J'entendis les portes de l'église se rouvrir, mais je n'eus pas l'idée de me retourner. Les retardataires ne m'intéressaient pas. Je voulais juste que le couvercle du cercueil se soulève et que Helen s'en extirpe en nous disant que tout cela n'avait été qu'une sinistre plaisanterie. Neil était peut-être dans le coup, lui aussi. Ce genre d'humour noir était trop d'avant-garde pour lui, mais il s'était peut-être enhardi. À moins qu'il ne soit l'objet de cette mauvaise blague et que Helen ait effectivement tué son mari.

« Pousse-toi », fit une voix tandis qu'une main se posait sur mon épaule. *Pousse-toi ?* En levant les yeux de dessous le superbe chapeau de Helen, je vis Claudia et Al qui me regardaient. Claudia éclata en sanglots dès que nos regards se rencontrèrent. Je reviens sur ce que j'ai dit plus tôt – je pensais avoir perdu le contrôle de moi-même, mais quand je vis Claudia pleurer, ce fut la bérézina. Marguerite se retourna pour voir ce qui se passait. Elle fit la grimace en nous voyant. Je glissai sur le banc en bois bien astiqué pour faire de la place à mes amis. Je ne comprenais pas pourquoi ils avaient des valises avec eux. Il y avait tellement de questions – comment, pourquoi, quand, quoi –, mais le pasteur se racla la gorge et nous rentrâmes dans le rang. Al et Claudia, Rose et moi. Les forces se regroupaient. Claudia tendit les bras pour prendre Bobby ; je le lui passai en silence. Rose me passa Tommy. Elle devait sentir que j'avais besoin de me cramponner à quelque chose. Avec chacune un bébé dans un bras, Claudia et moi nous tenions par la main, le regard fixé droit devant nous, et nos larmes séchées à présent, nous nous joignîmes à la communauté.

Finalement ce fut à mon tour de me lever. Je tendis Tommy à Rose et pris ma place derrière le lutrin. J'embrassai la foule du regard, puis je baissai les yeux sur ma feuille.

Va paisiblement au milieu du vacarme et de la précipitation
Souviens-toi de la paix que recèle le silence.

Inspiration. Expiration.

Aussi loin que possible, sans jamais céder,
Efforce-toi de t'entendre avec autrui.

Sans jamais céder. Je marquai un temps d'arrêt.

Exprime ta vérité, avec clarté, sans animosité.
Écoute les autres.

Exprime ta vérité.

Je jetai un coup d'œil à Marguerite avant de reporter mon attention sur mon texte. Puis je regardai Claudia, Al, les deux petits orphelins avant de poser une nouvelle fois les yeux sur Marguerite. Sa fureur était presque palpable.

« Je suis désolée, dis-je. Je n'y arrive pas. »

Je fis face à l'assemblée.

« Le poème est écrit en toutes lettres sur la feuille. Vous n'avez pas besoin que je vous le lise. »

Je me tournai vers le cercueil.

« Helen connaissait ces mots par cœur. »

J'avalai ma salive.

« Elle s'y cramponnait, ma charmante amie, ma folle amie, mon exotique amie, mais cela ne suffisait pas. On a besoin d'être guidé dans ce monde trop vaste pour qu'on puisse y faire face seul. Elle se considérait comme une citoyenne de l'univers. Je trouvais cela merveilleux chez elle. Cette liberté, cette fantaisie, mais je crois qu'elle l'a payé plus cher qu'aucun de nous ne le saura jamais. »

Je contemplai l'océan de visages, des visages que je ne connaissais pas, puis je me tournai à nouveau vers le cercueil.

« Je suis désolée de t'avoir fait faux bond, Helen. Je suis désolée de ne pas avoir compris à quel point c'était difficile d'être marié et d'avoir des enfants. Je regrette amèrement d'avoir fait demi-tour à cause des embouteillages alors que j'aurais dû aller te voir. Nous aurions dû parler davantage. J'aimerais tant que tu sois là, Helen. J'aurais voulu que tu puisses te voir comme ceux qui t'aimaient te voyaient. Mais tu as laissé ton empreinte. Tout ce qu'il y avait de bon en toi est dans ces garçons. Je vois ton potentiel en eux chaque fois que mon regard se pose sur eux. Je te promets de faire en sorte qu'ils soient nourris et soutenus comme il faut. Et que cela te plaise ou non, je leur raconterai tous ces plans foireux dans lesquels tu nous as mis. »

Je trouvai la force de relever la tête.

« Je ne pense pas que Helen soit dans cette boîte. Je ne pense pas non plus qu'elle soit une citoyenne de l'univers. Elle est là, ajoutai-je en désignant le second rang. Enfin sereine. En Tommy et Bobby. »

Je me penchai à nouveau sur ma feuille.

« Alors, pour faire court… »

Malgré les impostures, les corvées, les rêves brisés,
C'est un monde merveilleux.

En levant les yeux, je vis Ben en train de me regarder.

Sois prudent.
Efforce-toi d'être heureux.

Je retournai m'asseoir et me mis à trembler. Claudia me prit la main et la garda dans la sienne jusqu'à la fin de la cérémonie.

Fort heureusement, les échanges de politesse n'étaient pas de mise et lorsque nous sortîmes de l'église à la queue leu leu pour attendre qu'on nous dirige vers le cimetière, l'évidente absence de propos badins ne me rendit pas la proximité de Ben et de Sasha plus aisée. J'aperçus James Kent qui quittait l'église. J'avais profondément honte de mon attitude à son égard –

certes, il m'avait dupée, mais le genre salope psychopathe ne faisait pas partie de mon registre d'ordinaire. J'aurais voulu lui faire des excuses, proposer de le rembourser au moins, mais il ne regardait pas dans notre direction et je ne le revis pas à la réception. Les parents de Neil émergèrent de l'église suivis par une femme en compagnie de deux petites filles. Le pasteur apparut derrière eux, son regard se posa sur moi, puis il les prit par les épaules et les dirigea vers le côté opposé de l'église. Ils parlaient discrètement en petit comité quand Marguerite fit signe au pasteur de venir. Il obtempéra à contrecœur à en juger d'après son expression. J'observai un moment la famille de Neil. À un moment donné, les deux femmes croisèrent mon regard, mais elles s'empressèrent de détourner les yeux. J'étais sur le point d'aller me présenter, quand le pasteur pria la famille et les proches de le suivre pour l'ensevelissement. Les deux cercueils reposaient sur des planches en bois, à côté de deux monticules de terreau supposés dissimuler la glaise qu'on n'allait pas tarder à déverser sur eux. Tous les aménagements paysagés du monde ne suffiraient à masquer ce qui était sur le point de se passer.

On descendit les cercueils dans la plaie béante du sol qui devait être l'ultime lieu de repos de Helen et de Neil. Le pasteur prononça quelques mots gentils, puis les gens commencèrent à se disperser. Ils retrouvèrent l'usage de la parole, mais je ne pouvais ni bouger ni parler. Les parents de Neil se tenaient de l'autre côté des tombes. Je songeai qu'ils l'avaient tenu dans leurs bras comme je tenais Bobby à présent. C'était leur petit-fils que je serrais contre moi, pourtant nous aurions aussi bien pu être à des enterrements distincts vu le contact que nous avions. Marguerite leur jeta à peine un coup d'œil. Tout cela n'était qu'une folle mascarade, et maintenant ces deux êtres allaient pourrir côte à côte, comme pendant leur mariage. Je voulais sortir Helen de là. La sortir de la boîte. De ce trou.

« Tessa ? »

C'était Al. Grand et fort. Il m'enlaça la taille avec douceur et m'éloigna du bord. Il continua à me tenir ainsi un moment et quand il n'y eut plus que notre petit groupe debout près de la tombe ouverte, il me chuchota quelques mots à l'oreille :

« On a apporté quelque chose. »

Je relevai les yeux. Claudia rendit Tommy à Rose.

« On est allé le chercher là-bas.

– J'ai eu tellement peur qu'on nous arrête à la douane. »

Je fronçai les sourcils. Al sortit de sa poche un bocal rempli d'une poudre blanchâtre.

« Qu'est-ce que c'est ? demanda Ben.

– Du sable, répondit Claudia.

– Du Vietnam », ajouta Al.

Je faillis tomber à genoux.

« C'était tellement étrange, Tessa, tu ne peux pas savoir. On revenait de la jungle. Le gars de l'hôtel a proposé de nous déposer à Hanoi parce qu'ils allaient voir le site d'un concurrent quelque part.

– China Beach, l'interrompit Al.

– Laisse-moi raconter.

– Pardon.

– Je venais juste de recevoir tes e-mails. Tous tes e-mails. Je suis sortie en courant pour dire à Al ce qui était arrivé à Helen. Il était en train de parler de China Beach avec le type de l'hôtel. Pas de n'importe quelle plage. De China Beach ! Je n'arrivais pas à le croire ! Je lui ai dit aussitôt qu'on allait avec lui. J'ai pensé qu'on aurait juste le temps d'aller chercher un peu de sable, de retourner à Saigon et de rentrer.

– Et on y est arrivés. »

Elle brandit le bocal.

« Le voilà. On ne peut pas emmener Helen à la plage, alors on lui a apporté la plage. »

Je crus que j'allais éclater en sanglots, mais non. Je ris, émerveillée. Le bruit réveilla Bobby et, je le jure sur l'âme de Helen parce que c'était peut-être ce que j'avais sous les yeux, il rit lui aussi pour la première fois de sa vie, pas son gloussement habituel, mais un vrai éclat de rire joyeux, spontané, heureux. Il déclencha l'hilarité générale douloureusement réprimée. Pendant que le sable glissait entre mes mains et que la fille et la plage étaient réunies, je pensais que, oui, en dépit de toutes les impostures, les corvées, les rêves brisés, c'est un monde merveilleux.

Avant de m'éloigner de la tombe et de laisser Helen pour toujours, j'y mis la photographie d'elle et de ses fils. Avec le cadre et tout. Elle disparut dans le trou. Et puis nous sortîmes tous du cimetière. L'atmosphère changea à mesure que la distance entre les tombes et nous grandissait. Nous recommençâmes à parler comme de vieux copains.

« Je ne m'étais pas rendu compte que Helen avait autant de problèmes, dit Francesca.

– Je savais qu'elle n'était pas en très bons termes avec sa mère, et la dernière fois qu'on s'est parlé au téléphone, elle m'a dit que la situation devenait critique entre Neil et elle, précisa Claudia.

– Quand était-ce ?

– Juste après mon arrivée à Singapour.

– Ça me fait horreur de la laisser là avec lui, dis-je.

– Elle n'est pas là, Tessa. C'est vrai ce que tu as dit à l'église. Nous devons nous concentrer sur les garçons maintenant, dit Claudia.

– Tu as magnifiquement bien parlé tout à l'heure, lança Francesca.

– Ouais, je suis fier de toi », renchérit Ben en me prenant par l'épaule.

Je m'arrêtai tout net, provoquant une collision sur le trottoir.

« Nous le sommes tous, dit Al en m'incitant à me remettre en marche.

– Leur relation était-elle vraiment si mauvaise ? » s'enquit Sasha.

Je hochai la tête. Je n'arrivais pas à lui parler. C'était terrible. J'avais envie de repousser le bras de Ben.

« Elle m'a dit qu'il avait couché avec une autre fille, ajouta Claudia.

– Il y en a eu plus d'une, je le crains », précisa Ben.

Un murmure de désapprobation collectif s'éleva.

« J'ai besoin d'un verre, dit Al. Regardez, il y a un pub. Allons boire un verre à la mémoire de Helen. »

Tout était d'une tristesse insoutenable, mais le poids du bras de Ben sur mes épaules m'aidait à penser à autre chose.

« Bonne idée », dit Francesca.

Nous nous dirigeâmes vers le passage piéton.

« Pourquoi ne l'a-t-elle pas quitté ? s'enquit Sasha.

– Sasha, lança Ben sur un ton d'avertissement en se retournant vers elle.

– Qu'est-ce qu'il y a ? »

Profitant de cet instant d'inattention, Nick s'interposa entre nous et nous sépara en nous enveloppant dans ses grands bras. Je soupirai, soulagée.

Francesca poussa la porte du pub.

« Ben a l'air de penser que nous devrions changer de sujet », dit-elle en me jetant un rapide coup d'œil.

Il n'est pas le seul !

« C'est le problème avec l'infidélité. On prend facilement le pli, nota Sasha en s'engouffrant dans le pub avec les autres.

– Ce n'est pas toujours vrai, souligna Francesca qui fermait la marche.

– Tu pardonnerais à Nick, toi ?

– Francesca a raison. Le moment est mal choisi pour ce genre de conversation, Sasha, lança Ben d'un ton un peu trop ferme en s'écartant de Nick et moi. C'est moi qui régale ! De la bière pour tout le monde ? »

Nous hochâmes tous la tête.

« Si cela n'arrivait qu'une fois, reprit Francesca en se hissant sur un tabouret de bar, et si c'était une erreur qu'il regrette, oui, je lui pardonnerais. »

Elle ne regardait pas Nick, elle fixait ses pieds, mais moi j'avais les yeux rivés sur lui. Il observait attentivement sa femme.

Sasha m'asséna un petit coup de coude.

« Qu'en dis-tu, Tessa ? »

Je fis mine d'être perdue dans mes pensées.

« Et toi, Nick ? insista-t-elle. Pardonnerais-tu aussi facilement à ta femme ?

– Allons, Sasha, change de sujet, intervint Ben en tendant une pinte à Nick.

– Ben, aurais-tu l'amabilité d'arrêter d'aboyer après moi. Tu n'as pas arrêté du week-end.

– Eh, les gars, ce n'est vraiment pas le moment, lança Al.

– Désolée », dit Sasha.

Nick s'approcha de Francesca et déposa un baiser sur sa tête. Puis il lui tendit la pinte que Ben lui avait donnée.

« Si Francesca éprouvait le besoin d'avoir une liaison, ce serait parce que je ne serais pas à la hauteur. Ce serait à moi de lui demander pardon, et non l'inverse.

– Vraiment ? » s'exclamèrent Ben, Sasha et Francesca à l'unisson.

Qu'est-ce que je t'avais dit ! L'espace d'une seconde, je crus l'avoir exprimé à haute voix. Je n'osais plus regarder Francesca.

« Cela dit, ajouta-t-il en me décochant un coup d'œil lourd de sens quoique fugace, je m'attendrais à ce qu'on m'accorde une seconde chance de faire marcher notre couple.

– Tu es un idéaliste, remarqua Ben. Tu l'as toujours été. »

Nick prit la nouvelle pinte que Ben lui proposait.

« Le mariage ne fonctionne pas sans idéaux. »

On était deux à fixer nos pieds maintenant : Francesca et moi.

« En fait, le mariage est une chose grotesque quand on y réfléchit, poursuivit-il. Qui serait capable de vivre heureux à deux pour toujours sans s'agacer ou se lasser ? C'est de la folie. C'est impossible. L'"amour de ta vie" est un concept ; ça n'existe pas. Quand on part en vacances avec ses meilleurs amis, il arrive toujours un moment où tout le monde agace tout le monde. Pourquoi cela ne s'appliquerait-il pas aux couples ? Il faut être idéaliste pour se marier. Il faut croire à la magie. Si l'on s'engageait dans une relation en toute connaissance de cause, on partirait en courant dans la direction opposée avant d'avoir eu le temps de dire "oui", parce que sur le papier, le mariage ne rime à rien.

– Mais ton couple marche, nota Claudia.

– Parce que je *sais* que j'ai épousé l'amour de ma vie.

– Moi aussi », renchérit Al.

Ben se tourna vers le bar pour prendre la dernière pinte.

« Pauvre Helen, dit Claudia. J'espère qu'elle n'était pas au courant pour les autres femmes.

– On le sait toujours », répondit Sasha.

Elle me dévisagea intensément puis leva son verre.

« À Helen », lança-t-elle, et nous bûmes tous en chœur.

22

Une margarita d'enfer !

Mascarade était le mot qui convenait. La réception me rappela une soirée pour le lancement d'un magazine où Helen m'avait emmenée un jour. Il y avait même quelques paparazzi dehors. Je bus beaucoup trop, beaucoup trop vite. Je trouvai qu'on aurait tort de se contenir étant donné les circonstances et je compris pour la première fois pourquoi Helen succombait à la tentation des pilules dans ce genre de situations. J'aurais volontiers avalé une poignée de ses Smarties. En mon for intérieur, j'étais sur le point d'exploser, je sentais presque mon émotion faire pression contre mes côtes. Mon âme essayait de s'échapper, de fuir. J'avais cru que le noyau d'horreur qui me serrait les tripes était lié à Helen, à l'enterrement, mais je n'en étais plus si sûre maintenant. Les enterrements sont des choses étranges, terribles, mais ils constituent une sorte de ponctuation. Les réceptions qui suivent permettent aux gens de rire à nouveau.

Je me sentais encore plus mal et l'alcool n'arrangeait pas les choses. Je n'étais pas la seule à boire du champagne à gogo. L'atmosphère pesante qui régnait dans le vaste hall en marbre de Marguerite à Kensington s'égayait à mesure que les décibels augmentaient. Je n'étais pas d'humeur à rire, aussi m'excusai-je auprès de parents lointains de Helen pour m'éclipser dans le jardin inondé de lumière. En sortant, j'aperçus Nick sous un des arbres majestueux.

« Salut, Nick, dis-je en traversant la terrasse dallée. Ça va ? »

Il se tourna vers moi et hocha la tête.

« Et toi ? »

Je haussai les épaules.

« Je crois, oui. Je suis contente que Caspar soit venu. J'ai eu l'impression de le retrouver.

– On verra ça.

– Je suis désolée de m'être mêlée de vos histoires de famille. »

Je n'arrêtais pas de m'excuser ces temps-ci.

« Tu fais partie de la famille, Tessa. Tu as parfaitement le droit de te mêler de nos affaires. »

Je regardai mon vieil ami.

« C'est gentil à toi de me dire ça, Nick. Franchement, ça me touche. »

Nous restâmes un moment côte à côte à respirer l'air frais du soir. Soudain, il poussa un profond soupir.

« Tu vas me trouver moins gentil, j'en ai peur. »

C'était de mauvais augure. Cela expliquait-il le regard étrange qu'il m'avait décoché au pub ? Il était au courant pour Francesca et il s'apprêtait à la quitter.

« Et pourquoi ça ?

– Parce qu'il faut que je te dise quelque chose. »

Je secouai la tête avant même qu'il ait proféré un seul mot.

« J'étais à l'hôpital l'autre jour… »

Je me figeai.

« À l'hôpital ? »

Je portai ma main à ma bouche.

« Oh, mon Dieu ! Ne me dis pas que tu es malade. »

Il sourit tristement.

« Tout va bien, petite sotte. J'étais juste allé porter un puzzle en bois à Cora. »

Je le frappai en un geste taquin.

« Tu m'as fait peur, dis-je. Ne refais jamais ça. Tu comptes beaucoup trop pour nous tous. Il faut que j'aille boire un autre verre maintenant. »

Il me rattrapa le bras.

« C'est le problème avec toi, il est presque impossible de t'en vouloir parce que tu as l'art de dire des choses qui font plaisir. De sorte qu'on hésite tous à te dire certaines vérités qu'en toute honnêteté, tu devrais entendre.

– Comme quoi ? Non, en fait, laisse tomber. »

J'avais espéré qu'il s'esclafferait, mais il continuait à me regarder d'un drôle d'air. J'avais déjà vu cette expression quelque part, mais je n'arrivais pas à me rappeler où.

« Tu sais que le problème est réglé entre Billy et moi maintenant. Je lui ai fait des excuses à elle aussi.

– Je sais. Tu venais de passer quand je suis arrivé. Je t'ai ratée à quelques secondes près. »

Je levai les yeux vers lui, puis détournai le regard. Quand je reportai mon attention sur lui, je sus où j'avais vu cette expression. C'était celle de mon reflet dans la glace chez Helen. J'avais le cœur au bord des lèvres. Je fermai les yeux. C'était pire. Je les rouvris.

« Qu'est-ce que tu fais, Tessa ? N'importe qui aurait pu vous voir. Je vous ai bien vus, moi ! »

J'enfouis mon visage dans mes mains. J'étais incapable de dire un mot. *Tout le monde sera content pour nous !* À quoi pensions-nous ? *Content pour nous ?* Content que nous ayons annihilé une merveilleuse amitié pour courir après un rêve d'adolescent. J'essayai de regarder Nick dans les yeux. Impossible. Ne devrais-je pas être capable de me justifier mieux que ça ?

« Le mariage n'est pas une chose facile, Tessa. Aucun couple ne peut survivre à un truc pareil.

– Je… Il ne s'est rien passé entre nous.

– Et tu penses que ça résout le problème ?

– Euh…

– Tu t'imagines que le sexe est capital, tu penses que parce que vous n'avez pas couché ensemble, Ben et toi, ça vous absout de tout ? Le sexe, c'est ce qu'il y a de plus facile ! On peut coucher avec n'importe qui. Une banale partie de jambes en l'air, ça ne fait pas de bien à un couple, je te l'accorde, mais on s'en remet. Eh oui, même une aventure avec un type dont on croit être tombée amoureuse pendant un moment, même ça, un couple peut le dépasser. »

Il était bel et bien au courant, ce qui ne l'empêchait pas d'aimer sa femme. Je fronçai les sourcils pour tâcher de dissimuler mes pensées.

« Ne fais pas semblant de ne pas comprendre. »

Nos regards se croisèrent.

« Écoute, ça n'a plus aucune importance maintenant. Ce qui compte, ce qui est essentiel, c'est que tu réfléchisses bien à ce que tu fais et à ce que tu penses obtenir. Ben et Sasha forment un bon couple. »

Nous étions côte à côte à présent.

« As-tu dit à Francesca que tu nous avais vus ? demandai-je.

– Et toi, tu ne lui as rien dit ? »

Je secouai la tête.

« Quelque chose te gêne, peut-être ? »

J'étais mortifiée, mais je ne voulais pas l'admettre. Ben était amoureux de moi. Nous nous aimions. Seigneur, c'était tellement puéril à entendre !

Nick se balançait d'une jambe sur l'autre.

« Les rêves, les mythes, les fantasmes, c'est une chose, mais une fois que tout le monde est au courant, c'est super dur de tout remettre dans le placard. Dans le cas qui nous occupe, c'est impossible. Il y a un point de non-retour pour chacun, aussi forts que soient les liens qui unissent les gens. »

Pourquoi les larmes piquent-elles autant les yeux ? Je plongeai la main dans la poche du manteau de Helen que j'avais refusé d'enlever et en sortis un mouchoir humide tout tire-bouchonné.

« Il faut que tu sois sûre de ce que tu fais. Absolument sûre. Catégorique. Peux-tu avoir une telle certitude ? Évidemment que non. Ce n'est possible pour personne. Alors, le jeu en vaut-il la chandelle ? »

Les larmes *brûlent*, elles ne piquent pas. Je bougeai un tout petit peu la tête. Oui ? Non ? Je ne sais pas ?

« Tu viens de vivre une période très difficile, je m'en rends bien compte, reprit-il en posant sa main sur mon épaule. Mais il faut que tu réfléchisses à ce que tu t'apprêtes à faire. Comprends-moi bien, le mariage est merveilleux, j'adore ma femme, mais ça n'a pas été facile. On a vécu un enfer avec Caspar, je ne sais toujours pas ce qu'il fabrique. Les filles grandissent trop vite, on se fait de plus en plus de soucis pour les enfants, les nuits blanches se multiplient... C'est ça, la réalité. Ai-je des regrets ? Bien sûr que non, mais... »

Il joignit les mains, comme s'il me suppliait de l'écouter, comme s'il était terrifié à l'idée que je ne le fasse pas.

« Notre histoire a bien commencé. On n'a fait souffrir personne. Nous trimbalions une bonne dose de culpabilité l'un et l'autre, mais ça ne nous pendait pas au-dessus de la tête comme l'épée de Damoclès, rendant une tâche déjà difficile impossible. Tu penses que c'est ce que tu veux, c'est évident, mais franchement, Tessa, es-tu prête à payer un prix aussi élevé ? »

Je ne pouvais pas répondre. J'avais la tête qui tournait.

« Je suis désolé de te faire ce coup-là, aujourd'hui par-dessus le marché, mais je te supplie de réfléchir. S'il te plaît. Tu n'as pas besoin de lui, Tessa. »

Il s'éloigna de quelques pas, puis revint en arrière.

« Tu n'as jamais eu besoin de lui. »

Ce fut la voix de Helen qui me parvint alors dans l'obscurité. *Écoute les autres*, avait-elle dit. *Écoute les autres*.

Il n'y avait qu'une seule solution. Boire davantage. Beaucoup plus. Je croisai Rose dans les toilettes.

« Où sont les jumeaux ? demandai-je en articulant comme une démente. On aurait dit Maggie Smith.

– Le frère de Neil s'en occupe.

– L'insaisissable frère !

– Il a l'air gentil, me répondit-elle, se séchant les mains avec la serviette en lin blanc avant de la plier avec soin et de la reposer sur le bord du lavabo. C'est l'heure de partir ?

– Pas encore. »

En regagnant le vaste hall, je remarquai qu'il y avait moins de monde. Les gens commençaient à s'en aller. J'aperçus Marguerite qui tenait salon près de la porte. Mince comme un fil, tout en noir. Ses longs cheveux gris étaient remontés en un chignon maintenu en place par une rose noire. La voir m'écœurait. Ces ongles rouge sang enserraient le poignet d'un homme mûr qui compatissait à l'évidence à sa douleur. Son épouse, mal fagotée, attendait bêtement derrière lui, manifestement mal à l'aise. Les gens rôdaient à proximité comme autour d'une jeune mariée le jour de ses noces, attendant leur moment avec la vedette du spectacle.

Je m'emparai d'un autre verre. J'étais censée trouver Claudia et Al pour leur parler des jumeaux, mais je fus happée au passage par un groupe de comédiens installés au bar. Ils étaient ivres morts. Du coup j'avais l'impression d'être nettement plus sobre que je ne l'étais en réalité. Tout est relatif. Ils me racontèrent des histoires géniales à propos de Neil et, ayant oublié de qui on parlait, je me mis presque à l'apprécier. Qui aurait cru qu'il avait fait un one-man-show à l'âge de sept ans au club de son grand-père ?

Quelqu'un posa son bras sur le mien. Je commençais à avoir du mal à tenir debout sur mes talons.

« Tessa. »

Je sentis une main s'insinuer autour de ma taille.

« Viens prendre un petit remontant.

– Oh mon Dieu ! Pas toi ! »

Sasha me dévisagea sévèrement. Merde, je l'avais dit à haute voix.

« Ne compte pas sur moi pour te faire la leçon, ma chérie, tu te soûles autant que tu veux. Je suis avec toi, cinq sur cinq. On est tous avec toi. C'est juste que je ne voulais pas que tu t'effondres à moins d'être entre amis. Viens, on a trouvé la réserve d'alcool. Claudia nous a concocté des margaritas d'enfer.

« Je t'aime », dis-je.

Merde alors ! D'où est-ce que ça sortait, ça ?

Elle me serra plus fort.
« Oui, Tessa. »

Claudia était en train d'exécuter une sorte de danse du ventre. Ben et Al se bidonnaient. Il n'y avait plus qu'eux dans le joli salon de Marguerite. Je remarquai quelques photos de Helen provenant de la maison de Notting Hill Gate, mais j'étais trop partie, et trop captivée par le numéro de Claudia pour me rendre compte que j'étais en colère. Mais elle était bien là, bouillonnant sous la surface, attendant le verre qui ferait déborder le vase. À mon insu, ce fut celui que Sasha me tendit. Une margarita du feu de Dieu !

« *On the rocks*, hurla Claudia.

– Salut, toi », me chuchota-t-on à l'oreille.

C'était Ben.

« Et le sel ? lançai-je en m'écartant de lui.

– On a un peu déconné avec le sel », répondit Al en pouffant de rire. Il avait écrit « Je t'aime » avec sur la table basse. Claudia lui avait retourné le compliment en ajoutant « Mauviette ».

Je m'emparai de la salière à mon tour. J'avais mon propre message à transmettre

« Je hais Marguer...

– Tessa !

– Malédiction ! »

Je souris à Marguerite tout en envoyant le sel valser sur le tapis.

« Où sont mes petits-fils ?

– Je les ai vus avec le frère et la belle-sœur de Neil, dit Sasha. Ils ont deux adorables petites filles.

– Quelqu'un pourrait-il apporter un verre d'eau à Tessa ? » demanda Marguerite sans me quitter des yeux.

J'étais sur le point de riposter quand Ben vint se planter à côté de moi.

« Fichez-lui la paix, dit-il.

– Ben, protesta Sasha en effleurant le bras de son mari.

– Elle s'est occupée de ces garçons toute seule », ajouta Ben, poussant plus avant ses revendications.

Marguerite l'envoya promener comme s'il avait dix ans.

« Elle ne demande que ça. Les avoir pour elle toute seule. Je vois que tu t'es débrouillée pour faire revenir Rose. En fait, tu n'as pas vraiment fait ça toute seule. Pas si facile qu'il n'y paraît, hein ? »

Je la fixais d'un air mauvais. Était-ce une impression ou oscillait-elle légèrement ? Al et Claudia vinrent se planter de part et d'autre de moi. Sasha se rapprocha de Ben.

« N'aggrave pas les choses, chuchota-t-elle discrètement à son mari, sauf qu'elle était ivre elle aussi et ce ne fut pas si discret que ça. Ben se dégagea d'un haussement d'épaules. Il ne se borna pas à se dégager apparemment. Son geste m'avait échappé, mais Al pivota rapidement sur lui-même pour le retenir d'un geste.

« Comment comptes-tu les ramener ce soir ? En voiture ? En taxi ? Ou bien la nounou va-t-elle s'en charger à ta place une fois de plus ? » poursuivit Marguerite.

J'étais à deux doigts de lui faire remarquer qu'en cela, je ne ferais qu'imiter son attitude à l'égard de sa proche progéniture, mais une réplique aussi désobligeante n'aurait fait qu'apporter de l'eau à son moulin. J'étais soûle, évidemment, de sorte que rien ne me venait à l'esprit hormis des répliques désobligeantes. Je fis un effort colossal pour me concentrer.

« En fait, commençai-je en prenant soin d'articuler, j'ai pensé que vous auriez... qu'ils pourraient rester ici. Je présume que vous avez tout ce qu'il faut sur place. »

J'étais lancée.

« Comment faisiez-vous les autres fois ?

– Helen ne me les a jamais amenés ici pour passer la nuit, répondit Marguerite.

– Ce que je peux être bête ! Je croyais que vous aviez l'habitude de les garder. Pardonnez mon erreur. Ne vous inquiétez pas. Nous les pousserons jusqu'à la maison dans le landau.

– Il fait un froid de canard, Tessa. Tu n'y songes pas ?

– Nous avons apporté tout ce qu'il faut, Marguerite. Ce n'est pas bien loin. »

Rose avait poussé les jumeaux jusque-là. Nous les rapatrierions chez eux par le même moyen.

« Il est hors de question que tu les emmènes où que ce soit dans l'état où tu es.

– Mes amis me donneront un coup de main. »

Elle les considéra avec un mépris non dissimulé.

« Je pense qu'il serait préférable qu'ils restent ici avec moi.

– Hé ! On n'est pas des incapables ! » lança Ben.

Il parlait beaucoup trop à mon goût. Chaque syllabe qui sortait de sa bouche faisait ricochet dans ma conscience. Je me réjouissais d'avoir vu Nick et Frances filer avec Caspar. Mais il restait tout de même Sasha que je surprenais en train de m'observer chaque fois que je la regardais.

« On va lui appeler un taxi », suggéra Al.

Toujours là pour régler les problèmes, même quand il était ivre et sous le coup du décalage horaire. Ça avait quelque chose d'agaçant en fait. Je voulais le lui dire mais au moment de me tourner vers lui, je manquai de basculer. Je fixai toute mon attention sur les muscles de ma jambe jusqu'à ce qu'elle veuille bien se redresser.

« Et qui prendra soin d'elle ? demanda Marguerite qui ne me lâchait pas des yeux.

– Je suis capable de prendre soin de moi-même, merci », répliquai-je plus vite que Ben pouvait le faire, et comme il s'apprêtait à le faire, ce qui ne m'avait pas échappé. Malheureusement, cet empressement me valut de riposter à tue-tête et pas très distinctement.

« Ça m'étonnerait, Tessa. Tu n'arrives même pas à articuler, sans parler de tenir debout. »

J'éclatai de rire.

« Eh bien, merci de cette charmante soirée. À propos, rappelle-moi, pour quelle bonne cause était-ce déjà ?

– Comment oses-tu ?

– Pardon de vous interrompre… »

Nous nous retournâmes tous comme un seul homme. La jeune femme que j'avais aperçue à l'église se tenait à l'entrée du salon. Elle avait Bobby dans les bras. À côté d'elle, un homme qui ressemblait étrangement à Neil portait Tommy. Ça me fichait les boules de voir Neil tenant son fils dans ses bras. Je secouai la tête pour essayer de recouvrer mes esprits.

L'homme prit la parole en premier.

« Nous devons partir si nous voulons avoir le dernier train pour Norwich.

– J'ai été heureuse de voir les garçons. Je n'arrive pas à croire qu'ils aient autant grandi en un mois.

– Eh oui, les bébés, ça grandit ! répondit Marguerite en lui arrachant pour ainsi dire Bobby des bras.

– Dis au revoir à mammy », dis-je en m'approchant à mon tour pour récupérer l'enfant.

J'ignore d'où la table basse avait surgi. Je jure qu'elle n'était pas là auparavant. Quoi qu'il en soit, je me pris les pieds dedans, me heurtai de plein fouet à Marguerite et suivis comme au ralenti le vol plané de Bobby jaillissant de ses bras. Il retomba à plat ventre sur le canapé. Dieu merci, les coussins étaient tout mous ! Dieu merci il y avait un canapé ! Nous étions trop sous le choc pour bouger, Marguerite et moi. La femme s'empressa de le reprendre dans ses bras, s'assurant qu'il n'avait rien, le calma et réussit même à le faire sourire.

« Plus de peur que de mal », dit-elle en me regardant.

Combien d'avertissements me fallait-il ? Quelques centimètres de plus, et Bobby aurait atterri sur un sol dur et il ne serait pas en train de me sourire, oublieux du mal que Marguerite et moi étions capables de lui faire. Plus de peur que de mal ? Je levai les yeux vers Sasha. À qui allais-je faire croire ça ?

« Non, mais regarde-toi ! dit Marguerite, se ressaisissant plus vite que moi. Réfléchis un peu, Tessa. Qu'as-tu véritablement à leur offrir ? »

J'étais en état de choc, hantée par la vision de Bobby sur le point de se fracasser le crâne. Et Marguerite me donna le coup de grâce.

« Tu t'imagines que tu peux élever deux enfants toute seule ? Tu n'es même pas capable de t'occuper de toi.

– Ce ne sera pas nécessaire », dit Ben.

Oh, mon Dieu ! Non. Pas ici. Pas maintenant.

« Vous allez tous mettre la main à la pâte, c'est ça ? » ironisa Marguerite.

Le regard de Sasha passa de moi à Ben.

« La journée a été rude. Rentrons à la maison avant que nous nous mettions tous à dire des choses que nous regretterons. »

Pourquoi ne l'avons-nous pas écoutée, je ne le saurai jamais.

« Nous aimerions beaucoup revoir les garçons, dit la femme qui avait tenté d'apaiser ma culpabilité.

– Pardonnez-moi, dis-je, mais nous n'avons pas été présentées.

– Lauren Williams, je suis la femme de Daniel, le frère de Neil. »

Elle pointa le menton dans la direction de son mari à côté d'elle.

« J'ai laissé tomber notre fille un jour, dit Daniel, les yeux rivés sur Tommy. Elle n'avait rien, mais moi j'ai mis des semaines à m'en remettre. »

Je faisais de gros efforts pour essayer de faire bonne impression. Rose arriva sur ces entrefaites. Personne ne fit mine de l'arrêter quand elle emmena discrètement les jumeaux. Pas même Marguerite.

« Je suis désolée que nous nous rencontrions dans des circonstances aussi tragiques, ajoutai-je. Ce doit être très pénible pour vous.

– C'est pour mes parents que c'est le plus dur. Je sais qu'ils aimeraient beaucoup voir les jumeaux de temps en temps eux aussi, si c'est possible.

– Danny, notre train…

– Puis-je vous donner notre numéro ? Helen est venue nous voir plusieurs fois. Euh, ça nous ferait très plaisir que, euh… »

Il regarda nerveusement Marguerite.

« Dan…

– Nous avons une chambre d'amis. Les filles adorent les jumeaux. Je leur ai construit un joli petit abri sous le saule et, enfin… »

Lauren prit gentiment le bras de son mari.

« Viens, mon chéri. »

Je les regardais avec insistance. *Près du saule. À Norwich.*

« Helen vous aimait tous les deux, bredouillai-je. Elle m'a beaucoup parlé de vous. »

Ils paraissaient soulagés.

« Je crois que votre épouse souhaiterait s'en aller, intervint Marguerite. Vous savez où me trouver.

– Marguerite, m'exclamai-je, à nouveau victime de ma fureur éthylique. Vous n'aurez pas les jumeaux.

– Et toi non plus. Tu es incapable de t'en sortir toute seule. Je suis bien placée pour le savoir !

– Elle ne sera pas toute seule », lança Ben en s'écartant à nouveau de Sasha.

Nous étions tous ivres morts.

« Qu'est-ce que vous racontez ? riposta Marguerite.

– Ce n'est pas le moment, Ben, dis-je en m'efforçant de prendre un ton qui en imposait, histoire de montrer de quoi j'étais capable.

– Marguerite doit le savoir. Ça la concerne.

– Ben !

– S'il te plaît, Ben, écoute Tessa, » intervint Sasha.

Mon cœur se fendit en entendant le son de sa voix. Nick avait raison. J'entrevoyais le précipice sous mes pieds. *On le sait toujours*. Nous allions tomber et entraîner tout le monde dans notre sillage.

Ben braqua son regard sur moi.

« Tessa a décidé…

– De confier les jumeaux à Claudia et Al, dis-je en me tournant vers eux avec un sourire affecté.

– Comment ?

– Tu plaisantes, n'est-ce pas ?

– Ah bon ?

– Oh! »

Al.

Claudia.

Sasha.

Et pour finir, Daniel, le frère de Neil. Celui que je savais que j'allais apprécier. Et ça se confirmait. Celui qui habitait Norwich et qui avait un saule dans son jardin.

Ben n'ajouta rien. Il quitta la pièce.

Marguerite promena ses regards sur ce qui restait de notre petit groupe.

« Vous aurez de mes nouvelles, dit-elle. Ça ne fait aucun doute. »

Puis elle sortit de la pièce à son tour.

« Tu as perdu la tête, Tessa ? dit Al. Après tout ce que nous avons subi ! Tu n'as même pas jugé bon de nous en parler d'abord ?

– On se doutait que ça arriverait. On en a parlé dans l'avion. Je m'étais préparée, dit Claudia. Mais on ne s'attendait pas à ce que ça vienne de toi, Tessa.

– Refiler les bébés au pauvre couple stérile. C'est une solution de merde, Tessa !

– Bien sûr, nous voulons être impliqués dans leur vie, mais après tout ce que nous avons vécu, c'est fini pour nous. Nous avons fait un choix, le choix le plus difficile qui soit, mais notre décision est prise. »

J'aurais tout donné pour revenir sur ce que je venais de dire. Pour leur avouer que j'avais juste dit ça pour faire taire Ben. Mais ce n'était pas possible. Sasha était toujours là. À observer mes moindres gestes.

« Tu aurais au moins pu nous en toucher un mot au lieu de lâcher ça comme ça.

– Je suis désolée », marmonnai-je.

Claudia commença à rassembler ses affaires. J'étais affreusement triste. Quelques minutes plus tôt, elle dansait la danse du ventre et maintenant, elle allait rentrer chez elle et remettre en cause toutes ses décisions parce que j'avais été trop lâche pour reconnaître ce que j'avais fait. Elle leva les yeux vers moi.

« Je pensais que toi plus que quiconque, tu serais capable de comprendre.

– Je comprends, dis-je d'un ton suppliant. Je vous demande pardon. Dès que je vous ai vus, j'ai su que c'était une mauvaise idée, mais en votre absence, euh… les gens n'arrêtaient pas d'en parler et j'ai pensé… »

Je me laissai tomber sur le canapé.

« Quelle conne ! »

Claudia baissa les yeux sur moi.

« J'ai Al, tu vois. Ça me paraît impossible, dangereux même d'aimer autrement pour le moment. Tu comprends ?

– Pardonne-moi, c'était une mauvaise idée, répétai-je.

– Je ne te le fais pas dire, renchérit Al. Viens, Claudia, on fout le camp. »

Mais Claudia s'attarda encore un peu.

« Ce n'est pas que je n'en ai pas envie, mais je suis au bout du rouleau. Je ne peux plus vivre comme ça. »

Elle avait les larmes aux yeux.

« Je ne pourrais pas être une mère détendue et je ne rendrais pas justice à Helen… Je suis navrée.

– On a déjà parlé de ça, mon amour, dit Al en l'enlaçant. Nous nous sommes lancés dans une autre aventure. »

Elle hocha la tête mais paraissait encore tellement peinée. J'étais morte de honte. Elle commençait déjà à douter d'elle-même. Pourtant je savais probablement mieux que quiconque qu'ils avaient pris la bonne décision. Je devais en faire autant à présent.

« Je n'ai pas voulu dire ça, dis-je.

– C'est facile à dire après coup, riposta Al.

– Mais je t'assure. Je n'ai pas voulu dire ça. En vérité, je ne tenais pas du tout à ce que vous les preniez. Je me suis attachée à eux, mais Marguerite me harcèle. Elle pense que c'est elle qui devrait les avoir et me considère à l'évidence comme une bonne à rien. Oh, mon Dieu, je suis désolée. Vraiment. »

Le regard de Claudia passa de moi à Al, mais il restait imperturbable.

« Alors qu'est-ce qui t'a pris de dire un truc pareil ? » s'exclama Al, sortant de ses gonds.

Je jetai un coup d'œil à Sasha, puis à Al.

« J'ai paniqué, j'ai paniqué, c'est tout. »

Je me pris la tête à deux mains. Mes tempes vibraient furieusement.

Claudia s'accroupit devant moi.

« Qu'est-ce qu'il y a, Tessa ? Qu'est-ce qui se passe à la fin ? »

Je guignai entre mes doigts. Je n'osais pas regarder dans la direction de Sasha. Je fixai mon regard sur Claudia, détaillant les traits de son visage. Sa frange foncée, ses grands yeux, sa petite tête ronde. Aide-moi, la suppliai-je en silence. Aide-moi, je ne sais plus ce que je fais. Elle se releva brusquement et s'assit sur le canapé à côté de moi en prenant ma main dans les siennes.

« Je pense que tu as porté beaucoup trop de choses sur tes épaules. On aurait dû être là plus tôt », dit-elle.

J'aurais pu lui baiser les pieds.

« Allons, Al. Songe à la pression qu'elle a subie, insista-t-elle. Marguerite n'a pas dû être facile à gérer. Tout le monde sait que c'est un dragon. »

Il ne daignait même pas me regarder.

« J'aimerais bien y aller maintenant.

– Je te demande pardon, Al...

– Pas maintenant, Tessa », me répondit-il en se passant la main sur la tête.

Il s'efforçait apparemment de contenir sa colère.

« On parlera de tout ça demain. Quand tout le monde aura recouvré ses esprits. »

Claudia me pressa la main et je les regardai partir.

« On ferait mieux d'y aller aussi, dit Daniel.

– On va rater le train, souligna sa femme.

– Ce n'est pas grave, on trouvera un hôtel près de King's Cross.

– Je suis vraiment navrée, dis-je.

– Tout le monde est bouleversé, c'est compréhensible, répondit la belle-sœur de Helen. On se fait tous du souci pour les jumeaux.

– Inutile que vous alliez à l'hôtel. Il y a plein de place chez Neil et Helen.

– Nous avons les filles, souligna Lauren.

– Et mes parents.

– C'est gentil, mais ne vous inquiétez pas pour nous.

– S'il vous plaît. Helen aurait voulu que vous logiez chez elle. Je le sais. »

Il y eut un temps d'arrêt. Pourquoi voudraient-ils passer la nuit sous le même toit que moi après cette débâcle ? J'étais sur le point de les laisser filer quand un sourire chaleureux éclaira le visage du frère de Neil.

« Eh bien, si vous êtes sûre ? dit-il.

– Absolument. Venez avec nous.

– Nous allons prévenir les autres. »

Je les regardai partir eux aussi. Pour finir, je me détournai pour trouver Sasha en face de moi.

« Je crois que je vais rentrer », dit-elle.

Si je me décidais, il fallait que ce soit maintenant. Combien de fois lui avais-je posé la question ? Des centaines. Je ne pourrai plus jamais le faire.

« Cela t'ennuierait-il que je t'emprunte ton mari ? » dis-je en me forçant à prendre un ton léger.

Sasha éclusa son verre. Elle le posa sur le bar et se tourna vers moi.

« As-tu l'intention de me le rendre ? demanda-t-elle calmement.

– Tu sais que je le fais toujours, non ? »

Elle me décocha un regard impénétrable, sans rien révéler de ses pensées. Pour finir, elle hocha la tête, plus pour elle-même que pour moi.

Beaucoup plus tard, après avoir fait un peu plus ample connaissance avec les beaux-parents de Helen dans la cuisine de la maison de Notting Hill Gate en engloutissant plusieurs tasses de thé et des haricots blancs à la tomate sur toasts, je m'assis sur le banc en teck dans le jardin et fixai le ciel indigo. Ben sortit et m'enveloppa dans une veste.

« Ils sont très gentils, dit-il. Il ressemble énormément à Nick, mais il est très différent. Ça fait bizarre. »

Je ne répondis pas.

« Et les gamines sont adorables », ajouta-t-il.

J'étais d'accord là-dessus, mais je ne répondis toujours pas.

Il me prit la main.

« J'aurais mieux fait de me taire tout à l'heure. Je ne sais pas ce qui m'a pris. »

Je lui tins la main un instant, puis dégageai la mienne.

« Ce n'est pas grave. Je pense qu'Al et Claudia finiront par me pardonner.

– Tu m'en veux, n'est-ce pas ?

– Non. Nous avions tous trop bu, beaucoup trop. Ça se passe souvent comme ça aux enterrements.

– C'est cette salope de Marguerite. Elle m'a foutu en rogne.

– Tout ce qu'elle fait ou presque, c'est pour la galerie, dis-je. Elle n'a pas son pareil pour ça. Bizarrement, je crois qu'elle s'imagine qu'en s'occupant des jumeaux, elle rattrapera le temps perdu avec Helen. C'est ce que j'aimerais penser en tout cas. »

Ben s'assit à côté de moi. Je m'appuyai contre lui, fatiguée, luttant toujours contre la gueule de bois.

« Je t'aime, Tessa, tu le sais, dit-il.

– Oui, je sais. »

Nous nous tînmes par la main en silence encore un petit moment. Mes rêves étaient remplis d'instants comme celui-ci. Je n'arrivais pas à croire ce que j'étais sur le point de faire.

« Ben ?

– Hein hein ?

– Toi et moi.

– Oui, mon amour.

– Ça ne se fera pas.

– Qu'est-ce que tu racontes ? »

Il se tourna brusquement vers moi.

« Allons, Tessa, la journée a été rude, je te l'accorde, mais pense aux circonstances. Tu avais raison, nous devons attendre que tout soit fini.

– Non, Ben. La journée d'aujourd'hui aurait aussi bien convenu que n'importe quelle autre, si c'était la chose à faire. »

Il s'empara de mes mains.

– Tu adores Sasha, elle t'avait dans le collimateur. C'est normal que tu aies perdu les pédales. Ne fais pas ça, Tessa, pas maintenant qu'on voit finalement clair. »

J'extirpai mes mains de dessous les siennes et les plaçai dessus.

« Précisément. Ce sont des sottises d'adolescents. J'ai attendu vingt ans pour qu'on me dise ce que je savais déjà. Je te voulais. Tu me voulais. Nous avons eu notre chance et nous sommes passés à côté. Il y a des années, Ben. Et Sasha n'y est pour rien.

– Mais ce n'est pas d'elle dont je suis amoureux, mais de toi », m'implora-t-il.

Je me donnais un mal de chien pour empêcher ma voix de dérailler.

« Aujourd'hui peut-être, mais la semaine dernière ?

– Je t'aimais. C'est juste que je ne le savais pas.

– Ça ne marche pas comme ça, Ben. Je pense que tu passes par une période difficile avec ta femme. Ça arrive. C'est cyclique. Il faut que vous en sortiez, c'est tout. Elle voyage trop, de son propre aveu. Ça t'agace, alors je parie que tu n'es pas très aimable avec elle quand elle rentre à la maison. Du coup, elle multiplie les déplacements. Vous vous êtes éloignés l'un de l'autre. Vous avez besoin de vacances, de vous retrouver. »

J'essayai de lui expliquer l'histoire du couloir, mais je ne m'y pris pas aussi bien que Francesca.

« S'il te plaît, abstiens-toi de me dire comment faire pour colmater la brèche avec ma femme. C'est avec toi que je veux vivre. »

Il avait l'air énervé.

« Parce qu'on s'amuse bien avec moi ! »

Il me caressa la joue.

« Non. Tu es parfaite.

– Évidemment. »

J'étais comme Caspar. Ben était mon héros de sorte que, de son point de vue, on ne pouvait strictement rien me reprocher.

« Je suis célibataire. Je me fringue. Je fais la fête. Je n'ai pas besoin d'être à mon bureau à six heures du mat. Je ne suis pas couverte de dégueulis de bébé. Je couche avec des mecs. Quand je suis de mauvaise humeur, je me terre. Quand j'ai mes règles, je reste au pieu. Tu ne me vois jamais quand je triture mes boutons.

– Tu n'as pas de boutons. »

Je m'efforçais d'introduire un peu d'humour dans la conversation. Histoire de détendre l'atmosphère.

« C'est bien ce que je dis ! Tu ne me connais pas du tout manifestement.

– Bon d'accord, il t'arrive d'avoir des boutons. Ça m'est égal. Je t'aime. »

Les choses se compliquèrent alors parce que je reconnaissais Ben, mon Ben, et il avait l'air convaincu. Il aurait suffi que je choisisse de le croire moi aussi comme je l'avais fait pendant des années et d'un seul coup, j'aurais eu tout ce que j'avais toujours voulu. Je me détournai de lui à la place.

« Je suis désolée.

– Je ne te crois pas. »

Il m'attira à nouveau contre lui.

« Que t'a dit Sasha ?

– Rien. Vous êtes ensemble depuis sept ans. Je ne sais pas, moi, c'est peut-être ce fameux cap des sept ans.

– Ça fait huit ans.

– Raison de plus pour essayer de sauver votre couple. Huit bonnes années, Ben. Je le sais parce que j'étais là avec vous. Sasha est plus forte que moi, on peut davantage compter sur elle, elle est plus intelligente, et par-dessus tout, elle fait de toi quelqu'un de mieux que tu ne le serais tout seul.

– Merci !

– N'est-ce pas justement ça qui compte ? Nous n'étions que des gamins dans ce passage. Tu t'imagines que ces gamins-là avaient ce qu'il fallait en eux pour surmonter les obstacles de la vie ?

– Oui.

– Que se passera-t-il quand tu te rendras compte que je ne suis pas parfaite ?

– Ça n'arrivera pas.

– Évidemment que si ! Nom de Dieu, Ben, arrêtons de déconner. Le mariage, c'est dur pour tout le monde. Dans le cas contraire, on ne serait pas assis là en ce moment.

– Tu te débines comme d'habitude. Tu ne vas jamais au bout des choses…

– Je croyais que j'étais parfaite !

– Tu l'es. S'il te plaît, ne me fais pas ce coup-là.

– Tu deviens agressif maintenant. Tu refuses de m'écouter parce que tu sais pertinemment que j'ai raison. »

Il secouait la tête.

« Je n'en crois pas mes oreilles.

– Mon père dit toujours qu'il faut suivre son instinct. Quand je t'ai dit que je t'aimais, tu as répondu « Oh ». Après cela, tu es rentré chez toi et tu as pensé à toutes les petites choses qui t'agacent chez Sasha, qui ne manquent pas, j'en suis sûre. Je parie que toi aussi tu l'énerves pour tout un tas de raisons. Et puis tu as pensé à tout ce qui ne t'irrite pas chez moi et tu t'es dit, je dois l'aimer moi aussi. Solution facile. Tu l'as dit toi-même : tu te sens bien avec moi. Je vénère le sol que tu foules. Pas étonnant que tu te sentes bien.

– Sasha n'a pas cet effet-là sur moi.

– Parce qu'elle attend davantage de toi. C'est grâce à elle que tu es l'homme que tu es. Tu es bien dans ta peau. C'est grâce à Sasha. »

Je sentais que sa résistance commençait à flancher. Mais il continuait à se débattre.

« Notre couple n'y survivra pas, dit-il.

– Peut-être pas, mais tu devrais suivre le conseil de Nick et y accorder un peu plus d'attention avant de prendre cette décision. L'autre jour, je parlais à un avocat spécialiste du divorce ; il m'a dit que le taux de divorce est nettement plus élevé dans les cas de remariage. Pourquoi ? Parce que les couples se retrouvent dans la même situation avec les mêmes problèmes. Beaucoup de gens renouent avec leur ancien partenaire d'ailleurs. Ce serait vraiment triste que Sasha et toi ne vous en sortiez pas, mais dans un cas comme dans l'autre, je n'y suis pour rien. Je ne vais pas t'attendre, Ben. Ce n'est pas un stratagème ni une sorte d'épreuve à la noix que je t'impose. C'est fini. Terminé. Désolée. »

Il me regardait fixement. Il n'avait pas changé depuis l'enfance. Certes, je vénérais le sol qu'il foulait, mais je ne connaissais pas non plus ses mauvais côtés. Quand il boudait. Quand il se bourrait la gueule avec ses copains au point qu'il n'arrivait même plus à rentrer à la maison tout seul. Comme je faisais partie de ceux qui se soûlaient avec lui, je trouvais ça drôle. Je trouverais ça nettement moins marrant si c'était moi qui attendais à la maison. Ben laissant toujours toutes les lumières allumées. Ne vidant jamais la poubelle. Tous ces petits travers idiots qui agacent chez l'autre deviennent insupportables. Et c'est sans compter avec un gros pépin éventuel, stérilité, maladie, absentéisme, infidélité, décès… la liste est sans fin.

« Tu avais promis de ne pas te débiner. C'est toi qui as lancé tout ça, je te signale, dit-il.

– Je suis désolée, répétai-je. Mais Ben, nous avons entretenu ce mythe tous les deux en nous soutenant mutuellement, en faisant tampon l'un pour l'autre. Tu es le seul à penser que Sasha n'est pas marrante. Il faut que tu apprécies ce que tu as. Nous devons le faire tous les deux. »

Si je n'apprends pas à apprécier ce que j'ai, comment pourrais-je aller de l'avant ? Nick avait raison à maints égards. Je voulais fonder un foyer, et si ce désir devait ne jamais être assouvi, une chose avait changé : je n'étais plus disposée à accepter n'importe quel prix. Et là, le prix à payer était trop élevé. Beaucoup trop. Je me levai.

« C'est l'heure de rentrer chez toi, Ben.

– Je vais rester assis ici un moment.

– D'accord. Mais, Ben, quand tu rentreras chez toi, sois gentil avec Sasha, s'il te plaît. Ce qui se passe entre vous deux est une chose, mais cette histoire entre nous, elle n'y est pour rien. Laisse-la être la femme étonnante qu'elle est. »

Il hocha la tête.

« Ce n'est pas à moi de te dire ce que tu dois faire, mais je te conseille fortement de ne jamais lui parler de tout ça. Jamais. »

Il poussa un profond soupir.

« Et nous alors ? »

Je haussai les épaules. J'espérais que nous continuerions à être amis, mais différemment. Mieux qu'avant. Parce que nous ne serions plus un filet de sécurité l'un pour l'autre. Le chemin serait nettement plus terrifiant sans lui, mais, au moins, je le ferais toute seule. Les récompenses m'appartiendraient entièrement.

« Puis-je t'embrasser ? » demanda Ben.

Il me fallut un long moment avant de répondre. Pour finir je lui donnai la seule réponse possible.

« Embrasse ta femme à la place », dis-je en lui pressant l'épaule avant de retourner dans la maison.

ÉPILOGUE

Pour toujours, peut-être…

Si j'avais emmené Cora à Regent's Park, c'était à cause de l'éléphant. Je redoutai d'avoir gâché sa journée quand on nous annonça qu'on avait envoyé l'animal ailleurs, mais elle était contente. Elle trouvait que Londres n'était pas assez grand pour un éléphant. Nous gagnâmes le terrain de jeux au sommet de la colline, pour changer. Il faisait trop froid pour que je m'assoie sur un banc avec les autres parents, alors j'entrepris d'escalader le mur de corde, je franchis le pont branlant, je calai mon postérieur d'adulte dans le toboggan pour enfants et me ridiculisai sans vergogne. Cora essaya de m'échapper en se faisant des copines, ce qu'elle tendait à faire partout où elle allait, mais je les suivis dans la maison de Wendy. Nous y passâmes une agréable demi-heure assises sur du sable froid à confectionner des gâteaux d'anniversaire.

« L'éléphant devait se sentir un peu comme ça, nota Cora.

– J'espère sincèrement que tu ne parles pas de moi, là. »

Cora et ses deux nouvelles amies s'esclaffèrent.

« Petite coquine ! Bon, dis-je, l'éléphant a besoin d'un café. J'ai le popotin qui me gratte à force de rester assise sur le sable mouillé. »

Elles ricanèrent de plus belle. C'était facile de les faire rire. Il suffisait que je dise popotin plein de fois. Les grandes personnes ne font pas ça généralement. J'entrepris de m'extirper de mon coin, mais on aurait dit que la maison de Wendy avait rétréci depuis que je m'y étais engouffrée.

« Y a l'homme au jus d'ananas ! lança Cora en jetant un coup d'œil par la fenêtre.

– Comment ?

– C'est l'homme au jus d'ananas, je te dis. »

Je jetai un coup d'œil dehors à mon tour. Saperlipopette ! James Kent en personne. Il se dirigeait vers le bac à sable. Je rentrai prestement la tête. Perdis l'équilibre et retombai comme une masse.

« Cachez-moi, cachez-moi, chuchotai-je d'un ton désespéré. Baissez-vous. »

Les filles s'empressèrent de regarder par la fenêtre.

« Taisez-vous ! Chut !

– Papa ! » hurla une des filles.

Oh, non, ce n'était pas possible. James Kent allait glisser sa tête dans la maison de Wendy et s'imaginerait que cette salope psychopathe avait kidnappé ses enfants. Il n'y avait pas un endroit où se cacher, mais j'essayai quand même.

« Salut, les filles.

– Papa, papa ! »

Il s'était accroupi devant la petite maison. Je voyais ses pieds, mais lui ne pouvait pas voir à l'intérieur. J'avais une petite chance de m'en tirer.

« On a fait des gâteaux. Ça, c'est Cora. Est-ce qu'elle peut venir jouer à la maison ?

– Cora ? »

Quoique…

« Bonjour, monsieur Jus d'Ananas.

– Bonjour, Cora.

– Comment connais-tu mon papa ?

– On est allés à une fête ensemble, répondit Cora. Vous m'avez acheté un jus d'ananas.

– Effectivement. Comment vas-tu ?
– Je suis sourde d'une oreille.
– Oh ! Tu m'en vois navré.
– C'est assez utile en fait. On habite dans une rue bruyante. Je dors du côté gauche maintenant et je n'entends plus les voitures. Mais on va bientôt déménager dans une maison plus grande avec un jardin. »

J'étais plaquée contre le mur.

– Marraine Tess pense que je fais semblant d'être sourde parce que ça m'arrange et que j'entends parfaitement bien quand elle chuchote des trucs d'adulte que je ne suis pas censée entendre. »

Il y eut une pause magistrale. Cora me regarda. Je la suppliai des yeux.

« Pas vrai, Marraine Tess ? »

Je fermai les yeux de honte. James se mit à quatre pattes et jeta un coup d'œil à l'intérieur. Il me vit tapie dans le coin. Je n'avais jamais été aussi gênée de ma vie.

« Salut, dis-je.
– Bonjour, répondit-il d'un ton sec avant de se redresser. Je fixai ses pieds.
– Venez, les filles. On doit y aller.
– Non, non, non, s'exclamèrent les trois petites filles.
– On pourrait pas rester encore un peu ? S'il te plaît ?
– Juste dix minutes ? demanda une de ses filles.
– Cinq », consentit-il avant de s'éloigner.

Je me devais de m'extirper de la maison de Wendy pour lui expliquer mon attitude, même si je n'en avais pas la moindre envie. Nonobstant son infidélité, je supportais mal que quelqu'un puisse avoir de moi une opinion aussi monstrueuse. Je sortis en rampant, m'étirai pour tâcher de reprendre forme humaine et m'approchai du banc sur lequel il avait pris place.

« Je te dois de l'argent.
– Absolument. »

Son ton infléchit un tant soit peu ma bonne volonté.

« J'aurais dû t'expliquer que je ne couchais pas avec les hommes mariés. Je peux te faire un chèque. Vous avez un compte commun, je présume ?

– Comment ?

– Où est ta femme ?

– Mon ex-femme. Chez elle, je présume.

– Ex…

– Tu croyais que j'étais marié ?

– Tu l'es.

– Je l'*étais*. Nous sommes séparés depuis quatre ans.

– Quatre ans ? Tu es sûr ? »

Je regrettais aussitôt d'avoir dit ça sur ce ton. Il se leva et fourra ses mains dans ses poches.

« Ne t'inquiète pas pour l'argent. Pour tout te dire, j'ai tout fait pour oublier cette triste affaire. Bonne journée. »

Il ne pensait manifestement qu'à une chose : s'éloigner de moi au plus vite.

« Je me suis mal comportée, c'est clair. Excuse-moi. J'ai découvert que tu étais marié, que tu avais deux enfants. J'étais… »

Fâchée. Déçue. Ébranlée parce que rien dans son attitude ne laissait supposer que c'était ce genre d'homme, et pourtant je ne m'étais même pas donné la peine de lui fournir une explication.

« Enfin, bref. Je n'aurais pas dû agir comme ça.

– Je suis ravi de te l'entendre dire.

– Tu aurais dû me dire que tu avais des filles. C'est un détail qui a son importance, tu ne crois pas ?

– Tu aurais fichu le camp ventre à terre. Dès qu'on te parle de gosses, tu balises.

– C'est faux !

– "Les enfants, a-t-on idée !?" je crois bien que c'est ce que tu as dit.

– Je plaisantais. Tu as mal compris.

– Eh bien, je n'étais plus marié. On est quittes, je suppose.

– Laisse-moi te rembourser, suppliai-je.

– Ne t'inquiète pas pour ça, répondit-il d'un ton sans appel.
– S'il te plaît ?
– Non, ce n'est pas un problème. Honnêtement. »
Il retourna près de la maison de Wendy.
« Les cinq minutes sont passées. Allons, les filles, rentrons. »
Elles émergèrent, roses de froid, et commencèrent à danser en rond autour de nous.
« Lainy et Martha, c'est ça ? » dis-je, avide de finir sur une note heureuse.
James hocha la tête.
« Elles sont ravissantes. »
Mes lamentables tentatives pour entrer dans ses grâces ne l'impressionnaient pas, à l'évidence.
« Ne te donne pas tant de peine, Tessa. Je comprends maintenant. Je suis content de t'avoir rencontrée. Toute cette affaire m'avait un peu secoué, mais je peux oublier maintenant.
– Je croyais que tu étais marié avec des enfants. Je regrette de ne pas être restée pour t'en parler.
– Moi aussi, je le regrette », reconnut-il.
Je sentis que l'atmosphère se détendait.
« Est-ce qu'on pourrait avoir nos pains aux raisins maintenant ? » demanda une de ses filles.
James sortit un sac en papier de sa poche.
« Est-ce qu'on peut partager avec Cora ?
– Évidemment », répondit James.
Il était trop poli pour dire non.
« Je t'ai vu à l'enterrement, dis-je.
– Ça m'a fait beaucoup de peine pour ton amie. J'ai trouvé que tu avais bien parlé d'elle en tout cas. »
Je m'animai. Deux mois s'étaient écoulés et je me posais encore des questions sur mon *ad libitum* pendant le service.
« Merci.
– Où sont les jumeaux, au fait ?
– Ce week-end, ils sont chez les parents de Neil.
– Tu t'en sors avec eux ? Ça ne doit pas être facile toute seule.

– Moi ? Oh, non. Ils ne vivent pas avec moi. Le frère de Neil les a adoptés. C'est une charmante famille. Il est entrepreneur, il a agrandi la maison. Un vrai paradis pour enfants ! J'y vais assez souvent. Ils marchent à quatre pattes maintenant, figure-toi ! »

Je sentis la familière onde de fierté qui m'envahissait quand je pensais aux jumeaux, accompagnée des habituels picotements d'yeux quand je songeais à eux sans leur mère – ou plutôt à leur mère sans ses petits garçons.

« J'ai entendu dire que tu étais leur tutrice. »

Je levai les yeux vers lui.

« Tu t'es renseigné sur moi ? demandai-je sur un ton un tantinet aguicheur.

– Pas du tout », mentit-il.

Il grattait le sol du bout de sa chaussure.

« En revanche, il paraît que tu n'as pas encore repris le boulot. »

Je souris.

« Tu t'es bel et bien rancardé sur moi, à ce que je vois ! »

Cora et les filles de James avaient englouti leurs petits pains et il était évident à mes yeux comme à ceux de James qu'elles avaient froid, et encore faim, même si elles ne s'en rendaient pas compte elles-mêmes.

« Allons, Cora. On ferait mieux d'y aller. Tu as besoin de reprendre des forces.

– Nous aussi, renchérit James.

– Est-ce qu'on pourra rejouer ensemble ? » demanda Cora.

Il y eut un silence malaisé.

« Eh bien, nous venons ici un week-end sur deux », dit James.

Un week-end sur deux. Il était vraiment divorcé.

« On pourra, marraine Tess ? On pourra revenir ?

– Ouais ! s'exclamèrent les filles en chœur. Papa ne parle jamais à personne au parc normalement, alors il veut toujours qu'on reparte tout de suite. »

James saisit joyeusement ses filles par la taille et se mit à les chatouiller jusqu'à ce qu'elles hurlent de rire.

« Mais oui, c'est ça, vous avez une vie horrible. Vous ne vous amusez jamais. »

Elles gloussèrent.

« Pas de jouets, jamais de cadeaux. »

Elles rirent tout en protestant à moitié.

« Jamais d'après-midi au parc. »

Pour finir, il les reposa par terre en continuant à les serrer contre lui, puis il leva les yeux vers moi.

« Qu'en penses-tu ?

– Ça devrait être possible. Je verrai avec Billy.

– Eh bien, on sera là de toute façon. Alors si vous pouvez venir… »

Quoi ? Qu'allait-il ajouter ? Je suppose que je te parlerai si je ne peux pas faire autrement…

« Tant mieux, dit-il.

– Tant mieux », répétai-je.

Nous nous acheminâmes tous ensemble en direction du portail. Je ne levai les yeux sur lui qu'une fois ; il s'empressa de regarder ailleurs. Le moment était venu de se dire au revoir.

« Je suis désolée, répétai-je.

– Laisse tomber. »

Je songeai à la fois où j'étais restée assise dans le parc, près d'un terrain de jeux comme celui-ci, vêtue d'un peignoir volé, à picoler.

« Tu as dû me prendre pour une folle, dis-je.

– Je n'ai pas changé d'avis », répondit-il, mais cette fois-ci, un petit sourire flottait sur ses lèvres.

Nous prîmes des directions opposées.

« Il est gentil, dit Cora.

– Tu trouves ?

– Pour un vieux. »

Je lui ébouriffai les cheveux. Elle atteignait un âge où ce geste l'agaçait copieusement.

« Veux-tu vraiment qu'on revienne jouer avec eux ? demandai-je.

– Je vais y réfléchir. »

Elle avait peut-être raison. Quelques instants plus tard, mon portable sonna. Je ne reconnus pas le numéro. Je me tournai dans la direction où James et ses filles étaient partis. Se pourrait-il… ?

« Allô ?

– Tessa King ? »

Ce n'était pas lui.

« Oui ?

– Tu ne te souviens peut-être pas de moi. Sebastian.

– Sebastian ? »

– On s'est rencontrés à la soirée curry de Samira. »

Il plaisantait ou quoi ? On n'avait pas fait que se rencontrer !

« Je m'en souviens. »

J'avais bien l'impression que j'étais en train de piquer un fard.

« Ça fait un moment, je sais… »

Presque six mois et tu ne m'as pas appelée une seule fois…

« Mais enfin, voilà. On m'a invité à une fête fantastique dans un château en ruines au pays de Galles. »

Je regardai James aider ses filles à enfourcher leurs vélos, puis me détournai.

« Je suis contente pour toi, répondis-je d'un ton glacial.

– C'est organisé par un ami à moi, un dingue bourré de fric qui trouve que plus personne n'organise de fêtes convenables de nos jours.

– Il n'a pas tort.

– Il a engagé des serveuses professionnelles, des spécialistes de la tequila paraît-il, il y aura des feux d'artifice et un super groupe. Le cadre est extraordinaire. »

Et Sebastian voulait que je l'accompagne ? J'étais vaguement intéressée, mais je n'étais pas tombée de la dernière pluie.

« Y a forcément un hic ?

– Pas vraiment, mais j'espérais que tu pourrais m'aider à satisfaire un certain critère.

– Je t'écoute…

– Tu n'as pas mis le haut-parleur ou un truc du genre ? »

Je ris, nerveusement.

« Non.

– Eh bien… »

Il hésita.

Autant l'admettre, j'étais intriguée.

« Il faut venir avec une fille pour la nuit. »

Cora était occupée à cueillir un brin d'herbe.

« Un peu pervers sur les bords, ma foi ! soufflai-je.

– J'ai des tas de possibilités évidemment…

– Évidemment…, répétai-je, souriant malgré moi.

– Mais on a passé une nuit d'enfer, sans complications, ce qui réduit la liste… enfin, à toi… Qu'en penses-tu ? »

Je pivotai à 180 degrés pour jeter un coup d'œil en bas de la colline. James Kent regardait dans notre direction. Je reculai de quelques pas, sans le quitter des yeux. Qu'en pensais-je ? Vous voulez le savoir ? Je pense qu'il faut profiter de la vie et que, même si la perspective de revoir James Kent dans quinze jours était alléchante, je n'allais pas rester tout ce temps-là au point mort à fantasmer sur des scènes qui ne se produiraient peut-être jamais. J'avais trop fait ça dans ma vie. Pour l'heure, une nuit dans un château en ruines au pays de Galles me faisait l'effet d'une jolie aventure. Un peu osée, certes. Helen n'aurait pas approuvé. Aucun de mes amis n'aurait approuvé. Sauf Ben peut-être. Mais je n'étais plus sa maîtresse officieuse et la manière dont je menais ma vie ne le regardait plus. Je ne serais plus jamais aussi jeune que je l'étais aujourd'hui, j'étais en bonne santé, autant que je le sache, et merveilleusement libre. Trois faits qui méritaient d'être célébrés.

« Ça me paraît sympa, douteux sur le plan moral, mais sympa.

– Ça veut dire oui ? »

Je levai le bras pour faire un signe à James. Il agita le bras en retour. Avec un grand sourire cette fois-ci.

« Ça veut dire peut-être.

– Entendu. C'est dans trois semaines. Et Tessa, je préférerais que ce soit toi. »

Trois semaines. Il pouvait se passer des tas de choses en trois semaines. J'aurais peut-être envie d'une folle nuit au pays de Galles. Je jetai un coup d'œil aux balançoires. Enfin, peut-être pas…

« Sebastian, puis-je te rappeler ?

– Bien sûr. Dès que tu pourras. »

Je remis mon téléphone dans mon sac et me détournai en chantonnant. Il n'y avait pas de mal à couvrir mes arrières, si ? Tout est possible, après tout. C'est ça qui est beau dans la vie. Cora me rejoignit.

« Marraine Tess ?

– Oui, mon cœur ?

– Qu'est-ce que ça veut dire "pervers sur les bords" ? »

Ah… L'espace d'un instant, je paniquai. Je n'étais pas trop sûre de la réponse. Puis elle s'imposa à moi.

« Je ne sais pas, ma chérie, dis-je en lui prenant la main. On demandera à ta mère en rentrant à la maison. »

Remerciements

Si ce livre a un thème, ce sont les perpétuelles surprises que la vie nous réserve. J'ai écrit quatre romans policiers, et j'avais du mal à trouver un bon sujet pour le cinquième. Puis, à une fête entre nanas à la veille d'un mariage, j'ai rencontré une fille du nom de Catherine Gosling et là, tout a basculé. Elle m'a expliqué qu'elle avait une idée de livre à propos d'une femme célibataire, comme elle, dotée d'une pléthore de filleuls. Nous avons eu une conversation animée – au demeurant copieusement arrosée – à ce sujet, entre déshabillages, manipulations de jouets sexuels et moult verres. J'avais déjà connu ce genre de soirées (avec moins de déshabillages). Je rencontre beaucoup de gens qui ont des idées de romans, mais quand je me réveille dans la lumière froide du matin, je me rends compte que leur idée n'était pas si bonne que ça au fond. Il en fut tout autrement cette fois-là. Sa suggestion a continué à me trotter dans la tête et des personnages ont commencé à se profiler dans mon esprit. Alors, à Catherine Gosling, ma compagne de fête entre nanas, marraine tant chérie. Je te salue. « La célibataire » est née grâce à toi.

En deuxième lieu, je tiens à remercier Felicity Gillespie d'avoir convolé en justes noces. Pour la bonne raison que si elle n'avait pas fait cet acte de foi, je ne me serais pas retrouvée à poil ce jour-là, pour commencer. En outre, elle s'est révélée une fois de plus une fabuleuse éditrice. Je m'en veux d'avoir été aussi accaparée ces derniers temps.

Troisièmement, mais en fait j'aurais dû commencer par là, je dois beaucoup à Eugenie Furniss, de la William Morris Agency, pour avoir su tirer le meilleur parti de moi, pour m'avoir conseillée et présentée à un certain nombre de gens qui resteront anonymes. Je n'ai eu qu'une chose à dire : « Tu connais l'expression "Trois fois demoiselle d'honneur, jamais mariée". Eh bien, en l'espèce, trois fois marraine, jamais… » Ça y était. Elle a claqué des doigts, commandé un autre verre de vin blanc, et tout est parti de là. J'ai écrit le livre, mais c'était elle qui savait quel éditeur voudrait le publier. Alors, à Harrie Evans et à son équipe de chez Headline. Que puis-je vous dire à part merci, merci, merci. Je sais que l'édition n'est pas un jeu d'enfant, mais avec vous, on a l'impression que c'est facile et vous rendez les choses beaucoup plus marrantes. Et puis il y a Dorian Larchmar du bureau de New York qui a élevé ce livre à un tout autre niveau, merci à vous et à tout le monde chez HarperCollins USA.

Ça a été le livre à la fois le plus difficile et le plus facile à écrire. Difficile parce que des choses ont concouru pour m'empêcher de le faire, facile parce que c'était comme une longue conversation avec une de mes copines. Alors je lève mon verre à leur santé à toutes et à celle de mes sœurs. Merci à vous toutes ; vous vous reconnaîtrez, j'en suis sûre. À David Bolton et Electra May pour m'avoir aidée à tenir debout. À Anne Lewthwaite Haribin pour m'avoir évité de perdre la tête. À Carmen Gloria, Vivi, Taffy, Andrea, Mickey, Amelia et Katie pour m'avoir accordé des heures supplémentaires quand j'en avais le plus besoin.

Enfin tout mon amour et ma gratitude à Adam pour ses années de soutien. Je sais que tu penses que tous mes livres devraient t'être dédiés. J'espère que tu sais qu'au fond, c'est le cas. Je t'aime.

Table

Photocomposition Asiatype

Impression réalisée sur CAMERON par

La Flèche

pour le compte des Éditions Calmann-Lévy
31, rue de Fleurus, Paris 6e
en septembre 2007

N° d'éditeur : 14343/01
N° d'imprimeur : 43771
Dépôt légal : octobre 2007
Imprimé en France